Mot de l'Éditeur

Le *Thésaurus HRW* est un ouvrage unique en son genre. En effet, il s'agit d'un thésaurus scolaire qui présente de nombreuses banques de mots en relation avec les thèmes le plus souvent exploités en situation d'écriture par les élèves.

Le *Thésaurus HRW* n'est pas simplement un complément aux dictionnaires usuels. Il tire son originalité d'une réflexion qui mena ses concepteurs à combler les manques des dictionnaires traditionnels, en particulier quant à leur utilisation en situation d'écriture. Le *Thésaurus HRW* répond ainsi au souhait exprimé par de nombreux parents, enseignants et enseignantes, soit celui de profiter d'un outil d'écriture, un dictionnaire des idées et des mots, permettant aux élèves de préparer et d'enrichir leurs productions écrites. Car là où l'ensemble des dictionnaires usuels montrent leurs lacunes, c'est lorsque les élèves sont en situation d'écriture. On admet généralement que les enfants comprennent assez rapidement le sens des nouveaux mots par le contexte, en lecture comme en communication orale ; dans le doute, il leur est possible de vérifier dans un dictionnaire le sens d'un mot méconnu ou inconnu. Par contre, en situation d'écriture, même les mots qui leur sont bien connus leur échappent, et le vocabulaire utilisé est en deçà de leur connaissance générale de la langue et du lexique. C'est à ce moment-là que le thésaurus constitue un outil essentiel : que les élèves désirent, par exemple, décrire un personnage, un lieu, un événement ou le temps dans un récit, cet outil leur permettra de faire les associations nécessaires entre les idées et les mots, de stimuler et d'alimenter leur imagination.

Le *Thésaurus HRW* respecte les démarches d'écriture prescrites dans les nouveaux programmes d'études du français au primaire et au secondaire. Notre plus grand souhait est que ce nouveau dictionnaire accompagne constamment les élèves dans leurs activités d'écriture et qu'il devienne pour eux un fidèle compagnon dans la préparation, la révision et la correction de leurs textes littéraires et courants.

Le *Thésaurus HRW*

Le mot *thésaurus* vient du mot latin *thesaurus* qui signifie «trésor». C'est de ce sens propre qu'est inspiré le concept du *Thésaurus HRW*, qu'on peut librement associer à la richesse des mots, à leur aspect recherché et précieux pour exprimer et nuancer les idées.

Cet ouvrage est composé de banques de mots liées à des thèmes souvent exploités par les élèves en situation d'écriture. Le caractère «scolaire» de ce thésaurus tient aux thèmes proposés, à l'organisation des sous-thèmes ainsi qu'au type de présentation réservée aux mots qui y sont exploités. Nous avons constamment gardé à l'esprit que les élèves devaient facilement s'y repérer, l'objectif premier étant qu'ils ou elles puissent traduire leurs idées en mots et organiser librement leurs champs lexicaux sans se les voir imposés par l'organisation même du thésaurus.

Le *Thésaurus HRW* a un caractère non exhaustif ; les banques de mots qu'il comprend sont riches et diversifiées, mais n'abordent pas toutes les associations possibles d'idées et de mots. On comprendra que, dans la perspective d'un ouvrage destiné aux élèves du primaire et du secondaire, il eût été présomptueux d'en arriver à une nomenclature exhaustive de ces associations.

De plus, c'est délibérément que nous avons choisi de ne pas présenter des champs lexicaux à proprement parler, mais plutôt de suggérer dans les banques de mots des pistes et des associations d'idées pour aider l'élève à s'approprier les mots et à les organiser.

L'organisation des thèmes

L'organisation du *Thésaurus HRW* exploite deux types de thèmes relativement distincts. D'abord, nous présentons les thèmes essentiels dans la production d'un récit ou d'une description : les personnages (réels, imaginaires et fantastiques) ; la description d'un personnage sur les plans physique, psychologique ou autres (tête, corps, vêtements, apparence, attitudes et caractères, sentiments et émotions, etc.) ; les lieux (paysages et contrées, villes et quartiers, habitations) ; et le temps. Ensuite, nous présentons toute une série de thèmes importants et souvent exploités par les élèves, touchant parfois à des domaines disciplinaires, parfois à des domaines d'expérience de vie : le monde vivant (animaux et végétaux) ; la nature (le ciel, l'eau, les saisons, le temps, etc.) ; les événements, la communication, la consommation, les arts et la culture, la nourriture, la santé, les loisirs et les moyens de transport. Enfin, pour ne pas exclure des mots utiles qu'il était difficile d'insérer dans les thèmes existants, nous avons créé le *Coffre aux trésors*, qui comprend des mots supplémentaires présentés en ordre alphabétique (par exemple, énergie, forme, lunettes, ordinateur, etc.).

La présentation des thèmes

Chaque thème est accompagné d'un organisateur graphique présentant les sous-thèmes, s'il y a lieu. Dans un tel cas, cet organisateur est suivi d'un second organisateur graphique comprenant les sous-thèmes et leurs entrées lexicales, présentées sous forme de satellites. Suivent, en ordre alphabétique, les entrées lexicales comprises dans le thème ou le sous-thème et leurs banques de mots respectives.

L'organisation des entrées lexicales

Les entrées lexicales du *Thésaurus HRW* ne comprennent que des noms communs, puisque seul le nom peut désigner un être, une espèce, une idée ou une chose en général. Chaque nom commun possède sa banque de mots qui est composée de listes de noms, d'adjectifs, de verbes et, s'il y a lieu, d'expressions.

La liste de noms (n.) est composée essentiellement de synonymes et de noms appartenant au même champ lexical. Seule la forme masculine des noms a été retenue puisque c'est sous cette forme que les entrées lexicales des dictionnaires usuels sont présentées.

La liste des adjectifs (adj.) est composée d'adjectifs qualifiants, parfois d'adjectifs quantifiants, et de nombreux participes passés à valeur adjectivale qui peuvent accompagner les noms en les qualifiant. Tous les adjectifs et les participes passés sont accordés en genre et en nombre avec le nom de l'entrée lexicale.

La liste des verbes (v.) peut être composée de trois sous-listes, portant les mentions (SUJET) (COMPL.) (AUTRES VERBES). D'abord, une liste de verbes ayant l'entrée lexicale comme sujet : par exemple, « le nez aspire, bouge, coule, flaire, frémit ». Ensuite, une liste de verbes ayant l'entrée lexicale comme complément direct ou indirect, ou comme complément de phrase. Le verbe à l'infinitif est alors suivi systématiquement de l'entrée lexicale qui est complément afin de présenter aux élèves les bonnes prépositions à utiliser avec ces compléments : par exemple, « être d'humeur, parler avec humeur, reprendre une humeur ». En dernier lieu, il peut y avoir une liste de verbes à l'infinitif qui ne s'emploient pas nécessairement avec l'entrée lexicale, mais qui peuvent faire partie de son champ lexical.

La liste des expressions propose de nombreuses expressions figées ou figurées qui complètent et enrichissent l'exploitation de l'entrée lexicale.

Les index du *Thésaurus HRW*

Au début du thésaurus, on trouve deux types de listes qui permettent aux élèves d'accéder aux entrées lexicales : une table des matières des thèmes, de leurs sous-thèmes, s'il y a lieu, et des entrées lexicales qu'ils présentent ; un index de toutes les entrées lexicales du thésaurus.

⬙ Mot à l'enseignante et à l'enseignant

Depuis la publication de notre premier dictionnaire, *Le Petit Breton,* en 1989, nous avons pris en considération vos attentes quant à l'utilisation d'un dictionnaire scolaire en classe.

Vos commentaires et suggestions nous ont amenés à élaborer une approche thématique du vocabulaire, approche incarnée dans le *Thésaurus HRW.* Accueilli avec enthousiasme tant par les enseignants et enseignantes que par les élèves qui l'ont consulté et expérimenté, le *Thésaurus HRW* répondra parfaitement à vos besoins lorsqu'il s'agira d'aborder et de préparer les situations d'écriture.

Grâce au *Thésaurus HRW,* vos élèves seront en mesure de stimuler leur imagination, d'explorer le vocabulaire et de choisir des termes et des expressions pour organiser leurs idées et étoffer leurs productions écrites. Ce faisant, leur connaissance du lexique s'enrichira. Le thésaurus les amènera également à développer des stratégies rédactionnelles appropriées et efficaces. Nous nous permettons de souligner que le *Thésaurus HRW* est conforme aux orientations et aux démarches prescrites dans les programmes d'études du français ; ainsi, les élèves pourront ajouter un outil valable et efficace à leur matériel de préparation aux situations d'écriture.

⬙ Mot à l'élève

Tu peux te fier au *Thésaurus HRW* pour chercher et trouver un mot lorsque tu prépares tes productions écrites. N'hésite pas à explorer le thésaurus : il te permettra d'organiser ta pensée et de trouver les mots importants pour écrire ton texte ; il te donnera aussi des idées pour raconter une histoire, inventer un récit ou encore décrire une personne, un animal, un objet, un lieu ou un événement.

Il n'est pas toujours facile de trouver les bons mots pour exprimer et écrire une idée ; le thésaurus est justement là pour t'aider à les découvrir. D'ailleurs, les schémas des thèmes du thésaurus te donneront un bon aperçu des possibilités qui s'offrent à toi. De plus, les listes de thèmes et de mots au début du thésaurus te seront d'une grande utilité.

Fais de ce thésaurus un compagnon de tous les instants lorsque tu écris. Chercher, trouver, utiliser et comprendre les mots qui te servent tous les jours est important pour tes apprentissages, et savoir utiliser un ouvrage de référence fait partie des compétences que tu dois acquérir dans ta formation scolaire. Avec ce thésaurus, l'univers des mots t'appartient.

Comment utiliser ton *Thésaurus HRW* en situation d'écriture

1. Lorsque tu prépares la rédaction de ton texte

Après avoir choisi le sujet et ciblé le destinataire de ton texte :

- tu explores le thésaurus pour trouver des idées liées à ton sujet ou à ton thème.

2. Lorsque tu rédiges ton texte

- Tu composes des phrases ;
- tu écris ton brouillon sans te référer au thésaurus ;
- tu relis et modifies ton texte en tenant compte de ta préparation.

3. Lorsque tu révises ton texte

- Tu consultes le thésaurus pour enrichir ton texte,
- tu utilises des opérations pour ordonner correctement les mots dans chaque phrase ou transformer des types de phrases :

l'**addition** : tu ajoutes des mots pour être plus précis,
> *Exemple :* Catherine participe à la compétition.
> Demain, Catherine participera à la compétition *sportive*.

l'**effacement** : tu effaces des mots pour éviter les répétitions inutiles,
> *Exemple :* Chez moi, *à la maison*, j'utilise mon ordinateur tous les soirs.
> Chez moi, j'utilise mon ordinateur tous les soirs.

le **remplacement** : tu remplaces des mots pour enrichir le vocabulaire de ton texte,
> *Exemple :* Marianne *mange un bonbon.*
> Marianne *croque une friandise.*

le **déplacement** : tu déplaces des mots dans une phrase pour insister sur un fait important.
> *Exemple :* Laurent est arrivé chez moi *à 3 heures.*
> *À 3 heures,* Laurent est arrivé chez moi.

Présentation du thésaurus

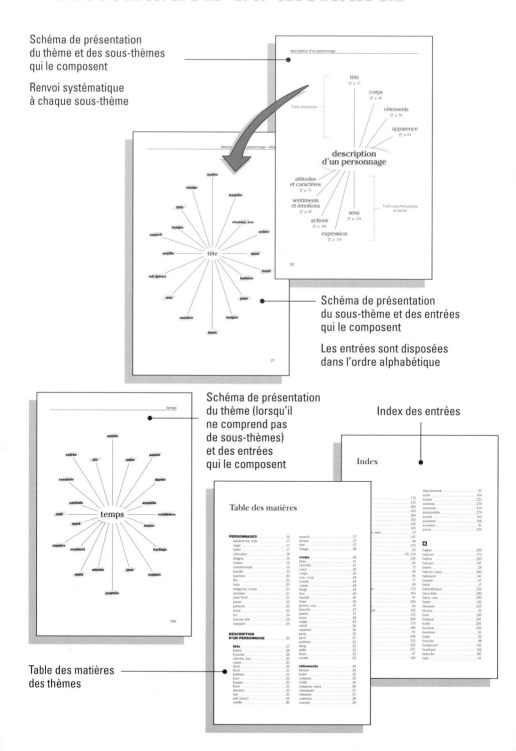

Schéma de présentation
du thème et des sous-thèmes
qui le composent

Renvoi systématique
à chaque sous-thème

Schéma de présentation
du sous-thème et des entrées
qui le composent

Les entrées sont disposées
dans l'ordre alphabétique

Schéma de présentation
du thème (lorsqu'il
ne comprend pas
de sous-thèmes)
et des entrées
qui le composent

Index des entrées

Table des matières
des thèmes

cheveu, eux

n. accroche-cœur, bandeau, barrette, boucle, bouclette, brillantine, brosse, bulbe, calvitie, chauve, chevelure, chignon, chute, coiffeur, coiffeuse, coiffure, couleur, coupe, crâne, crinière, cuir, décoloration, épi, épingle, favori, frange, frisette, front, gel, guiches, lavage, laque, longueur, lotion, mèche, mousse, mouvement, naissance, natte, nœud, ondulation, peau, peigne, pellicule, permanente, perruque, perte, pigment, pince, plantation, pli, pommade, postiche, pou, queue, racine, raie, reflet, rouleau, ruban, séchoir, séparation, serre-tête, shampooing.

adj. abondant, acajou, argenté, arrangé, attaché, auburn, beau, blanc, blanchi, blond, blondasse, bouclé, brillant, brossé, broussailleux, brun, cassant, châtain, chenu, clair, clairsemé, coiffé, court, crêpé, crêpelé, crépu, d'ébène, décoiffé, décoloré, défait, de jais, démêlé, dénoué, dépeigné, doux, dru, ébouriffé, emmêlé, épais, faux, fin, flamboyant, flottant, foncé, fou, fourchu, frisé, frisottant, frisotté, gras, gris, grisonnant, gros, hérissé, hirsute, laineux, lavé, lisse, long, luisant, lustré, magnifique, maigre, mouillé, natté, noir, noué, ondulé, parfumé, peigné, plaqué, plat, platine, platiné, poisseux, raide, rare, ras, rebelle, relevé, retroussé, roux.

v. SUJET : les cheveux blanchissent, blondissent, bouclent, brillent, croissent, encadrent, foncent, frisent, frisottent, grisonnent, luisent, ondulent, poussent, se décolorent, se dressent, se hérissent, s'emmêlent, s'étalent, tombent ;

COMPL. : arranger les cheveux, attacher les cheveux, blanchir les cheveux, blondir les cheveux, boucler les cheveux, (se) brosser les cheveux, (se) coiffer les cheveux, (se) couper les cheveux, (se) crêper les cheveux, (se) décoiffer les cheveux, (se) décolorer les cheveux, (se) défaire les cheveux, (se) démêler les cheveux, (se) dénouer les cheveux, (se) dépeigner les cheveux, (se) dérouler les cheveux, dresser les cheveux, (s') ébouriffer les cheveux, effiler les cheveux, emmêler les cheveux, (se) friser les cheveux, hérisser les cheveux, (se) laver les cheveux,(se) lisser les cheveux, (se) lustrer les cheveux, natter les cheveux, onduler les cheveux, (se) peigner les cheveux, perdre ses cheveux, (se) plaquer les cheveux, relever les cheveux, retrousser les cheveux, (se) sécher les cheveux, (se) tailler les cheveux, (se) teindre les cheveux.

expressions ....

- *Arriver, tomber comme un cheveu sur la soupe :* déranger.
- *Avoir mal aux cheveux :* avoir mal à la tête, généralement après avoir trop bu.
- *Avoir un cheveu sur la langue :* zézayer.

THÉSAURUS

Table des matières

Index

H

I

J

L

M

Q

R

S

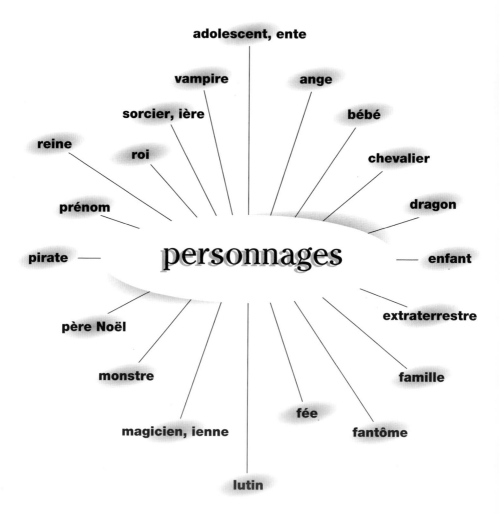

adolescent, ente

n. amitié, avenir, baladeur, blanc-bec, collégien, collégienne, élève, étudiant, étudiante, flirt, freluquet, génération, jeune, jeunesse, jeunet, jeunot, jouvenceau, junior, mode, musique, novice, puberté.

adj. affamé, agressif, angoissé, boutonneux, capricieux, chaleureux, charmant, chétif, contestataire, curieux, débrouillard, déprimé, désabusé, déterminé, discipliné, éduqué, enthousiaste, équilibré, évolué, exalté, fanfaron, fantasque, fier, fougueux, généreux, gentil, heureux, idéaliste, imberbe, impétueux, impulsif, indécis, ingénu, ingrat, maigre, malheureux, maussade, méchant, naïf, nubile, obèse, orgueilleux, plaisant, poli, préoccupé, pubère, pudique, rebelle, reconnaissant, renfermé, rêveur, révolté, romantique, séducteur, sensible, sentimental, sportif, squelettique, studieux, surmené, taciturne, talentueux, téméraire, torturé, violent.

v. SUJET : l'adolescent (s') amuse, apprend, cherche, choisit, se désintéresse, (se) développe, étudie, évolue, expérimente, flirte, se forme, fugue, grandit, (s') intéresse, (s') interroge, mûrit, s'oriente, (se) passionne, pratique, se préoccupe, (se) questionne, se révolte, séduit, sort, (se) torture, (se) transforme ; COMPL. : écouter un adolescent, discuter avec un adolescent, féliciter un adolescent.

expression..
- *Un éternel adolescent :* un adulte qui conserve un comportement d'adolescent.

ange

n. aile, âme, archange, auréole, bienheureux, chérubin, chœur, ciel, créature, esprit, guide, messager, messagère, paradis, séraphin, vertu.

adj. annonciateur, bel, bienfaiteur, bon, céleste, déchu, divin, exterminateur, fidèle, gardien, heureux, immatériel, irréel, mauvais, protecteur, pur, ravi, spirituel, surnaturel.

v. SUJET : l'ange accompagne, guide, inspire, protège, veille ; COMPL. : croire aux anges, rêver aux anges.

expressions..
- *Beau, doux comme un ange :* être parfaitement beau, doux.
- *Être aux anges :* être ravi, content.
- *Le saut de l'ange :* un saut acrobatique périlleux.
- *Mon ange :* terme affectueux.
- *Un ange gardien :* une personne qui protège quelqu'un.
- *Un ange passe :* un silence, une pause dans une conversation.
- *Un bon, mauvais ange :* une personne qui influence positivement, négativement.
- *Une patience d'ange :* une patience inépuisable.

bébé

n. accouchement, allaitement, babillage, balbutiement, bambin, bambine, bavoir, berceau, berceuse, biberon, blondinet, blondinette, bonnet, bout de chou, caresse, chérubin, comptine, couche, enfant, gazouillis, gouvernante, héritier, héritière, hochet, lait, landau, lange, layette, minois, naissance, nourrice, nourrisson, nouveau-né, pédiatre, pédiatrie, poupon, pouponnière, poussette, puériculture, purée, rejeton, sucette, tétée, tout-petit.

adj. adorable, affamé, affectueux, angélique, câlin, calme, charmant, colérique, dodu, gâté, gentil, impatient, joufflu, mignon, orphelin, patient, petit, pleurnicheur, potelé, prématuré, souriant, tendre.

v. SUJET : le bébé s'agite, babille, balbutie, bave, bouge, crache, s'endort, gazouille, pleure, rampe, régurgite, souille, tète ; COMPL. : adopter un bébé, adorer un bébé, allaiter un bébé, baigner un bébé, bercer un bébé, caresser un bébé, chérir un bébé, emmailloter un bébé, langer un bébé, laver un bébé, nourrir un bébé, porter un bébé, promener un bébé ; AUTRE VERBE : pouponner.

expressions..
- *Faire le bébé :* se comporter comme un enfant.
- *Mon bébé :* terme marquant l'affection.
- *Un bébé-éprouvette :* un bébé dont l'ovule a été fécondé en dehors du corps de la femme.

chevalier

n. accolade, archer, arme, armoiries, armure, aventure, bannière, blason, bouclier, bravoure, casque, cavalcade, château, chevauchée, combat, confrérie, couronne, cuirasse, décoration, devise, distinction, écu, écusson, écuyer, empire, épée, épreuve, étendard, exploit, fief, galanterie, générosité, gentilhomme, guerre, guerrier, héros, honneur, justicier, loyauté, majesté, médaille, monture, noblesse, ordre, page, privilège, prouesse, puissance, reine, roi, sabre, sacre, seigneur, vaillance, valet.

adj. aventurier, brave, courageux, courtois, féodal, fier, galant, généreux, hardi, héroïque, impitoyable, intrépide, invincible, justicier, loyal, médiéval, militaire, noble, preux, puissant, vaillant, valeureux.

v. SUJET : le chevalier affronte, anéantit, s'arme, s'aventure, brave, chevauche, commande, défend, défie, écrase, ennoblit, guerroie, protège, triomphe, vainc ; COMPL. : décorer un chevalier, honorer un chevalier.

expressions..
- *Être armé chevalier :* donner à un candidat les armes de chevalier.
- *Être sacré chevalier :* conférer ce titre à un candidat au cours d'une cérémonie spéciale.
- *Se faire le chevalier d'une personne :* s'engager à la défendre et à la protéger.
- *Un chevalier d'industrie :* un individu vivant d'escroqueries.

- *Un chevalier errant :* chevalier qui parcourt le monde pour chercher l'aventure et combattre l'injustice.
- *Un chevalier sans peur et sans reproche :* chevalier qui démontre une grande bravoure et qui n'a peur de rien.
- *Un chevalier servant :* un prétendant assidu.

dragon

n. animal, démon, drakkar, feu, gueule, griffe, légende, poupe, queue, reptile, sentinelle, serpent, vigie.

adj. affreux, ailé, chinois, cruel, dangereux, déchaîné, effrayant, fabuleux, fantaisiste, farouche, furieux, hideux, horrible, imaginaire, impétueux, laid, maléfique, méchant, merveilleux, monstrueux, mystérieux, peint, redoutable, repoussant, sculpté, terrifiant, vigilant, volant.

v. SUJET : le dragon crache, domine, effraie, fuit, griffe, se réveille, terrifie, tue ; COMPL. : affronter un dragon, échapper au dragon, repousser un dragon, surveiller un dragon, terrasser un dragon, trembler devant un dragon.

expressions..
- *C'est un vrai dragon :* c'est un diable.
- *Endormir le dragon :* échapper à la surveillance sévère de quelqu'un.
- *Un dragon de vertu :* une femme de grande vertu.

enfant

n. aîné, ange, apprentissage, bambin, bambine, benjamin, benjamine, cadet, cadette, chérubin, croissance, dernier-né, diablotin, discipline, galopin, galopine, gamin, gamine, garderie, garnement, gosse, héritier, héritière, jouet, marmot, meuble, mioche, môme, mousse, parc, postérité.

adj. abandonné, actif, adoptif, adorable, boudeur, bruyant, câlin, candide, capricieux, charmant, chétif, coquin, créatif, curieux, débrouillard, désobéissant, difficile, dissipé, doux, éduqué, espiègle, éveillé, facile, fort, gentil, grossier, heureux, imaginatif, impatient, inadapté, indiscipliné, ingrat, innocent, insupportable, intelligent, maladif, malheureux, mignon, naïf, nerveux, obéissant, pleurnicheur, renfermé, rêveur, sage, sain, spontané, taquin, turbulent, unique.

v. SUJET: l'enfant (s') amuse, apprend, babille, se blottit, bricole, court, crayonne, crée, crie, découvre, dessine, (se) développe, écoute, grandit, grimpe, imite, joue, pleure, pleurniche, questionne, rit, saute; COMPL.: cajoler un enfant, chérir un enfant, choyer un enfant, éduquer un enfant, féliciter un enfant, maltraiter un enfant, punir un enfant, réprimander un enfant.

expressions..................................
- *Attendre un enfant:* être enceinte.
- *Ce n'est pas un enfant de chœur:* il n'est pas naïf; il est expérimenté.
- *Un enfant de la balle:* enfant élevé dans le milieu de la scène ou du cirque.
- *Un enfant gâté:* enfant dont tous les désirs sont comblés.
- *Être bon enfant:* être aimable et gentil.
- *Être pris pour un enfant:* ne pas être considéré sérieusement.
- *Faire l'enfant:* se comporter comme un enfant; être léger et frivole.
- *Garder un côté enfant:* conserver des traits propres à l'enfance.
- *Un enfant prodige:* enfant très talentueux.
- *Un enfant terrible:* enfant indiscipliné et indépendant.
- *Un jeu d'enfant:* c'est très simple.

extraterrestre

n. androïde, antenne, astéroïde, astre, astronaute, astronautique, astronef, astronomie, base, contact, cosmos, créature, engin, envahisseur, espace, étranger, étrangère, expédition, faisceau, fiction, fusée, fuselage, galaxie, habitant, habitante, halo, humanoïde, instrument, laser, lune, magnétisme, martien, martienne, monde, navette, ovni, planète, robot, science-fiction, signal, soucoupe volante, télescope, terre, terrien, terrienne, trajectoire, transmetteur, univers, vaisseau, véhicule, voyage.

adj. artificiel, astral, envahisseur, étrange, fictif, futuriste, galactique, intergalactique, interplanétaire, lumineux, lunaire, magnétique, métallique, mystérieux, sidéral, spatial, surnaturel.

v. SUJET: l'extraterrestre (s') approche, atterrit, contacte, débarque, descend, envahit, existe, pilote, pointe, survole; COMPL.: croire aux extraterrestres, rencontrer un extraterrestre, surprendre les extraterrestres.

expression..................................
- *Avoir l'air d'un extraterrestre:* avoir une allure ou un accoutrement étrange, bizarre.

famille

n. aïeul, aïeule, bru, clan, cousin, cousine, couvée, descendance, dynastie, enfant, fête, fille, filleul, foyer, frère, garçon, gendre, généalogie, génération, grand-mère, grand-père, grands-parents, hérédité, héritage, histoire, lien, lignée, maisonnée, maman, ménage, membre, mère, neveu, nichée, nièce, oncle, papa, parent, parenté, patrimoine, père, postérité, progéniture, racine, repas, réunion, saga, sang, sœur, souche, succession, tante, toit.

adj. adoptive, aisée, ancestrale, bourgeoise, brisée, dévastée, élargie, heureuse, illustre, noble, nombreuse, pauvre, prédestinée, princière, puissante, recomposée, renommée, réputée, respectable, richissime, royale, ruinée, terrienne, unie.

v. SUJET: la famille accueille, célèbre, se disperse, fête, (se) rassemble; COMPL.: abandonner sa famille, appartenir à une famille, fonder une famille, nourrir une famille, quitter sa famille, recevoir sa famille, revoir sa famille, séparer sa famille, se séparer de sa famille, visiter la famille; AUTRE VERBE: se ressembler.

expressions

- *Avoir l'esprit de famille :* aimer sa famille, en être solidaire.
- *Être soutien de famille :* être la personne qui subvient aux besoins des siens.
- *Laver son linge sale en famille :* régler ses différends en privé.

fantôme

n. angoisse, apparence, apparition, cauchemar, chaîne, chimère, crainte, créature, déguisement, drap, effroi, épouvantail, épouvante, esprit, frayeur, hallucination, hantise, horreur, hurlement, illusion, lévitation, loup-garou, lueur, médium, mirage, mort, morte, nécromancie, noirceur, nuit, obscurité, ombre, passé, peur, plainte, revenant, simulacre, spectre, superstition, vision, zombie.

adj. effroyable, envahissant, imaginaire, impalpable, insaisissable, invisible, irréel, mystérieux, surnaturel, transparent.

v. SUJET : le fantôme (s') agite, apparaît, disparaît, effraie, épouvante, erre, (s') esquive, s'évanouit, hante, terrorise, veille ; COMPL. : apercevoir un fantôme, chasser un fantôme, communiquer avec un fantôme, se déguiser en fantôme.

expressions

- *Avoir l'air d'un fantôme :* se dit d'une personne très maigre, squelettique.
- *Les fantômes de notre passé :* nos souvenirs.
- *Les fantômes de son imagination :* ses illusions et ses fantasmes.
- *Prendre des fantômes pour la réalité :* avoir des craintes et des peurs non fondées.
- *Se battre contre des fantômes :* se battre contre des chimères et des mirages.
- *Un gouvernement fantôme :* un gouvernement sans autorité et sans influence.
- *Une ville ou un village fantôme :* une ville ou un village déserté par ses habitants.

fée

n. baguette, carrosse, chariot, château, citrouille, clochette, conte, don, envoûtement, étoile, formule, génie, légende, palais, pouvoir, prince, princesse, reine, roi, royaume.

adj. bienfaisante, bonne, brillante, charmante, enchantée, gracieuse, imaginaire, laide, magique, maléfique, méchante, merveilleuse, minuscule, scintillante.

v. SUJET : la fée apparaît, charme, conjure, ensorcelle, envoûte, métamorphose, transforme.

expressions

- *Avoir des doigts de fée :* avoir beaucoup d'adresse et d'habileté.
- *Belle comme une fée :* personne qui possède grâce et beauté.
- *La fée du logis :* personne qui s'occupe avec soin de l'entretien de la maison.
- *La fée électricité :* l'électricité et tous ses pouvoirs.
- *Les fées se sont penchées sur son berceau :* se dit d'une personne qui bénéficie d'une chance et d'un talent exceptionnels.
- *Un conte de fées :* un événement au déroulement inattendu et heureux.

lutin

n. apparition, chapeau, diable, esprit, farfadet, génie, gnome, troll.

adj. espiègle, éveillé, familier, follet, malicieux, mutin, nocturne, taquin, vif.

v. SUJET : le lutin fourmille, habite, se manifeste, peuple ; COMPL. : apercevoir un lutin, croire aux lutins, se déguiser en lutin, incarner un lutin, taquiner un lutin.

expressions

- *Courir comme un lutin :* courir vivement.
- *Faire le lutin :* agacer et taquiner.
- *Un visage de lutin :* un visage coquin.

magicien, ienne

n. acteur, actrice, adresse, amulette, apparition, astrologue, astuce, baguette, cape, chapeau, confetti, devin, disparition, ébahissement, effet, enchantement, enchanteur, enchanteresse, ensorceleur, ensorceleuse, ensorcellement, envoûtement, fée, formule, habileté, hypnotiseur, hypnotiseuse, hypnotisme, illusion, illusionniste, incantation, ingéniosité, lapin, lévitation, mage, magie, passe-passe, poudre de perlimpinpin, pouvoir, prestidigitateur, prestidigitation, prestidigitature, prodige, séduction, sorcellerie, sorcier, sorcière, sort, sortilège, spectacle, surprise, talent, tour, truc, truquage, turban.

adj. abracadabrant, agile, astucieux, captivant, éblouissant, enchanteur, ensorceleur, habile, gauche, incroyable, ingénieux, malhabile, preste, rapide, surprenant.

v. SUJET: le magicien captive, charme, ébahit, enchante, ensorcelle, envoûte, étonne, hypnotise, jette, manipule, prédit, surprend; COMPL.: applaudir un magicien; AUTRE VERBE: volatiliser.

monstre

n. animal, bizarre, créature, effroi, frayeur, géant, horreur, imagination, légende, ogre, peur, phénomène, terreur.

adj. abominable, affreux, bicéphale, bizarre, dégoûtant, démesuré, diabolique, difforme, effroyable, éléphantesque, énorme, épouvantable, étrange, extraordinaire, fabuleux, fantastique, féroce, furieux, gigantesque, hideux, horrible, imaginaire, incroyable, insolite, laid, menaçant, mystérieux, odieux, primitif, redoutable, repoussant, singulier, terrifiant, troublant, vilain.

v. SUJET: le monstre apeure, bouleverse, effraie, horrifie, menace, terrorise; COMPL.: affronter un monstre, craindre un monstre, vaincre un monstre.

expressions...

• *C'est un monstre:* c'est un individu d'une laideur repoussante.

• *Passer pour un monstre:* se dit d'un individu qui passe pour être d'une grande cruauté.

• *Un monstre d'égoïsme:* une personne qui est extrêmement égoïste.

• *Un monstre marin:* un cétacé énorme.

• *Un monstre sacré:* un comédien ou un personnage de grande réputation.

• *Un petit monstre:* un enfant espiègle.

• *Une chance monstre:* une chance extraordinaire.

père Noël

n. atelier, attelage, attente, barbe, bas, bonhomie, bonhomme, botte, cadeau, chariot, cheminée, ciel, clochette, confidence, cortège, costume, décoration, déguisement, distribution, emballage, étrenne, fée, gâterie, générosité, grelot, hotte, imagination, joie, jouet, joujou, lettre, lumière, lutin, neige, nuit, parade, personnage, pôle nord, poupée, présent, promenade, récompense, renne, réveillon, royaume, sac, sapin, surprise, trace, traîneau, tuque, uniforme, visite.

adj. attentif, attentionné, barbu, chaleureux, content, corpulent, discret, disponible, emmitouflé, épuisé, éreinté, exténué, fatigué, fourbu, généreux, gros, heureux, imaginaire, joufflu, jovial, joyeux, magique, merveilleux, occupé, patient, rieur, souriant.

v. SUJET: le père Noël descend, dort, emballe, enrubanne, récompense, (se) réveille, rit, sommeille; COMPL.: accueillir le père Noël, admirer le père Noël, apercevoir le père Noël, attendre le père Noël, (se) confier au père Noël, (se) costumer en père Noël, croire au père Noël, (se) déguiser en père Noël, demander au père Noël, dessiner le père Noël, écrire au père Noël, espérer le père Noël, parler au père Noël, rêver au père Noël, se souvenir du père Noël, supplier le père Noël, surveiller le père Noël, voir le père Noël.

expressions..

- *Croire au père Noël:* se faire des illusions.
- *Être un père Noël:* être très généreux, parfois au-delà de ses moyens.

pirate

n. arme, attaque, attentat, aventurier, aventurière, bandit, bateau, boucanier, brigand, cargaison, coffre, crochet, croisière, épave, épée, équipage, escroc, expédition, filou, flibustier, munition, naufrage, pavillon, perte, pillard, pillarde, pilleur, pilleuse, requin, ruine, sabre, squelette, tête de mort, trésor, voleur, voleuse.

adj. barbare, borgne, cruel, cupide, dangereux, menaçant, nuisible, survivant, unijambiste, vilain.

v. SUJET: le pirate aborde, (s') accapare, ancre, attaque, braque, coule, dépouille, détourne, détrousse, détruit, écume, s'empare, s'enrichit, erre, escroque, fraude, hisse, infeste, massacre, pille, saborde, sabote, saccage, vogue; **COMPL.:** combattre un pirate, fuir un pirate, redouter un pirate.

expressions..

- *Un bateau pirate:* un navire gouverné par des pirates.
- *Un disque, un logiciel pirate:* un disque, un logiciel enregistré et distribué sans que soient payés les droits d'auteur.
- *Un pirate de l'air:* personne qui détourne un avion par la menace.
- *Une radio pirate:* une station émettant dans l'illégalité.

prénom

n. Abel, Abraham, Achille, Adam, Adèle, Adolphe, Adrien, Adrienne, Agathe, Aglaé, Agnès, Aimé, Aimée, Akim, Alain, Albert, Albertine, Alcide, Alex, Alexandra, Alexandre, Alexandrine, Alexis, Alfred, Ali, Alice, Aline, Alix, Alphonse, Amable, Amanda, Amédée, Amélie, ami, Anaïs, Anastasie, Anatole, André, Andréa, Andrée, Angèle, Angélina, Angéline, Anna, Anne, Annette, Annick, Annie, Anthony, Antoine, Antoinette, Anton, Antonin, Antonio, Aristide, Armand, Armande, Arnaud, Arnold, Arsène, Artémise, Arthur, Astrid, Aubin, Audrey, Aurélie, Aurélien, Baptiste, Barnabé, Barthélemy, Basile, Bastien, Béatrice, Bénédict, Bénédicte, Benjamin, Benoît, Bernard, Berthe, Bertrand, Blaise, Blanche, Blandine, Brice, Brigitte, Bruno, Camille, Carl, Carla, Caroline, Casimir, Catherine, Cécile, Céleste, Céline, Césaire, César, Charles, Charlotte, Clothilde, Christian, Christiane, Christine, Christophe, Claire, Clara, Clarence, Claude, Claudia, Claudine, Clémence, Clément, Clémentine, Clotaire, Clovis, Colas, Colette, Colin, Conrad, Constance, Constantin, Cora, Coralie, Cornélius, Cyprien, Damien, Daniel, Danièle, Dave, Daphné, David, Delphine, Denis, Denise, dénomination, Désiré, Diana, Diane, Didier, Diego, Dieudonné, Dominique, Donat, Donatien, Doris, Dorothée, Edgar, Édith, Edmond, Édouard, Éléonore, Élie, Elliot, Élisa, Élisabeth, Élise, Élodie, Éloi, Éloïse, Elvire, Émile, Émilie, Émilien, Émilienne, Emma, Emmanuel, Emmanuelle, Ernest, Ernestine, Estelle, Esther, Étienne, Eugène, Eugènie, Eulalie, Éva, Ève, Éveline, Fabien, Fabienne, Fabrice, familiarité, Fanchon, Fanny, Félicien, Félicité, Félix, Ferdinand, Fernand, Fernande, Firmin, Flavien, Flore, Florence, Florent, Florian, France, Francine, Francis, François, Françoise, Frantz, Frédéric, Frédérique, Gabriel, Gabrielle, Gaëtan, Gaspard, Gaston, Geneviève, Georges, Gérald, Géraldine, Gérard, Gérardine, Germain, Germaine, Gertrude, Ghislaine, Gilbert, Gilberte, Gilles, Gisèle, Godefroy, Gontran, Gonzague, Grégoire, Guillaume, Gustave, Guy, Harold, Harry, Hector, Hélène, Henri, Henriette, Herbert, Honoré, Horace, Hortense, Hubert, Huguette, Hyacinthe, Ida, Ignace, Inès, Iphigénie, Irène, Irénée, Irma, Isaac, Isabelle, Isidore, Jacinthe, Jack, Jacob, Jacqueline, Jacques, Jade, James, Jane,

Jean, Jeanne, Jeannette, Jenny, Jérémie, Jérôme, Jessica, Joachim, Jocelyne, Joël, Joëlle, Johanne, John, Jonas, Jonathan, Jordan, José, Josée, Joseph, Joséphine, Josette, Juan, Judes, Judith, Jules, Julia, Julie, Julien, Juliette, Justin, Justine, Kévin, Lambert, Laura, Laure, Laurence, Laurent, Léa, Léandre, Léo, Léon, Léonard, Léonie, Léonora, Léontine, Léopold, Léopoldine, Linda, Lionel, Lise, Lisette, Lothaire, Louis, Louisa, Louise, Louisette, Louison, Luc, Luce, Lucie, Lucien, Lucienne, Lucille, Ludger, Ludovic, Lydie, Madeleine, Manon, Manuel, Marc, Marcel, Marcelin, Marceline, Marcelle, Margot, Marguerite, Maria, Marianne, Marie, Marielle, Mariette, Marina, Marion, Marius, Marjorie, Marthe, Martial, Martin, Martine, Mathieu, Mathilde, Maude, Maureen, Maurice, Max, Maxence, Maxime, Maximilien, Maximilienne, Mélanie, Mélodie, Michael, Michel, Michèle, Micheline, Michelle, Miranda, Mireille, Mohammed, Monique, Nadège, Nancy, Nanette, Napoléon, Narcisse, Natacha, Nathalie, Nathaniel, Nelly, Nestor, Nicolas, Nicole, Nina, Ninon, Noël, Noëlle, Noémie, Odette, Odile, Olga, Olivia, Olivier, Omer, Oscar, Oswald, Ovide, Pablo, Pacôme, Paméla, Pascal, Pascale, Pascaline, Patrice, Patricia, Patrick, Paul, Paula, Paule, Paulette, Pauline, Pedro, Philémon, Philibert, Philippe, Philomène, Pierre, Pierrette, Placide, Prudence, Quentin, Rachel, Ralph, Ramon, Raoul, Raphaël, Raphaëlle, Raymond, Raymonde, Rébécca, Régina, Régis, Reine, Renaud, René, Renée, Richard, Robert, Roberte, Rodolphe, Rodrigue, Roger, Roland, Romain, Romaine, Romuald, Rosa, Rosalie, Rose, Rosemonde, Rosine, Rupert, Ruth, Sabine, Sacha, Salomon, Samuel, Samuelle, Sara, Saül, Sébastien, Serge, Séverine, Sidonie, Siméon, Simon, Simone, Solange, Sophie, Stanislas, Stéphane, Stéphanie, Steve, Suzanna, Suzanne, Suzette, Suzon, Sylvain, Sylvestre, Sylvette, Sylvia, Sylvie, Sylvio, Théodore, Théophile, Thérèse, Thierry, Thomas, Timothée, Tom, Tony, Tristan, Ulric, Ursule, Valentin, Valentine, Valérie, Valérien, Vanessa, Véronique, Victoire, Victor, Victoria, Vincent, Virgile, Virginie, Viviane, Vladimir, Wilfrid, William, Xavier, Xavière, Yolande, Yves, Yvette, Yvon, Yvonne, Zaccharie, Zéphirin, Zoé.

adj. abracadabrant, abrégé, affectueux, amusant, ancien, aristocratique, classique, composé, connu, conventionnel, courant, démodé, digne, distingué, emprunté, étranger, évocateur, exotique, facile, familier, favori, féminin, imprononçable, inhabituel, inusité, masculin, nouveau, ordinaire, original, populaire, prédestiné, préféré, prononçable, rare, recherché, usuel.

v. SUJET: un prénom évoque, prédestine, rappelle; **COMPL.:** adopter un prénom, affubler d'un prénom, changer de prénom, choisir un prénom, donner un prénom, emprunter un prénom, porter un prénom, préférer un prénom, trouver un prénom; **AUTRES VERBES:** appeler, baptiser, dénommer, nommer, prénommer, rebaptiser, surnommer.

reine

n. abdication, accession, apparat, armée, armoiries, baron, baronne, bastion, château, chevalier, citadelle, comte, comtesse, conquête, contrée, cour, couronne, courtisan, dame, déesse, domestique, donjon, duc, duchesse, dynastie, empereur, empire, État, fidèle, fort, forteresse, fossé, fou, garde, gloire, gouvernement, héritier, héritière, hiérarchie, impératrice, maître, maîtresse, majesté, manoir, marquis, marquise, monarchie, monarque, muraille, noble, page, paix, palace, palais, paradis, peuple, popularité, pouvoir, prince, princesse, principauté, protocole, province, régence, régent, région, règne, reine, rempart, république, résidence, retrait, rigole, roi, royaume, sacre, spectre, sécurité, seigneur, serviteur, sieur, souverain, souveraine, sujet, terre, titre, tour, tourelle, tranchée, trône, tsar, tsarine, valet.

adj. autoritaire, belle, cruelle, débonnaire, déchue, despotique, guerrière, injuste, magnanime, magnifique, populaire, puissante, séduisante, somptueuse, tyrannique.

v. SUJET : la reine adbique, administre, commande, dirige, domine, exerce, gouverne, régente, règne, tyrannise ; **COMPL. :** couronner la reine, désavouer la reine, détrôner la reine, sacrer la reine.

expressions.................................

- *Bouchée à la reine :* petit vol-au-vent.
- *De reine :* très riche, magnifique.
- *Être comme une reine :* être très jolie.
- *Ressembler à une reine :* être très jolie.
- *La reine de :* celle qui règne sur, qui l'emporte sur les autres par une exceptionnelle qualité.
- *La reine des batailles :* l'infanterie.
- *La reine des fleurs :* la rose.
- *La reine des nuits :* la lune.
- *La Reine du ciel et des anges :* la Sainte Vierge dans la religion catholique.
- *La reine du vrai :* l'imagination.
- *La reine :* aux échecs, la plus forte des pièces.
- *Les reines des étangs :* les grenouilles.
- *Les reines du monde :* la force et l'opinion.
- *Reine de la fève :* celle qui tire la fève, dans la galette des Rois.
- *Reine mère :* mère du souverain régnant.

roi

n. abdication, accession, apparat, armée, armoiries, chef, chute, conquête, cour, couronne, courtisan, dynastie, empire, gloire, hiérarchie, majesté, monarchie, monarque, palais, pouvoir, prince, princesse, protocole, régence, régent, reine, royaume, sacre, sceptre, souverain, souveraine, sujet, titre, trône, tsar, valet.

adj. autoritaire, cruel, débonnaire, déchu, despotique, guerrier, injuste, magnanime, magnifique, puissant, somptueux, tyrannique.

v. SUJET : le roi abdique, administre, commande, dirige, domine, exerce, gouverne, régente, règne, tyrannise ; **COMPL. :** couronner le roi, désavouer le roi, détrôner le roi, sacrer le roi.

expressions.................................

- *Échec au roi :* position précaire de la pièce principale au jeu d'échecs.
- *Heureux comme un roi :* personne très heureuse.
- *Le roi de carreau, de cœur, de pique, de trèfle :* figures dans un jeu de cartes.
- *Le roi de la fête :* le héros de la fête.
- *Le roi de la forêt :* le chêne.
- *Le roi des animaux :* le lion.
- *Le roi du, des :* le plus grand personnage du, des.
- *Les coffres du roi :* les finances publiques.
- *Un pied-de-roi :* outil de mesure.

sorcier, ière

n. alchimie, amulette, bûcher, charlatan, chaudron, clairvoyance, devin, don, élixir, fétiche, génie, grimoire, guérisseur, guérisseuse, incantation, magicien, magie, médium, occultisme, oracle, potion, sort, sortilège, spiritisme, talisman, transe.

adj. clairvoyant, diabolique, étrange, inoffensif, maléfique, malfaisant, méchant, terrifiant, tout-puissant.

v. SUJET : le sorcier charme, enchante, ensorcelle, envoûte, ingurgite, évoque, persécute, trompe ; **COMPL. :** chasser un sorcier, conjurer un sorcier, consulter le sorcier ; **AUTRES VERBES :** délivrer, exorciser.

expressions.................................

- *C'est un vrai sorcier :* c'est un individu très habile.
- *Ce n'est pas sorcier :* ce n'est pas très compliqué.
- *Il ne faut pas être sorcier :* il ne faut pas être très intelligent.

- *Une chasse aux sorcières :* recherche et élimination des gens qui s'opposent à un régime politique.
- *Un apprenti sorcier :* celui qui provoque des événements dont il n'a pas la parfaite maîtrise.

vampire

n. ail, assassin, cape, chauve-souris, cimetière, dent, envoûtement, fantôme, mourant, mourante, nécromancie, nuit, pieu, sang, sommeil, squelette, superstition, tombe, tombeau, victime, zombie.

adj. assoiffé, avide, blafard, cadavérique, cruel, meurtrier, mystérieux, nocturne, pervers, sadique, sanguinaire.

v. SUJET : le vampire s'abreuve, absorbe, aspire, boit, égorge, ingurgite, se nourrit, retire, suce, vide ; COMPL. : chasser un vampire, (se) défendre contre un vampire, éliminer un vampire, éloigner un vampire, repousser un vampire.

expression..

- *C'est un vampire :* se dit d'une personne qui s'enrichit aux frais d'autrui.

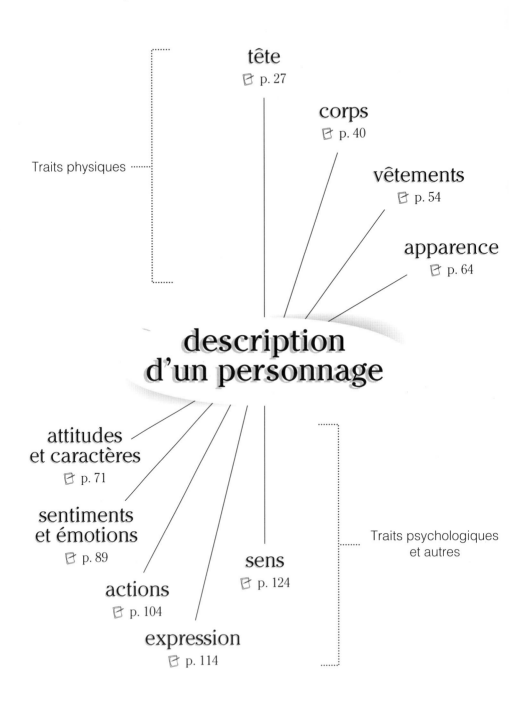

tête
☞ p. 27

corps
☞ p. 40

vêtements
☞ p. 54

apparence
☞ p. 64

Traits physiques

description d'un personnage

attitudes
et caractères
☞ p. 71

sentiments
et émotions
☞ p. 89

actions
☞ p. 104

sens
☞ p. 124

expression
☞ p. 114

Traits psychologiques
et autres

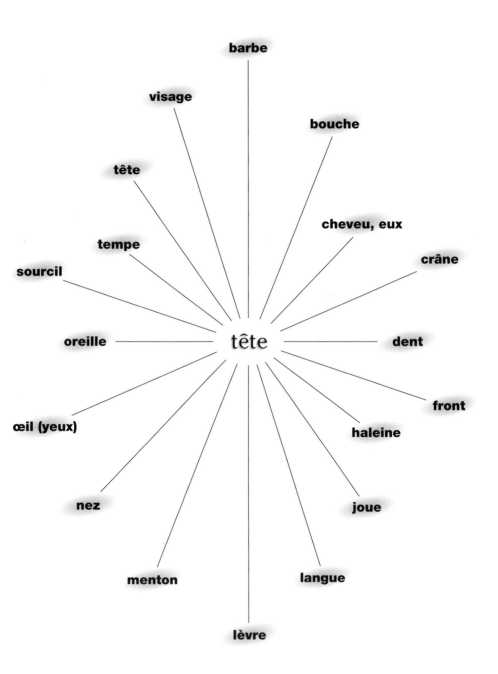

barbe

n. après-rasage, barbiche, barbier, blaireau, bouc, cheveu, coiffeur, coiffeuse, collier, crème, duvet, favori, joue, lèvre, mâchoire, menton, mousse, moustache, pilosité, poil, rasage, rasoir.

adj. argentée, artificielle, blanche, blonde, broussailleuse, brune, clairsemée, coupée, dense, douce, drue, ébouriffée, effilochée, épaisse, éparse, fausse, fleurie, fournie, frisée, grise, grisonnante, longue, mêlée, naissante, négligée, noire, piquante, postiche, rapportée, rase, rasée, rebelle, rêche, rousse, sauvage, soignée, soyeuse, taillée, touffue.

v. SUJET : la barbe blanchit, cache, camoufle, chatouille, grisonne, pique, pousse, rajeunit, vieillit ; COMPL. : (se) brosser la barbe, (se) couper la barbe, (se) faire la barbe, (se) peigner la barbe, porter la barbe, (se) raser la barbe, (se) tailler la barbe, (se) teindre la barbe, se tondre la barbe.

expressions

- *Au nez et à la barbe de quelqu'un :* en sa présence, à sa vue, ouvertement.
- *Barbe à papa :* friandise en filaments légers de sucre.
- *Faire la barbe à quelqu'un :* se moquer ouvertement de quelqu'un, le narguer.
- *N'avoir pas de barbe au menton :* être jeune.
- *Quelle barbe ! :* exclamation pour marquer l'ennui.
- *Rire dans sa barbe :* rire en se cachant, ne pas exprimer ouvertement sa gaieté.
- *Une vieille barbe :* un vieil homme qui n'est pas à la page.

bouche

n. amygdale, babine, bâillement, baiser, bajoue, bec-de-lièvre, canine, coin, commissure, dent, empâtement, éternuement, expression, forme, gargarisme, gencive, gorge, gosier, goût, grimace, haleine, joue, langue, lèvre, luette, mâchoire, mandibule, mastication, maxillaire, moue, moustache, nutrition, palais, parole, pharynx, respiration, rictus, rire, salive, souffle, sourire, succion, voix.

adj. affamée, agréable, amère, aride, assoiffée, baveuse, béante, bée, belle, charmante, charnue, colorée, contractée, cousue, crispée, dédaigneuse, délicate, démesurée, dessinée, dévorante, écumante, édentée, entrouverte, épanouie, épaisse, étroite, fardée, fendue, ferme, fermée, fine, fière, fraîche, généreuse, goulue, gourmande, grande, injurieuse, irrégulière, jolie, large, lippue, mauvaise, meurtrie, mince, minuscule, moqueuse, molle, muette, ouverte, pâle, pâteuse, parfaite, petite, pincée, pleine, pure, régulière, ridée, ronde, rouge, salée, sèche, sensuelle, sérieuse, serrée, sévère, souriante, tendue, tordue, triste, vermeille, volontaire.

v. SUJET : la bouche avale, bâille, bave, crache, se crispe, se dessèche, se desserre, engloutit, se fend, se ferme, mastique, mord, s'ouvre, rit, saigne, salive, sourit, suce, se tord, tremble ; COMPL. : aspirer par la bouche, (se) barbouiller la bouche, (s') embrasser sur la bouche, expirer par la bouche, (se) fermer la bouche, mettre dans sa bouche, (s') ouvrir la bouche, porter à sa bouche, saigner de la bouche, se gargariser la bouche, se rincer la bouche, tordre la bouche ; AUTRES VERBES : boire, chanter, crier, déguster, goûter, manger, parler, rire, siffler, sourire.

expressions

- *À pleine bouche :* avec énergie.
- *Avoir l'eau à la bouche :* saliver devant un mets appétissant, avoir fortement envie de quelque chose.
- *Avoir, arriver, faire la bouche en cœur :* faire comme s'il n'y avait pas de problème, se montrer aimable.
- *Bouche en cul-de-poule :* faire une moue, avoir la bouche pincée.
- *De bouche à oreille :* discrètement ou secrètement.

- *Enlever, retirer le pain de la bouche à quelqu'un :* priver quelqu'un de nourriture.
- *Être, demeurer bouche cousue :* garder le silence ou le secret.
- *Être, rester, demeurer bouche bée :* être étonné, admiratif ou stupéfait.
- *Faire du bouche-à-bouche, pratiquer le bouche-à-bouche :* mesure d'urgence pour insuffler de l'air dans la bouche de quelqu'un.
- *Faire la fine bouche :* faire le difficile.
- *Fermer la bouche de quelqu'un :* faire taire quelqu'un.
- *Le bouche à oreille :* paroles dites directement à une autre personne.
- *Mettre des mots dans la bouche de quelqu'un :* affirmer qu'une personne a dit quelque chose sans en être vraiment certain, ou dicter à quelqu'un ce qu'il doit dire.
- *Ouvrir la bouche :* parler.
- *S'enlever les morceaux de la bouche :* se priver de nourriture ou du nécessaire au profit de quelqu'un.
- *Une bouche à nourrir :* une personne qui doit être nourrie.
- *Une bouche inutile :* une personne qu'on nourrit mais qui ne rapporte rien.
- *Une fine bouche :* un gourmet.

cheveu, eux

n. accroche-cœur, bandeau, barrette, boucle, bouclette, brillantine, brosse, bulbe, calvitie, chauve, chevelure, chignon, chute, coiffeur, coiffeuse, coiffure, couleur, coupe, crâne, crinière, cuir, décoloration, épi, épingle, favori, frange, frisette, front, gel, guiches, lavage, laque, longueur, lotion, mèche, mousse, mouvement, naissance, natte, nœud, ondulation, peau, peigne, pellicule, permanente, perruque, perte, pigment, pince, plantation, pli, pommade, postiche, pou, queue, racine, raie, reflet, rouleau, ruban, séchoir, séparation, serre-tête, shampooing, soin, teigne, teinture, tignasse, toison, tonsure, torsade, touffe, toupet, tresse.

adj. abondant, acajou, argenté, arrangé, attaché, auburn, beau, blanc, blanchi, blond, blondasse, bouclé, brillant, brossé, broussailleux, brun, cassant, châtain, chenu, clair, clairsemé, coiffé, court, crêpé, crêpelé, crépu, d'ébène, décoiffé, décoloré, défait, de jais, démêlé, dénoué, dépeigné, doux, dru, ébouriffé, emmêlé, épais, faux, fin, flamboyant, flottant, foncé, fou, fourchu, frisé, frisottant, frisotté, gras, gris, grisonnant, hérissé, hirsute, laineux, lavé, lisse, long, luisant, lustré, magnifique, maigre, mouillé, natté, noir, noué, ondulé, parfumé, peigné, plaqué, plat, platine, platiné, poisseux, raide, rare, ras, rebelle, relevé, retroussé, roux, rude, sain, sale, sec, souple, soyeux, superbe, taillé, teint, terne, tiré, tressé, vaporeux, vigoureux.

v. **SUJET :** les cheveux blanchissent, blondissent, bouclent, brillent, croissent, encadrent, foncent, frisent, frisottent, grisonnent, luisent, ondulent, poussent, se décolorent, se dressent, se hérissent, s'emmêlent, s'étalent, tombent ; **COMPL. :** arranger les cheveux, attacher les cheveux, blanchir les cheveux, blondir les cheveux, boucler les cheveux, (se) brosser les cheveux, (se) coiffer les cheveux, (se) couper les cheveux, (se) crêper les cheveux, (se) décoiffer les cheveux, (se) décolorer les cheveux, (se) défaire les cheveux, (se) démêler les cheveux, (se) dénouer les cheveux, (se) dépeigner les cheveux, (se) dérouler les cheveux, dresser les cheveux, (s') ébouriffer les cheveux, effiler les cheveux, emmêler les cheveux, (se) friser les cheveux, hérisser les cheveux, (se) laver les cheveux, (se) lisser les cheveux, (se) lustrer les cheveux, natter les cheveux, onduler les cheveux, (se) peigner les cheveux, perdre ses cheveux, (se) plaquer les cheveux, relever les cheveux, retrousser les cheveux, (se) sécher les cheveux, (se) tailler les cheveux, (se) teindre les cheveux, (se) tirer les cheveux, (se) tondre les cheveux, tordre les cheveux, torsader les cheveux, tortiller les cheveux, (se) tresser les cheveux.

expressions

- *Arriver, tomber comme un cheveu sur la soupe :* déranger.
- *Avoir mal aux cheveux :* avoir mal à la tête, généralement après avoir trop bu.
- *Avoir un cheveu sur la langue :* zézayer.
- *À un cheveu près :* presque.
- *Couper les cheveux en quatre :* mener un raisonnement trop loin.
- *Faire dresser les cheveux sur la tête :* effrayer.
- *Ne pas toucher à un cheveu d'une personne :* ne pas lever la main sur elle.
- *S'arracher les cheveux :* être en colère ou au désespoir.
- *Se faire des cheveux blancs :* s'inquiéter.
- *Se prendre aux cheveux :* se quereller.
- *Tenir à un cheveu, s'en falloir d'un cheveu :* se dit de quelque chose qui est venue près d'arriver, de se produire.
- *Tiré par les cheveux :* exagéré, illogique.

crâne

n. base, blessure, bosse, cerveau, encéphale, forme, fracture, front, lésion, occiput, os, peau, proportion, tempe, tête, voûte.

adj. blessé, brillant, chauve, déformé, dénudé, déplumé, difforme, dur, étroit, fêlé, fendu, long, oblong, ouvert, ovoïde, pelé, poli, protubérant, rasé, scalpé, vide.

v. SUJET : le crâne brille, se dénude, se développe ; **COMPL. :** mesurer le crâne, se blesser le crâne, se briser le crâne, se fendre le crâne ; **AUTRE VERBE :** crâner.

expressions

- *Avoir le crâne étroit :* être peu intelligent.
- *Avoir le crâne fêlé :* être un peu fou.
- *Bourrer le crâne de quelqu'un :* répéter sans cesse les mêmes informations à quelqu'un sans les lui expliquer.
- *Enfoncer, mettre quelque chose dans le crâne de quelqu'un :* le forcer à comprendre.

- *Être tombé sur le crâne :* être fou.
- *N'avoir rien dans le crâne :* manquer d'intelligence, de jugement.
- *Se bourrer le crâne :* apprendre par cœur sans comprendre.

dent

n. abcès, alvéole, amalgame, arrachage, blancheur, bouche, brosse, canine, carie, cavité, chute, claquement, collet, couronne, croc, cure-dent, déchaussement, défense, dentier, dentifrice, dentine, dentiste, dentition, denture, éclat, émail, extraction, fragment, gencive, grincement, hygiène, incisive, incrustation, ivoire, mâchoire, mal, maladie, malformation, mastication, maxillaire, molaire, morsure, nerf, obturation, palette, partie, pivot, plombage, pousse, prémolaire, prothèse, pulpe, racine, rage, soin, tartre, usure.

adj. artificielle, barrée, belle, blanchâtre, blanche, brillante, cariée, courte, creuse, déchaussée, dure, éblouissante, écartée, éclatante, fausse, fine, gâtée, grinçante, immaculée, implantée, jaunâtre, jaune, longue, mauvaise, molaire, nacrée, naturelle, nettoyée, noire, oblique, permanente, petite, plantée, pointue, propre, rangée, saine, serrée, soignée, solide, tachée, temporaire, vilaine.

v. SUJET : les dents bougent, branlent, brillent, chevauchent, claquent, crissent, grincent, percent, poussent, se déchaussent, se développent ; **COMPL. :** arracher une dent, broyer avec ses dents, se casser une dent, claquer des dents, crisser des dents, déchirer avec ses dents, desserrer les dents, détartrer les dents, écraser avec ses dents, extraire une dent, faire ses dents, grignoter avec ses dents, grincer des dents, (se) laver les dents, (se) nettoyer les dents, perdre ses dents, ronger avec ses dents, serrer les dents, soigner une dent, souffrir des dents ; **AUTRES VERBES :** mordre, rire, sourire.

expressions

- *Avoir la dent dure :* critiquer sévèrement.

- *Avoir les dents longues, aiguisées, acérées :* avoir de grandes ambitions.
- *Avoir une dent creuse :* avoir faim.
- *Avoir, garder une dent contre quelqu'un :* en vouloir à quelqu'un.
- *Claquer des dents :* avoir peur ; avoir froid.
- *Déchirer quelqu'un à belles dents :* critiquer, calomnier, médire.
- *Du bout des dents :* sans grande envie, sans plaisir.
- *Être armé jusqu'aux dents :* être bien armé.
- *Être sur les dents :* être très fatigué ou très occupé.
- *Faire grincer les dents :* se dit d'un bruit désagréable.
- *Mentir comme un arracheur de dents :* mentir sans honte.
- *Mordre à belles dents, à pleines dents :* savourer quelque chose, avoir de la passion pour quelque chose.
- *N'avoir rien à se mettre sous la dent :* n'avoir rien à manger, rien à faire.
- *Ne pas desserrer les dents :* se taire avec obstination.
- *Parler, murmurer, répondre entre ses dents :* indistinctement, sans ouvrir la bouche.
- *Rire de toutes ses dents :* rire en montrant ses dents.
- *Se casser les dents sur quelque chose :* échouer à cause d'une difficulté que l'on n'arrive pas à surmonter.
- *Serrer les dents :* se concentrer en vue d'un effort à faire ou d'une difficulté à affronter.

front

n. angle, bosse, cheveux, cicatrice, expression, façade, face, forme, frange, peau, pli, profil, ride, sourcil, sueur, tempe, tête, visage.

adj. anguleux, arrogant, assombri, baissé, bas, basané, beau, blanc, bombé, brûlant, buté, calme, cambré, candide, carré, chauve, courbe, couronné, court, découvert, dégagé, dégarni, dévasté, droit, dur, élevé, étroit, expressif, fiévreux, fuyant, grand, hâlé, haut, impassible, large, léger, limpide, lisse, livide, massif, mat, moite, noble, paisible, pâle, pâli, parfait, pensif, petit, plat, plissé, proéminent, protubérant, pur, radieux, raviné, ridé, ruisselant, serein, sévère, soucieux, studieux, superbe, tourmenté.

v. SUJET : le front brûle, rougit, ruisselle, s'éclaire, se plisse, se redresse, se relève, se ride, s'incline ; **COMPL. :** baiser le front, baisser le front, se cogner le front, courber le front, couvrir son front, embrasser sur le front, s'éponger le front, s'essuyer le front, se frapper le front, heurter du front, incliner le front, lever le front, s'ouvrir le front, se peindre le front, pencher le front, plisser le front, porter sur le front, redresser le front, relever le front ; **AUTRE VERBE :** (s') affronter.

expressions

- *À front découvert :* sans honte.
- *Avoir du front :* avoir de l'audace, être effronté.
- *Courber le front :* s'humilier, se soumettre.
- *Gagner son pain à la sueur de son front :* travailler très fort.
- *Marcher le front haut :* avec fierté.
- *Relever le front :* se révolter.

haleine

n. bouche, buée, douceur, expiration, nez, odeur, parfum, respiration, rythme, souffle, tiédeur.

adj. agréable, aigre, bonne, brûlante, chaude, coupée, courte, douce, égale, embaumée, fétide, forte, fraîche, glacée, infecte, inodore, légère, longue, mauvaise, parfumée, tiède, vineuse.

v. SUJET : l'haleine embaume, empeste, exhale, parfume, pue, s'accélère, sent ; **COMPL. :** avoir de l'haleine, manquer d'haleine, retenir son haleine, sentir l'haleine.

expressions

- *Courir, crier, rire chanter à perdre haleine:* à perdre le souffle.
- *Être hors d'haleine:* être à bout de souffle.
- *Perdre haleine:* ne plus pouvoir respirer.
- *Reprendre haleine:* s'arrêter pour reprendre des forces.
- *Tenir en haleine:* maintenir l'attention, maintenir dans un état d'incertitude.

joue

n. acné, baiser, barbe, bouche, caresse, couleur, couperose, duvet, face, forme, fossette, gifle, grosseur, larme, maquillage, muscle, os, peau, poil, pommette, rouge, rougeur, soufflet, tape, teinte, visage.

adj. amaigrie, barbouillée, belle, blanche, blême, bleuie, bonne, charmante, colorée, creuse, creusée, dégonflée, douce, écarlate, empourprée, enfantine, enflammée, fardée, ferme, fiévreuse, flasque, fraîche, gonflée, grosse, jeune, lisse, luisante, molle, nacrée, pâle, pâlie, parfaite, peinte, pendante, petite, pleine, poisseuse, râpeuse, rasée, rebondie, rentrée, ridée, ronde, rose, rosie, rouge, rougeaude, rougie, rougissante, rude, ruisselante, sale, salie, striée, veloutée, velue, vermeille, vieille.

v. SUJET: les joues s'arrondissent, ballottent, bleuissent, brûlent, se colorent, (se) gonflent, s'empâtent, s'enflamment, rosissent, rougissent; **COMPL.:** baiser la joue, caresser la joue, embrasser sur la joue, gifler la joue, tendre la joue.

expressions

- *Joue contre joue:* visage contre visage.
- *Mettre en joue:* placer une arme contre sa joue pour mieux viser quelque chose.
- *Présenter, offrir, tendre l'autre joue:* s'exposer volontairement à un redoublement d'affront.

langue

n. articulation, base, bord, bouche, bout, claquement, dent, goût, inflammation, muqueuse, muscle, papille, parole, pointe, saveur, sillon, sommet, son, ulcère.

adj. blanche, déliée, embarrassée, engourdie, envenimée, épaisse, flatteuse, grande, mauvaise, méchante, médisante, pâteuse, pendante, rouge, sèche, traîtresse, venimeuse.

v. SUJET: la langue balbutie, bégaye, lèche, pointe, pourlèche, se délie, s'embarrasse, s'empâte; **COMPL.:** se brûler la langue, claquer la langue, montrer la langue, mouiller avec la langue, passer sa langue, sortir la langue, tirer la langue; **AUTRE VERBE:** parler.

expressions

- *Assouplir, délier, dénouer la langue de quelqu'un:* faire parler quelqu'un.
- *Avoir avalé sa langue:* ne trouver rien à dire, se taire.
- *Avoir la langue acérée, bien affilée, bien pendue:* parler beaucoup, pas toujours avec gentillesse.
- *Avoir la langue trop longue:* se montrer indiscret.
- *Avoir un cheveu sur la langue:* zézayer.
- *Avoir un mot sur le bout de la langue:* chercher à se souvenir d'un mot.
- *Coup de langue:* médisance.
- *Jeter, donner sa langue au chat:* ignorer, ne pas deviner.
- *La langue lui a fourché:* se dit de quelqu'un qui a fait un lapsus.
- *Langue de serpent, langue venimeuse:* se dit de quelqu'un qui aime calomnier les autres ou médire d'eux.
- *Ne pas savoir tenir sa langue:* se montrer indiscret.
- *Se mordre la langue:* se retenir de parler ou regretter ce que l'on vient de dire.
- *Tirer la langue:* désirer quelque chose sans pouvoir l'obtenir.

lèvre

n. babine, bec-de-lièvre, bord, bouche, coin, commissure, contour, couleur, crème, duvet, forme, froncement, grosseur, moue, moustache, mouvement, mot, muscle, ourlet, pommade, rire, rouge, sourire.

adj. appétissante, ardente, arquée, avancée, avide, baveuse, belle, bleuâtre, bleue, bleuie, boudeuse, brillante, brûlante, candide, charnue, contractée, coupée, cramoisie, dédaigneuse, desséchée, desserrée, dessinée, entrouverte, épaisse, épanouie, fardée, fendue, fiévreuse, fine, forte, fraîche, frémissante, froide, gercée, gonflée, gourmande, grosse, hautaine, humide, inférieure, insolente, ironique, jolie, livide, luisante, maquillée, maussade, meurtrie, mi-close, mince, narquoise, ourlée, pâle, parfaite, peinte, pendante, petite, pincée, pleine, proéminente, pulpeuse, rentrée, retroussée, rose, rouge, sanglante, scellée, sèche, sensuelle, sérieuse, serrée, supérieure, tendue, tuméfiée, tordue, tremblante, vermeille, violacée, violette, voluptueuse.

v. SUJET: les lèvres s'amincissent, articulent, s'avancent, balbutient, bredouillent, se dessèchent, effleurent, s'entrouvrent, se ferment, gercent, se joignent, murmurent, s'ouvrent, prononcent, remuent, se tendent, se tordent, touchent, tremblent; COMPL.: appuyer ses lèvres, avancer les lèvres, baiser les lèvres, coller ses lèvres, dérober ses lèvres, effleurer de ses lèvres, embrasser sur les lèvres, farder ses lèvres, se lécher les lèvres, maquiller ses lèvres, se mordre les lèvres, mouiller ses lèvres, peindre ses lèvres, pincer les lèvres, porter à ses lèvres, poser ses lèvres sur, se pourlécher les lèvres, remuer les lèvres, serrer les lèvres, tendre ses lèvres, tenir entre ses lèvres, tremper ses lèvres dans.

expressions..

- *Avoir le cœur au bord des lèvres, sur les lèvres :* avoir la nausée.
- *Avoir un mot sur les lèvres :* être prêt à prononcer un mot.

- *Brûler les lèvres :* se dit d'un mot, d'une question que l'on a fortement envie de prononcer, de poser.
- *Être pendu, suspendu aux lèvres de quelqu'un :* l'écouter avec une grande attention.
- *Être sur toutes les lèvres :* se dit d'une chose dont tout le monde parle.
- *Manger du bout des lèvres :* sans appétit.
- *Mot qui s'arrête sur les lèvres :* mot que l'on ne veut pas prononcer.
- *Mot qui vient aux lèvres :* mot que l'on va prononcer.
- *Ne pas desserrer les lèvres :* garder le silence.
- *Parole qui expire, s'arrête sur les lèvres :* parole que l'on ne prononcera pas.
- *Rire, parler, répondre, approuver du bout des lèvres :* rire, parler, répondre, approuver sans grande conviction.

menton

n. aspect, barbe, barbiche, étage, face, forme, fossette, maxillaire, pli, poil, protubérance.

adj. avancé, carré, charmant, court, creusé, double, ferme, fourchu, fuyant, glabre, gras, gros, impérial, long, petit, poilu, pointu, râpeux, rasé, ridé, rond, saillant, triple, volontaire.

v. SUJET: le menton avance, frémit, pointe; COMPL.: baisser le menton.

expression..

- *Dresser, lever le menton :* faire l'arrogant.

nez

n. aile, arête, base, bout, bouton, cartilage, courbure, écoulement, éternuement, expiration, face, figure, forme, fosse, lobe, lunettes, morve, mouchoir, mucosité, muqueuse, muscle, museau, narine, nasillement, odeur, odorat, os, parfum, poil, protubérance, racine, reniflement, respiration, rhume, ronflement, saignement, sécrétion, torsion, visage.

adj. aplati, aquilin, astiqué, beau, bosselé, bouché, bruyant, camus, cassé, conquérant, court, crochu, délicieux, droit, écrasé, effilé, embarrassé, énorme, épais, épaté, étroit, expressif, frémissant, fier, fin, fleuri, fort, fouineur, fripon, grand, grec, gros, impertinent, irrégulier, joli, long, luisant, minuscule, monumental, morveux, mutin, noble, orné, petit, pincé, plat, pointu, proéminent, recourbé, régulier, retroussé, rond, rouge, sensuel, tombant, tordu.

v. SUJET: le nez aspire, bouge, coule, flaire, frémit, palpite, pique, renifle, respire, s'agite, saigne, se fronce, se tord, sent, souffle; COMPL.: aspirer par le nez, (se) boucher le nez, dresser le nez, expirer par le nez, froncer le nez, (se) frotter le nez, (se) gratter le nez, lever le nez, moucher son nez, parler du nez, (se) pincer le nez, puer au nez, respirer par le nez, saigner du nez, sentir à plein nez, souffler par le nez, (se) tordre le nez; AUTRE VERBE: nasiller.

expressions

• *Au nez de quelqu'un:* devant cette personne, sans se cacher.

• *Avoir le nez fin:* être perspicace.

• *Avoir un verre dans le nez, un coup dans le nez:* être un peu ivre.

• *À vue de nez:* en gros, sans en faire l'examen.

• *Baisser le nez:* baisser la tête en signe de honte.

• *Se voir comme le nez au milieu du visage, de la figure:* se dit de quelque chose d'évident.

• *Faire un pied de nez:* faire un geste de moquerie.

• *Fermer la porte au nez de quelqu'un:* le mettre dehors ; ou ne pas l'écouter.

• *Fourrer son nez partout:* se montrer très curieux, indiscret.

• *La moutarde lui monte au nez:* se dit de quelqu'un sur le point de se fâcher.

• *Mener quelqu'un par le bout du nez:* lui dicter sa conduite.

• *Mettre le nez dehors, mettre le nez à la fenêtre, à la porte:* se montrer.

• *Mettre, fourrer son nez dans les affaires des autres:* se mêler des affaires des autres.

• *Montrer le bout de son nez:* apparaître, se montrer un peu.

• *Montrer son nez:* se montrer.

• *N'avoir jamais mis, fourré le nez dans les livres:* ne pas être très cultivé.

• *Ne pas voir plus loin que le bout de son nez:* être imprévoyant, insouciant.

• *Passer sous le nez de quelqu'un:* se dit d'une chose qui échappe à quelqu'un.

• *Pendre au nez:* se dit d'un événement qui est prévisible.

• *Rire au nez de quelqu'un:* se moquer de quelqu'un.

• *Se casser le nez à la porte de quelqu'un:* n'y trouver personne; ou échouer.

• *Se laisser mener par le bout du nez:* se soumettre.

• *Se manger, se bouffer le nez:* se quereller, se chamailler.

• *Se trouver nez à nez avec quelqu'un:* rencontrer quelqu'un à l'improviste.

• *Tirer les vers du nez à quelqu'un:* faire parler quelqu'un, faire avouer quelqu'un.

œil (yeux)

n. aveugle, blanc, bord, borgne, cécité, cerne, cil, clairvoyance, clignement, clignotement, clin d'œil, coin, conjonctive, conjonctivite, cornée, couleur, crayon, daltonisme, écartement, éclair, éclat, étincelle, expression, fard, feu, fixité, flamme, forme, fraîcheur, frayeur, glaucome, globe, hallucination, illusion, inflammation, iris, larme, lentille, lésion, limpidité, lueur, lunettes, mirage, mobilité, mouvement, myopie, nuage, nuance, œillade, orbite, orgelet, paire, patte-d'oie, paupière, poche, presbytie, prunelle, pupille, pureté, regard, rétine, ride, sourcil, strabisme, tête, tour, trouble, visage, vision, voile, vue.

adj. abîmé, absent, affamé, agrandi, alourdi, angélique, appesanti, ardent, atone, attirant, attendri, averti, baissé, bandé, bavard, beau, blessé, bleu, bleu azur, bleu pâle, bon, boudeur, bouffi, bridé, brillant, brun, calculateur, calme, candide, cerclé, cerné, charmant, clair, clairvoyant, clignotant, clos, conquérant, conspirateur, content, coquin, coupé en amande, creusé, crevé, cruel, curieux, dilaté, doux, droit, dur, ébloui, écarquillé, effaré, endormi, enfoncé, enfoncé, éperdu, éraillé, éteint, étincelant, étrange, étranger, éveillé, exercé, exorbité, expérimenté, faible, fascinant, fasciné, fatigué, fauve, fermé, fier, fiévreux, fin, finaud, fixe, flamboyant, foncé, fripon, froid, fureteur, furibond, gauche, glauque, globuleux, gonflé, grand, gris, gros, hagard, haineux, hypocrite, immense, impassible, impénétrable, incrédule, indifférent, ingénu, injecté, innocent, inquiet, intelligent, interrogateur, ironique, jaloux, joli, juste, langoureux, languissant, larmoyant, limpide, lourd, lucide, luisant, malicieux, malin, marron, mauvais, méchant, méfiant, méprisant, mi-clos, minuscule, mobile, morne, mort, myope, narquois, noir, noisette, ouvert, pâle, papillotant, passionné, pénétrant, perçant, pers, perspicace, pétillant, petit, poché, profond, provocant, pur, rapprochés, ravi, rêveur, révulsé, rieur, rond, rouge, sagace, satisfait, scandalisé, scintillant, sec, servile, sombre, splendide, superbe, suppliant, sûr, tendre, terne, triste, trouble, tuméfié, unique, usé, vairon, velouté, vert, vide, vif, vitreux, vivant.

v. SUJET : l'œil brille, brûle, cille, cligne, clignote, cuit, exprime, se ferme, (se) fixe, s'habitue, larmoie, louche, luit, (s') ouvre, papillote, picote, pique, pleure ; **COMPL. :** arracher les yeux, arrêter ses yeux, (se) bander les yeux, (se) blesser à l'œil, braquer ses yeux, captiver les yeux, chercher des yeux, ciller des yeux, cligner de l'œil, cligner l'œil, clignoter des yeux, (se) crever les yeux, dessiller les yeux, détourner les yeux, diriger les yeux, éblouir les yeux, écarquiller les yeux, s'essuyer les yeux, (se) fatiguer les yeux, (se) fermer les yeux, fixer ses yeux, frapper l'œil, jeter les yeux, (se) maquiller les yeux, (s') ouvrir les yeux, perdre un œil, plisser les yeux, lisser les yeux, porter ses yeux, (se) protéger les yeux, refermer les yeux, rouvrir les yeux, suivre des yeux, tourner les yeux ; **AUTRES VERBES :** apercevoir, cacher, contempler, dissimuler, découvrir, étaler, examiner, exhiber, exposer, lire, observer, parcourir, percevoir, regarder, scruter, voir.

expressions

- *À vue d'œil :* rapidement, approximativement.

- *Accepter quelque chose les yeux fermés :* accepter une chose sans y réfléchir, sans l'examiner parce qu'on a entièrement confiance dans la personne qui la présente.

- *Aller quelque part les yeux fermés :* aller par un chemin que l'on connaît par cœur.

- *Aux yeux de quelqu'un :* selon son jugement.

- *Avoir bon pied, bon œil :* se dit d'une personne d'un certain âge qui est physiquement en forme.

- *Avoir des yeux, de bons yeux pour voir :* ne pas se laisser avoir, duper.

- *Avoir l'œil sur quelqu'un, sur quelque chose, avoir quelqu'un à l'œil :* surveiller quelqu'un ou quelque chose.

- *Avoir le compas dans l'œil :* juger rapidement, avec exactitude.

- *Couver, manger, dévorer quelque chose, quelqu'un des yeux :* désirer fortement quelqu'un ou quelque chose.

- *Découvrir, remarquer, saisir quelque chose d'un coup d'œil, du premier coup d'œil :* voir, comprendre quelque chose rapidement.

- *Être tout yeux, tout oreilles :* écouter et regarder attentivement.

- *Faire les gros yeux à quelqu'un :* regarder sévèrement quelqu'un.

- *Fermer les yeux sur quelque chose :* refuser de voir cette chose.

- *Jeter de la poudre aux yeux :* essayer d'épater les autres.

- *N'avoir pas froid aux yeux :* ne pas avoir peur.
- *Ne dormir que d'un œil :* ne pas dormir profondément, avoir le sommeil agité par inquiétude.
- *Ne pas avoir les yeux dans sa poche :* être très observateur.
- *Ne pas en croire ses yeux ;* avoir de la difficulté à admettre ce qui est évident.
- *Obéir au doigt et à l'œil :* obéir rapidement.
- *Ouvrir de grands yeux, des yeux ronds :* être surpris, étonné.
- *Ouvrir l'œil, ouvrir les yeux sur quelque chose :* être très attentif, vigilant.
- *Ouvrir les yeux à quelqu'un :* faire découvrir à quelqu'un ce qu'il ne voyait pas.
- *Regarder de tous ses yeux :* regarder très attentivement.
- *S'arracher les yeux :* se disputer.
- *Sauter aux yeux :* se dit de quelque chose d'évident, de visible.
- *Se mettre le doigt dans l'œil :* se tromper fortement.
- *Tenir à quelque chose comme à la prunelle de ses yeux :* tenir fortement à quelque chose.
- *Tourner de l'œil :* s'évanouir.
- *Yeux d'aigle, de lynx :* une vue perçante.
- *Yeux de biche, de gazelle :* des yeux doux.
- *Yeux de braise :* des yeux noirs et brillants.
- *Yeux de carpe, de veau :* des yeux ternes, morts.
- *Yeux de chat :* se dit des yeux qui distinguent les objets dans le noir.
- *Yeux de hibou :* de gros yeux fixes.

oreille

n. audition, bourdonnement, bruit, cérumen, cire, cochlée, conduit, cure-oreille, écoute, écouteur, forme, grandeur, infection, lobe, limaçon, oreillons, osselet, otite, ouïe, ourlet, pavillon, perception, poil, sécrétion, sifflement, son, surdité, tête, tintement, tympan, veine, vibration, voix.

adj. accueillante, assourdie, attentive, bouchée, chaste, décollée, délicate, détachée, dressée, distraite, droite, droites, écartée, ennemie, épaisse, externe, fines, froide, gauche, gelée, grande, haute, interne, juste, large, mignonne, moyenne, musicale, nacrée, ourlée, petite, poilue, pointue, propre, prude, pudique, rouge, rude, sale, sensible, sourde, vermeille.

v. SUJET: l'oreille bourdonne, écoute, entend, perçoit, se bouche, se tend, tinte ; COMPL.: blesser les oreilles, (se) boucher les oreilles, casser les oreilles, chuchoter à l'oreille, crier dans les oreilles, déchirer les oreilles, dire à l'oreille, dresser l'oreille, écorcher les oreilles, frapper l'oreille, glisser à l'oreille, lasser l'oreille, laver ses oreilles, murmurer à l'oreille, nettoyer ses oreilles, ouvrir les oreilles, parler à l'oreille, percer les oreilles, prêter l'oreille, retentir aux oreilles, rompre les oreilles, sonner aux oreilles, souffler à l'oreille, tendre l'oreille, tinter aux oreilles ; AUTRES VERBES : écouter, entendre.

expressions

- *Avoir de l'oreille, avoir l'oreille juste, musicale :* avoir un sens musical.
- *Avoir l'oreille basse :* avoir honte.
- *Avoir l'oreille chaste, prude, pudique :* ne pas apprécier certaines paroles.
- *Avoir l'oreille de quelqu'un :* avoir sa confiance.
- *Avoir l'oreille fine, délicate :* avoir une bonne ouïe.
- *Mettre la puce à l'oreille :* éveiller les doutes, les inquiétudes, les soupçons.
- *Bouche fendue jusqu'aux oreilles :* avoir un grand sourire.
- *Choquer les oreilles :* se dit de propos offensants, choquants.
- *Dormir sur ses deux oreilles :* être sans inquiétude.
- *Écouter d'une oreille distraite, n'écouter que d'une oreille :* porter peu d'attention à ce qui est dit.

- *Écouter de toutes ses oreilles :* porter une grande attention à ce qui est dit.
- *En avoir jusqu'aux oreilles, par-dessus les oreilles :* en avoir assez, ne plus pouvoir en prendre.
- *Entrer par une oreille et sortir par l'autre :* se dit des choses qu'une personne entend sans y prêter attention.
- *Être dur d'oreille :* être sourd.
- *Faire la sourde oreille :* ne pas vouloir écouter.
- *Ne pas en croire ses oreilles :* être surpris, étonné.
- *Ne pas l'entendre de cette oreille :* ne pas être d'accord.
- *Ne pas tomber dans l'oreille d'un sourd :* prendre note de ce qui est dit pour en tirer profit.
- *Ouvrir l'oreille à ce qui est dit :* être favorable.
- *Rebattre les oreilles à quelqu'un :* répéter une chose à quelqu'un jusqu'à ce qu'il en soit fatigué.
- *Se faire tirer l'oreille :* refuser quelque chose ; ou se faire prier.
- *Se gratter l'oreille :* être perplexe.
- *Tirer, frotter les oreilles à quelqu'un :* réprimander quelqu'un plus ou moins gentiment.
- *Être tout yeux, tout oreilles :* porter une grande attention à ce qui est dit.

sourcil

n. arc, arcade, crayon, face, froncement, œil, orbite, poil, teinte, visage.

adj. arqué, blond, broussailleux, brun, circonflexe, crispé, dru, épais, épilé, fin, fourni, froncé, gros, haut, levé, mince, naturel, noir, pâle, parfait, peint, proéminent, prononcé, régulier, relevé, roussi, touffu.

v. SUJET : le sourcil descend, se contracte, se fronce, se relève ; COMPL. : crisper les sourcils, dessiner ses sourcils, (s') épiler les sourcils, froncer les sourcils, lever les sourcils, remuer les sourcils ; AUTRE VERBE : sourciller.

tempe

n. boucle, cerveau, cheveu, crâne, oreille, peau, tête, veine, œil.

adj. blanche, blonde, creuse, découverte, droite, gauche, grise, grisonnante.

expression..
- *Avoir les tempes serrées :* impression que procurent certains maux de tête.

tête

n. bouche, branlement, caractère, cerveau, cervelle, cheveu, coiffure, côté, crâne, étourdissement, face, figure, forme, front, hochement, inclinaison, intelligence, joue, jugement, mémoire, menton, migraine, mouvement, nez, occiput, oreille, pensée, position, raison, réflexion, serrement, sommet, sourcil, taille, tempe, vertige, visage.

adj. adorable, ahurie, allongée, antipathique, arrondie, baissée, basse, belle, bien faite, bizarre, blanche, blessée, blonde, bourdonnante, carrée, chauve, coiffée, comique, couronnée, couverte, déprimée, difformée, douloureuse, droite, dure, ébouriffée, échevelée, effarée, encapuchonnée, enflée, enfoncée, énorme, étroite, farouche, fendue, forte, froide, futée, grasse, grimée, grise, grisonnante, grosse, haute, hideuse, inclinée, inexpressive, insignifiante, intelligente, intéressante, jeune, lavée, levée, lourde, légère, mobile, monstrueuse, nette, nue, obstinée, parée, passionnée, penchée, pesante, petite, plate, pleine, pointue, poudrée, rasée, ravagée, recouverte, rentrée, renversée, romantique, ronde, sale, sinistre, souriante, sympathique.

v. SUJET : la tête se coiffe, se pare ; COMPL. : acquiescer de la tête, baisser la tête, branler la tête, se casser la tête, (se) cogner la tête, courber la tête, se creuser la tête, détourner la tête, (se) gratter la tête, hocher la tête, incliner la tête, jeter à la tête, (se) laver la tête, lever la tête, monter à la tête, passer la tête, pencher la tête, porter à la tête, redresser la tête, renverser la tête, risquer sa tête, secouer la tête, (se) taper la tête, tomber sur la tête, tourner la tête ; **AUTRES VERBES :** penser, raisonner, réfléchir, songer.

expressions

- *Avoir la tête ailleurs, ne pas avoir la tête à ce que l'on fait :* être distrait.
- *Avoir la tête dure :* être entêté.
- *Avoir la tête froide :* se montrer maître de soi, garder son sang-froid.
- *Avoir la tête qui tourne :* être étourdi.
- *Avoir la tête sur les épaules :* être raisonnable.
- *Avoir la tête vide :* ne plus être capable de réfléchir, de se souvenir.
- *Avoir, garder toute sa tête, avoir sa tête à soi :* être conscient, avoir toute sa raison.
- *Avoir une bonne tête :* inspirer confiance.
- *Avoir une grosse tête :* se dit d'une personne trop sûre d'elle.
- *Avoir une idée derrière la tête :* avoir une idée que l'on ne veut pas révéler.
- *Avoir une mauvaise tête :* se dit de quelqu'un d'obstiné, de querelleur.
- *Avoir une petite tête, n'avoir rien dans la tête :* se dit d'une personne qui ne réfléchit pas avant d'agir, qui n'a pas beaucoup d'idées.
- *Coup de tête :* décision rapide, irréfléchie.
- *Donner, mettre sa tête à couper :* être certain d'une chose, l'affirmer.
- *En faire à sa tête, n'en faire qu'à sa tête :* agir sans tenir compte de ce que les autres pensent.
- *Enfoncer, mettre quelque chose dans la tête de quelqu'un :* apprendre quelque chose à quelqu'un ; essayer de convaincre quelqu'un.
- *Être tombé sur la tête :* être un peu fou.
- *Faire la forte tête, être une forte tête :* se dit de quelqu'un qui s'oppose facilement aux autres.
- *Faire la mauvaise tête :* refuser d'obéir.
- *Faire la tête :* bouder.
- *Homme ou femme de tête :* raisonnable.
- *Mettre à prix la tête de quelqu'un :* rechercher quelqu'un.

- *Mettre du plomb dans la tête :* faire réfléchir.
- *Ne pas avoir de tête :* manquer de jugement.
- *Ne plus savoir où donner de la tête :* en avoir trop à faire.
- *Par tête :* par personne.
- *Perdre la tête :* perdre la maîtrise de soi.
- *Plier, courber la tête :* se soumettre, obéir.
- *Réclamer la tête de quelqu'un :* vouloir que quelqu'un soit condamné.
- *Risquer sa tête :* se mettre en danger.
- *Se jeter à la tête de quelqu'un :* lui faire des avances.
- *Se mettre dans la tête, en tête :* décider.
- *Se mettre la tête à l'envers :* s'inquiéter.
- *Se monter la tête :* se faire des illusions.
- *Se payer la tête de quelqu'un :* se moquer de quelqu'un.
- *Tenir tête :* résister.
- *Tête brûlée :* se dit d'une personne qui se jette dans des aventures dangereuses.
- *Tête de cochon, de mule :* personne entêtée.
- *Tête de linotte :* se dit d'une personne qui n'a pas beaucoup de jugement.
- *Tête en l'air, sans cervelle :* se dit d'une personne qui ne réfléchit pas avant d'agir.

visage

n. babine, beauté, bouche, bouille, candeur, chaleur, charme, couleur, crâne, douceur, éclat, émotion, expression, face, faciès, figure, finesse, forme, frimousse, gaieté, gifle, grâce, grimace, harmonie, haut, joue, laideur, lèvre, ligne, maquillage, masque, mine, mystère, nez, œil, ovale, partie, physionomie, pli, portrait, profil, régularité, ride, rondeur, sentiment, sérénité, soufflet, teint, tendresse, tête, trait.

adj. abattu, absent, accueillant, adipeux, adorable, adoré, affreux, agréable, aimant, allongé, ami, amoureux, angélique, anguleux, approbateur, asymétrique, attendrissant, attentif, autoritaire, avenant, avide, barbouillé, basané, beau, bienveillant, blafard, blanc, blême, bon, boudeur, bouffi, bouleversé, bronzé, brouillé, brun, buriné, caché, calme, candide, céleste, cendreux, changeant, chiffonné, cireux, clair, congestionné, connu, contracté, contrit, convulsé, couperosé, cramoisi, creusé, criblé, crispé, cruel, décharné, décomposé, découvert, défait, détendu, diabolique, doux, éclatant, émacié, émerveillé, émouvant, empourpré, énergique, énigmatique, ensorcelant, envoûtant, épanoui, espiègle, étrange, étranger, étroit, expressif, extasié, familier, fané, fardé, fatigué, fermé, figé, fin, flétri, flou, frais, fripé, froid, gai, gêné, glabre, gonflé, gras, grêlé, grimaçant, grimé, gris, hermétique, hideux, hilare, honnête, humain, illuminé, immobile, impassible, impénétrable, incliné, inconnu, inexpressif, ingrat, inhumain, innocent, inquiet, irrégulier, jeune, joufflu, joyeux, juvénile, lisse, livide, luisant, lumineux, maigre, maladif, malhonnête, malicieux, maternel, maussade, méconnaissable, meilleur, mélancolique, métamorphosé, mignon, mobile, naturel, noirci, nouveau, nu, osseux, ouvert, ovale, pâle, parcheminé, paternel, penché, pensif, plein, plissé, plombé, protégé, radieux, rasé, ratatiné, ravagé, rayonnant, recouvert, régulier, réjoui, rembruni, renfrogné, reposé, réprobateur, rêveur, ridé, rieur, rond, rose, rouge, rougeaud, sculpté, serein, sérieux, sévère, sombre, soucieux, souriant, superbe, taché, tanné, tatoué, tendu, terreux, tiré, torturé, tourmenté, tranquille, trempé, triste, troublé, tuméfié, vieilli, volontaire.

v. SUJET: le visage s'adoucit, s'anime, s'assombrit, blêmit, exprime, grimace, pâlit, rayonne, rougit, s'éclaire, s'empourpre, s'épanouit, s'éteint, s'éveille, s'illumine, s'incline, se contracte, se creuse, se crispe, se décompose, se défait, se déforme, se détend, se durcit, se ferme, se fige, se penche, se rembrunit, se renfrogne, se tend, sourit, verdit; **COMPL.:**

coller son visage, se composer un visage, cracher au visage, découvrir son visage, (se) farder le visage, frapper au visage, jeter au visage, (se) laver le visage, (se) maquiller le visage, montrer son visage, (se) nettoyer le visage, tourner son visage; **AUTRE VERBE:** dévisager.

expressions...

- *À visage découvert:* franchement, sans rien cacher.
- *À visage humain:* se dit d'une chose qui répond aux besoins des êtres humains.
- *Émotion gravée sur le visage:* expression du visage d'une personne qui laisse paraître ses sentiments.
- *Personne à deux visages:* personne qui n'est pas sincère, qui est hypocrite.

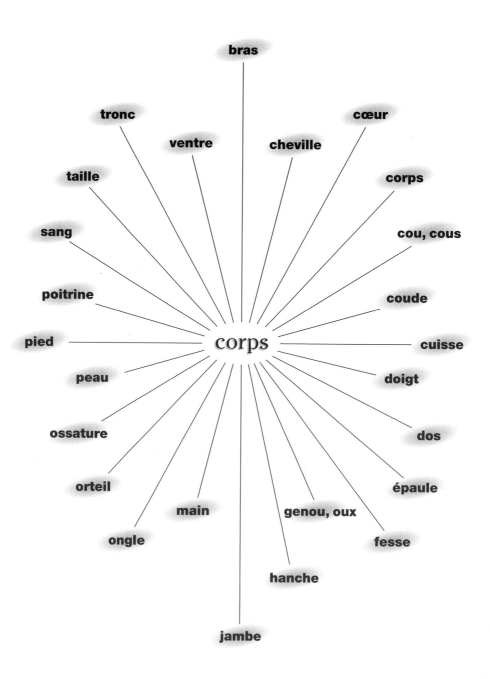

bras

n. aisselle, avant-bras, biceps, brassard, brassée, charge, coude, cubitus, embrassade, enlacement, épaule, étreinte, force, geste, humérus, longueur, main, manche, manchot, membre, moignon, mouvement, muscle, nerf, os, pli, poignet, port, position, radius, signal, triceps.

adj. amputé, ankylosé, ballant, beau, blanc, blessé, brun, cassé, charnu, coupé, court, couvert, croisé, décharné, développé, disloqué, droit, écarté, étendu, fatigué, fort, frêle, gauche, gros, joli, long, musclé, nerveux, nu, pendant, plâtré, plié, raide, souple, tendu.

v. COMPL. : agiter les bras, allonger le bras, amputer le bras, baisser le bras, balancer les bras, se casser un bras, (se) croiser les bras, donner le bras, écarter les bras, étendre le bras, étreindre dans ses bras, se jeter dans les bras, se jeter entre les bras, lever le bras, nouer ses bras, offrir le bras, ouvrir les bras, plier le bras, porter entre les bras, porter sous le bras, porter sur les bras, porter dans les bras, prendre le bras, ramener les bras, saisir par le bras, se réfugier dans les bras de, serrer dans les bras, serrer entre les bras, tendre les bras, tenir dans les bras, tenir entre les bras, tenir par le bras, tenir sous le bras, tomber dans les bras ; AUTRES VERBES : brasser, lever, porter, prendre.

expressions..

- *À bras ouverts :* chaleureusement.
- *À bras raccourcis :* se jeter sur quelqu'un avec violence.
- *À bras :* à l'aide des bras seulement, sans outils mécaniques.
- *Arrêter le bras de quelqu'un :* l'empêcher de frapper, d'agir.
- *Avoir le bras long :* avoir de l'influence.
- *Avoir les bras rompus :* être fatigué par le travail.
- *Avoir quelqu'un ou quelque chose sur les bras :* en avoir la responsabilité.
- *Baisser les bras :* abandonner.

- *Bras dessus, bras dessous :* marcher en tenant une autre personne par le bras.
- *Couper bras et jambes à quelqu'un :* le paralyser d'étonnement, le décourager.
- *(Se) croiser les bras, demeurer ou rester les bras croisés :* rester sans rien faire.
- *Donner, distribuer à tour de bras :* donner en grande quantité.
- *En bras de chemise :* en chemise, sans veston.
- *Être dans les bras de Morphée :* dormir.
- *Être le bras droit de quelqu'un :* être l'adjoint, celui qui exécute les tâches.
- *Frapper à tour de bras :* de toutes ses forces.
- *Jouer les gros bras :* faire le dur.
- *Les bras lui en tombent :* une chose l'étonne beaucoup.
- *Lier les bras à quelqu'un :* l'empêcher d'agir.
- *Manquer de bras, avoir besoin de bras :* en parlant d'un employeur, avoir besoin de travailleurs, de main-d'œuvre.
- *Rester les bras ballants devant quelque chose :* ne pas savoir quoi faire.
- *Se cramponner au bras de quelqu'un :* le tenir fortement par le bras.
- *S'endormir dans les bras du Seigneur :* mourir.
- *Se tordre les bras de douleur, d'inquiétude, de désespoir :* manifester ses sentiments en s'agitant.
- *Tendre les bras vers quelqu'un :* demander son aide.
- *Tendre, ouvrir les bras à quelqu'un :* l'aider, lui pardonner.
- *Tenir à bout de bras :* avec beaucoup d'effort, et sans aide.
- *Vivre de ses bras :* travailler manuellement.

cheville

n. blessure, enflure, entorse, foulure, jambe, membre, os, péroné, pied, tibia.

adj. cassée, fine, forte, foulée, fragile, grosse, jolie.

v. COMPL. : se blesser (à) la cheville, se casser la cheville, se cogner les chevilles, se fouler la cheville, se tordre la cheville.

expressions

- *Être en cheville avec quelqu'un :* s'associer avec lui.
- *Ne pas aller, ne pas arriver, ne pas venir à la cheville d'une personne :* lui être inférieur.
- *Vêtement qui arrive à la cheville :* qui s'arrête à la cheville.

cœur

n. angine, angoisse, arrêt, artère, battement, cavité, circulation, courage, élancement, émotion, faiblesse, forme, générosité, greffe, infarctus, lésion, muscle, noblesse, oreillette, palpitation, passion, pincement, pompe, pouls, poumon, pulsation, sang, sensibilité, sentiment, serrement, syncope, trouble, vaisseau, valvule, veine, ventricule.

adj. affolé, aimant, amer, ardent, attentif, battant, bienveillant, blessé, bon, bondissant, brave, brisé, chamboulé, charitable, compatissant, débordant, déchiré, défaillant, défait, délicat, desséché, dévoré, dévoué, droit, dur, embrasé, endolori, enflammé, épris, fidèle, gauche, généreux, gonflé, grand, gros, impitoyable, infidèle, jeune, joyeux, léger, noble, palpitant, paralysé, passionné, pur, ravagé, rebelle, révolté, saignant, sensible, simple, solitaire, tendre, torturé, tressaillant, troublé, vaillant, vibrant, vide, vieux, volage.

v. SUJET : le cœur s'affole, s'alourdit, s'apaise, s'arrête, s'attendrit, bat, bondit, se brise, se calme, se contracte, se crispe, se déchire, éprouve, exulte, se ferme, frémit, gémit, se gonfle, s'ouvre, palpite, pleure, ressent, saigne, se soulève, soupire, tressaille ; **COMPL. :** s'adresser au cœur, aller au cœur, arracher le cœur, avoir du cœur, briser le cœur, conquérir les cœurs, crever le cœur, écouter son cœur, fendre le cœur, fermer son cœur, glacer le cœur, gonfler le cœur, manquer

de cœur, offrir son cœur, (s') ouvrir le cœur, parler au cœur, percer le cœur, presser contre son cœur, presser sur son cœur, refuser son cœur, serrer contre son cœur, serrer le cœur, serrer sur son cœur, sonder un cœur, toucher le cœur ; **AUTRES VERBES :** aimer, mourir, souffrir, vivre.

expressions

- *À cœur joie, s'en donner à cœur joie :* à satiété.
- *Accepter, avouer, consentir de bon cœur, de grand cœur, de tout cœur, de gaieté de cœur :* avec plaisir, sans poser d'objection, de problème.
- *Agiter, faire battre le cœur :* émouvoir.
- *Apprendre, connaître, savoir, retenir, réciter par cœur :* de mémoire, sans effort.
- *Avoir bon cœur, du cœur, un cœur d'or :* se montrer généreux, charitable, sensible.
- *Avoir le cœur bien accroché, solide :* ne pas lever le cœur facilement ou ne pas être facilement dégoûté.
- *Avoir le cœur gros :* être ému.
- *Avoir le cœur sur la main :* être généreux.
- *Avoir le cœur sur le bord des lèvres :* être prêt à vomir.
- *Avoir, garder quelque chose sur le cœur :* garder en mémoire quelque chose de déplaisant.
- *Avoir, prendre quelque chose à cœur :* s'y intéresser sérieusement, passionnément.
- *Avoir mal au cœur :* avoir des nausées.
- *Bourreau des cœurs :* homme qui aime plaire aux femmes.
- *Chauffer, réchauffer le cœur :* donner du courage.
- *Cœur d'or :* personne charitable, généreuse.
- *Cœur de marbre, de pierre :* personne peu sensible, égoïste.
- *Connaître quelqu'un par cœur :* très bien le connaître.

- *Coup au cœur :* émotion forte.
- *Coup de cœur :* passion subite pour quelque chose.
- *D'un cœur léger :* avec insouciance.
- *De tout son cœur :* avec toutes ses forces.
- *Avoir, mettre du cœur à l'ouvrage :* se montrer travaillant.
- *Donner du cœur au ventre :* donner du courage.
- *Du fond de son cœur :* intérieurement.
- *En avoir le cœur net :* ne plus avoir de doute sur une chose, une situation.
- *Écouter son cœur, venir du cœur :* se montrer sincère.
- *Épancher, ouvrir son cœur :* se confier.
- *Être sans cœur, un sans-cœur, manquer de cœur :* en parlant d'une personne, être peu charitable, peu généreuse.
- *Homme, femme de cœur :* ayant de grandes qualités morales, comme la générosité, la compassion.
- *Intelligence du cœur :* intuition.
- *Jeunesse de cœur, un cœur toujours jeune :* personne d'un certain âge qui se sent toujours jeune.
- *N'avoir le cœur à rien :* n'avoir aucun intérêt, manquer d'enthousiasme, d'énergie.
- *Parler à cœur ouvert :* franchement, sincèrement.
- *Porter quelqu'un sur son cœur :* l'apprécier, l'aimer beaucoup.
- *Soulever le cœur :* dégoûter.
- *Tenir à cœur :* considérer une chose comme très importante.
- *Toucher le cœur, aller droit au cœur :* émouvoir.

corps

n. allure, anatomie, artère, articulation, aspect, attitude, bassin, beauté, bras, buste, carrure, ceinture, chair, charpente, corpulence, cou, dos, embonpoint, épiderme, exercice, force, forme, geste, gymnastique, hauteur, hygiène, jambe, ligne, main, membre, mouvement, obésité, ossature, peau, physiologie, pied, poitrine, port, proportion, santé, squelette, stature, taille, température, tête, tronc, veine, ventre, vigueur, visage, viscère.

adj. agile, agité, basané, boursouflé, bronzé, cambré, chaleureux, charmant, chétif, corpulent, couvert, décharné, défaillant, déformé, dégingandé, délicat, dévêtu, difforme, disgracieux, dispos, dodu, élancé, élégant, endolori, endormi, engourdi, énorme, ensommeillé, épais, épanoui, éploré, épuisé, estropié, exténué, faible, fatigué, ferme, fiévreux, fort, fourbu, frêle, frissonnant, gauche, gracieux, gracile, grand, grassouillet, gros, habillé, harmonieux, immobile, inanimé, indécis, informe, jeune, joyeux, laid, languissant, léger, long, lourd, maigre, maigrelet, maigrichon, malade, maladroit, malingre, massif, maternel, moelleux, mou, moulu, nerveux, noir, noué, nu, obèse, paralysé, parfumé, petit, potelé, propre, rabougri, rachitique, racorni, raide, rajeuni, ratatiné, redressé, rigide, rompu, sain, sale, sanglant, souffrant, souple, squelettique, svelte, tendre, tendu, tiède, tordu, trapu, tremblant, vacillant, vaincu, vêtu, vieilli, vieillissant, vieux, vif, vigoureux, volumineux, voûté.

v. SUJET : le corps se couche, se dresse, s'étire, flotte, frissonne, gémit, se lève, meurt, se penche, pue, se redresse, se secoue, transpire, tremble ; COMPL. : avancer le corps, cambrer son corps, couvrir son corps, se laver le corps, plier le corps, redresser son corps, soigner son corps ; AUTRES VERBES : s'asseoir, (se) baigner, se laver, (se) nourrir, vivre.

expressions

- *À son corps défendant :* malgré soi, à contrecœur.
- *Corps moulé drapé, enveloppé dans un vêtement, recouvert d'un vêtement :* habillé de ce vêtement.
- *Couvrir quelqu'un de son corps, lui faire un rempart de son corps :* le protéger.
- *Passer sur le corps de quelqu'un pour :* nuire à quelqu'un pour réussir, pour arriver à ses propres fins.

- *Pleurer toutes les larmes de son corps:* pleurer beaucoup.
- *Se donner corps et âme à quelqu'un, à quelque chose:* entièrement.
- *Se jeter à plein corps dans quelque chose:* s'y donner entièrement.
- *Se jeter dans un corps à corps:* dans une bataille.
- *Se lancer à corps perdu dans quelque chose:* s'y donner entièrement.
- *Un corps à corps:* lutter serrée entre deux individus.

cou, cous

n. artère, bijou, carotide, chaîne, col, collerette, collier, cravate, décolleté, écharpe, encolure, étranglement, ganglion, glande, gorge, jugulaire, largeur, larynx, ligament, nuque, œsophage, peau, pharynx, pli, pomme d'Adam, strangulation, thyroïde, torticolis, trachée, veine, vertèbre.

adj. beau, charmant, dégagé, délicat, droit, effilé, élégant, enveloppé, épais, fort, fragile, frêle, gracieux, incurvé, large, long, mince, nu, parfumé, penché, protégé, puissant, raide, robuste, rond, sale, solide, souple, tendu, vertical.

v. SUJET: le cou se crispe, se détend, se durcit, s'étire; COMPL.: allonger le cou, attacher par le cou, avoir au cou, se casser le cou, couper le cou, (se) couvrir le cou, dégager le cou, (s') entourer le cou, (s') étirer le cou, mettre autour du cou, nouer autour du cou, (se) parfumer le cou, porter au cou, prendre au cou, (se) protéger le cou, (se) rompre le cou, serrer le cou, suspendre au cou, tordre le cou.

expressions
- *Avoir la bride, laisser à quelqu'un la bride sur le cou:* être libre, le laisser libre.
- *Cou de cygne:* cou long, souple et gracieux.
- *Cou d'ivoire, de lis:* cou très blanc.
- *Coup de taureau:* cou large et puissant.

- *Être dans l'eau, être plongé, s'enfoncer jusqu'au cou:* être pris dans une situation plus ou moins agréable.
- *Mettre à quelqu'un la corde au cou:* le pendre; ou le soumettre, l'obliger.
- *Prendre ses jambes à son cou:* partir rapidement.
- *Sauter, se jeter, se pendre au cou de quelqu'un:* l'embrasser avec fougue.
- *Se cramponner au cou de quelqu'un:* s'accrocher à son cou.
- *Se mettre à la corde au cou:* se mettre dans une situation difficile ou, par ironie, se marier.

coude

n. accoudoir, angle, appui-bras, articulation, avant-bras, biceps, bras, cubitus, extrémité, flexion, humérus, luxation, membre, muscle, os, plis, radius, tendinite, triceps.

adj. gros, joli, levé, petit, pointu, replié, rond.

v. SUJET: le coude plie, pointe, se replie; COMPL.: pousser du coude, s'appuyer sur le coude, se soulever sur le coude; AUTRES VERBES: coudoyer, s'accouder.

expressions
- *Être coude à coude:* être très proche; être solidaire.
- *Jouer des coudes:* essayer de passer à travers une foule; ou essayer d'obtenir quelque chose aux dépens de quelqu'un.
- *Jusqu'au coude:* complètement.
- *Lever, hausser le coude:* boire beaucoup.
- *Se pousser le coude, du coude:* montrer que l'on se comprend bien.
- *Se serrer, se tenir les coudes:* s'entraider.
- *Travailler coude à coude:* travailler très près l'un de l'autre.

cuisse

n. cuissarde, fémur, genou, grosseur, hanche, jambe, jarretelle, jarretière, longueur, membre, muscle, nerf, sciatique, triceps.

adj. bronzée, charnue, duvetée, forte, grasse, longue, maigre, moelleuse, musclée, poilue.

expressions..
- *Se croire sorti de la cuisse de Jupiter :* se croire supérieur aux autres.
- *Se taper sur les cuisses :* être très content, rire d'une situation.
- *Vêtement qui recouvre la cuisse :* se dit de la longueur d'un vêtement.

doigt

n. adresse, agilité, annulaire, articulation, auriculaire, bague, bout, caresse, chiquenaude, dé, doigté, écharde, empreinte, engelure, extrémité, index, main, majeur, ongle, os, panaris, pansement, phalange, phalangette, phalangine, pichenette, pincée, pincement, pouce, souplesse, toucher.

adj. agile, allongé, beau, boudiné, coupé, court, crispé, crochu, déformé, délicat, délié, difforme, écarté, engourdi, fébrile, fermé, fin, fracturé, froid, fuselé, gelé, gonflé, gourd, gros, habile, long, nerveux, noueux, pansé, petit, poilu, raide, retroussé, rouge, sale, trapu, velu.

v. SUJET : le doigt appuie, bouge, s'agite, remue, touche ; **COMPL. :** caresser des doigts, compter sur ses doigts, croiser les doigts, désigner du doigt, effleurer des doigts, glisser ses doigts, se lécher les doigts, lever le doigt, manger avec ses doigts, montrer du doigt, palper avec ses doigts, pointer du doigt, prendre avec ses doigts, serrer avec ses doigts, souffler dans ses doigts, souffler sur ses doigts, tenir entre ses doigts, toucher avec ses doigts, tremper son doigt ; **AUTRES VERBES :** pincer, prendre, presser, tâter.

expressions..
- *À s'en lécher les doigts :* se dit d'un mets savoureux.

- *Connaître, savoir quelque chose sur le bout des doigts :* connaître, savoir très bien, parfaitement.
- *Filer, glisser entre les doigts :* échapper à quelqu'un ou, en parlant d'une chose, disparaître rapidement, comme l'argent.
- *Doigts de fée :* agiles, être habile de ses doigts.
- *Être à deux doigts de :* S'apprêter à faire ou à subir quelque chose.
- *Être comme les deux doigts de la main :* en parlant de deux personnes, être très unies.
- *Être obéi, servi au doigt et à l'œil :* rapidement, avec soin.
- *Faire toucher une chose du doigt :* essayer de convaincre quelqu'un en lui apportant de preuves concrètes.
- *Les doigts dans le nez :* sans faire d'effort.
- *Mettre le doigt dans l'engrenage :* se retrouver dans une situation compliquée.
- *Mettre le doigt sur quelque chose :* découvrir ce que l'on cherchait.
- *Ne pas bouger, lever, remuer le petit doigt :* ne rien faire.
- *Ne rien faire, ne savoir rien faire de ses dix doigts :* être incapable, paresseux.
- *S'en falloir d'un doigt :* s'en falloir de très peu.
- *S'en mordre les doigts :* regretter de n'avoir pas fait quelque chose, de n'avoir pas saisi une occasion.
- *Se faire taper sur les doigts :* se faire réprimander.
- *Toucher du doigt le but, la fin :* en être très près.
- *Toucher quelque chose du doigt :* le voir clairement.

dos

n. bas, bosse, bossu, carrure, colonne, épaule, fesse, lumbago, moelle, rein, scoliose, sillon, vertèbre.

adj. arqué, arrondi, bossu, charnu, courbé, décharné, déformé, droit, endolori, étroit, large, musclé, penché, raide, robuste, rond, solide, tourné, voûté.

v. SUJET : le dos s'arque, s'arrondit, se cambre, se courbe, se penche, se redresse ; **COMPL. :** (s') allonger sur le dos, arquer le dos, cacher dans son dos, cacher derrière le dos, (se) coucher sur le dos, courber le dos, dormir sur le dos, (s') étendre sur le dos, se faire dorer le dos, se mettre sur le dos, nager sur le dos, pencher le dos, plier le dos, porter sur le dos, redresser le dos, se regarder de dos, tendre le dos, tomber sur le dos, voir de dos ; **AUTRE VERBE :** (s') adosser.

expressions..

- *Agir dans le dos de quelqu'un, faire quelque chose derrière son dos :* à son insu.
- *Avoir le dos au mur :* être pris dans une situation sans issue.
- *En avoir plein le dos :* en avoir assez.
- *Être sur le dos de quelqu'un :* le surveiller, le harceler.
- *Être, rester sur le dos :* être malade.
- *Faire fortune sur le dos des autres :* s'enrichir aux dépens des autres, en les exploitant.
- *Faire froid dans le dos :* effrayer.
- *Faire le gros dos :* se ramasser sur soi-même pour se protéger.
- *Mettre quelque chose sur le dos de quelqu'un :* l'accuser de l'avoir fait.
- *Prendre quelque chose sur son dos :* s'en rendre responsable.
- *Se laisser manger, tondre la laine sur le dos :* se laisser faire.
- *Se mettre quelqu'un à dos :* s'en faire un ennemi.
- *Se mettre quelque chose sur le dos :* prendre une chose en charge.
- *Tirer dans le dos de quelqu'un :* par derrière ; ou essayer de lui nuire.
- *Tomber sur le dos :* être surpris, étonné.
- *Tomber, sauter sur le dos de quelqu'un :* l'attaquer.
- *Tourner le dos à quelqu'un, à quelque chose :* se présenter de dos ; ou refuser de voir cette personne, cette chose.

épaule

n. aisselle, articulation, bandoulière, bras, bretelle, carrure, clavicule, courbe, creux, dislocation, épaulette, haussement, humérus, luxation, mouvement, muscle, omoplate, roulement, saillie.

adj. arrondie, ballante, belle, carrée, charnue, dégagée, démise, disloquée, épaisse, flottante, forte, fuyante, grasse, grêle, haute, large, musclée, nouée, nue, paralysée, puissante, rentrée, robuste, rompue, ronde, rougie, tombante.

v. COMPL. : baisser les épaules, charger sur les épaules, hausser les épaules, lever les épaules, plier les épaules, porter sur les épaules, rouler les épaules, se disloquer une épaule ; **AUTRE VERBE :** épauler.

expressions..

- *Avoir la tête sur les épaules :* être sensé, raisonnable.
- *Avoir, peser, porter, reposer, (re)tomber sur les épaules :* être responsable de quelque chose.
- *Changer son fusil d'épaule :* changer d'avis, d'opinion.
- *Donner un coup d'épaule à quelqu'un :* aider quelqu'un, l'épauler.
- *En avoir par-dessus les épaules :* en avoir plus qu'assez.
- *Hausser, lever les épaules :* manifester son mécontentement, son indifférence ou son mépris.
- *Regarder, lire par-dessus l'épaule :* lire en étant derrière une personne qui lit.

fesse

n. bassin, chair, claque, cul, derrière, dos, fessée, fessier, gras, grosseur, largeur, muscle, paire, peau, raie, tape.

adj. basse, belle, charnue, développée, droite, énorme, ferme, gauche, grosse, harmonieuse, haute, laide, molle, musclée, petite, plate, proéminente, ronde.

v. COMPL. : botter les fesses, claquer les fesses, frotter les fesses, pincer les fesses, taper les fesses, tomber sur les fesses ; **AUTRES VERBES :** fesser, s'asseoir.

expressions

- *À grands coups de pied aux fesses:* se dit quand quelqu'un est expulsé d'un endroit avec énergie.
- *Avoir quelqu'un aux fesses:* avoir quelqu'un qui nous poursuit.
- *Coûter la peau des fesses:* coûter cher.
- *Être assis sur le bout des fesses:* ne pas être assis confortablement parce qu'on est gêné, mal à l'aise.
- *Montrer ses fesses:* se dévêtir complètement.
- *Poser ses fesses:* s'asseoir, se reposer.
- *Serrer les fesses:* avoir peur.
- *Se retrouver sur les fesses:* tomber assis.

genou, oux

n. articulation, cuisse, entorse, fémur, flexion, genouillère, génuflexion, jambe, jarret, jointure, ligament, luxation, ménisque, protecteur, rotule, tibia.

adj. cagneux, écorché, étroit, fléchi, fort, gras, gros, maigre, mince, pointu, poli, rond, souple, tremblant, vacillant.

v. SUJET: le genou (se) plie; **COMPL.:** appuyer le genou, demander à genoux, (s') enfoncer jusqu'aux genoux, fléchir le genou, frôler du genou, implorer à genoux, se jeter à genoux, (se) mettre à genoux, monter à genoux, plier le genou, ployer le genou, poser sur ses genoux, pousser du genou, prendre sur ses genoux, se traîner sur les genoux, serrer entre ses genoux, supplier à genoux, tomber à genoux, tomber sur les genoux; **AUTRE VERBE:** s'agenouiller.

expressions

- *Demander quelque chose à genoux:* avec insistance.
- *Plier, fléchir le ou les genoux:* manifester sa soumission.
- *Ployer les genoux:* se montrer servile.
- *Tomber aux genoux de quelqu'un:* se prosterner devant lui; ou se soumettre, s'humilier devant lui; ou le remercier.

hanche

n. articulation, balancement, bassin, ceinture, cuisse, danse, déhanchement, fémur, galbe, largeur, mouvement, roulement, saillie, sciatique, tortillement, tour, tronc.

adj. épanouie, étroite, forte, large, puissante, rebondie, ronde, souple.

v. SUJET: les hanches se balancent; **COMPL.:** s'appuyer sur la hanche, balancer les hanches, porter sur la hanche, rouler les hanches, tortiller les hanches; **AUTRE VERBE:** se déhancher.

expression

- *Mettre les mains, les poings sur les hanches:* manifester le défi, provoquer.

jambe

n. articulation, boiteux, boiteuse, cheville, coureur, coureuse, course, croc-en-jambe, danse, genou, jambière, jarret, locomotion, longueur, marche, marcheur, marcheuse, membre, mollet, muscle, os, pantalon, pas, péroné, pied, saut, tendon, tibia, unijambiste.

adj. agile, allongée, amputée, ankylosée, arquée, artificielle, atrophiée, ballante, belle, cagneuse, cassée, chancelante, courte, couverte, croisée, démise, dodue, écartée, élancée, élégante, engourdie, énorme, épaisse, fatiguée, ferme, fine, gainée, galbée, gonflée, grande, grosse, infatigable, interminable, longue, lourde, maigre, mince, molle, moulée, musclée, nue, paralysée, pendante, poilue, raide, tordue, vacillante, veinée, velue.

v. SUJET: les jambes fléchissent, se dérobent; **COMPL.:** allonger les jambes, balancer les jambes, croiser les jambes, décroiser les jambes, se dégourdir les jambes, écarter les jambes, étendre les jambes, fléchir les jambes, lever la jambe, plier les jambes, serrer entre les jambes, tendre les jambes, (se) tenir sur ses jambes, tirer la jambe, traîner la jambe, vaciller sur ses jambes; **AUTRES VERBES:** boiter, bouger, courir, danser, marcher, sauter.

expressions.....................................
- *Cela lui fait une belle jambe :* cela ne lui sert à rien.
- *Courir, s'enfuir à toutes jambes :* courir, s'enfuir le plus vite possible.
- *Des fourmis dans les jambes :* les jambes engourdies.
- *Émotion qui coupe, amollit les jambes :* émotion forte.
- *Être dans les jambes de quelqu'un :* déranger quelqu'un.
- *N'avoir plus de jambes :* être trop fatigué pour marcher.
- *Par-dessus la jambe :* se dit de quelque chose que l'on fait de façon désinvolte, insouciante.
- *Prendre ses jambes à son cou :* s'enfuir rapidement.
- *Tirer dans les jambes de quelqu'un :* essayer de lui nuire.

main

n. adresse, ambidextre, applaudissement, bras, cal, callosité, carpe, chiromancie, claque, creux, crevasse, dextérité, doigt, dos, droitier, droitière, durillon, enflure, engelure, gant, gaucher, gauchère, gerçure, geste, gifle, ligne, maniement, manipulation, manutention, métacarpe, paume, plat, poigne, poignet, poing, position, revers, sac à main, tape, toucher, tremblement.

adj. adroite, agile, amicale, armée, belle, blessée, bonne, brûlante, calleuse, chaude, crevassée, criminelle, douce, droite, endurcie, enflée, étendue, exercée, experte, fermée, fine, forte, fraternelle, froide, gantée, gauche, gelée, généreuse, gercée, gonflée, gourde, grassouillette, grande, grosse, habile, humide, innocente, jointes, jolie, large, lavée, légère, levée, libre, liées, longue, lourde, maladroite, malhabile, menue, meurtrière, mignonne, moite, molle, nerveuse, nette, noueuse, nue, osseuse, ouverte, petite, pleine, propre, rapide, ridée, robuste, rugueuse, sale, sèche, sombre, souple, sûre, tachée, tendre, tendue, tiède, tremblante, veinée, vide.

v. SUJET : la main caresse, se crispe, empoigne, étreint, se ferme, flatte, masse, s'ouvre, palpe, prend, presse, saisit, serre, tâte, tient, touche ; **COMPL. :** s'agripper d'une main, avoir à la main, avoir en main, battre des mains, changer de main, (se) croiser les mains, donner la main, échapper des mains, s'écorcher la main, effleurer de la main, étendre la main, fermer la main, flatter de la main, (se) frotter les mains, glisser des mains, joindre les mains, (se) laver les mains, lever la main, mettre la main, ouvrir la main, poser la main, prendre d'une main, prendre la main, presser la main, (se) salir les mains, saisir la main, serrer la main, soulever la main, soulever d'une main, tendre la main, se tenir d'une main, se tenir la main, se tenir par la main, tenir à la main, tenir en main, toucher de la main ; **AUTRES VERBES :** applaudir, manier, manipuler.

expressions.....................................
- *À main armée :* en ayant une arme à la main.
- *À pleines mains :* en grande quantité.
- *À portée de la main :* se dit d'une chose que l'on peut atteindre sans se déplacer.
- *Avoir en main, entre les mains :* avoir en sa possession.
- *Avoir la main haute sur quelque chose :* en être le maître, pouvoir la diriger.
- *Avoir le cœur sur la main :* être généreux.
- *Avoir les mains libres :* pouvoir décider soi-même, ne pas être l'obligé de quelqu'un.
- *Avoir sous la main :* pouvoir disposer de quelque chose.
- *Changer de main :* se dit d'une chose qui change de propriétaire.
- *Donner un coup de main :* apporter de l'aide à quelqu'un.
- *De main de maître :* se dit de quelque chose qui est fait habilement.
- *De main en main :* d'une personne à une autre.

- *De première main :* directement, en parlant d'une chose qui n'a eu qu'un seul propriétaire ; se dit d'une nouvelle ou d'une information qui vient directement de la source.
- *De seconde main :* indirectement, en parlant d'une chose qui a changé plusieurs fois de propriétaires ; se dit d'une nouvelle ou d'une information qui a été répété par plusieurs personnes avant que l'on en prenne connaissance.
- *Dessiner à main levée :* d'un seul trait, sans s'arrêter.
- *En bonnes mains :* entre les mains d'une personne fiable, compétente.
- *En main propre, en mains propres :* dans les mains de la personne intéressée.
- *En un tour de main :* très rapidement.
- *En venir aux mains :* se battre.
- *Faire des pieds et des mains :* faire tout ce que l'on peut pour obtenir ce que l'on veut.
- *Faire main basse sur quelque chose :* la voler.
- *Fait, fabriqué à la main, cousu main :* fait à la main, non à la machine.
- *Forcer la main à quelqu'un :* l'obliger à faire quelque chose.
- *Haut la main :* facilement, sans problème.
- *Lever, porter la main sur quelqu'un :* le frapper.
- *Main courante :* partie d'une rampe que l'on tient pour monter ou descendre un escalier.
- *Marcher la main dans la main :* se dit de deux personnes qui s'accordent parfaitement sur quelque chose.
- *Mettre la dernière main à quelque chose :* la terminer.
- *Mettre la main à la pâte :* faire soi-même quelque chose ou aider à sa fabrication.
- *Mettre la main sur son cœur :* montrer que l'on est sincère.
- *Mettre la main sur quelqu'un ou sur quelque chose :* s'emparer de quelqu'un

ou de quelque chose, légalement ou non.
- *Ne pas y aller de main morte :* frapper fort, ne pas se gêner.
- *Perdre la main :* perdre une habitude, une habileté.
- *Prendre en main, en mains quelqu'un ou quelque chose :* s'en charger.
- *Prendre quelqu'un la main dans le sac :* prendre quelqu'un en train de voler.
- *Se faire la main :* s'exercer.
- *Se laver les mains de quelque chose :* ne pas vouloir en être responsable.
- *Se salir les mains, ne pas avoir les mains nettes :* être compromis dans une affaire louche, criminelle.
- *Tendre la main :* mendier.
- *Tendre la main à quelqu'un :* lui offrir son aide ou lui accorder son pardon.

ongle

n. cuticule, doigt, écharde, égratignure, extrémité, forme, lime, lunule, main, manucure, orteil, panaris, peau, pied, racine, rognure, soin, tache, toilette, vernis.

adj. bombé, brillant, brisé, cannelé, cassé, coupé, court, effilé, fait, incarné, lisse, long, manucuré, net, nettoyé, noir, peint, poli, propre, retroussé, rose, sale, soigné, taillé, verni.

v. SUJET : l'ongle griffe, égratigne ; **COMPL. :** se brosser les ongles, se casser un ongle, égratigner avec l'ongle, (se) faire les ongles, manger ses ongles, (se) peindre les ongles, (se) polir les ongles, (se) ronger les ongles, (se) nettoyer les ongles.

expressions

- *Avoir les ongles crochus :* être très avare.
- *Jusqu'au bout des ongles :* complètement.
- *Payer rubis sur l'ongle :* payer comptant et au complet.

- *Savoir, connaître quelque chose sur le bout des ongles :* savoir, connaître à fond, parfaitement.
- *Se mordre, se ronger les ongles d'impatience, d'ennui :* manifester sa nervosité.
- *S'enfoncer les ongles dans les paumes :* retenir sa colère.

orteil

n. cor, déformation, déviation, doigt, fracture, malformation, ongle, os, phalange, pied.

adj. crochu, difforme, enflé, fracturé, gros, petit.

v. COMPL. : bouger les orteils, se casser un orteil, se cogner les orteils, remuer les orteils.

ossature

n. anatomie, cartilage, charpente, corps, entorse, fracture, luxation, membre, moelle, os, squelette.

adj. fine, forte, fragile, frêle, grêle, imposante, robuste.

peau

n. acné, albinisme, ampoule, apparence, bouton, brûlure, callosité, carnation, chair, chatouillement, cicatrice, cloque, comédon, cor, couleur, couperose, coupure, crème, crevasse, croûte, dartre, démangeaison, dermatite, dermatologie, dermatologue, derme, douceur, durillon, ecchymose, écorchure, eczéma, égratignure, enflure, épaisseur, épiderme, éraflure, fourmillement, furoncle, gerçure, hâle, hygiène, incision, lésion, maladie, maquillage, moiteur, odeur, œdème, ongle, pellicule, picotement, pigment, pigmentation, plaie, pli, poil, point, pommade, pore, poudre, psoriasis, pustule, repli, respiration, ride, rousseur, sensibilité, sillon, soin, sueur, tache, talc, teint, toucher, transpiration, urticaire, vergeture, verrue.

adj. ambrée, anémique, basanée, belle, blafarde, blanche, blême, bleuie, bouffie, boursouflée, boutonneuse, brillante, bronzée, brune, brunie, calleuse, carminée, cireuse, claire, cuivrée, délicate, diaphane, dorée, douce, dure, éblouissante, écorchée, égratignée, enflée, épaisse, éraflée, fanée, fendillée, fine, flasque, foncée, fragile, fraîche, fruitée, grasse, griffée, hâlée, hérissée, huileuse, jaunâtre, laiteuse, livide, luisante, lumineuse, lustrée, marbrée, mate, moite, morte, nacrée, nette, noire, nue, parfumée, pendante, plissée, poilue, poudrée, propre, rasée, ratatinée, rêche, ridée, rose, rouge, rougeâtre, rougie, rude, rugueuse, saine, sale, satinée, sèche, sensible, soignée, sombre, soyeuse, striée, tachée, tendre, tendue, terne, transparente, tremblante, veinée, velue, veloutée, vergetée, vilaine, visqueuse.

v. SUJET : la peau bronze, brûle, frissonne, démange, (se) gonfle, pique, pâlit, se plisse, rougit, se tend, transpire ; **COMPL. :** arracher la peau, caresser la peau, détacher la peau, écorcher la peau, égratigner la peau, érafler la peau, griffer la peau, labourer la peau ; **AUTRES VERBES :** exhaler, respirer, ressentir, sentir, suer.

expressions

- *Attraper, prendre, retenir, saisir quelqu'un par la peau du cou, des fesses :* le retenir ou l'attraper pour le punir.
- *Avoir quelqu'un dans la peau :* être très amoureux de quelqu'un.
- *Coller à la peau de quelqu'un :* ne pouvoir se séparer de quelqu'un.
- *Entrer, se mettre dans la peau de quelqu'un :* s'identifier à lui, en imagination.
- *Être bien, mal dans sa peau :* être satisfait, insatisfait de soi.
- *Être, entrer, se mettre dans la peau d'un personnage :* interpréter un rôle au théâtre ou au cinéma.
- *Être, ne pas être dans la peau de quelqu'un :* se trouver, ne pas se trouver dans la situation de quelqu'un.

- *Faire peau neuve, changer de peau :* changer de comportement.
- *Le froid mord, glace, pince la peau :* actions du froid sur la peau.
- *Jouer sa peau, risquer sa peau, craindre pour sa peau, tenir à sa peau, sauver sa peau :* expressions où *sa peau* signifie *sa vie.*
- *N'avoir que la peau et les os, que la peau sur les os :* être très maigre.
- *Vendre chèrement sa peau :* se défendre avec courage, bravoure.

pied

n. ampoule, boiteux, cal, callosité, cambrure, chaussure, cheville, cloche-pied, cor, corne, cou-de-pied, dimension, doigt, durillon, empreinte, enflure, engelure, entorse, épine, extrémité, forme, foulure, gerçure, hygiène, jambe, locomotion, marche, marcheur, métatarse, muscle, oignon, orteil, os, pantoufle, pas, pédicure, phalange, pied-bot, piétinement, piéton, plante, podologue, podologie, pointe, saut, soin, squelette, talon, tarse, trace, trépignement.

adj. amputé, blessé, cambré, chaussé, comprimé, court, creux, déformé, dégagé, délicat, difforme, écarté, enfantin, enflé, étroit, fin, fort, foulé, gelé, grand, gros, joli, large, lavé, levé, lié, mignon, mouillé, net, nu, petit, plat, sale, sec, tordu.

v. SUJET : le pied s'agite, avance, se balance, bouge, glisse, recule ; **COMPL. :** aller à pied, appuyer avec le pied, attacher les pieds, avancer le pied, battre du pied, (se) battre avec les pieds, se blesser au pied, boiter du pied, (se) chauffer les pieds, chausser son pied, écraser sous les pieds, effleurer du pied, essuyer ses pieds, être à pied, se fouler le pied, frapper du pied, frôler du pied, se geler les pieds, heurter du pied, lâcher pied, se laver les pieds, lever le pied, se lever sur les pieds, lier les pieds, lutter avec les pieds, mettre le pied, se mettre sur ses pieds, partir à pied, perdre pied, poser le pied sur, poser le pied dans, reculer le pied, sauter à pieds joints, sauter sur ses pieds, sautiller sur un pied, taper du pied, se tenir sur ses pieds, tirer par les pieds, tomber sur ses pieds, se tordre le pied, traîner les pieds, se tremper les pieds, voyager à pied ; **AUTRES VERBES :** boiter, buter, courir, marcher, piétiner, sauter, trépigner.

expressions......................................

- *Attendre quelqu'un de pied ferme :* être prêt à l'affronter.
- *Au pied levé :* sans aucune préparation.
- *Avoir bon pied, bon œil :* être encore en forme, malgré son âge.
- *Couper, faucher l'herbe sous le pied de quelqu'un :* priver quelqu'un d'un avantage.
- *Enlever, tirer, ôter à quelqu'un une épine du pied :* délivrer quelqu'un d'une mauvaise situation, d'une difficulté.
- *Être sur pied :* se lever le matin.
- *Faire des pieds et des mains :* tout faire pour obtenir quelque chose.
- *Lâcher pied :* renoncer, abandonner.
- *Marcher sur les pieds de quelqu'un :* chercher à lui nuire.
- *Mettre les pieds dans le plat :* commettre une maladresse.
- *Mettre quelqu'un au pied du mur :* le forcer à faire quelque chose.
- *Partir du bon pied :* bien débuter quelque chose.
- *Perdre pied :* se sentir perdu, déboussolé.
- *Pieds et poings liés :* ne plus pouvoir faire quelque chose, être réduit à l'impuissance.
- *Retomber sur ses pieds :* se tirer d'une situation difficile.
- *Sauter à pieds joints sur quelque chose :* sans hésiter.
- *Se jeter, tomber aux pieds de quelqu'un :* supplier quelqu'un.
- *Se lever du pied gauche, du mauvais pied :* se lever de mauvaise humeur.
- *Se remettre sur pied :* guérir.
- *Sur la pointe des pieds :* sans faire de bruit.

- *Traîner les pieds:* montrer peu d'enthousiasme dans l'exécution d'une tâche.
- *Travailler comme un pied:* travailler très mal.
- *Travailler d'arrache-pied:* travailler de façon soutenue, durement.
- *Trouver chaussure à son pied:* trouver exactement ce qu'il faut.

poitrine

n. abdomen, angine, auscultation, buste, carrure, cœur, corps, côte, diaphragme, douleur, épaule, pectoraux, poil, poumon, respiration, sein, soutien-gorge, sternum, thorax, torse, tour.

adj. abondante, ballante, basse, belle, bombée, bondissante, chétive, creuse, décharnée, découverte, délicate, énorme, épanouie, étroite, faible, ferme, forte, généreuse, jeune, haute, large, maigre, musclée, nue, oppressée, opulente, plate, pleine, proéminente, provocante, ronde, tombante, velue.

v. SUJET: la poitrine retombe, se couvre, se gonfle, se serre, se soulève; **COMPL.:** ausculter la poitrine, bercer contre sa poitrine, bomber la poitrine, couvrir la poitrine, étreindre contre sa poitrine, frapper à la poitrine, gonfler sa poitrine, presser contre sa poitrine, serrer contre sa poitrine, tenir contre sa poitrine.

expressions......................................

- *Avoir de la poitrine:* se dit d'une fille, d'une femme aux seins bien développés.
- *Avoir un poids sur la poitrine:* éprouver un sentiment qui gêne, qui oppresse.
- *Poche de poitrine:* poche située sur un vêtement, à la hauteur de la poitrine.
- *Se frapper à la poitrine:* geste fait en avouant une faute, en se repentant.

sang

n. anémie, artère, caillot, circulation, coagulation, cœur, couleur, croûte, donneur, ecchymose, embolie, globule, glycémie, groupe, hémoglobine, hémophile, hémophilie, hémorragie, insuline, leucémie, plaquette, plasma, pouls, prise, pulsation, saignement, seringue, sérum, tension, transfusion, vaisseau, veine.

adj. bouillant, brun, chaud, clair, coagulé, contaminé, coulé, enflammé, épais, fétide, jeune, pauvre, princier, pur, riche, rouge, royal, séché, vermeil, versé, vicié.

v. SUJET: le sang bout, bouillonne, circule, coagule, coule, fige, gicle, jaillit, s'enflamme, se répand; **COMPL.:** couvrir de sang, cracher du sang, être en sang, faire couler le sang, se gratter jusqu'au sang, mordre jusqu'au sang, perdre du sang, transfuser du sang; **AUTRES VERBES:** ensanglanter, saigner.

expressions......................................

- *Apport de, en sang frais, neuf:* arrivée de nouveaux au travail, au pays, dans une équipe.
- *Avoir du sang dans les veines:* être énergique, courageux.
- *Ne pas avoir de sang dans les veines:* être faible, lâche.
- *Avoir du sang sur les mains:* avoir commis un crime.
- *Avoir le sang chaud:* se mettre facilement en colère.
- *Avoir quelque chose dans le sang:* avoir la passion de quelque chose.
- *Du sang bleu:* faire partie de la noblesse, d'une famille de lignée royale.
- *Être de sang et de chair:* être bien vivant.
- *Glacer, figer le sang dans les veines:* éprouver une grande peur.
- *Lien de sang, être du même sang:* avoir un lien de parenté.
- *Son sang n'a fait qu'un tour:* il a été bouleversé par l'indignation, par la peur.
- *Pleurer des larmes de sang:* pleurer beaucoup; souffrir d'une forte douleur; être rongé par un terrible remords.

- *S'offrir, se payer une pinte de bon sang :* s'amuser.
- *Se faire du mauvais sang :* s'inquiéter.
- *Se ronger les sangs :* s'inquiéter ou s'impatienter.
- *Suer sang et eau :* faire beaucoup d'efforts.
- *Verser, répandre, faire couler le sang :* tuer, à la guerre ou par un acte violent.

taille

n. ceinture, côte, danse, élégance, finesse, hanche, mesure, minceur, sveltesse, tour, tronc.

adj. adoucie, amincie, comprimée, débordante, dissimulée, élancée, élégante, enrobée, fine, forte, légère, libre, marquée, mince, ondoyante, ronde, sanglée, serrée, souple, svelte.

v. SUJET: la taille ondule ; COMPL. : prendre par la taille, saisir par la taille, tenir par la taille.

tronc

n. abdomen, bassin, buste, corps, côte, diaphragme, dos, épaule, estomac, fesse, hanche, maigreur, membre, nombril, obésité, poitrine, sein, taille, tête, thorax, torse, ventre.

adj. dressé, droit, étroit, fort, frêle, incliné, maigre, massif, penché, plié, poilu, robuste, solide.

v. SUJET: le tronc s'alourdit, (se) dresse, s'incline, (se) penche, (se) plie, se redresse ; COMPL. : incliner le tronc, pencher le tronc, plier le tronc, redresser le tronc.

ventre

n. abdomen, aine, ballonnement, bassin, bedaine, bedon, brioche, colique, constipation, coup, diarrhée, digestion, douleur, embonpoint, estomac, faim, gargouillement, gloutonnerie, intestin, nombril, régime, taille, tronc, viscère.

adj. affamé, ballonné, creux, distendu, dodu, douloureux, doux, durci, enflé, énorme, flasque, gonflé, gros, lisse, mignon, musclé, noué, paresseux, petit, plat, plein, proéminent, rempli, rentré, rond, rondelet, serré, tendu, vide.

v. SUJET: le ventre gargouille, se distend, (se) gonfle, se noue, se remplit, se serre ; COMPL. : (se) coucher sur le ventre, dormir sur le ventre, rentrer le ventre, se traîner sur le ventre.

expressions

- *Avoir le ventre creux :* avoir faim.
- *Avoir le ventre plein :* être rassasié, avoir bien mangé.
- *Avoir mal au ventre :* avoir mal aux intestins.
- *Avoir, prendre du ventre, un peu de ventre :* faire un peu d'embonpoint.
- *Chercher à savoir ce que quelqu'un a dans le ventre :* chercher à connaître ses plans, ses projets.
- *Courir ventre à terre :* courir très vite.
- *Faire mal au ventre :* se dit de quelque chose de déplaisant, de désagréable.
- *Marcher, passer sur le ventre de quelqu'un :* lui nuire pour arriver à ses propres fins.
- *Mettre du cœur au ventre :* donner de l'énergie, du courage.
- *N'avoir rien dans le ventre :* manquer d'énergie, de capacités, être un incapable.
- *Se coucher à plat ventre :* sur le ventre.
- *Se mettre à plat ventre devant quelqu'un :* s'humilier en espérant recevoir quelque chose en retour.
- *Se remplir le ventre :* boire et manger.
- *Se serrer le ventre :* se passer de nourriture.

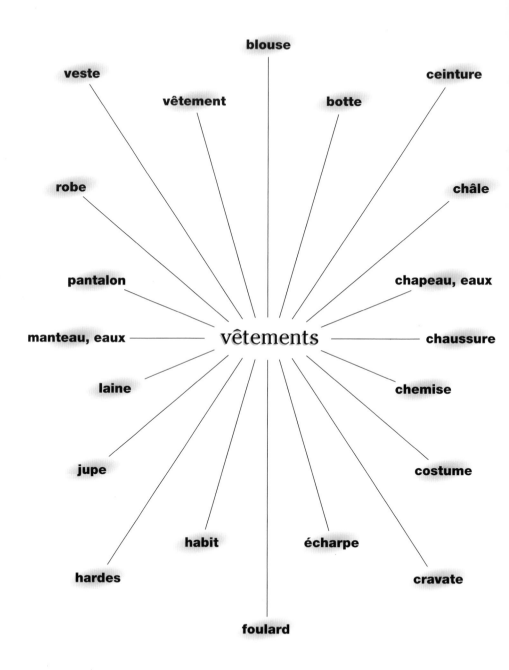

blouse

n. agrafe, bouton, boutonnage, boutonnière, broderie, casaque, ceinture, chemise, chemisette, chemisier, col, collerette, corsage, encolure, fanfreluche, garde-robe, gorge, manche, manchette, marinière, pan, penderie, plis, poignet, repassage, sarrau, tablier, veste.

adj. ajustée, ample, boutonnée, brodée, cintrée, déboutonnée, déchirée, décolletée, défroissée, élégante, endossée, fripée, froissée, lavée, légère, maculée, mise, ôtée, ouverte, passée, portée, propre, repassée, romantique, sale, salie, soyeuse, tachée, usée, vaporeuse.

v. SUJET: la blouse embellit, rajeunit; COMPL.: agrafer une blouse, ajuster une blouse, boutonner une blouse, broder une blouse, cintrer une blouse, déboutonner une blouse, déchirer une blouse, décolleter une blouse, défroisser une blouse, dégrafer une blouse, endosser une blouse, enfiler une blouse, enlever une blouse, friper une blouse, froisser une blouse, laver une blouse, (se) mettre une blouse, ôter une blouse, passer une blouse, porter une blouse, repasser une blouse, revêtir une blouse, salir une blouse, tacher une blouse, user une blouse.

botte

n. alène, bottillon, bottier, bottine, boucle, bout, bouton, bride, brosse, chausse-pied, chaussure, cirage, cireur, cordon, cordonnerie, cordonnier, cordonnière, échoppe, élastique, embauchoir, empeigne, éperon, forme, lacet, languette, œillet, paire, piqueur, piqueuse, pointure, ressemelage, revers, semelle, sous-pied, talon.

adj. astiquée, basse, boutonnée, brossée, cirée, cloutée, courte, cousue, décrottée, déformée, délacée, éculée, enfilée, ferrée, forte, haute, lacée, longue, mise, molle, mouillée, neuve, ôtée, percée, piquée, portée, ressemelée, sale, sèche, trouée, usée, vernie, vieille.

v. COMPL.: astiquer une botte, boutonner une botte, brosser une botte, chausser une botte, se chausser de bottes, cirer une botte, clouer une botte, coudre une botte, décrotter une botte, déformer une botte, délacer une botte, enfiler une botte, enlever une botte, ferrer une botte, lacer une botte, (se) mettre une botte, mouiller une botte, ôter une botte, percer une botte, piquer une botte, porter une botte, ressemeler une botte, sécher une botte, tirer sur une botte, trouer une botte, user une botte; AUTRES VERBES: (se) botter, (se) débotter.

expressions..

- *Avancer avec des bottes de sept lieues:* avancer très vite.
- *Cirer, lécher les bottes de quelqu'un:* flatter quelqu'un bassement.
- *En avoir plein les bottes:* être très fatigué, excédé.
- *Serrer la botte:* serrer les jambes contre les flancs du cheval.
- *Être, aller, charger botte à botte:* aller jambe contre jambe, en parlant des cavaliers.
- *Aller à la botte:* essayer de mordre le cavalier à la jambe, en parlant du cheval.
- *Un coup de botte:* un coup de pied.
- *Vivre sous la botte de:* être sous l'oppression d'un régime autoritaire.
- *Tenir quelqu'un sous sa botte:* tenir quelqu'un sous son autorité.
- *Bruit de bottes:* bruit que fait une armée, que font des militaires en marche.
- *La botte de l'Italie:* la forme du pays.

ceinture

n. agrafe, anneau, ardillon, baudrier, boucle, ceinturon, cordon, cran, crin, cuir, étoffe, flanelle, jupe, obi, œil, œillet, pantalon, sangle, taille, trou.

adj. agrafée, attachée, bouclée, ceinte, dégrafée, desserrée, détachée, enlevée, étroite, fléchée, large, mise, ôtée, rangée, réparée, serrée, tissée.

v. COMPL.: agrafer une ceinture, attacher une ceinture, boucler une ceinture, ceindre une ceinture, se ceindre d'une ceinture, desserrer une ceinture, enlever une ceinture, (s') entourer d'une ceinture, (se) mettre une ceinture, ôter une ceinture, porter une ceinture, réparer une ceinture, serrer une ceinture, tisser une ceinture; **AUTRES VERBES:** ceinturer, entourer.

expressions

- *Attacher vos ceintures:* prenez vos précautions.
- *Bonne renommée vaut mieux que ceinture dorée:* une bonne réputation vaut mieux que la richesse.
- *Ceinture de chasteté:* au Moyen Âge, appareil qui rendait les relations sexuelles impossibles.
- *Ceinture de Vénus:* dans la mythologie, ceinture qui avait le pouvoir de charmer les cœurs.
- *Être toujours pendu à la ceinture de quelqu'un:* suivre quelqu'un constamment.
- *Frapper au-dessous de la ceinture:* porter un coup déloyal.
- *Ne pas arriver à la ceinture de quelqu'un:* être beaucoup plus petit que quelqu'un; ou avoir moins de mérite que quelqu'un.
- *Se mettre, se serrer la ceinture:* se priver de nourriture ou d'autre chose.

châle

n. carré, écharpe, épaule, étoffe, fichu, frange, mantille, mouchoir, pointe, tête.

adj. attaché, carré, crocheté, dénoué, drapé, effiloché, endossé, mis, noué, porté, posé, rectangulaire, revêtu, tissé, triangulaire, tricoté.

v. SUJET: un châle couvre, pare; **COMPL.:** attacher un châle, dénouer un châle, (se) draper d'un châle, effilocher un châle, (s') emmitoufler dans un châle, endosser un châle, (se) mettre un châle, nouer un châle, porter un châle, poser un châle, revêtir un châle, se revêtir d'un châle, tisser un châle, tricoter un châle.

chapeau, eaux

n. aigrette, apprêt, béret, bibi, bicorne, bonnet, bord, brosse, cagoule, calotte, canotier, capeline, capuche, capuchon, casque, casquette, chapelier, chapellerie, chaperon, coiffe, coiffure, cordon, couvre-chef, cuir, feutre, fond, galon, ganse, haut-de-forme, képi, kippa, laine, melon, mitre, modiste, paille, panache, passe-montagne, patère, plume, pompon, ruban, soie, sombrero, tiare, toque, tuque, turban, vestiaire, visière, voile, voilette.

adj. ancien, bordé, bosselé, brossé, campé, ceint, ciré, coûteux, écrasé, élégant, enfoncé, enlevé, étroit, excentrique, fixé, garni, large, lustré, mis, miteux, mou, neuf, original, ôté, plat, pointu, porté, rabattu, repassé, retapé, rigide, souple, troué, usé, vieux.

v. SUJET: un chapeau coiffe, couvre, pare, protège; **COMPL.:** brosser un chapeau, camper un chapeau, (se) coiffer d'un chapeau, (se) couvrir d'un chapeau, écraser un chapeau, enfoncer un chapeau, enlever un chapeau, (se) mettre un chapeau, ôter un chapeau, planter un chapeau, porter un chapeau, rabattre un chapeau, repasser un chapeau, saluer avec un chapeau, user un chapeau.

expressions

- *Tirer son chapeau:* exprimer son admiration.
- *Donner un coup de chapeau:* saluer quelqu'un.
- *Chapeau bas! Chapeau!:* exclamation pour marquer l'admiration.
- *En baver des ronds de chapeau:* Subir un traitement sévère ou devoir faire un travail difficile.
- *Travailler du chapeau:* être fou.
- *Porter le chapeau:* porter la responsabilité d'une faute, d'un délit.

chaussure

n. alène, babouche, ballerine, botte, bottier, bottillon, bottine, boucle, bout, bouton, bride, brodequin, brosse, caoutchouc, chausse-pied, chausson, cirage, claque, clou, cordon, cordonnerie, cordonnier, cordonnière, crampon, échoppe, élastique, embauchoir, empeigne, escarpin, espadrille, fabricant, fer, forme, galoche, godasse, guêtre, lacet, languette, marchand, mesure, mocassin, mule, œillet, paire, pantoufle, patin, piqueur, point, pointe, pointure, sabot, sabotier, sabotière, sandale, savate, semelle, soulier, talon, tige, tirant.

adj. astiquée, basse, brisée, cirée, clouée, cloutée, cousue, crottée, déformée, délacée, éculée, enfilée, enlevée, fabriquée, ferrée, grosse, haute, lacée, légère, mise, montante, montée, mouillée, neuve, orthopédique, percée, piquée, plate, portée, rapiécée, résistante, ressemelée, sale, salie, sèche, souple, taillée, trouée, usée, vernie, vieille.

v. COMPL. : astiquer une chaussure, briser une chaussure, cirer une chaussure, clouer une chaussure, coudre une chaussure, décrotter une chaussure, déformer une chaussure, délacer une chaussure, enfiler une chaussure, enlever une chaussure, ferrer une chaussure, lacer une chaussure, (se) mettre une chaussure, monter la chaussure, mouiller une chaussure, porter une chaussure, rapiécer une chaussure, ressemeler une chaussure, salir une chaussure, sécher une chaussure, trouer une chaussure, user une chaussure ; AUTRES VERBES : (se) chausser, (se) déchausser.

expression

- *Trouver chaussure à son pied :* trouver ce qui convient ou, plus précisément, rencontrer la personne qui nous convient.

chemise

n. bouton, boutonnage, boutonnière, brandebourg, broderie, camisole, chemisette, col, confection, corps, corsage, coton, coulisse, épaulette, fanfreluche, flanelle, garde-robe, garniture, gorge, jabot, laine, lin, linge, manche, manchette, pan, penderie, plastron, plis, poignet, polo, popeline, repassage, repasseuse, soie, tissu, toile, torse, tricot, tunique, velours.

adj. amidonnée, ample, boutonnée, brodée, changée, chic, courte, déboutonnée, déchirée, défroissée, élégante, empesée, endossée, enfilée, enlevée, étroite, fleurie, fripée, froissée, glacée, habillée, large, lavée, légère, longue, maculée, malpropre, mise, nette, ôtée, passée, plissée, propre, rayée, sale, salie, soyeuse, tachée.

v. COMPL. : amidonner une chemise, arracher une chemise, boutonner une chemise, changer une chemise, déboutonner une chemise, déchirer une chemise, défroisser une chemise, empeser une chemise, endosser une chemise, enfiler une chemise, enlever une chemise, friper une chemise, froisser une chemise, laver une chemise, (se) mettre une chemise, ôter une chemise, plisser une chemise, repasser une chemise, revêtir une chemise, se revêtir d'une chemise, salir une chemise, tacher une chemise, (se) vêtir d'une chemise.

expressions

- *Être en chemise :* ne rien porter par-dessus sa chemise.
- *Être en manches de chemise :* ne pas porter de veste par-dessus sa chemise.
- *Chemise ardente :* chemise qu'on recouvrait de soufre et dont on revêtait les condamnés au bûcher.
- *Changer de quelque chose comme de chemise :* changer constamment.
- *Se soucier, se moquer d'une chose comme de sa première chemise :* n'accorder à cette chose aucun intérêt, aucune attention.
- *Donner, jouer, laisser, vendre sa chemise :* donner, jouer, laisser, vendre tous ses biens.

costume

n. accoutrement, complet, costumier, déguisement, ensemble, garde-robe, habillement, habilleur, habit, smoking, tailleur, tenue, veste, veston, vêtement.

adj. abîmé, agrafé, chic, clair, coloré, débraillé, délabré, démodé, élégant, endossé, enfilé, étranger, flamboyant, folklorique, foncé, habillé, loué, lustré, mis, national, neuf, original, porté, propre, rapiécé, régional, réussi, revêtu, ridicule, sale, sali, seyant, sombre, taché, usé, vieillot, vieux, voyant.

v. SUJET: le costume déguise, habille, travestit ; **COMPL.:** abîmer un costume, agrafer un costume, boutonner un costume, déboutonner un costume, dégrafer un costume, endosser un costume, enfiler un costume, louer un costume, (se) mettre un costume, porter un costume, rapiécer un costume, revêtir un costume, se revêtir d'un costume, salir un costume, tacher un costume, user un costume, (se) vêtir d'un costume ; **AUTRES VERBES:** (se) costumer, se débrailler, (se) déguiser, (s') habiller.

expressions

• *En costume :* avoir revêtu un costume de scène.
• *En costume d'Adam :* nu.
• *Tailler un costume à quelqu'un :* médire de quelqu'un en son absence.

cravate

n. col, costume, cou, épingle, nœud, papillon, penderie, pince, plastron, rabat, tenue, veston.

adj. classique, colorée, courte, dénouée, desserrée, étroite, fleurie, lâche, large, longue, moirée, multicolore, nouée, ôtée, rayée, unie.

v. COMPL.: dénouer une cravate, desserrer une cravate, enlever une cravate, (se) mettre une cravate, nouer une cravate, ôter une cravate, porter une cravate.

expressions

• *S'en jeter un derrière la cravate :* boire.
• *S'envoyer un petit coup derrière la cravate :* boire.
• *En cravate :* se dit d'une chose qu'on porte à la manière d'une cravate.

écharpe

n. bandage, bras, cache-col, cache-nez, carré, châle, cou, épaule, étoffe, étole, fichu, foulard, laine, mouchoir, pointe, tête, tissu, tricot.

adj. attachée, dénouée, détachée, écossaise, enroulée, flottante, large, légère, longue, mince, mise, nouée, ôtée, petite, portée, rayée, souple, tissée, tricolore, tricotée, unie.

v. SUJET: une écharpe cache, couvre, pare, protège ; **COMPL.:** attacher une écharpe, dénouer une écharpe, détacher une écharpe, (s') emmitoufler dans une écharpe, enlever une écharpe, enrouler une écharpe, jeter une écharpe, laver une écharpe, (se) mettre une écharpe, nouer une écharpe, ôter une écharpe, porter une écharpe, revêtir une écharpe, se revêtir d'une écharpe, tisser une écharpe, tricoter une écharpe.

expressions

• *En écharpe :* en bandoulière.
• *Bras en écharpe :* bras soutenu par une écharpe ; en bandoulière.
• *Prendre en écharpe :* dans un accident, accrocher latéralement un véhicule.
• *Collision en écharpe :* collision sur un chemin de fer à l'endroit où deux voies convergent.

foulard

n. bandeau, cache-col, cache-nez, cagoule, carré, cheveux, coiffure, cou, écharpe, étoffe, mouchoir, tête.

adj. attaché, dénoué, détaché, imprimé, large, lavé, léger, long, mince, mis, noué, ôté, petit, porté, rayé, souple, tissé, tricoté, uni.

v. SUJET: un foulard cache, couvre, pare, protège; **COMPL.:** attacher un foulard, avoir un foulard, dénouer un foulard, détacher un foulard, enlever un foulard, enrouler un foulard, jeter un foulard, laver un foulard, (se) mettre un foulard, nouer un foulard, ôter un foulard, porter un foulard, ranger un foulard, revêtir un foulard, se revêtir d'un foulard, tisser un foulard, tricoter un foulard.

habit

n. accoutrement, affaires, cafetan, chape, chasuble, costume, couturier, effets, étoffe, habillement, kimono, livrée, parement, revers, robe, smoking, soutane, tenue, toge, trousseau, uniforme.

adj. abîmé, acheté, ancien, assortis, austère, beau, bigarré, bourgeois, chaud, chic, commandé, confectionné, confortable, correct, cousu, décoré, défraîchi, démodé, ecclésiastique, élégant, endimanché, endossé, entretenu, épousseté, fané, flasque, grotesque, incommode, magnifique, mis, modeste, neuf, nouveau, ordinaire, rangé, râpé, rapiécé, religieux, retourné, riche, ridicule, romain, sale, séculier, seyant, simple, somptueux, strict, superbe, taillé, usagé, usé, vieux, vilain.

v. COMPL.: (s') affubler d'un habit, assortir un habit, (se) changer d'habit, emporter un habit, endosser un habit, entretenir un habit, épousseter un habit, (se) mettre un habit, ôter un habit, râper un habit, rapiécer un habit, user un habit; **AUTRES VERBES:** (s') habiller, (se) déshabiller.

expressions.....................................

• *Habits de velours, ventre de son:* quelqu'un qui utilise toutes ses ressources pour se vêtir n'a plus de quoi se nourrir.
• *Prendre l'habit:* entrer en religion.
• *Quitter l'habit:* défroquer.
• *L'habit ne fait pas le moine:* on ne doit pas juger de quelqu'un par son apparence.

• *Mettre un habit neuf à une vieille idée:* donner une expression ou une forme nouvelle à une vieille idée.

hardes

n. défroque, friperie, fripier, frusques, guenille, haillon, lambeaux, linge, loque, nippes, oripeaux, raccommodage, rapiéçage, ravaudage, reprise, vêtement, vieillerie.

adj. colorées, déchirées, défraîchies, lacérées, maculées, mises, modestes, pauvres, poussiéreuses, raccommodables, raccommodées, rapiécées, ravaudées, reprisées, sales, tachées, usagées, usées, vêtu, vieilles.

v. SUJET: des hardes cachent, couvrent, protègent, réchauffent; **COMPL.:** déchirer des hardes, empoussiérer des hardes, (s') envelopper dans des hardes, lacérer des hardes, (se) mettre des hardes, raccommoder des hardes, rapiécer des hardes, ravauder des hardes, repriser des hardes, tacher des hardes, user des hardes.

jupe

n. agrafe, amazone, bouton, boutonnage, boutonnière, brandebourg, broderie, cerceau, coupe, crinoline, élastique, fente, fronce, ganse, garde-robe, jupe-culotte, jupette, jupon, kilt, mini-jupe, penderie, pli, porte-jupe, robe, ruban, tutu, volant.

adj. agrafée, ample, attachée, bordée, bouffante, boutonnée, brodée, confectionnée, courte, déboutonnée, dégrafée, détachée, doublée, droite, écossaise, enlevée, étroite, évasée, fendue, fripée, froncée, large, lavée, longue, mise, nettoyée, ornée, ôtée, pailletée, paysanne, plissée, portée, raccourcie, rallongée, recousue, relevée, repassée, réparée, retroussée, simple, taillée, tissée, usée.

v. COMPL.: agrafer une jupe, attacher une jupe, border une jupe, boutonner une jupe, broder une jupe, déboutonner une jupe, dégrafer une jupe, détacher une jupe, doubler une jupe, enlever une jupe, fendre une jupe, flotter dans une jupe, friper une jupe, froncer une jupe, laver une jupe, (se) mettre une jupe, nettoyer une jupe, orner une jupe, ôter une jupe, porter une jupe, raccourcir une jupe, rallonger une jupe, recoudre une jupe, relever une jupe, repasser une jupe, réparer une jupe, retrousser une jupe, revêtir une jupe, se revêtir d'une jupe, tailler une jupe, tisser une jupe, user une jupe.

expressions..

• *Avoir des enfants dans ses jupes :* avoir des enfants accrochés à soi, qui ne veulent pas s'éloigner.
• *Être dans les jupes de sa mère :* ne jamais s'éloigner de sa mère.

laine

n. agneau, aiguille, alpaga, angora, astrakan, balle, ballot, brebis, brin, cachemire, couture, couturier, couturière, crochet, écheveau, étoffe, fibre, gabardine, lainage, métier, mohair, mouton, patron, pelote, poil, pressage, textile, tissage, tissu, toison, tricot, tricoteuse, tweed, vigogne.

adj. bouillie, brute, chaude, cotonneuse, courte, emmêlée, épaisse, frisée, grossière, lavable, lisse, longue, mélangée, minérale, naturelle, peignée, pelucheuse, piquante, pure, souple, tissée, tricotée, utile, vierge.

v. SUJET: la laine se cotonne, pique, réchauffe, rétrécit ; COMPL.: coudre la laine, couper la laine, crocheter la laine, démêler la laine, filer la laine, laver la laine, peigner la laine, pelotonner la laine, sécher la laine, tailler la laine, teindre la laine, tisser la laine, tondre la laine, tricoter la laine ; AUTRES VERBES: lainer, porter.

expressions..

• *Bas de laine :* cachette où on met l'argent économisé, petite épargne.
• *Se laisser manger la laine sur le dos :* être exploité, volé.

manteau, eaux

n. anorak, basque, blouson, bord, bouton, boutonnage, boutonnière, brandebourg, caban, cagoule, canadienne, cape, capote, capuchon, ceinture, chape, ciré, col, collerette, collet, doublure, épaulette, fourrure, gabardine, imperméable, manche, mante, mantelet, paletot, pan, pardessus, parka, patère, pèlerine, pelisse, poche, poncho, portemanteau, rabat, raglan, rotonde, traîne, vestiaire, vêtement.

adj. accroché, ajusté, agrafé, ample, ancien, beau, bon, boutonné, chaud, cintré, confectionné, court, cousu, croisé, déboutonné, déchiré, décousu, dégrafé, doublé, droit, écossais, élégant, enlevé, fourré, garni, grand, habillé, jeté, laid, laissé, léger, long, lourd, mis, misérable, nettoyé, neuf, orné, ouaté, ouvert, petit, pris, râpé, recousu, simple, usé, vieux.

v. SUJET: un manteau couvre, pare, protège ; COMPL.: accrocher un manteau, ajuster un manteau, agrafer un manteau, boutonner un manteau, cintrer un manteau, (se) confectionner un manteau, coudre un manteau, déboutonner un manteau, déchirer un manteau, découdre un manteau, défaire un manteau, dégrafer un manteau, doubler un manteau, (se) draper dans un manteau, (s') emmitoufler dans un manteau, enlever un manteau, (s') envelopper dans un manteau, fourrer un manteau, garnir un manteau, (s') habiller d'un manteau, jeter un manteau, laisser un manteau, (se) mettre un manteau, nettoyer un manteau, orner un manteau, ôter un manteau, ouater un manteau, ouvrir un manteau, porter un manteau, prendre un manteau, râper un manteau, recoudre un manteau, revêtir un manteau, se revêtir d'un manteau, user un manteau.

expression..

• *Sous le manteau :* quelque chose qui se passe secrètement, clandestinement.

pantalon

n. bermuda, bouton, boutonnage, boutonnière, braguette, bretelle, ceinture, culotte, élastique, entrejambe, fente, fourche, fuseau, gousset, jambe, jean, pantacourt, poche, revers, short, sous-pied.

adj. agrafé, ajusté, ample, ancien, assemblé, baissé, bordé, bouffant, boutonné, collant, confectionné, court, cousu, culotté, déboutonné, déchiré, décousu, dégrafé, doublé, droit, enfilé, enlevé, étroit, évasé, fendu, large, lavé, léger, long, mis, moulant, nettoyé, neuf, ôté, plissé, porté, rayé, recousu, revêtu, serré, usé, vieux.

v. COMPL. : agrafer un pantalon, baisser un pantalon, border un pantalon, boutonner un pantalon, déboutonner un pantalon, déchirer un pantalon, enfiler un pantalon, enlever un pantalon, laver un pantalon, (se) mettre un pantalon, nettoyer un pantalon, ôter un pantalon, plisser un pantalon, porter un pantalon, recoudre un pantalon, revêtir un pantalon, se revêtir d'un pantalon, user un pantalon ; AUTRE VERBE : (se) culotter.

expression.....................................
• *Baisser son pantalon* : se soumettre ou avouer lâchement.

habillée, légère, longue, mise, montante, neuve, petite, pimpante, plissée, portée, raccourcie, rallongée, revêtu, sacrée, simple, sombre, usée, vieille.

v. COMPL. : agrafer une robe, ajuster une robe, assembler une robe, border une robe, boutonner une robe, (se) changer de robe, cintrer une robe, déboutonner une robe, déchirer une robe, décolleter une robe, découdre une robe, dégrafer une robe, doubler une robe, échancrer une robe, enlever une robe, faire une robe, festonner une robe, flotter dans une robe, laver une robe, (se) mettre une robe, ôter une robe, nettoyer une robe, plisser une robe, porter une robe, raccourcir une robe, rallonger une robe, revêtir une robe, se revêtir d'une robe, tailler une robe, user une robe.

expressions.....................................
• *Pommes de terre en robe de chambre* : pommes de terre cuites avec leur peau.
• *La robe d'un fruit ou d'un légume* : l'enveloppe, la peau.
• *La robe d'un animal* : son pelage.
• *La robe du vin* : la couleur du vin.
• *La robe du cigare* : feuille de tabac enveloppant le cigare.

robe

n. agrafe, ampleur, bord, bouton, boutonnage, boutonnière, brandebourg, cafetan, chasuble, confection, coupe, couture, crinoline, douillette, doublure, encolure, épaulette, fente, fourreau, fronce, ganse, garniture, kimono, manche, modèle, ourlet, patron, peignoir, pince, pli, poche, soutane, toge, traîne, tunique, volant.

adj. agrafée, ajustée, ample, ancienne, assemblée, bordée, bouffante, boutonnée, brodée, cintrée, claire, collante, courte, cousue, déboutonnée, déchirée, décolletée, décousue, dégrafée, doublée, échancrée, écossaise, enlevée, étroite, évasée, faite, festonnée, flottante,

veste

n. agrafe, blazer, bouton, boutonnage, boutonnière, brandebourg, caban, casaque, chevron, col, doublure, épaulette, garde-robe, gousset, jaquette, manche, pan, penderie, poche, redingote, vareuse.

adj. abîmée, agrafée, boutonnée, brodée, chaude, chic, claire, colorée, courte, croisée, déboutonnée, débraillée, dégrafée, démodée, détachée, doublée, droite, élégante, foncée, grande, légère, longue, louée, neuve, propre, raccommodée, rapiécée, reprisée, sale, seyante, sombre, tachée, tissée, tricotée, usée, vieille, vieillotte.

v. SUJET: une veste couvre, se dégrafe, se détache, protège, s'use ; **COMPL.** : abîmer une veste, agrafer une veste, border une veste, boutonner une veste, déboutonner une veste, dégrafer une veste, doubler une veste, endosser une veste, enlever une veste, (se) mettre une veste, ôter une veste, porter une veste, raccommoder une veste, rapiécer une veste, ravauder une veste, réparer une veste, repriser une veste, retoucher une veste, revêtir une veste, user une veste.

expressions...

- *Remporter, ramasser, prendre une veste :* subir un échec.
- *Retourner sa veste :* changer d'opinion, de parti, brusquement.
- *Tailler une veste à quelqu'un :* médire de quelqu'un en son absence.

vêtement

n. accoutrement, agrafe, aigrette, ajustement, attache, bas, baudrier, bikini, bleu, blouse, bord, boucle, bouton, boutonnage, boutonnière, caban, cache-nez, cache-sexe, cafetan, cagoule, caleçon, canadienne, caoutchouc, cape, capeline, capote, capuche, capuchon, casque, ceinture, ceinturon, châle, chape, chasuble, chaussette, chemise, chevron, chiffon, cintre, coiffure, col, colifichet, collet, combinaison, commerce, complet, confection, coquetterie, cordon, corsage, corset, costume, costumier, costumière, coulisse, coupe, couture, couturier, couturière, crinoline, cuir, cuirasse, culotte, déguisement, dentelle, déshabillage, dessous, deuil, devant, domino, dos, doublure, douillette, écharpe, effet, élégance, emmanchure, encolure, ensemble, entournure, entrejambe, épaulette, épingle, essayage, étoffe, étole, fabrication, fermeture, fichu, fond, forme, foulard, fourreau, fourrure, frange, friperie, fripier, frusques, galon, gant, garde-robe, garniture, gilet, gousset, guenille, habillement, habilleur, habilleuse, habit, haillon, hardes, imperméable, industrie, jaquette, jupe, jupon, kimono, lacet, layette, linge, liseré, livrée, loque, madras, maillot, manche, manchette, mante, manteau, marchand, mise, mitre, mode, modèle, modiste, nippes, obi, œillet, oripeaux, ourlet, pagne, paletot, pan, panache, pantalon, pardessus, parement, paréo, passementerie, patère, patron, peau, peignoir, pèlerine, pelisse, penderie, poche, poignet, pointe, pompon, poncho, portemanteau, queue, rabat, raglan, recherche, redingote, réparation, revers, robe, ruban, salopette, sarrau, smoking, sous-vêtement, soutane, survêtement, tablier, taille, tailleur, tenue, textile, tiare, tissu, toge, toilette, traîne, trame, tricot, trou, trousseau, tunique, uniforme, vareuse, veste, vestiaire, veston, voile, voilette, volant.

adj. agrafé, ajusté, ample, ancien, beau, boutonné, chaud, cintré, civil, clair, collant, confortable, court, cousu, coûteux, croisé, déboutonné, débraillé, déchiré, décolleté, décousu, défroissé, déguenillé, délabré, démodé, droit, effiloché, élégant, élimé, épais, étriqué, étroit, extravagant, fermé, fini, fripé, froissé, froncé, glacé, graisseux, inconfortable, juste, lacéré, large, léger, long, luisant, militaire, moderne, montant, mouillé, négligé, neuf, nippé, original, pendu, plissé, portable, présentable, professionnel, raccourci, raide, rallongé, râpé, réparé, repassé, retouché, ridicule, sacerdotal, sec, simple, sobre, soigné, sombre, somptueux, strict, taché, taillé, tissé, tricoté, troué, usé, vague.

v. SUJET: un vêtement cache, couvre, se dégrafe, se détache, habille, pare, protège ; **COMPL.** : (s') affubler d'un vêtement, abîmer un vêtement, agrafer un vêtement, ajuster un vêtement, border un vêtement, boutonner un vêtement, broder un vêtement, (se) changer de vêtement, (se) confectionner un vêtement, coudre un vêtement, déboutonner un vêtement, déchirer un vêtement, découdre un vêtement, défaire un vêtement, dégrafer un vêtement, délacer un vêtement, détacher un vêtement, doubler un vêtement, (s') emmitoufler dans un vêtement, s'empêtrer dans un vêtement, endosser un vêtement, enlever un vêtement, (s') envelopper dans un vêtement, flotter dans un vêtement, friper un vêtement, froncer un vêtement, jeter un vêtement, laver un vêtement, liserer un vêtement, (se) mettre un vêtement, monter un vêtement, nettoyer un vêtement, ôter un vêtement, pendre un vêtement, plier un vêtement, porter un vêtement, raccommoder un vêtement, raccourcir un vêtement, rallonger un vêtement, ranger un vêtement, ravauder un vêtement, recoudre un vêtement, réparer un vêtement, repasser un vêtement, repriser un vêtement, retoucher un vêtement, revêtir un vêtement, se revêtir d'un vêtement, tailler un vêtement, tisser un vêtement, tricoter un vêtement, user un vêtement; **AUTRES VERBES**: (s') accoutrer, (se) boutonner, (se) costumer, (se) culotter, (se) déboutonner, se débrailler, (se) déshabiller, (se) dévêtir, s'endimancher, (se) fagoter, (s') habiller, (s') harnacher, (se) nipper, (se) parer, (se) vêtir.

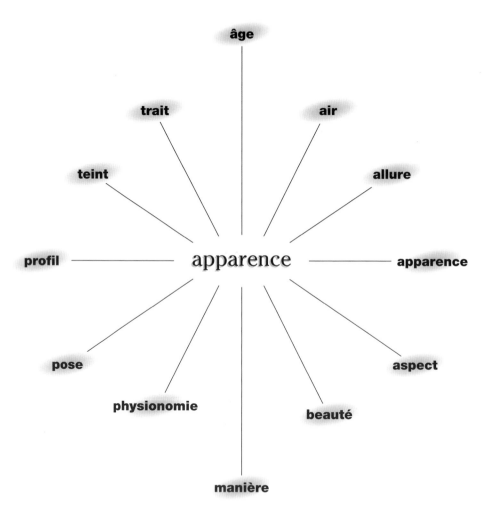

âge

trait

air

teint

allure

profil — apparence — apparence

pose

aspect

physionomie

beauté

manière

âge

n. adolescent, adulte, aîné, an, ancien, ancienne, année, anniversaire, benjamin, benjamine, cadet, cadette, calendrier, centenaire, cinquantaine, date, décennie, doyen, doyenne, époque, existence, fête, génération, heure, jeunesse, maturité, minute, mois, nonagénaire, octogénaire, quadragénaire, quarantaine, quinquagénaire, retraite, saison, septuagénaire, sexagénaire, siècle, soixantaine, temps, trentaine, vétéran, vie, vieillesse, vingtaine.

adj. adulte, avancé, bas, bon, chronologique, enfantin, ingrat, innocent, jeune, légal, mauvais, moyen, mûr, nubile, physique, productif, réel, tendre, viril.

v. COMPL. : accuser son âge, atteindre son âge, avoir l'âge, avoir passé l'âge, avoir tel âge, donner son âge, être en âge, être d'âge, friser l'âge, paraître son âge, porter son âge.

expressions..
- *Âge adulte :* pleine maturité.
- *Âge avancé :* vieillesse.
- *Âge de fer :* temps dur, époque des calamités.
- *Âge de raison :* âge auquel on considère que l'enfant est raisonnable (environ sept ans).
- *Âge ingrat :* époque de la puberté.
- *Âge légal :* âge prescrit par la loi pour avoir certaines capacités.
- *Âge mûr :* âge de la maturité.
- *Âge nubile :* âge de se marier.
- *Âge tendre :* adolescence.
- *Âge viril :* propre à l'homme adulte.
- *Avoir l'âge de ses artères :* être de l'âge correspondant à sa condition physique.
- *Avoir l'âge de, être d'âge à, être en âge de :* avoir l'âge requis pour faire certaines choses, remplir une fonction.
- *Avoir passé l'âge :* ne plus avoir l'âge pour faire certaines choses.
- *D'un certain âge :* ne plus être jeune sans paraître très âgé.

- *Être d'un autre âge :* être d'une autre époque.
- *Être dans la force de l'âge :* avoir atteint la maturité.
- *Il est dans, à la fleur de l'âge :* il est en pleine jeunesse.
- *L'âge d'or :* temps heureux, époque prospère.
- *L'âge innocent :* l'enfance.
- *Le bas âge :* début de l'enfance (un jeune enfant).
- *Le penchant de l'âge :* la vieillesse.
- *Moyen Âge :* époque qui va de la chute de l'Empire romain d'Occident, en 476, à la prise de Constantinople, en 1453.
- *Troisième âge :* la période qui se situe approximativement entre 65 et 75 ans.
- *Vieux avant l'âge :* vieux avant l'âge où l'on doit l'être normalement.

air

n. allure, apparence, aspect, caractère, comportement, dégaine, démarche, expression, façon, figure, franchise, froideur, gaieté, grâce, gravité, gueule, hypocrisie, indifférence, innocence, intelligence, interrogation, jeunesse, joie, maintien, manière, méchanceté, mélancolie, mine, modestie, moquerie, physionomie, port, prétention, réflexion, sévérité, tenue, trait, visage, yeux.

adj. absent, affecté, affectueux, agréable, aimable, aristocrate, attentif, audacieux, bienveillant, bon, bourru, brusque, désagréable, douteux, dur, étourdi, étrange, fâché, fier, franc, froid, gai, gracieux, grave, grossier, heureux, honteux, hypocrite, indifférent, innocent, inquiet, inquiétant, insignifiant, intelligent, interrogateur, jeune, joyeux, las, maladif, mauvais, méchant, mélancolique, modeste, moqueur, pensif, prétentieux, sévère, simple, surpris, triste.

v. COMPL. : admirer l'air, afficher l'air, apprécier l'air, approuver l'air, arborer l'air, avoir l'air, commenter l'air, considérer l'air, constater l'air, critiquer l'air, croquer l'air, décrire l'air, dénigrer l'air, dénoncer l'air, dénoter l'air, dépeindre l'air, déprécier l'air, détester l'air, distinguer l'air, entrevoir l'air, examiner l'air, imaginer l'air, juger de l'air, justifier l'air, manifester l'air, mépriser l'air, montrer l'air, noter l'air, observer l'air, percevoir l'air, présenter l'air, reconnaître l'air, remarquer l'air, signaler l'air, souligner l'air, témoigner de l'air.

expressions

• *Donner l'air :* faire paraître ; donner l'impression de.
• *Il a l'air comme il faut :* il semble convenable, correct, honnête.
• *L'air de rien :* sans rien manifester de ses intentions.
• *Se donner, prendre un air sévère :* faire semblant d'être sévère.
• *Un air fermé :* un air bizarre.

allure

n. air, apparence, attitude, comportement, conduite, course, démarche, détente, détermination, dignité, embarras, énervement, enjouement, enthousiasme, façon, fébrilité, gêne, gravité, hésitation, indécision, lourdeur, maintien, marche, méfiance, mouvement, noblesse, parcours, pas, reprise, rythme, saut, singularité, trajet, trouble, vitesse.

adj. affectée, aisée, altière, apeurée, bizarre, brusque, composée, confiante, contrariée, craintive, dégourdie, désinvolte, détendue, déterminée, digne, distinguée, élégante, empâtée, énervée, enjouée, enthousiaste, entraînante, entravée, fébrile, fonceuse, galopante, gauche, gênée, gourde, grave, grossière, hésitante, indécise, interrompue, irrégulière, joyeuse, lascive, légère, lente, lenteur, leste, libre, lourde, majestueuse, maladresse, méconnaissable, méfiante, naturelle, noble, paisible, pesante, posée, pressée, preste, primesautière, rapide, reconnaissable, royale, rustaude, rustre, rythmée, sautillante, sensuelle, singulière, snob, suspecte, tendue, traînante, tranquille, tranquillité, troublée, vilaine, vive.

v. COMPL. : interrompre l'allure, accélérer l'allure, adopter l'allure, affecter l'allure, appesantir l'allure, arrêter l'allure, augmenter l'allure, calquer l'allure, changer l'allure, copier l'allure, décélérer l'allure, dégrader l'allure, déterminer l'allure, embarrasser l'allure, emprunter l'allure, entraver l'allure, gêner l'allure, imiter l'allure, mimer l'allure, modifier l'allure, parodier une allure, perdre l'allure, ralentir l'allure, réduire l'allure, saccader l'allure, se choisir une allure, singer une allure, stopper une allure, suivre une allure, transformer l'allure.

expression

• *Avoir de l'allure :* de la distinction, de la noblesse dans le maintien.

apparence

n. air, allure, apparence, aspect, beauté, bienséance, brillant, cachet, caractère, charité, charme, clinquant, comportement, convenance, corps, couleur, déguisement, dehors, discrétion, éclat, enveloppe, envie, erreur, extérieur, façade, face, fard, faux-semblant, feinte, figure, forme, frime, geste, hypocrisie, illusion, image, joie, langage, malveillance, manière, masque, méchanceté, membre, mine, mirage, misère, mouvement, objet, paradoxe, pauvre, physionomie, pose, position, prestige, pureté, riche, semblant, signalement, simulacre, simulation, soin, tête, ton, tournure, tromperie, vernis, vertu, vêtement, visage.

adj. abominable, belle, bonne, brillante, charitable, charmante, détestable, discrète, enviable, gaie, impeccable, maladive, mauvaise, méprisable, misérable, négligée, parfaite, pauvre, péremptoire, piètre, plaisante, prestigieuse, reconnaissable, riche, saine, séduisante, semblable, sensible, snob, soignée, superficielle, trompeuse, vertueuse.

v. SUJET : l'apparence attire, attriste, charme, convainc, déçoit, dégoûte, effraie, émeut, plaît, réjouit, repousse, répugne, révolte, se remarque, séduit, touche ; **COMPL. :** admirer l'apparence, avoir l'apparence, commenter l'apparence, considérer l'apparence, constater l'apparence, corriger l'apparence, décrire l'apparence, se défier de l'apparence, dissimuler l'apparence, douter de l'apparence, envier l'apparence, examiner l'apparence, imaginer l'apparence, juger de l'apparence, manifester l'apparence, se méfier de l'apparence, montrer l'apparence, négliger l'apparence, noter l'apparence, observer l'apparence, offrir l'apparence, présenter l'apparence, priser l'apparence, reconnaître l'apparence, remarquer l'apparence, se représenter l'apparence, simuler l'apparence, soigner son apparence, soupçonner l'apparence, suspecter l'apparence.

expressions......................................

- *On ne doit pas juger sur les apparences:* la beauté est souvent trompeuse.
- *Sauver les apparences:* ne rien laisser voir qui pourrait nuire à sa réputation.
- *Sacrifier les apparences:* se moquer de ce que les gens diront.

aspect

n. abord, air, allure, apparence, corps, démarche, extérieur, figure, forme, habillement, manière, présentation, regard, vêtement, vision, vue.

adj. agréable, attrayant, croulant, défavorable, désagréable, différent, effrayant, extraordinaire, farouche, grandiose, grave, impétueux, imposant, insolite, jeune, morose, mystérieux, nouveau, pittoresque, plat, redoutable, repoussant, sombre, versatile, vieillot.

v. SUJET: l'aspect attire, attriste, charme, convainc, déçoit, dégoûte, effraie, émeut, ensorcèle, plaît, répugne, séduit, touche; COMPL.: admirer l'aspect, avoir l'aspect, conserver l'aspect, contempler l'aspect, décrire l'aspect, détester l'aspect, examiner l'aspect, imaginer l'aspect, se méfier de l'aspect, noter l'aspect, observer l'aspect, offrir l'aspect, paraître sous son aspect, prendre

l'aspect, présenter l'aspect, se présenter sous l'aspect, réagir à l'aspect, rejeter l'aspect, remarquer l'aspect.

expression.................................

- *Se présenter sous mille et un aspects:* personne d'une grande versatilité, rusée.

beauté

n. agrément, appas, art, attrait, avantage, brillant, charme, correction, délicatesse, distinction, éclat, élégance, esthétique, faste, féerie, finesse, fleur, force, fraîcheur, gentillesse, goût, grâce, grandeur, lustre, magie, magnificence, majesté, manières, noblesse, parfum, perfection, poésie, pureté, régularité, richesse, séduction, somptuosité, splendeur, sublimité, sveltesse, symétrie.

adj. artificielle, attrayante, avantageuse, brillante, céleste, charmante, délicate, distincte, divine, élégante, féerique, fine, gentille, gracieuse, magnifique, naturelle, parfaite, physique, plastique, séduisante, splendide, sublime.

v. SUJET: une beauté émeut, ensorcèle, impressionne, plaît, séduit, touche; COMPL.: devenir une beauté, être une beauté, se faire une beauté, paraître une beauté, rehausser une beauté, rencontrer une beauté, vouloir une beauté; AUTRE VERBE: embellir.

expressions.................................

- *Concours de beauté:* compétition où la plus belle personne remporte le titre.
- *De toute beauté:* très beau.
- *En beauté:* magnifique.
- *Être en beauté:* paraître plus beau que d'habitude.
- *Grain de beauté:* petite saillie ou tache brune sur la peau qui en fait ressortir la blancheur.
- *La beauté du diable:* la beauté que donne la jeunesse à une personne qui n'a pas d'agréments réels.

- *Se faire une beauté :* se préparer, se maquiller, se pomponner.
- *Une beauté :* une belle femme.

manière

n acabit, affabilité, affectation, agissement, air, maintien, aisance, allure, aspect, attitude, caractère, civilité, comportement, condition, conduite, courtoisie, coutume, démarche, disposition, embarras, extérieur, façon, familiarité, forme, genre, habitude, hardiesse, incorrection, manigance, manœuvre, minauderie, mode, politesse, qualité, raffinement, simplicité, singerie.

adj. affable, affectée, agréable, agressive, aisée, amicale, apprêtée, arrogante, belle, bizarre, bonne, cabotine, capricieuse, charmante, civile, compassée, courtoise, dégagée, désinvolte, distinguée, douce, doucereuse, empruntée, excentrique, expansive, exquise, familière, fermée, froide, fruste, gentille, grossière, guindée, hardie, hautaine, incorrecte, insolente, légère, méprisante, monotone, noble, péremptoire, polie, précieuse, raffinée.

v. SUJET: les manières attirent, charment, convainquent, déçoivent, dérangent, effraient, plaisent, répugnent, séduisent, touchent ; COMPL. : adopter une manière, ajuster ses manières, corriger ses manières, emprunter une manière, faire des manières, montrer une manière, présenter une manière.

expressions..

- *Avoir la manière :* savoir s'y prendre.
- *Elle en fait des manières :* elle se fait prier.
- *La finesse dans les manières :* la douceur, la courtoisie et la politesse.
- *La manière forte :* l'emploi de la force pour obtenir ce que l'on veut.

physionomie

n. face, allure, apparence, aspect, attitude, bouderie, brute, caractère, douceur, enchantement, énergie, esprit, étonnement, expression, face, indifférence, immobilité, intelligence, joie, masque, mine, minois, neutralité, photographie, physique, renfrognement, sourcil, tempérament, tête, trait, visage, vivacité.

adj. admirable, affreuse, amusée, ancienne, animée, ardente, assombrie, attendrissante, boudeuse, bouffie, calme, captivante, contrariée, défaite, défigurée, délurée, douce, émouvante, enchantée, énergique, enthousiaste, épanouie, éplorée, étonnée, expressive, faciale, fermée, fixe, fraîche, générale, grimaçante, hideuse, horrible, illuminée, immobile, intelligente, joyeuse, mobile, morne, neutre, ouverte, plate, rébarbative, réjouie, remarquable, renfrognée, sans expression, sereine, sidérée, sombre, sotte, souriante, spirituelle, sympathique, terreuse, tirée, touchante, triste, vive.

v. SUJET: une physionomie s'adoucit, s'allume, s'anime, se défait, démontre, se détend, se durcit, s'éclaire, embellit, enchante, (s') enlaidit, exhibe, exprime, se ferme, (s') illumine, manifeste, s'ouvre, se rembrunit, se tranquillise, se transforme ; COMPL. : adopter une physionomie, calquer une physionomie.

expression..

- *Visage qui prend de la physionomie :* qui devient expressif.

pose

n. air, attitude, audace, comédien, comédienne, comportement, corps, détente, élégance, geste, inconfort, jambe, manière, modèle, position, rigidité, snobisme, tête.

adj. agressive, apprêtée, audacieuse, charmante, classique, concentrée, confortable, contemplative, couchée, debout, dépressive, détendue, délurée, dressée, élégante, érotique, gracieuse, hautaine, horizontale, inconfortable, méditative, naturelle, nonchalante, originale, penchée, prétentieuse, provocante, recherchée, réflexive, repliée, rigide, sensuelle, tendue, verticale.

v. SUJET: une pose attire, attriste, charme, convainc, déçoit, dégoûte, effraie, émeut, plaît, répugne, séduit, touche; **COMPL.:** abandonner la pose, adopter la pose, camper la pose, commander la pose, corriger la pose, demander la pose, dessiner la pose, emprunter la pose, établir la pose, esquisser la pose, garder la pose, imiter la pose, mimer la pose, peindre la pose, photographier la pose, reproduire la pose, singer la pose, tenir la pose; **AUTRE VERBE:** poser.

profil

n. bordure, configuration, contour, coupe, courbe, découpage, esquisse, flanc, forme, galbe, image, modèle, plan, portrait, relief, sélection, silhouette, tracé, traits.

adj. affaissé, angélique, arrondi, ballonné, bas, beau, bedonnant, bon, buté, calme, cambré, chétif, court, creux, découpé, délicat, distingué, dodu, droit, dur, élégant, élevé, énergique, énorme, étroit, fermé, fin, flasque, flou, foncé, fondu, galbé, gracieux, grave, grossier, haut, imposant, intelligent, joli, jour, latéral, magnifique, maigre, maussade, mauvais, mince, nerveux, net, noble, pâle, parfait, penché, pensif, proéminent, professionnel, régulier, rondelet, splendide, superbe, transversal, voûté.

v. SUJET: le profil se découpe, se démarque, se détache, ressort, tranche; **COMPL.:** admirer le profil, apercevoir le profil, apparaître de profil, se découper de profil, (se) dessiner de profil, (se) détacher en profil, établir le profil, esquisser le profil, (se) filmer de profil, (se) massacrer le profil, montrer son profil, peindre le profil, (se) photographier de profil, se présenter de profil, (se) projeter de profil, (se) représenter le profil, (se) représenter de profil, saisir le profil, (se) tailler de profil, (se) tracer de profil, (se) voir de profil, voir le profil; **AUTRE VERBE:** profiter.

expressions

- *Adopter un profil bas:* être discret, rester très tranquille.
- *Montrer son meilleur profil:* se montrer à son avantage.
- *Profil de carrière:* ensemble de traits caractéristiques d'une situation professionnelle.
- *Se faire massacrer le profil:* se faire représenter de façon désavantageuse.
- *Un vrai profil grec:* conforme aux modes de la sculpture grecque ancienne; front et nez formant une ligne quasi parfaite.
- *Il n'a pas le profil:* il ne correspond pas au profil du candidat idéal.

teint

n. aspect, bronzage, condition, constitution, couleur, derme, disposition, épiderme, équilibre, état, hâle, maquillage, nuance, pigment, pigmentation, pore, poudre, santé, tache, tempérament, tissu, ton, tonus, verdeur, vigueur, vitalité.

adj. albâtre, basané, bilieux, blafard, blême, bronzé, brouillé, cadavérique, cireux, clair, coloré, cuit, délicat, doré, éblouissant, éclatant, fatigué, foncé, frais, gris, hâlé, haut en couleur, jaunâtre, jaune, jeune, livide, mat, net, minable, misérable, nacré, noir, olivâtre, plombé, poudré, reposé, rose, rosé, rouge vermeil, rougeaud.

v. SUJET: le teint s'éclaircit, se conserve, se fane, se modifie, (se) ternit; **COMPL.:** admirer le teint, afficher le teint, apprécier le teint, arborer le teint, décrire le teint, distinguer le teint, examiner le teint, imaginer le teint, juger le teint, montrer le teint, observer le teint, présenter le teint, reconnaître le teint, remarquer le teint, se représenter le teint, voir le teint.

trait

n. aspect, bouche, caractère, cheveux, commissure, contour, courbure, dessin, douceur, dureté, faciès, figure, finesse, flou, forme, frimousse, front, gravité, grossièreté, hostilité, joue, lèvre, ligne, masque, menton, mine, minois, netteté, nez, paupière, physionomie, pommette, proportion, régularité, rondeur, sinuosité, sourcil, tracé, visage, yeux.

adj. affaissé, agréable, arqué, arrondi, asymétrique, bouffi, busqué, carré, charmant, chiffonné, courbé, creusé, crispé, décomposé, défait, délicat, déplaisant, détendu, distinctif, divergent, doux, dur, en saillie, enfantin, fané, fatigué, fin, grave, gros, grossier, hostile, irrégulier, joufflu, maladif, marqué, mignon, mou, naïf, net, proéminent, prononcé, ravagé, rebondi, régulier, reposé, ressemblant, rude, saillant, sinueux, tendu, tiré, volontaire.

v. SUJET : le trait s'adoucit, s'allonge, se durcit, se tend, les traits se rident ; COMPL. : afficher des traits, arborer les traits, creuser les traits, crisper les traits, décrire les traits, dessiner les traits, détendre les traits, durcir les traits, froncer les traits, peindre les traits, plisser les traits, présenter les traits, ravager les traits, reconnaître les traits, remarquer les traits, reproduire les traits, voir les traits.

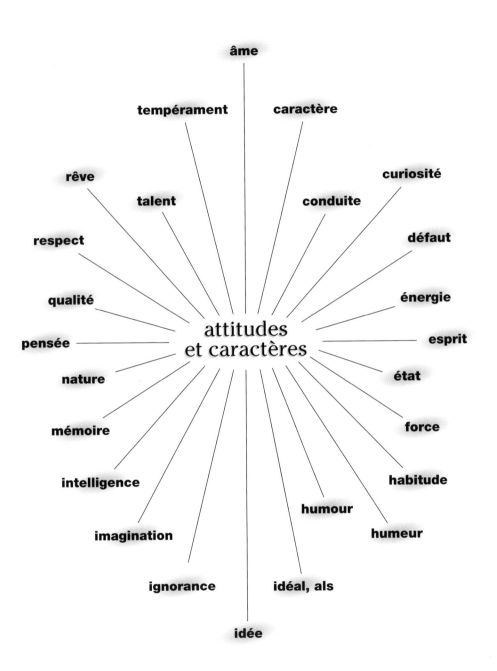

âme

tempérament caractère

rêve curiosité

talent conduite

respect défaut

qualité énergie

attitudes et caractères

pensée esprit

nature état

mémoire force

intelligence habitude

humour

imagination humeur

ignorance idéal, als

idée

âme

n. amour, ardeur, aspiration, cœur, conscience, délivrance, désir, élan, entité, esprit, essence, étincelle, existence, flamme, force, idéal, immortalité, intelligence, mort, mystère, paix, pensée, personne, philosophie, psychologie, repos, salut, secret, sensibilité, spiritualité, trouble, vie, volonté.

adj. abjecte, aimante, animée, ardente, aride, assoiffée, assoupie, basse, belle, besogneuse, bienheureuse, blessée, butée, candide, captive, catholique, chagrine, charmante, chavirée, collective, conciliante, confuse, contemplative, couarde, craintive, crédule, croyante, déchirée, damnée, débonnaire, découverte, délicate, désemparée, désespérée, désolée, desséchée, dévastée, dévouée, dirigée, divine, dominatrice, douce, droite, éblouie, ébranlée, effrayée, émoustillée, emportée, endeuillée, énergique, enfantine, engourdie, épanouie, éperdue, errante, esseulée, étonnée, éveillée, évoquée, exaltée, exigeante, existante, faible, familière, farouche, fatiguée, ferme, fermée, fière, forte, fortifiée, fraîche, franche, généreuse, glacée, grande, guerrière, héroïque, honteuse, humaine, immatérielle, immortalisée, immortelle, inanimée, incertaine, incrédule, ingénue, inquiète, intelligente, intrépide, invoquée, irrésolue, joueuse, lasse, légère, libre, limpide, livrée, lourde, malade, malheureuse, maudite, méconnue, mélancolique, mesquine, misérable, morte, mouvante, mutilée, mystérieuse, naïve, navrée, noble, noire, nostalgique, obscurcie, obscure, obstinée, orageuse, ouverte, palpitante, passionnée, peinée, pensante, pensive, perdue, perfide, perverse, pieuse, populaire, possessive, prisonnière, profonde, puérile, pure, pusillanime, raffinée, rassurée, rationnelle, recueillie, religieuse, remuée, résignée, rêveuse, rieuse, sainte, sale, satisfaite, scrupuleuse, secrète, sensible, sensible, sensitive, sereine, sérieuse, servile, simple, solitaire, sombre, spirituelle, sublime, superstitieuse, surmenée, survivante, tendre, tendue, torturée, tourmentée, tranquille, transformée, transie, transparente, trépassée, troublée, ulcérée, universelle, usée, végétative, vénale, vertueuse, vibrante, vide, vierge, vile, violente, violentée, virginale, vivante, vivifiée, vulgaire.

v. SUJET : une âme s'anime, dirige, s'épanche, étend, s'éveille, se fortifie, meurt, se meut, s'obscurcit, s'ouvre, pense, sent, trépasse, se trouble, vibre, vivifie ; COMPL. : blesser une âme, chavirer une âme, déchirer une âme, découvrir une âme, dévaster une âme, ébranler une âme, évoquer une âme, forger une âme, fortifier une âme, invoquer une âme, juger une âme, lire dans une âme, percer une âme, perdre une âme, peser une âme, prier pour une âme, remuer une âme, sauver une âme, s'unir à une âme, vendre une âme, violenter une âme ; AUTRES VERBES : animer, (s') émouvoir.

expressions

- *Avoir charge d'âme :* avoir la responsabilité morale d'une personne.
- *Avoir du vague à l'âme :* avoir un sentiment d'inconfort, de tristesse, sans pouvoir en déterminer la cause ; être mélancolique.
- *Avoir la mort dans l'âme :* être désespéré.
- *Avoir l'âme chevillée au corps :* avoir une grande force vitale.
- *De toute son âme :* de tout son cœur.
- *Donner, vendre son âme au diable, au démon :* lui donner ou lui vendre son âme pour des avantages terrestres.
- *En mon âme et conscience :* selon ma conviction profonde.
- *Errer comme une âme en peine :* errer, seul et triste.
- *État d'âme :* impression ressentie, sentiment éprouvé.
- *Être comme une âme en peine :* être triste.
- *Être ému jusqu'au fond de l'âme :* être très ému.
- *Être l'âme damnée de quelqu'un :* être entièrement dévoué à quelqu'un, prêt à se damner pour lui.

- *Force d'âme:* audace, constance, courage, détermination, volonté.
- *Grandeur d'âme:* bonté, générosité, noblesse.
- *Les yeux sont le miroir de l'âme:* les yeux reflètent l'âme d'une personne.
- *On ne voyait pas âme qui vive:* on ne voyait personne.
- *Rencontrer l'âme sœur:* rencontrer une personne avec qui on a beaucoup d'affinités sentimentales.
- *Rendre l'âme:* mourir.
- *Se donner corps et âme:* se donner entièrement.

caractère

n. affinité, brusquerie, défaut, détermination, différence, distinction, douceur, élévation, énergie, fermeté, formation, grognon, humeur, hystérique, incompatibilité, individualité, manie, nature, personnalité, psychologie, qualité, signe, tempérament, tendance, trait, trempe, volonté.

adj. abject, acariâtre, accommodant, acerbe, affable, affectueux, affermi, agréable, agressif, aigre, aigri, aimable, amorphe, analysé, apathique, ardent, arrogant, artificiel, assoupli, audacieux, austère, autoritaire, avenant, bas, beau, belliqueux, bestial, bizarre, bon, boudeur, bougon, bouillant, bourru, brouillon, brusque, brutal, butor, calme, capricieux, caractériel, cassant, chagrin, changé, changeant, charmant, chatouilleux, colérique, commode, complaisant, complexe, conciliant, connu, constant, contraire, cordial, coulant, courageux, débonnaire, décidé, décrit, démenti, désagréable, despote, despotique, déterminé, détestable, développé, déviant, différencié, différent, difficile, discret, distinctif, distingué, docile, dominateur, donné, doux, dur, égal, égocentrique, emporté, énergique, enflammé, énigmatique, enjoué, entêté, entier, espiègle, étrange, exalté, excentrique, excessif, exécrable, exigeant, extravagant, extraverti, exubérant, facile, fantasque, féroce, fier, flegmatique, flexible, flottant, formé, fougueux, franc, frivole, froid, gai, grand, grave, grognon, grondeur, hargneux, hautain, héroïque, hésitant, heureux, honnête, hystérique, impatient, impétueux, incertain, incommode, inconstant, indécis, indépendant, individuel, indomptable, inégal, inflexible, influençable, inquiet, insensible, insociable, instable, insupportable, intempestif, intraitable, intrépide, irascible, irrésolu, irritable, jovial, liant, lunatique, malléable, maniaque, maussade, mauvais, mélancolique, misanthrope, mobile, morose, naturel, noble, obsessionnel, ombrageux, ondoyant, orgueilleux, original, paisible, paranoïaque, particulier, passionné, patient, perfectible, placide, pointilleux, pointu, pondéré, possessif, primesautier, propre, psychologique, revêche, renfrogné, résolu, rétif, revêche, révolté, sale, sec, sensible, sentimental, sérieux, simple, singulier, sociable, sombre, souple, soutenu, spécifique, stable, stoïque, sympathique, taciturne, taquin, tatillon, tenace, tendre, terne, timide, timoré, tracassier, tranquille, triste, typique, uni, vacillant, véhément, versatile, vindicatif, violent, volontaire.

v. SUJET: un caractère différencie, distingue, se forme; COMPL.: affermir un caractère, assouplir un caractère, changer un caractère, connaître un caractère, (se) développer un caractère, donner du caractère, donner un caractère, (se) former un caractère, fortifier un caractère, manquer de caractère, reconnaître un caractère, sortir de son caractère, soutenir un caractère; AUTRE VERBE: caractériser.

expressions

- *Être jeune de caractère:* agir comme une personne peu avancée en âge.
- *Avoir son petit caractère:* ne pas avoir un tempérament facile.
- *Pièce de caractère:* comédie.
- *Avoir du caractère:* avoir de la détermination, de l'énergie, du courage.

- *Soutenir, ne pas démentir son caractère:* rester fidèle à sa manière habituelle d'agir.
- *Sortir de son caractère:* réagir de façon inhabituelle.

conduite

n. acte, action, activité, agissement, allure, attitude, comportement, débauche, dépravation, dérèglement, désordre, dévergondage, déviation, direction, dissipation, droiture, écart, égarement, erreur, excès, exploit, extravagance, faute, folie, frasque, fredaine, fugue, garnement, immoralité, incartade, inconduite, influence, ligne, manière, mœurs, morale, moralité, perversité, polisson, prouesse, régime, règle, relâchement, vice, vie.

adj. abominable, agitée, ambiguë, amorale, austère, aventureuse, belle, blâmée, bonne, capricieuse, changeante, changée, commandée, condamnable, confuse, copiée, corrigée, critiquée, décidée, dégradante, délurée, déplorée, dépravée, déréglée, déshonorante, désordonnée, déviante, digne, dissolue, droite, édifiante, énigmatique, équivoque, étrange, excentrique, excusable, exemplaire, extravagante, honnête, honteuse, humaine, ignoble, imitée, immorale, impardonnable, imprudente, inattendue, incertaine, inconstante, indigne, inexcusable, infâme, insupportable, irréfléchie, irrégulière, irréprochable, jugée, justifiée, lâche, légère, louable, louche, malhonnête, malpropre, mauvaise, meilleure, méprisable, modèle, modifiée, morale, nouvelle, observée, originale, passée, perfectible, présente, prise, prudente, psychologique, rachetée, rangée, reconnue, réfléchie, réglée, regrettée, régulière, relâchée, répréhensible, répugnante, ridicule, rigoureuse, sage, satisfaisante, scandaleuse, souple, suggérée, suivie, tenue, tracée, vantée, versatile.

v. SUJET: une conduite édifie, satisfait; **COMPL.:** adopter une conduite, blâmer une conduite, changer de conduite, commander une conduite, copier une conduite, corriger une conduite, critiquer une conduite, décider une conduite, déplorer une conduite, se donner une conduite, imiter une conduite, juger une conduite, justifier une conduite, manquer de conduite, modifier une conduite, observer une conduite, prendre une conduite, racheter une conduite, reconnaître à une conduite, régler une conduite, regretter une conduite, suggérer une conduite, suivre une conduite, tenir une conduite, (se) tracer une conduite, se vanter une conduite, se vanter d'une conduite; **AUTRES VERBES:** agir, se comporter, se conduire, se déranger, se diriger, s'émanciper, se gouverner, se ranger, se repentir, se reprendre, se tenir, trébucher, vivre.

expressions

- *Acheter une conduite:* s'amender, s'améliorer, rentrer dans la bonne voie.
- *Écart de conduite:* mal se conduire, faute morale.
- *Être chargé de la conduite d'un personnage officiel:* accompagner, escorter.
- *Faire la conduite à un ami:* accompagner un ami.
- *Ligne de conduite:* règle générale à suivre.
- *Sous la conduite de…:* accompagné de…

curiosité

n. découverte, enquête, espionnage, examen, exploration, fouille, guet, indication, indiscrétion, inquisition, interrogation, investigation, question, recherche, repère, signe, trace, vestige.

adj. amoureuse, avide, bizarre, étonnante, étrange, excellente, infâme, inlassable, insatiable, insolite, intéressante, légitime, littéraire, louable, mauvaise, originale, plaisante, rare, scientifique, singulière, surprenante, systématique.

v. SUJET: la curiosité agace, embête, ennuie, gêne; **COMPL.:** assouvir la curiosité, attirer la curiosité, avoir de la curiosité, contenir sa curiosité, contenter la curiosité, développer de la curiosité, éveiller la curiosité, exciter la curiosité, inspirer de la curiosité, observer avec curiosité, piquer la curiosité, pousser la curiosité, questionner par curiosité, rassasier la curiosité, redoubler de curiosité, réprimer la curiosité, satisfaire la curiosité; AUTRES VERBES: chercher, rechercher.

expressions

• *À l'abri de la curiosité:* à l'abri de l'indiscrétion des autres.

• *La curiosité est un vilain défaut:* l'indiscrétion est un défaut.

• *Les curiosités d'une ville:* les sites remarquables.

• *Magasin de curiosités:* magasin de nouveautés, de raretés, de bibelots.

• *Objet de curiosité:* de collection.

défaut

n. abus, ambition, apathie, avarice, bavardage, bêtise, brusquerie, carence, curiosité, dédain, défectuosité, déformation, désagrément, désavantage, détérioration, difformité, effronterie, égoïsme, enfantillage, entêtement, envie, excès, faiblesse, faute, flatterie, fourberie, gourmandise, hypocrisie, imperfection, inclination, incommodité, inconvenance, inconvénient, incorrection, indiscrétion, ingratitude, insuffisance, ivresse, lâcheté, légèreté, mal, malfaçon, malice, manque, médisance, mensonge, mollesse, moquerie, nature, orgueil, paresse, péché, penchant, pénurie, présomption, privation, sauvagerie, tache, tare, tendance, tromperie, turbulence, vice, violence.

adj. abusif, caché, dérangeant, désavantageux, ébauché, ennuyeux, évident, excessif, grand, gros, horrible, inconvenant, mauvais, pire, ridicule, rudimentaire, terrible, vicieux.

v. SUJET: un défaut dérange, embête, nuit; COMPL.: glisser dans un défaut, pécher par défaut.

expressions

• *À défaut de:* dans le cas d'un manque de, en l'absence de.

• *Défaut de fabrication:* défectuosité par rapport aux normes établies.

• *Être en défaut:* manquer à ses engagements.

• *Faire défaut:* disparaître, manquer, abandonner, trahir.

énergie

n. action, activité, constance, dépense, dynamisme, efficacité, effort, élan, emportement, entêtement, fermeté, force, fougue, intensité, persévérance, plein, puissance, regain, résistance, ressort, solidité, sursaut, vie, vigueur, vitalité, volonté.

adj. apportée, avivée, brisée, concentrée, consistante, constante, dépareillée, dépensée, déployée, différente, donnée, épuisée, extraordinaire, faible, farouche, ferme, forte, incroyable, indomptable, infatigable, inflexible, invincible, irrésistible, modifiée, nécessaire, obstinée, perdue, puissante, reconstituante, redonnée, résistante, retrouvée, spirituelle, sublime, tonique, trouvée, véhémente, vigoureuse, violente, virulente, vitale, vive.

v. SUJET: une énergie anime, se dépense, se modifie; COMPL.: agir avec énergie, apporter une énergie, aviver une énergie, avoir de l'énergie, avoir l'énergie, briser une énergie, concentrer une énergie, décider avec énergie, dépenser une énergie, déployer une énergie, donner une énergie, épuiser une énergie, frotter avec énergie, manquer d'énergie, perdre de l'énergie, poursuivre avec énergie, protester avec énergie, raviver une énergie, redonner une énergie, rester sans énergie, retrouver une énergie, trancher avec énergie, trouver une énergie; AUTRES VERBES: affaiblir, animer, énergiser, exciter, galvaniser, ragaillardir, ranimer, remonter, renforcer, retremper.

expression

• *L'énergie du désespoir:* la force qu'on déploie quand tout est perdu.

esprit

n. âme, ange, attention, boutade, caboche, caractère, cerveau, cervelle, clairvoyance, clarté, cognition, compréhension, concentration, conception, connaissance, conscience, discernement, élévation, émanation, entendement, espièglerie, évocation, faculté, finesse, frivolité, front, génie, goût, grâce, humeur, humour, idéalisme, idée, imagination, ingéniosité, instinct, intelligence, introspection, invention, jugement, malice, médiation, mémoire, mentalité, moi, mort, pénétration, pensée, perception, perspicacité, pince-sans-rire, promptitude, psychisme, psychologie, raison, raisonnement, réflexion, règne, répartie, sagesse, sarcasme, satire, talent, tête, trait, vérité, verve, vigueur, vivacité.

adj. absolu, absorbé, abstrait, affiné, agile, agité, aiguisé, aimable, aisé, alerte, allumé, altruiste, amical, amusé, angoissé, apaisé, appesanti, appliqué, assoupli, attentif, audacieux, aventurier, aveugle, avili, avisé, bas, bienheureux, bizarre, blasé, boiteux, bonasse, borné, bouffon, bouleversé, bourgeois, brillant, brouillé, brouillon, buté, calme, calmé, captif, caustique, céleste, chancelant, changeant, charmé, chatouilleux, chicanier, chimérique, clair, clairvoyant, conciliateur, confus, conservateur, conservé, consolateur, contemplatif, contrarié, conventionnel, corrompu, courageux, créateur, crédule, critique, cultivé, curieux, cynique, dégradé, délicat, délié, démoniaque, dépravé, dérangé, descendu, désordonné, détendu, détracteur, déviant, diabolique, dirigé, distingué, distrait, divin, dominateur, éclairé, économe, effarouché, égaré, élevé, enflammé, enfoncé, engourdi, enjoué, entêté, entier, entretenu, équilibré, érudit, espiègle, étendu, étincelant, étriqué, étroit, évangélique, exercé, exploité, fâcheux, facile, faible, familier, fanatique, fantaisiste, farouche, faux, favorisé, ferme, fertile, fin, follet, fort, frappeur, frivole, frondeur, futile, généreux, grand, grossier, humain, humoriste, humoristique, hypocrite, imaginaire, imaginatif, immatériel, impulsif, impur, incisif, incorporel, incorruptible, incrédule, infatigable, ingénieux, inquiet, instable, irrité, intellectuel, inventif, jeune, juste, las, léger, lent, liant, libéral, libertin, libre, logique, lourd, lucide, lumineux, malicieux, malin, manié, mathématique, mauvais, médiocre, méditatif, mental, mesuré, méthodique, mièvre, mobile, modeste, moqueur, moral, mordant, mûr, mystique, naïf, nébuleux, négatif, noble, nourri, novateur, objectif, obsédé, observateur, obstiné, obtus, occupé, optimiste, ordinaire, original, orné, ouvert, paradoxal, paresseux, pauvre, pénétrant, pensant, perçant, perdu, perspicace, pervers, pesant, pessimiste, pétillant, petit, philosophique, pince-sans-rire, plat, pointilleux, poli, pondéré, positif, pratique, précis, préoccupé, profond, prompt, puissant, pur, querelleur, raffiné, railleur, rapide, rassis, rationnel, rebelle, redoutable, réjoui, religieux, remuant, repris, respectueux, retors, rétréci, rétrograde, retrouvé, rêveur, révolté, romanesque, routinier, rusé, sagace, sage, sain, saint, satanique, satirique, satisfait, sémillant, serein, sérieux, simple, solide, somnolent, sophistiqué, soumis, souple, souverain, spéculatif, spirituel, stupide, subjectif, subtil, superficiel, supérieur, surexcité, systématique, tatillon, téméraire, tendu, tordu, tortueux, torturé, tourmenté, tourné, traditionnel, tranchant, tranquille, transcendant, triste, troublé, turbulent, vaste, vif, vigoureux, vil, vital, vivifiant, volage, vulgaire.

v. SUJET: un esprit analyse, aperçoit, se calme, chavire, conçoit, communique, défaille, se délivre, se développe, divague, s'égare, s'élève, erre, s'évade, flotte, juge, se livre, se monte, s'oppose, revient, se révolte, somnole, se torture, se tourmente, se trouble, vagabonde, vit; **COMPL.:** absorber son esprit, s'adresser à l'esprit, affiner un esprit, agiter un esprit, aiguiser un esprit, amuser un esprit, apaiser un esprit, appesantir un esprit, appliquer son esprit, assouplir un esprit, avoir de l'esprit, bouleverser un esprit, brouiller un esprit, calmer un esprit, charmer un esprit, conserver son esprit, corrompre un esprit, cultiver un esprit, détendre un esprit, diriger un esprit, engourdir un esprit, entretenir un esprit, exercer son esprit, exploiter un esprit, faire de l'esprit, favoriser un esprit, manier un esprit, nourrir un esprit, occuper un esprit, ouvrir un esprit, perdre l'esprit, polir un esprit, préoccuper un esprit, se présenter à l'esprit, rappeler ses esprits, réjouir un esprit, remâcher dans son esprit, repasser dans son esprit, reprendre ses esprits, ressasser dans son esprit, retenir ses esprits, retourner dans un esprit, retrouver l'esprit, satisfaire un esprit, sortir de l'esprit, surexciter un esprit, (se) torturer l'esprit, tourner dans un esprit, (se) tranquilliser l'esprit, traverser l'esprit, trotter dans l'esprit, troubler un esprit, venir à l'esprit ; AUTRES VERBES : s'évanouir, imaginer.

expressions

- *Avoir bon, mauvais esprit :* faire preuve de bienveillance, de coopération, de conciliation, ou de malveillance, de rébellion, de méfiance.
- *Avoir l'esprit à :* avoir l'humeur, le goût à.
- *Avoir l'esprit ailleurs :* penser à autre chose, avoir une distraction.
- *Avoir l'esprit dérangé, tourné :* être anormal.
- *Avoir une grandeur, une largeur, une libéralité d'esprit :* avoir de la tolérance.
- *Création de l'esprit :* une chimère, une utopie.
- *Dans mon esprit :* selon moi, dans ma pensée.
- *En esprit :* spirituellement ou en imagination.
- *Esprit critique :* qui n'accepte rien sans d'abord s'interroger.
- *Esprit de famille :* esprit d'attachement et de dévouement à la famille.
- *Être sain de corps et d'esprit :* être en bonne santé physique et mentale.
- *Faire de l'esprit :* montrer sa capacité d'être spirituel.
- *Les beaux, les grands esprits se rencontrent (proverbe) :* se dit lorsque deux personnes pensent la même chose en même temps.
- *Les esprits célestes :* les anges.
- *L'esprit des affaires :* le sens des affaires.
- *N'être pas un pur esprit :* quelqu'un qui a besoin des choses matérielles, qui a des besoins corporels.
- *Perdre l'esprit :* devenir fou.
- *Perdre ses esprits :* désordre mental causé par un trouble, une émotion violente ; ou perdre connaissance.
- *Présence d'esprit :* aptitude à faire ou à dire rapidement ce qui est juste.
- *Reprendre ses esprits :* revenir à soi, se remettre.
- *Un pur esprit :* Dieu ; quelqu'un qui est détaché des choses matérielles ou qui fait semblant de l'être.
- *Un simple d'esprit :* un idiot, un demeuré.
- *Vue de l'esprit :* opinion ou pensée abstraite, théorique, erronée, qui ne s'appuie pas sur le réel.

état

n. affolement, âge, agitation, anxiété, calme, condition, démence, demi-sommeil, dénuement, disposition, ébriété, énervement, exaltation, extase, grandeur, humeur, indifférence, indigence, inquiétude, ivresse, misère, nature, occupation, petitesse, profession, prospérité, pureté, repos, sentiment, situation, sobriété, sommeil, tempérament, tension, trouble, veille.

adj. accidentel, actuel, agréable, anormal, bizarre, bon, brut, changé, chronique, civilisé, comateux, comparatif, compromis, consécutif, constant, contemplatif, courbé, critique, cruel, déplorable, désagréable, douteux, drôle, durable, excellent, fichu, final, fixe, florissant, futur, général, grand, grave, heureux, initial, inquiétant, intellectuel, intéressant, latent, maintenu, malheureux, mauvais, mobile, modifié, monacal, moral, moride, naissant, naturel, normal, obscur, originaire, passager, pathologique, permanent, physique, piteux, pitoyable, présent, premier, primitif, prospère, pur, religieux, sauvage, second, simultané, stable, stationnaire, successif, tranquille, transitoire, triste, trouvé, vif, virtuel.

v. SUJET: un état s'aggrave, change, empire, évolue, se modifie; COMPL.: s'adapter à son état, avoir des états, changer d'état, compromettre un état, être dans un état, jouir d'un état, (se) mettre dans un état, tenir en état, se trouver un état.

expressions

- *En état de:* être capable de, être en mesure de.
- *En tout état de cause:* dans tous les cas, de n'importe quelle manière.
- *État d'âme:* humeur particulière.
- *État de choc:* état anormal, physique ou psychologique, causé par un traumatisme.
- *État de conscience:* sensation ou sentiment ressenti.
- *État d'esprit:* disposition particulière et passagère de l'esprit.
- *Être, demeurer dans le même état:* être, demeurer au même point.
- *Être dans un bel état, se mettre dans un bel état:* être, se mettre dans un état pénible, désagréable.
- *Être dans tous ses états:* être en proie à l'agitation, à l'énervement et à l'excitation.
- *Faire état de:* tenir compte de, faire mention de, citer.
- *Hors d'état de:* incapable de.
- *Mettre quelqu'un en état de:* préparer quelqu'un à.

force

n. action, adversité, affaiblissement, âge, apathie, ardeur, capacité, caractère, carrure, cœur, colosse, compétence, concentration, constitution, corpulence, costaud, courage, cran, détermination, dureté, dynamisme, efficacité, effort, endurance, énergie, épreuve, exercice, faiblesse, fatigue, fermeté, fortifiant, fougue, géant, géante, habileté, héroïne, héros, impuissance, inertie, intensité, lâcheté, langueur, mollesse, mordant, muscle, musculation, nerf, passion, poigne, pouvoir, puissance, qualité, résistance, ressort, robustesse, santé, solidité, tonus, torrent, vie, vigueur, vivacité, volonté.

adj. animale, armée, assoupie, aveugle, brutale, brute, centrifuge, centripète, colossale, concentrée, consistante, corsée, courageuse, égale, exceptionnelle, faible, ferme, herculéenne, humaine, incoercible, indomptable, intense, irrésistible, latente, majeure, militaire, morale, motrice, mouvante, musclée, musculaire, nerveuse, physique, policière, politique, première, probante, progressiste, publique, puissante, râblée, réactionnaire, redoutable, renforcée, résistante, révolutionnaire, robuste, sauvage, solide, surhumaine, syndicale, vigoureuse, violente, virulente, vive.

v. SUJET: la force baisse, décline, diminue; COMPL.: accentuer la force, atténuer la force, augmenter la force, avoir de la force, courir en force, décupler ses forces, diminuer la force, enlever les forces, excéder ses forces, exiger de la force, (s') exprimer avec force, faire la force, jeter avec force, lancer avec force, manger de force, manquer de force, ménager ses forces, nager en force, passer ses forces, perdre ses forces, pousser avec force, prendre de la force, ramasser ses forces, rassembler ses forces, recueillir ses forces, redonner des forces, redonner la force, regrouper ses forces, reprendre des forces, retremper ses forces, surpasser ses forces, tenir avec force, trahir ses forces, user ses forces, utiliser la force; AUTRES VERBES: affermir, agir, baisser, s'efforcer, encourager, endurcir, épuiser, forcer, fortifier, fouetter, muscler, raffermir, ranimer, réconforter, remonter, renforcer, retremper, revigorer, revivre, soutenir, stimuler, tonifier, vivifier.

expressions

- *À force de :* à la longue, par des efforts répétés.
- *De force :* en employant la violence.
- *Épreuve de force :* situation qui est le résultat de l'échec des négociations entre deux groupes et dont le dénouement ne dépend plus que de la supériorité de l'un sur l'autre.
- *Être en force :* être nombreux.
- *Force de l'âge :* maturité.
- *Force de la nature :* personne qui a beaucoup d'endurance, qui est pleine de vitalité.
- *Force publique :* ensemble des corps policiers qui assurent le respect de la loi et la sécurité.
- *Par force :* par nécessité ou par contrainte.

habitude

n. acclimatation, acte, adaptation, apprentissage, attitude, automatisme, comportement, courant, coutume, défaut, déformation, entraînement, état, façon, fréquence, habitué, habituée, insensibilité, manie, manière, marotte, monotonie, ordinaire, penchant, pli, régularité, répétition, rite, routine, tendance, tradition, tic, us, usage.

adj. acquise, bonne, classique, commune, constante, courante, drôle, enracinée, excellente, invétérée, longue, mauvaise, normale, nouvelle, petite, ridicule, sociale, vieille, habituel, inhabituel.

v. SUJET : les habitudes se créent, se forment ; COMPL. : abandonner ses habitudes, acquérir une habitude, avoir l'habitude, changer ses habitudes, conserver une habitude, contracter une habitude, créer une habitude, se défaire d'une habitude, déranger des habitudes, imposer ses habitudes, garder une habitude, perdre l'habitude, prendre l'habitude, retrouver ses habitudes, s'adapter aux habitudes, tenir de l'habitude ; AUTRES VERBES : accoutumer, (s') habituer.

expressions

- *Par habitude :* sans y penser, de façon machinale.
- *Comme à son habitude, comme d'habitude :* selon, suivant son habitude, de façon ordinaire, prévisible.
- *D'habitude :* le plus souvent ; en règle générale ; habituellement.

humeur

n. aigreur, brusquerie, caprice, caractère, chagrin, colère, enjouement, entrain, état, fantaisie, impulsion, irritation, jovialité, mélancolie, misanthropie, naturel, optimisme, pessimisme, sauvagerie, tempérament, tristesse.

adj. acariâtre, accommodante, acerbe, agitée, agréable, aigre, aigrelette, aimante, altière, amère, apaisée, ardente, avenante, babillarde, batailleuse, bavarde, belle, bienveillante, bilieuse, bizarre, bonne, bouillante, bourrue, brouillonne, brusque, calme, caustique, chagrine, changeante, changée, charmante, combative, commode, compatible, conciliante, conforme, constante, contente, contrainte, contraire, contrariante, criarde, débonnaire, désagréable, désobligeante, détestable, différente, difficile, diversifiée, douce, égale, emportée, endurante, enjouée, ennuyante, entêtée, épouvantable, étrange, excellente, exécrable, expansive, extrême, facile, factice, farouche, féroce, folâtre, forcée, fugitive, gaie, gouvernée, habituelle, hardie, hautaine, hilare, impétueuse, imprévisible, inaltérable, incompatible, inégale, inquiète, insouciante, insupportable, intransigeante, joviale, joyeuse, massacrante, maussade, mauvaise, méchante, mélancolique, mise, montrée, moqueuse, narquoise, nerveuse, nonchalante, ombrageuse, optimiste, paisible, pessimiste, piaillarde, piquante, présente, prise, prompte, querelleuse, radieuse, réjouie, reprise, rétive, retrouvée, revêche, sauvage, solitaire, sombre, souffrante, taciturne, tatillonne, tombée, triste, vagabonde, violente, vive.

v. SUJET: une humeur s'apaise, change, gouverne, monte, règne, tombe, se transforme; COMPL.: s'abandonner à son humeur, agir par humeur, avoir de l'humeur, se composer une humeur, concevoir de l'humeur, contraindre son humeur, s'enquêter de l'humeur, être d'une humeur, être d'humeur, être en humeur, garder de l'humeur, gouverner son humeur, se livrer à son humeur, mettre la bonne humeur, mettre la mauvaise humeur, montrer une humeur, parler avec humeur, prendre de l'humeur, reprendre une humeur, résister à son humeur, retrouver une humeur, se sentir d'humeur à; AUTRES VERBES: bouder, se fâcher, rager, râler, rechigner.

expressions

- *Saute d'humeur:* changement soudain de l'humeur.
- *Critique, article d'humeur:* critique ou article écrit selon l'humeur de moment.
- *Être, se sentir d'humeur à faire quelque chose:* être prêt à faire quelque chose, se sentir enclin à, disposé à agir.
- *Humeur noire:* mélancolie, tristesse, lassitude.

humour

n. blague, comédien, comédienne, comique, détachement, drôlerie, esprit, fantaisie, farce, formalisme, hilarité, humoriste, ironie, pince-sans-rire, raillerie, réalité, sarcasme, satire, tour.

adj. affecté, amusant, anticonformiste, cinglant, compris, conservé, cruel, débridé, décrié, défini, dérangeant, désopilant, destructeur, distrayant, drôle, employé, exagéré, fantastique, féroce, flegmatique, froid, grinçant, impayable, insolite, ironique, moqueur, noir, original, plaisant, révolté, sarcastique, tendre, vexant.

v. SUJET: l'humour amuse, déride, désennuie, distrait, enchante, égaye, grossit, se moque, outre, plaît, ravit, réjouit, satisfait, vexe; COMPL.: affecter l'humour, agir

avec humour, avoir de l'humour, comprendre l'humour, conserver un humour, décrier l'humour, définir l'humour, employer l'humour, exagérer l'humour, s'exprimer avec humour, manquer d'humour, parler avec humour, posséder un humour, pousser l'humour, utiliser l'humour; AUTRES VERBES: blaguer, persifler, plaisanter, rire.

expressions

- *L'humour, c'est la politesse du désespoir:* formule célèbre attribuée tantôt à Wilde, tantôt à Giraudoux, tantôt à Vian, tous les trois écrivains.
- *Avoir de l'humour, le sens de l'humour:* parler avec humour et comprendre l'humour.

idéal, als

n. absolu, aspiration, beau, beauté, but, concept, esprit, fin, idéalisme, idée, imaginaire, modèle, perfection, plénitude, pureté, sagesse, sublime, utopie, valeur, vertu.

adj. absolu, abstrait, accompli, aimé, atteint, beau, bourgeois, caressé, cherché, conçu, conforme, créé, démocratique, désiré, élevé, esthétique, existant, fraternel, grand, imaginaire, imaginé, immatériel, intellectuel, invoqué, irréalisable, merveilleux, moral, pacifiste, parfait, platonique, poétique, politique, pratique, présenté, proposé, pur, réalisable, réalisé, représenté, rêvé, révolutionnaire, sage, sentimental, socialiste, souhaité, souverain, spéculatif, sublime, suprême, surnaturel, théorique, transcendant, trouvé, vertueux.

v. SUJET: un idéal accompagne, élève, existe; COMPL.: accomplir un idéal, aimer un idéal, atteindre un idéal, avoir un idéal, caresser un idéal, chercher un idéal, concevoir un idéal, créer un idéal, désirer un idéal, imaginer un idéal, invoquer un idéal, parler de l'idéal, présenter un idéal, proposer un idéal, réaliser un idéal, représenter un idéal, rêver d'un idéal, souhaiter un idéal, tendre vers un idéal, (se) trouver un idéal; AUTRES VERBES : idéaliser, poétiser.

expressions......................................

• *L'idéal, ce serait de..., que... :* le mieux, ce serait de..., que...
• *Ce n'est pas l'idéal :* ce n'est pas ce qu'il y a de mieux.

idée

n. abstraction, aperçu, chimère, concept, conception, conscience, créativité, croyance, dessein, doctrine, ébauche, échantillon, entendement, esquisse, essence, exemple, fantaisie, généralisation, hypothèse, imagination, inspiration, intention, invention, mythe, notion, opinion, pensée, perspective, philosophie, plan, projet, représentation, rêve, rêverie, trouvaille, vision.

adj. absolue, abstraite, absurde, affligeante, affreuse, analogue, analysée, ancrée, approuvée, audacieuse, avancée, aveuglante, avivée, bienfaisante, biscornue, bizarre, blessante, bonne, bouffonne, bourdonnante, (des idées) brouillées, cachée, caressée, chassée, claire, communiquée, complexe, compréhensible, comprise, concevable, conçue, conformiste, confuse, conservatrice, consolante, contiguë, creuse, crue, défendue, (des idées) démêlées, désagréable, devinée, dévoilée, diabolique, différente, directrice, discernée, distincte, dite, dominante, donnée, (des idées) embrouillées, empruntée, entendue, (des idées) entrechoquées, essentielle, étrange, étroite, exacte, exagérée, exaltée, excellente, exprimée, faible, fantaisiste, farfelue, fausse, fixe, folle, forte, gaie, galante, générale, géniale, germée, grande, grave, haute, heureuse, horrible, imagée, impétueuse, incohérente, inconcevable, inconvenante, indigeste, ingénieuse, inimaginable, innée, innovatrice, insaisissable, insupportable, intelligible, intéressante, interprétée, introduite, irréalisable, jugée, juste, lancée, large, légère, limitée, littéraire, logée, logique, lumineuse, maniée, manquante, mauvaise, mère, mise, morale,

morose, nette, neuve, noire, nouvelle, novatrice, objective, obscure, opposée, (des idées) ordonnées, (des idées) organisées, originale, paisible, partagée, particulière, passionnée, perçue, perdue, pesée, plaisante, politique, pratique, précise, préconçue, première, préoccupante, principale, profonde, progressiste, propagée, puérile, puissante, pure, raisonnable, rappelée, (des idées) rassemblées, rationnelle, réactionnaire, réalisable, rebattue, reconnue, reçue, religieuse, respectable, révolutionnaire, riche, saisie, saugrenue, scientifique, sensée, simple, sourde, stimulante, stupide, sublime, suggérée, suivie, superficielle, superstitieuse, terrible, traduite, triste, vague, venue, voisine, vraie.

v. SUJET : les idées abondent, s'assemblent, se brouillent, s'embrouillent, s'entrechoquent, fourmillent, se heurtent, manquent, s'ordonnent; une idée s'avive, blesse, domine, échauffe, étreint, exprime, germe, glace, guide, s'introduit, se loge, obsède, plaît, préoccupe, tourmente, (se) traduit, trotte, vient; COMPL. : analyser une idée, approuver une idée, s'attacher à une idée, avoir une idée, brouiller les idées, cacher une idée, caresser une idée, changer d'idée, chasser une idée, se coller à une idée, communiquer une idée, comprendre une idée, concevoir une idée, croire une idée, entendre une idée, défendre une idée, démêler des idées, deviner une idée, dévoiler une idée, dire une idée, discerner une idée, donner une idée, emprunter une idée, exprimer une idée, se faire à une idée, fourrer une idée, interpréter une idée, introduire une idée, juger une idée, lancer une idée, manier une idée, manquer d'idées, (se) mettre une idée, partager une idée, penser à une idée, percevoir une idée, perdre une idée, peser une idée, prendre l'idée de, propager une idée, (se) rappeler une idée, rassembler ses idées, recevoir une idée, reconnaître une idée, réfléchir à une idée, (se) représenter une idée, revenir à une idée, saisir une idée, songer à une idée, suggérer une idée, suivre son idée, traduire une idée; AUTRES VERBES : se figurer, (s') imaginer.

expressions

• *À l'idée de, à la seule idée de :* de penser à, à la seule pensée de.
• *Avoir l'idée de :* faire le projet de; imaginer de.
• *Avoir une haute idée de soi :* être présomptueux.
• *Cette idée! (se prononce c't' idée) :* naturellement! bien entendu! cela va de soi!
• *Changer d'idée comme de chemise :* changer constamment d'idée.
• *En idée :* dans l'imagination.
• *Il s'est mis dans l'idée que :* il croit que.
• *J'ai idée que :* je pense que.
• *Juger, agir à son idée :* juger, agir uniquement selon sa manière de voir les choses.
• *N'avoir pas la moindre idée de :* ne connaître rien à.
• *On n'a pas idée de cela :* on ne peut même pas imaginer une chose pareille.
• *Se faire des idées :* s'imaginer des choses qui ne sont ni réelles ni possibles.

ignorance

n. candeur, inaptitude, incapacité, incompétence, inconscience, inexpérience, ingénuité, insuffisance, méconnaissance, naïveté, niaiserie, nullité, simplicité.

adj. amoureuse, aveugle, barbare, candide, entière, excusable, extrême, flagrante, gauche, grossière, honteuse, illettrée, inconsciente, inculte, inexcusable, inexpérimentée, inqualifiable, insuffisante, naïve, niaiseuse, novice, partielle, primitive, sexuelle, simple, totale, volontaire.

v. SUJET : l'ignorance affecte; COMPL. : accuser l'ignorance, avouer son ignorance, confesser son ignorance, démontrer son ignorance, être dans l'ignorance, feindre l'ignorance, laisser dans l'ignorance, manifester son ignorance, montrer

son ignorance, pécher par ignorance, tenir dans l'ignorance, vivre dans l'ignorance; AUTRES VERBES : ignorer, méconnaître.

expressions

• *Le mal vient de l'ignorance :* la source du mal vient d'un manque de connaissances.
• *Tirer quelqu'un de son ignorance :* lui apprendre des choses.

imagination

n. chimère, créativité, délire, divagation, élaboration, esprit, évasion, évocation, fable, fabulation, faculté, fantaisie, fiction, folie, hallucination, idée, illusion, image, imaginaire, impression, improvisation, inspiration, intelligence, invention, mémoire, mensonge, mirage, pensée, rêvasserie, rêvasseur, rêvasseuse, rêve, rêverie, rêveur, rêveuse, songe, trouvaille, utopie, utopiste, vision, visionnaire.

adj. abondante, active, affectée, aiguë, ardente, artistique, bornée, brillante, complaisante, créatrice, débordante, débridée, décevante, déchaînée, délirante, déréglée, détraquée, échauffée, enflammée, exaltée, exceptionnelle, extraordinaire, exubérante, fabuleuse, fantaisiste, fantastique, féconde, fertile, folle, forcenée, fraîche, fiévreuse, gouvernée, grotesque, incroyable, infatigable, ingénieuse, inventive, juvénile, limitée, littéraire, manquante, morbide, musicale, naturaliste, onirique, parfaite, passive, pauvre, perverse, poétique, puérile, puissante, pure, reproductrice, riante, riche, romanesque, singulière, sombre, spontanée, stérile, supérieure, tourmentée, vagabonde, variée, visionnaire, vive.

v. SUJET : l'imagination avive, brode, colore, se déchaîne, déforme, détrompe, échafaude, s'échauffe, embellit, s'enflamme, évoque, s'exalte, excite, forge, galope, irrite, remplace, provoque, représente, travaille, trompe; COMPL. : s'abandonner à son imagination, affecter l'imagination, agir sur l'imagination, avoir de l'imagination, deviner par l'imagination, enfermer dans l'imagination, enjoliver par des imaginations, éveiller dans l'imagination, évoquer par l'imagination, exister dans l'imagination, frapper l'imagination, gouverner son imagination, manquer d'imagination, modifier par l'imagination, rester dans l'imagination, revoir par l'imagination, se transporter en imagination, suppléer à l'imagination ; **AUTRES VERBES :** concevoir, créer, se figurer, s'illusionner, imaginer, inventer, (se) représenter, rêvasser, rêver.

expressions.....................................
- *Ceci dépasse toute imagination :* ceci dépasse tout ce qu'on pourrait imaginer.
- *N'exister que dans l'imagination :* n'exister que d'une façon imaginaire.
- *Voir quelqu'un dans son imagination :* l'inventer.

intelligence

n. abstraction, âme, capacité, cerveau, compréhension, conception, connaissance, discernement, don, entendement, esprit, finesse, flair, fond, génie, idée, ingéniosité, interprétation, intuition, jugement, lucidité, lumière, pensée, penseur, perspicacité, psychologie, raison, réflexion, sagacité, sens, subtilité, tact, talent, théoricien, théoricienne, théorie, vivacité.

adj. adaptée, alerte, artificielle, audacieuse, belle, bornée, céleste, claire, déliée, développée, diversifiée, divine, éclairée, entendue, épaisse, exceptionnelle, faible, fiévreuse, fine, fulgurante, grande, grossière, humaine, incontestable, ingénieuse, intime, judicieuse, lente, lucide, merveilleuse, modérée, moyenne, ouverte, pénétrante, perspicace, phénoménale, posée, pratique, précoce, profonde, prompte, puissante, raisonnable, rationnelle, réelle, réfléchie, sagace, sceptique, sensée, sensible, sérieuse, souveraine, subtile, superficielle, supérieure, suprême, vaste, vive.

v. SUJET : l'intelligence s'adapte, comprend ; **COMPL. :** agir avec intelligence, cultiver son intelligence, développer son intelligence, douter de l'intelligence, exiger de l'intelligence, supposer de l'intelligence ; **AUTRES VERBES :** comprendre, démêler, deviner, discerner, entendre, interpréter, juger, méditer, penser, percevoir, peser, réfléchir, se représenter, saisir, songer, voir.

expression.....................................
- *L'intelligence de quelque chose. :* la compréhension qu'on a de quelque chose.

mémoire

n. absence, amnésie, esprit, faculté, intelligence, mémento, mémorisation, oubli, passé, rappel, reconnaissance, souvenir, trou.

adj. affaiblie, affective, alerte, associative, auditive, autistique, bonne, centrale, chargée, conservée, consultée, corporelle, courte, cultivée, défaillante, différée, distincte, douloureuse, encombrée, engourdie, enrichie, entraînée, étonnante, évocatrice, exceptionnelle, exercée, extraordinaire, fabuleuse, facile, fidèle, flétrie, fortifiée, glorieuse, honorée, immédiate, immortalisée, incertaine, incroyable, infidèle, intellectuelle, involontaire, mauvaise, meilleure, merveilleuse, meublée, morte, organique, oubliée, perdue, prodigieuse, prompte, psychologique, rafraîchie, rebelle, réflexive, remplie, sélective, sinistre, sociale, souillée, surchargée, sûre, tenace, ternie, vacillante, visuelle, vive, volontaire.

v. SUJET : la mémoire alimente, garde, enregistre, fournit, modifie, retient, sélectionne, suscite, trahit, se trouble, vacille ; **COMPL. :** aider la mémoire, avoir de la mémoire, avoir en mémoire, charger sa mémoire, chercher dans sa mémoire, citer de mémoire, conserver dans la mémoire, conserver en mémoire, conserver la mémoire, consulter sa mémoire, cultiver sa mémoire, se défier de sa mémoire, dessiner de mémoire, dire de mémoire, durer dans la mémoire, échapper à la mémoire, (s')effacer de la mémoire, encombrer la mémoire, engourdir la mémoire, enrichir la mémoire, fixer dans sa mémoire, fortifier sa mémoire, fouiller dans sa mémoire, garder dans sa mémoire, (se) graver dans la mémoire, honorer la mémoire, illustrer la mémoire, immortaliser la mémoire, (s') inscrire dans la mémoire, jouer de mémoire, meubler sa mémoire, peindre de mémoire, perdre la mémoire, posséder une mémoire, puiser dans sa mémoire, (se) rafraîchir la mémoire, rappeler à la mémoire, rayer de sa mémoire, réciter de mémoire, se remettre en mémoire, remonter à la mémoire, remplir la mémoire, rester dans la mémoire, revenir à la mémoire, revenir en mémoire, sortir de la mémoire, souiller la mémoire, surcharger la mémoire, ternir la mémoire, venger la mémoire, vivre dans la mémoire ; AUTRES VERBES : commémorer, évoquer, marquer, mémoriser, oublier, penser, (se) rappeler, reconnaître, (se) remémorer, repasser, se reporter, retenir, revivre, revoir, savoir, se souvenir.

expressions..

- *À la mémoire de :* pour immortaliser, louer le souvenir de.
- *Avoir la mémoire courte :* oublier rapidement.
- *Avoir la mémoire de :* capacité de se rappeler spécialement certaines choses.
- *Avoir une mémoire d'éléphant :* avoir une mémoire exceptionnelle ; ou être rancunier, l'éléphant étant prétendument un animal vindicatif.
- *Consacrer, illustrer la mémoire de quelqu'un :* consacrer, illustrer la renommée, la réputation de quelqu'un.
- *De mémoire d'homme :* d'aussi loin que l'homme peut se souvenir.
- *De mémoire :* en utilisant seulement sa mémoire, sans rien avoir sous les yeux.
- *Mémoires :* récit écrit des événements auxquels une personne a participé ou dont elle a été témoin.

- *Si j'ai bonne mémoire :* si je me souviens bien.
- *Garder la mémoire de :* garder le souvenir de.

nature

n. caractère, complexion, constitution, essence, état, existence, génie, humeur, inclination, instinct, naturel, penchant, personnalité, talent, tempérament.

adj. absolue, acariâtre, acharnée, active, affable, affligée, agréable, aimable, aimante, alerte, ambiguë, amorphe, angélique, apathique, ardente, artistique, attentive, austère, belle, belliqueuse, bienfaisante, bizarre, bonne, boudeuse, bougonne, bourrue, brouillonne, brute, calme, candide, capricieuse, chagrine, changeante, chaste, chevaleresque, civilisée, colérique, cultivée, délicate, dénaturée, dépravée, désagréable, despote, détestable, déviante, diabolique, différente, difficile, disgraciée, disparate, distinguée, divine, docile, domptée, double, douce, droite, dure, écrasante, égale, emportée, énergique, enthousiaste, entière, équilibrée, exaltée, excentrique, excessive, excitée, exécrable, facile, faible, fantasque, fausse, favorable, favorisée, ferme, fielleuse, fière, flasque, flottante, foncière, forte, franche, frêle, froide, généreuse, grognonne, hargneuse, hésitante, heureuse, hideuse, honnête, hospitalière, hostile, humaine, humble, imaginative, imbécile, immuable, imparfaite, impassible, impérieuse, impitoyable, impressionnable, impressionnante, inaltérable, incomparable, incompréhensible, inculte, indifférente, indiscrète, indolente, indomptable, inerte, inhospitalière, injuste, innée, insociable, insouciante, instinctive, intelligente, intraitable, lente, liante, lunatique, malléable, maniaque, maternelle, maussade, mauvaise, mesquine, modeste, morale, morose, obstinée, ombrageuse, opiniâtre, orgueilleuse, ouverte, paresseuse, parfaite, patiente, perfectible, persévérante, pointilleuse, pointue, possessive, première, primesautière, prompte, psychologique, puissante, pure, revêche, riche, sage, saine, sauvage, sèche, seconde, sensible, sensuelle, sentimentale, sévère, simple, singulière, sociable, soumise, souple, spontanée, supérieure, sympathique, taquine, tatillonne, tenace, tendre, tonique, torturée, tracassière, tyrannique, vague, valeureuse, vaniteuse, vicieuse, vigoureuse, violente, vivante, vive, voluptueuse, vraie, vulgaire.

v. SUJET: une nature agresse, charme, déplaît, plaît, succombe ; COMPL. : cacher sa nature, céder à sa nature, combattre sa nature, connaître sa nature, contraindre sa nature, contrarier sa nature, définir sa nature, étouffer sa nature, forcer sa nature, gêner sa nature, imposer sa nature, lutter contre sa nature, suivre sa nature.

expressions..

- *Ce n'est pas dans sa nature :* cela ne lui ressemble pas, il n'en a pas l'habitude.
- *C'est une heureuse nature :* c'est quelqu'un qui semble toujours satisfait.
- *De nature à :* susceptible de, capable de.
- *De nature, par nature :* d'une manière innée.
- *En nature :* échange, transaction en objets réels ou en faveurs accordées, sans l'intermédiaire de l'argent.
- *Nature morte :* tableau dont le sujet est inanimé.
- *Petite nature :* personne physiquement ou moralement faible.
- *Plus grand, plus petit, plus vrai que nature :* plus grand, plus petit, plus vrai que le modèle.
- *Seconde nature :* des caractères qui ont pris le dessus sur les caractères innés.
- *Une riche nature :* quelqu'un qui a plusieurs talents, plusieurs ressources.

pensée

n. abstraction, âme, cerveau, compréhension, conception, connaissance, conscience, contenu, entendement, esprit, expression, folie, idée, imagination, impression, intelligence, intention, jugement, langage, méditation, notion, observation, opinion, parole, penseur, penseuse, philosophie, préoccupation, projet, raison, raisonnement, réflexion, rêverie, sentiment, souvenir, spéculation, télépathie, verbalisation, volonté.

adj. abstraite, accablante, admirable, affreuse, amère, arrêtée, artificielle, artistique, bâillonnée, banale, basse, brillante, brusque, chaotique, claire, confuse, contemporaine, courte, criminelle, cruelle, déplaisante, désagréable, déshonnête, désintéressée, développée, dévorante, diffuse, distincte, dominée, douloureuse, effroyable, élevée, enfantine, engagée, enjouée, errante, étroite, exprimée, extravagante, familière, féconde, ferme, fixe, fixée, flottante, floue, fluide, forte, franche, frivole, funèbre, fuyante, gaie, généreuse, grande, grave, harassante, haute, horrible, humaine, immaculée, immédiate, immonde, imparfaite, impénétrable, importune, impure, incertaine, incisive, incohérente, incommunicable, incomparable, inconcevable, insupportable, intellectuelle, intense, intéressante, intime, lancinante, libre, louche, lourde, lucide, malfaisante, mathématique, mauvaise, meilleure, mêlée, méprisable, mesquine, moderne, monstrueuse, morale, nette, neuve, nuancée, obscurcie, obscure, odieuse, originale, petite, philosophique, plaisante, politique, populaire, primitive, profonde, prompte, provisoire, psychique, puissante, religieuse, riche, ridicule, sauvage, scientifique, secrète, sereine, sérieuse, sombre, spirituelle, stérile, subtile, superficielle, sûre, triste, troublante, trouble, vagabonde, vague, vilaine.

v. SUJET: une pensée affecte, s'affranchit, assaille, assiège, s'assoupit, chemine, conçoit, effleure, (s') émancipe, erre, lancine, (se) libère, se manifeste, s'obscurcit, obsède, se présente, résout, trotte, vagabonde, vient; COMPL. : s'abîmer dans ses pensées, s'absorber dans ses pensées, aiguiser une pensée, arrêter sa pensée, assujettir à la pensée, avoir une pensée, bâillonner la pensée, balayer une pensée, cacher sa pensée, chasser une pensée, ciseler une pensée, commettre en pensée, conduire ses pensées, déclarer sa pensée, déguiser sa pensée, démentir sa pensée, dépasser la pensée, détacher la pensée, (se) détourner d'une pensée, développer une pensée, dévoiler une pensée, diminuer la pensée, dire sa pensée, dissimuler sa pensée, échanger des pensées, s'enfoncer dans une pensée, exprimer sa pensée, exprimer une pensée, fixer sa pensée, interpréter une pensée, libérer sa pensée, lier ses pensées, lire une pensée, mûrir une pensée, nourrir une pensée, nuancer une pensée, objectiver une pensée, obnubiler la pensée, occuper la pensée, offrir à la pensée, parler contre sa pensée, se perdre dans ses pensées, peser une pensée, porter une pensée, préciser une pensée, publier sa pensée, recevoir une pensée, se réjouir à la pensée, rendre une pensée, se représenter une pensée, révéler une pensée, rouler des pensées, ruminer ses pensées, sentir une pensée, tourner une pensée, trahir la pensée, trahir sa pensée, (se) transporter par la pensée, venir à la pensée, verbaliser une pensée, vivre par la pensée ; AUTRES VERBES : comprendre, concevoir, connaître, imaginer, juger, méditer, penser, raisonner, réfléchir, rêvasser, rêver, sentir, songer, se souvenir, vouloir.

expressions

- *À la pensée de, à la seule pensée de :* à l'idée de, à la seule idée de.
- *Dans la pensée de :* dans l'idée de, dans le but de.
- *Dans la pensée de quelqu'un :* selon lui, selon sa façon de voir.
- *La dame de ses pensées :* sa dulcinée.
- *La pensée que :* de savoir que.
- *Lire dans les pensées de quelqu'un :* deviner ce qu'il pense, ce qu'il a dans la tête.

qualité

n. abnégation, adresse, affabilité, amabilité, aptitude, ardeur, austérité, bienfaisance, bienséance, bienveillance, bonhomie, bonté, bravoure, candeur, capacité, caractère, charité, civilité, compassion, complaisance, constance, convenance, cordialité, courage, décence, déférence, fidélité, délicatesse, désintéressement, dextérité, discernement, disposition, docilité, don, droiture, entrain, équité, esprit, exactitude, fermeté, finesse, franchise, frugalité, gaieté, générosité, génie, gentillesse, goût, gratitude, habileté, héroïsme, honnêteté, humanité, imagination, ingénuité, intégrité, intelligence, jugement, justesse, justice, loyauté, lucidité, mémoire, modestie, nature, netteté, obligeance, patience, penchant, perspicacité, philanthropie, politesse, précision, prédisposition, probité, promptitude, propreté, prudence, pudeur, reconnaissance, réflexion, résignation, respect, retenue, sagesse, sensibilité, sentiment, simplicité, sincérité, sobriété, talent, tempérament, tendance, tolérance, véracité, vertu, vivacité, vocation, volonté, zèle.

adj. ardente, austère, authentique, belle, bonne, constante, convenable, cordiale, décente, dominante, essentielle, excellente, exceptionnelle, fausse, fine, humaine, importante, judicieuse, juste, libérale, loyale, mauvaise, médiocre, naturelle, obligeante, remarquable, sensée, sensible, simple, sincère, superbe, vertueuse, vraie.

v. SUJET : la qualité illustre, indique, montre, permet, s'oppose ; COMPL. : améliorer la qualité, augmenter la qualité, avoir une qualité, discerner les qualités, optimiser la qualité, posséder une qualité, rechercher la qualité, s'assurer de la qualité, tromper sur la qualité, viser la qualité.

expressions

- *Avoir qualité pour :* être capable de.
- *En qualité, en sa qualité de :* en tant que.

respect

n. admiration, adoration, amour-propre, crainte, déférence, dignité, égard, galanterie, hommage, honneur, révérence, salut, sentiment, vénération.

adj. effroyable, exagéré, humain, intéressé, noble, obséquieux, profond, saint, servile, sincère.

v. SUJET : le respect aide, permet ; COMPL. : avoir du respect, devoir le respect, donner du respect, garder le respect, s'incliner par respect, inspirer le respect, manquer de respect, montrer du respect, montrer le respect, présenter du respect, ressentir du respect, saluer par respect, témoigner du respect, tenir en respect, traiter avec respect ; AUTRES VERBES : respecter, admirer, estimer.

expressions..
- *Le respect de soi-même :* l'amour-propre.
- *Sauf le respect que je vous dois :* formule que l'on emploi pour s'excuser d'une parole trop libre, un peu choquante.
- *Tenir en respect :* contenir, soumettre.

rêve

n. cauchemar, chimère, désir, esprit, fantasme, hallucination, idéal, idée, illusion, image, imagination, mirage, prémonition, représentation, rêvasserie, rêvasseur, rêvasseuse, rêverie, rêveur, rêveuse, sommeil, somnambulisme, songe, souvenir, utopie, veille, vision.

adj. absurde, accompli, affreux, agréable, angoissant, apaisant, beau, bizarre, bouleversant, brutal, calmant, captivant, caressé, coloré, construit, court, curieux, délirant, dérangeant, diurne, éblouissant, effrayant, énervant, enivrant, étonnant, évanescent, évoqué, excitant, extraordinaire, fabuleux, fait, familier, fantastique, fantomatique, fascinant, féerique, fou, frappant, glorieux, héroïque, idéal, idyllique, impalpable, imprécis, imprévu, inachevé, incroyable, inquiétant, irréalisable, irréel, long, magnifique, mauvais,

nocturne, nouveau, onirique, original, plaisant, poétique, poursuivi, prémonitoire, psychique, puéril, rassurant, réalisé, satisfaisant, triste, troublant, tumultueux, vague, vieux, vif.

v. SUJET : un rêve apaise, calme, comble, dérange, effraie, énerve, enivre, excite, inquiète, plaît, rassure, satisfait ; COMPL. : accomplir un rêve, caresser un rêve, construire un rêve, disparaître comme un rêve, s'enivrer de rêves, entendre en rêve, s'évanouir comme un rêve, évoquer un rêve, faire un rêve, poursuivre un rêve, réaliser un rêve, secouer ses rêves, sortir d'un rêve, voir en rêve ; AUTRES VERBES : rêvasser, rêver, songer.

expressions..
- *Faites de beaux rêves :* souhait qu'on formule au moment de se mettre au lit.
- *Secouer ses rêves :* s'éveiller.
- *En rêve :* pendant un rêve, en rêvant.
- *La personne de ses rêves :* la personne idéale, souhaitée.

talent

n. aisance, aptitude, attribut, bosse, brio, capacité, célébrité, disposition, don, excellence, facilité, faculté, force, génie, goût, instinct, maître, maîtrise, moyens, penchant, prédisposition, puissance, qualité, supériorité, virtuose, virtuosité, vocation. .

adj. amateur, dramatique, élevé, étendu, fou, gâché, grand, ignoré, inspiré, intellectuel, jeune, joli, littéraire, louable, magistral, moindre, petit, politique, professionnel, prononcé, puissant, remarquable.

v. SUJET : Le talent (s') accroît, (s') améliore, permet ; COMPL. : avoir du talent, cultiver son talent, employer son talent, enfouir son talent, enlever son talent, exercer son talent, forcer son talent, grandir son talent, mûrir son talent, négliger son talent, posséder du talent, se servir de son talent, vanter son talent.

expressions..

- *Allez exercer vos talents ailleurs :* s'emploie pour renvoyer une personne dont on est mécontent.
- *Il a le talent de :* il a le don de, la manie de.

tempérament

n. caractère, disposition, humeur, inclination, nature, naturel, penchant, personnalité.

adj. actif, amorphe, ardent, audacieux, bilieux, bon, brutal, colérique, combatif, discret, distingué, égocentrique, égoïste, émotif, enthousiaste, excitable, exubérant, ferme, flegmatique, flexible, fougueux, froid, imaginatif, impassible, inné, intolérable, intraitable, irascible, irritable, mélancolique, modéré, modeste, morose, mou, mystique, nerveux, optimiste, pessimiste, pondéré, prudent, réservé, rigoureux, romanesque, sain, sanguinaire, sentimental, sévère, simple, sombre, soupçonneux, tolérant, vif, vigoureux, violent.

v. SUJET: un tempérament caractérise, change, distingue, individualise ; COMPL. : avoir du tempérament.

expression..

- *C'est un tempérament :* c'est une forte personnalité, un caractère fort.

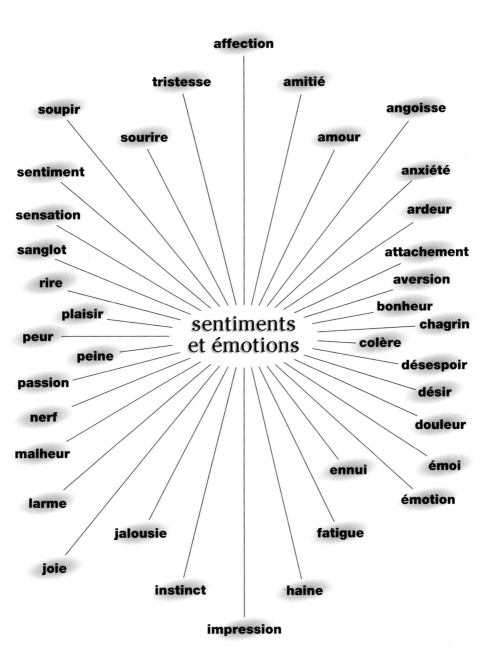

affection

n. ami, amie, amitié, amour, amoureuse, amoureux, attachement, baiser, bécot, bisou, caresse, embrassade, émotion, famille, intimité, sentiment, sourire, tendresse.

adj. conjugale, fraternelle, intense, louable, maternelle, mutuelle, paternelle, réciproque, tendre, touchante, vive.

v. SUJET: l'affection se développe, lie; COMPL.: avoir une affection, conserver son affection, éprouver une affection, éprouver de l'affection, nourrir une affection, ressentir une affection; AUTRES VERBES: affectionner, aimer, chérir, préférer.

amitié

n. affection, ami, amie, attachement, camarade, camaraderie, complicité, compréhension, copain, copine, émotion, estime, liaison, sentiment, sympathie.

adj. affectueuse, chaleureuse, constante, délicate, désintéressée, dévouée, douce, ferme, fidèle, franche, fraternelle, grande, inébranlable, intéressée, longue, mélancolique, partagée, particulière, pure, réciproque, respectueuse, sincère, solide, tenace, tendre, touchante, véritable, vieille, valorisante.

v. SUJET: l'amitié se forme, meurt, naît, résiste, subsiste; COMPL.: acquérir une amitié, avoir une amitié, conserver une amitié, cultiver une amitié, entretenir une amitié, éprouver une amitié, fortifier une amitié, gagner une amitié, inspirer l'amitié, nouer une amitié, perdre l'amitié, porter une amitié, renoncer à une amitié, renouer une amitié, rompre une amitié, témoigner une amitié, trahir une amitié, vouer une amitié; AUTRES VERBES: aimer, affectionner.

expression

• *Aimer quelqu'un d'amitié:* éprouver un sentiment amical pour quelqu'un.

amour

n. affection, amant, amante, amourette, amoureuse, amoureux, attachement, bonheur, émotion, épouse, époux, flamme, flirt, liaison, maîtresse, mariage, passion, préférence, sentiment, tendresse.

adj. ardent, attentif, aveugle, banal, brûlant, calme, charnel, contrarié, courtois, délicat, discret, douloureux, durable, envahissant, éperdu, éphémère, excessif, exclusif, facile, fiévreux, filial, fort, fou, généreux, grand, gratuit, immense, impérieux, impétueux, inassouvi, insensé, intangible, léger, lourd, malade, maternel, mélancolique, mutuel, naissant, ombrageux, partagé, passager, passionné, paternel, profond, pudique, raisonnable, rajeuni, réciproque, réel, renaissant, sain, sensuel, sincère, solide, tendre, tiède, troublant.

v. SUJET: l'amour croît, décline, dure, s'éteint, s'évanouit, grandit, jaillit, meurt, naît, palpite, passe, subsiste; COMPL.: détruire l'amour, éprouver un amour, ressentir un amour; AUTRES VERBES: adorer, aimer, chérir, désirer, s'amouracher, s'éprendre.

expressions

• *En amour:* dans une relation amoureuse.
• *Faire l'amour:* avoir des relations sexuelles.
• *Faire quelque chose par amour:* par générosité, sans intérêt.
• *Pour l'amour de Dieu:* je vous en supplie.
• *Saison, temps des amours:* moment où les animaux s'accouplent.

angoisse

n. anxiété, appréhension, crainte, détresse, émotion, état, inquiétude, obsession, peur, sensation, sentiment, tourment, transe.

adj. chronique, existentielle, indicible, insupportable, longue, mortelle, perpétuelle, profonde, terrible, terrifiante, vieille.

v. SUJET: l'angoisse inquiète, contrarie, se manifeste, monte, perdure, tourmente; COMPL.: combattre l'angoisse, éprouver une angoisse, ressentir une angoisse, susciter l'angoisse; AUTRES VERBES: angoisser, paniquer.

anxiété

n. angoisse, appréhension, attente, contrariété, crainte, émotion, état, hantise, impatience, inquiétude, peur, sentiment, souci, tension, tourment, tracas.

adj. affreuse, atroce, constante, croissante, cruelle, insupportable, intense, pathologique, permanente, vive.

v. SUJET: l'anxiété diminue, grandit, se manifeste; COMPL.: éprouver une anxiété, éprouver de l'anxiété, vivre une anxiété; AUTRE VERBE: se tourmenter.

ardeur

n. acharnement, cœur, courage, emballement, empressement, énergie, enthousiasme, ferveur, feu, fièvre, flamme, fougue, intérêt, passion, véhémence, vigueur, zèle.

adj. amoureuse, brûlante, délicieuse, éphémère, frénétique, fugitive, généreuse, juvénile, naissante, noble, passionnée, patriotique, pieuse, religieuse.

v. SUJET: l'ardeur brûle, redouble, refroidit, se perd; COMPL.: calmer l'ardeur, exciter l'ardeur, modérer l'ardeur, montrer une ardeur, ralentir l'ardeur, ranimer l'ardeur, réveiller l'ardeur.

expression...........................
- *Avec ardeur:* avec empressement, avec zèle.

attachement

n. affection, ami, amie, amitié, amour, amoureuse, amoureux, attache, dévouement, estime, famille, liaison, lien, sentiment, union.

adj. constant, fidèle, immuable, intéressé, inviolable, obstiné, passionné, profond, respectueux, sincère, tendre.

v. SUJET: l'attachement diminue, grandit; COMPL.: conserver l'attachement, manifester de l'attachement, montrer de l'attachement, rompre un attachement, témoigner de l'attachement; AUTRE VERBE: s'attacher.

aversion

n. animosité, antipathie, dégoût, ennemi, ennemie, haine, horreur, hostilité, incompatibilité, inimitié, mépris, répugnance, répulsion.

adj. excessive, insurmontable, irraisonnée, naturelle, profonde, violente.

v. COMPL.: avoir de l'aversion, éprouver de l'aversion, inspirer de l'aversion, manifester de l'aversion, surmonter son aversion, vaincre son aversion; AUTRES VERBES: déplaire, détester, écœurer, haïr, mépriser, répugner.

expressions...........................
- *Avoir quelqu'un ou quelque chose en aversion:* détester quelqu'un ou quelque chose.
- *Faire quelque chose avec aversion:* à contrecœur.

bonheur

n. avantage, béatitude, bénédiction, chance, confort, contentement, délices, enchantement, extase, félicité, grâce, joie, paradis, plaisir, prospérité, ravissement, réussite, satisfaction, veine.

adj. amoureux, calme, céleste, certain, étincelant, extrême, grand, imparfait, imprévu, ineffable, inespéré, instable, intense, menacé, paisible, parfait, durable, passager, pauvre, petit, précaire, profond, souverain, suprême.

v. SUJET: le bonheur amuse, apaise, illumine, plaît, rapproche, rassemble, ravive, réconforte, réjouit; COMPL.: attendre le bonheur, contribuer au bonheur, désirer le bonheur, envier le bonheur, faire le bonheur, goûter au bonheur, rechercher le bonheur, souhaiter du bonheur, troubler le bonheur.

expressions......................

- *Au petit bonheur la chance :* au hasard.
- *Faire le bonheur de quelqu'un :* le rendre heureux.
- *Jouer de bonheur :* avoir une chance inespérée.
- *Par bonheur :* heureusement.
- *Porter bonheur :* porter chance.

chagrin

n. contrariété, dépit, désappointement, désenchantement, émotion, ennui, état, larme, malheur, mécontentement, mélancolie, peine, pleurs, sentiment, souci, tourment, tristesse.

adj. amer, cruel, douloureux, grand, gros, immense, inépuisable, intense, long, passager, petit, profond, sombre, terrible, violent.

v. SUJET : le chagrin bouleverse, se dissipe, s'enfuit ; COMPL. : apaiser le chagrin, bercer le chagrin, calmer le chagrin, causer un chagrin, éprouver un chagrin, soulager le chagrin, vivre un chagrin ; AUTRES VERBES : affecter, affliger, attrister, chagriner, consoler, peiner, pleurer, ressentir.

expression......................

- *Faire du chagrin à quelqu'un :* lui causer de la peine.

colère

n. agacement, bougon, bougonne, bourrasque, courroux, crise, déchaînement, désaccord, emportement, énervement, exaspération, explosion, fâcherie, fureur, furie, grognon, incartade, indignation, irritabilité, irritation, mécontentement, querelle, rage, ressentiment, révolte, rogne, scène, tempête, violence.

adj. aveuglante, dévastatrice, effrayante, énorme, épouvantable, facile, foudroyante, fréquente, froide, furieuse, imposante, imprévisible, inapaisable, intense, justifiée, légendaire, libératrice, passagère, réparatrice, soudaine, sournoise, terrible, terrifiante, vengeresse, violente, vive.

v. SUJET : la colère monte ; COMPL. : apaiser la colère, éprouver une colère, étouffer sa colère, éveiller la colère, faire une colère, passer sa colère, piquer une colère, provoquer la colère, réprimer sa colère, retenir sa colère, soulever la colère ; AUTRES VERBES : se battre, bouillir, bougonner, crier, éclater, s'emporter, s'enrager, se fâcher, frémir, s'irriter, injurier, rager, suffoquer, trembler, trépigner.

expressions......................

- *Être dans une colère blanche :* éprouver une colère froide qui fait pâlir le visage.
- *Être dans une colère bleue :* éprouver une colère terrible.
- *Être dans une colère noire :* éprouver une colère terrible.
- *Se mettre en colère :* se fâcher.

désespoir

n. abattement, accablement, affaissement, affliction, angoisse, chagrin, consternation, déboire, déception, découragement, dégoût, démoralisation, désappointement, désenchantement, désespérance, désillusion, désolation, détresse, malheur, mécompte, mélancolie, misère, nostalgie, tristesse.

adj. cruel, extrême, fréquent, froid, majeur, maladif, mineur, occasionnel, pénible, sombre, terrible, triste.

v. SUJET : le désespoir accable, affaiblit, afflige, attriste, cause, crée, peine, perturbe, réduit ; COMPL. : s'abandonner au désespoir, causer le désespoir, se jeter dans le désespoir, livrer au désespoir, lutter contre le désespoir, mettre au désespoir, plonger dans le désespoir, porter au désespoir, pousser au désespoir, réduire au désespoir, se suicider par désespoir, sombrer dans le désespoir; AUTRE VERBE : désespérer.

expressions..

- *En désespoir de cause :* en tout dernier recours.
- *Faire le désespoir de quelqu'un :* contrarier quelqu'un.

désir

n. ambition, amour, aspiration, attirance, attrait, envie, espoir, exaltation, feu, flamme, frénésie, passion, penchant, rêve, sentiment, souhait, vœu.

adj. âpre, ardent, aveugle, avide, avivé, brûlant, cuisant, dévorant, effréné, éternel, exclusif, farouche, ferme, formel, fort, fou, frénétique, grand, immodéré, impérieux, impétueux, insatiable, inavoué, inassouvi, insensé, intense, irrésistible, momentané, naturel, profond, puissant, pur, raisonnable, refoulé, sauvage, sensuel, sexuel, sincère, sombre, vif, violent, virulent, voluptueux.

v. SUJET : le désir croît, se déclenche, disparaît, s'éteint, exaspère, grandit, monte, naît, obsède ; COMPL. : allumer un désir, apaiser un désir, assouvir un désir, aviver un désir, combler un désir, contenir son désir, éprouver un désir, éteindre son désir, exciter le désir, exprimer un désir, formuler un désir, inspirer un désir, limiter son désir, manifester un désir, modérer son désir, montrer un désir, réaliser un désir, satisfaire un désir ; AUTRES VERBES : aspirer, attirer, brûler, désirer, envier, espérer, frissonner, rêver, se soucier, souhaiter, tenter, trembler, vouloir.

expression..

- *Prendre ses désirs pour des réalités :* se faire des illusions.

douleur

n. amertume, analgésique, angoisse, blessure, bobo, brûlure, calmant, chagrin, contrition, convulsion, courbature, cri, crise, crispation, déchirement, désespoir, désolation, détresse, deuil, effort, élancement, enfer, épreuve, état, frustration, gémissement, grimace, hurlement, indisposition, inflammation, insatisfaction, insensibilité, irritation, lancinement, larme, mal, malade, malaise, migraine, névralgie, peine, pincement, piqûre, plaie, plainte, point, rage, remède, repentir, rhumatisme, sanglot, sensation, sensibilité, sentiment, souffrance, soupir, spasme, supplice, tiraillement, torture, tristesse.

adj. active, aiguë, ancienne, atroce, brève, brusque, cinglante, contenue, cruelle, cuisante, cutanée, déchirante, désagréable, diffuse, faible, fulgurante, grande, horrible, insupportable, intense, intolérable, lancinante, latente, légère, localisée, morale, mortelle, muette, passive, pénétrante, pénible, physique, poignante, profonde, sensible, sourde, vive.

v. SUJET : la douleur augmente, déchire, diminue, disparaît, se dissipe, exacerbe, passe, serre, transperce ; COMPL. : accepter la douleur, adoucir la douleur, aggraver la douleur, apaiser la douleur, atténuer la douleur, calmer la douleur, confier sa douleur, consoler la douleur, éprouver une douleur, étourdir la douleur, exaspérer la douleur, infliger une douleur, provoquer la douleur, raviver la douleur, ressentir une douleur, réveiller la douleur, sentir une douleur, soulager la douleur, supporter la douleur, supprimer la douleur ; AUTRES VERBES : compatir, endolorir, endurer, gémir, grimacer, hurler, peiner, se plaindre, pleurer, ravager, souffrir, subir, se tordre, torturer, tourmenter.

expressions..

- *Sans douleur :* sans difficulté.
- *Un lit de douleur :* lit où on souffre.

émoi

n. agitation, animation, choc, commotion, contrariété, ébranlement, effervescence, émotion, étonnement, exaltation, excitation, frénésie, saisissement, sentiment, souci, stupéfaction, stupeur, surexcitation, surprise, tracas, trouble.

adj. extrême, grand, intense, profond, sensuel, soutenu.

v. COMPL. : semer l'émoi ; AUTRES VERBES : électriser, (s') emballer, (s') émouvoir, (s') enthousiasmer, (s') étonner, (s') exalter, (s') exciter, frémir, se pâmer, ressentir, surexciter, transporter, tressaillir.

émotion

n. affection, affolement, agitation, amitié, amour, angoisse, anxiété, ardeur, attachement, aversion, bouleversement, chagrin, colère, comique, commotion, déplaisir, désarroi, désespoir, désir, douleur, ébranlement, effervescence, émoi, émotivité, enthousiasme, espoir, état, frayeur, frisson, haine, impression, insatisfaction, instinct, joie, malaise, pâleur, palpitation, passion, peine, peur, plaisir, répulsion, révolte, rougissement, saisissement, satisfaction, sensation, sentiment, soulagement, sympathie, tragique, transe, tremblement, tristesse, trouble.

adj. agréable, aiguë, authentique, bouleversante, brève, brûlante, brusque, communicative, contenue, délicate, désagréable, douce, douloureuse, enivrante, éprouvante, étrange, extrême, forte, grande, incontrôlable, intellectuelle, intense, légère, momentanée, poignante, profonde, progressive, pure, secrète, sexuelle, simple, sincère, stable, stimulante, tendre, violente, vive.

v. SUJET : l'émotion bouleverse, se dissipe, étouffe, s'intensifie, monte ; COMPL. : calmer l'émotion, dissimuler une émotion, éprouver une émotion, maîtriser une émotion, ressentir une émotion, simuler une émotion, susciter une émotion, trahir son émotion ; AUTRES VERBES : s'agiter, (s') émouvoir, frémir, frissonner, impressionner, suffoquer, trembler, tressaillir.

expressions
- *Accueillir sans émotion une nouvelle :* avec indifférence.

- *Émotions fortes :* frayeurs.
- *Parler avec émotion :* balbutier.
- *S'abandonner à une émotion :* s'attendrir.

ennui

n. accroc, agacement, angoisse, anicroche, anxiété, bisbille, complication, contrariété, contretemps, déboires, déception, déconvenue, dégoût, dépit, déplaisir, désagrément, désappointement, difficulté, embarras, énervement, fardeau, impatience, importunité, inconvénient, inopportunité, inquiétude, lassitude, mélancolie, misère, perplexité, préoccupation, souci, taquinerie, tourment, tracas, tristesse, trouble, vicissitude.

adj. cauchemardesque, désagréable, fâcheux, fastidieux, importun, incommode, inopportun, insupportable, intempestif, malencontreux, mortel, pesant, profond.

v. SUJET : un ennui accable, agace, agite, choque, contrarie, déçoit, déplaît, désappointe, dévore, énerve, ennuie, froisse, harcèle, horripile, impatiente, importune, incommode, lasse, persécute, pèse, taquine, tarabuste, tourmente, tracasse, vexe ; COMPL. : attirer des ennuis, avoir des ennuis, bâiller d'ennui, causer des ennuis, chasser l'ennui, confier des ennuis, (se) créer des ennuis, crever d'ennuis, éprouver des ennuis, faire des ennuis, guérir de l'ennui, mourir d'ennui, périr d'ennui, se préparer des ennuis, sauver de l'ennui, sécher d'ennui, susciter des ennuis, traîner son ennui ; AUTRE VERBE : (s') ennuyer.

expression
- *Les ennuis du métier :* les inconvénients du métier.

fatigue

n. abattement, accablement, anéantissement, courbature, épuisement, éreintement, essoufflement, exténuation, faiblesse, harassement, labeur, lassitude, peine, sensation, sentiment, surmenage.

adj. cérébrale, chronique, excessive, fatale, grande, intellectuelle, malsaine, mortelle, musculaire, nerveuse, physique, psychologique, relative, saine, terrible, totale, visuelle.

v. SUJET: la fatigue assombrit, cause, engendre, épuise, impose, produit; COMPL.: s'accoutumer à la fatigue, causer de la fatigue, crever de fatigue, s'écrouler de fatigue, haleter de fatigue, résister à la fatigue, succomber à la fatigue, supporter la fatigue, tituber de fatigue, tomber de fatigue; AUTRE VERBE: (se) fatiguer.

expressions

- *Cette personne me fatigue:* elle m'énerve.
- *Il ne se fatigue jamais:* il n'arrête jamais.
- *Mourir de fatigue:* être très fatigué.

haine

n. agressivité, aigreur, animosité, antipathie, aversion, bataille, bouderie, brouille, caprice, chicane, colère, conflit, dégoût, désaccord, dispute, éloignement, ennemi, fiel, froid, grief, grippe, guerre, horreur, hostilité, impopularité, incompatibilité, inimitié, intolérance, mal, malignité, malveillance, méchanceté, querelle, rancune, répugnance, répulsion, ressentiment, scène, sentiment, tension.

adj. acharnée, ardente, atroce, déclarée, enracinée, ensanglantée, envenimée, éternelle, farouche, forte, furieuse, hostile, implacable, inexorable, intense, irréconciliable, jurée, malveillante, méchante, meurtrière, mordante, mortelle, opiniâtre, secrète, tenace, venimeuse, vieille, violente, vive.

v. SUJET: la haine augmente, se déclare, diminue; COMPL.: assouvir sa haine, (s') attirer la haine, braver la haine, déchaîner la haine, engendrer une haine, éprouver de la haine, exciter la haine,

garder une haine, nourrir une haine, ressentir une haine; AUTRES VERBES: blâmer, bouder, se brouiller, se déchaîner, détester, se disputer, éclater, s'emporter, enrager, se fâcher, haïr, se quereller, rager, se rebeller, rompre.

expression

- *Prendre quelqu'un en haine:* se mettre à haïr quelqu'un.

impression

n. appréciation, effet, émotion, illusion, instinct, intuition, opinion, perception, prémonition, pressentiment, sensation, sentiment.

adj. agréable, apaisante, bonne, confuse, curieuse, dangereuse, délicieuse, désagréable, douloureuse, douteuse, durable, enivrante, étrange, exquise, forte, fugace, générale, grisante, indéfinissable, indélébile, indescriptible, ineffaçable, légère, mauvaise, pénible, poignante, première, profonde, puissante, réconfortante, singulière, troublante, vague, vive.

v. SUJET: une impression se dégage; COMPL.: avoir une impression, causer une impression, éprouver une impression, exprimer une impression, se fier à une impression, noter une impression, procurer une impression, produire une impression, recevoir une impression, ressentir une impression; AUTRES VERBES: appréhender, croire, détecter, frapper, (s') imaginer, imprégner, impressionner, piquer, pressentir, soupçonner, toucher.

expressions

- *Avoir l'impression de:* avoir la sensation de.
- *Il a l'impression que:* il lui semble que.
- *Causer une impression soudaine:* étonnement.
- *Donner l'impression de:* faire l'effet de; sembler.
- *Faire impression:* provoquer l'admiration.

instinct

n. aptitude, don, flair, impulsion, inclination, inspiration, intuition, penchant, prédisposition, prémonition, pressentiment, pulsion, réflexe, sens, sentiment, talent, tendance, vocation.

adj. agressif, animal, asocial, belliqueux, bestial, délicat, destructeur, fort, haineux, infaillible, maternel, mauvais, meurtrier, naturel, noble, noble, obscur, paternel, pervers, puissant, sexuel, violent.

v. SUJET: l'instinct avertit, prévient, se réveille ; AUTRES VERBES : deviner, flairer, pressentir, sentir, soupçonner.

expressions
- *Avoir de l'instinct :* avoir du flair.
- *D'instinct :* naturellement.

jalousie

n. amitié, amour, crainte, défiance, envie, famille, hostilité, inquiétude, mensonge, peur, soupçon.

adj. amère, atroce, cachée, dissimulée, extrême, féroce, folle, fraternelle, fréquente, gratuite, hostile, importante, infime, inquiétante, maladive, maternelle, méchante, mesquine, noble, petite, réciproque, sociale, soupçonneuse, triste.

v. SUJET: la jalousie cause, dévore, excite, fait naître, favorise, finit, inspire, naît, perturbe, rend fou, tue ; COMPL. : craindre la jalousie, déclencher la jalousie, éprouver de la jalousie, exciter la jalousie, se brouiller par jalousie ; AUTRE VERBE : jalouser.

expressions
- *Mourir de jalousie :* être extrêmement jaloux.
- *Être rongé par la jalousie :* avoir de nombreux soucis causés par la jalousie.

joie

n. agrément, batifolage, bonheur, consolation, contentement, douceur, émotion, enchantement, enjouement, enthousiasme, entrain, épanouissement, euphorie, exaltation, expression, fête, gaieté, hilarité, humeur, humour, ivresse, jouissance, jovialité, jubilation, manifestation, plaisir, plénitude, ravissement, rayonnement, réjouissance, rigolade, rire, satisfaction, sentiment, sourire, triomphe.

adj. amère, belliqueuse, brusque, bruyante, cachée, calme, contagieuse, délirante, discrète, douce, durable, éclatante, enfantine, enivrante, énorme, enthousiaste, extraordinaire, extrême, farouche, fausse, féroce, forte, fraîche, fulgurante, furieuse, furtive, grande, honteuse, immense, imparfaite, imprévue, incomparable, indescriptible, inexprimable, infinie, innocente, intense, intérieure, mauvaise, muette, naïve, naturelle, passagère, petite, profonde, pure, sanguinaire, sereine, splendide, subite, tumultueuse, turbulente, vertigineuse, violente, vive.

v. SUJET: la joie éclate, s'empare, imprègne, inonde, remplit, remue, submerge ; COMPL. : apporter la joie, avoir une joie, brouiller la joie, cacher sa joie, chanter sa joie, communiquer sa joie, dissimuler sa joie, épancher sa joie, éprouver une joie, exprimer la joie, nager dans la joie, partager une joie, respirer la joie, ressentir une joie, troubler la joie ; AUTRES VERBES : (s') amuser, badiner, batifoler, bondir, contenter, (s') égayer, (s') émoustiller, enchanter, folâtrer, frémir, frétiller, jubiler, se pâmer, plaisanter, ravir, rayonner, (se) réjouir, rire, satisfaire, sauter, sourire, trépigner, tressaillir, triompher.

expressions
- *Accepter avec joie :* avec plaisir.
- *Être dans la joie :* joyeux.
- *Être fou de joie :* jubiler.
- *Être ivre de joie :* rayonner.
- *Être un rabat-joie :* empêcher les autres de se réjouir.

- *Faire la joie :* être la cause de joie ; consolation.
- *Fausse joie :* une joie éphémère.
- *Feu de joie :* feu.
- *Fille de joie :* prostituée.
- *La joie de vivre :* état d'euphorie lié au sentiment d'exister.
- *Les joies de :* les bons moments que quelque chose procure.
- *Les joies de :* les désagréments de.
- *Mettre en joie :* réjouir.
- *S'en donner à cœur joie :* profiter pleinement de l'agrément qui se présente.
- *Se faire une joie de :* se réjouir d'une chose attendue ; se promettre une joie d'un événement attendu.

larme

n. chagrin, douleur, émotion, goutte, joue, lamentation, larmoiement, liquide, mouchoir, œil, peine, pleur, pleureur, pleureuse, pleurnichage, pleurnicheur, pleurnicheuse, sanglot, souffrance, tristesse, yeux.

adj. amère, brûlante, chaude, lourde, rapide, salée, transparente.

v. SUJET : la larme brille, coule, s'écoule, glisse, inonde, jaillit, monte, perle, se répand, roule, tombe, tremble ; COMPL. : contenir ses larmes, écraser une larme, essuyer une larme, ravaler ses larmes, refouler ses larmes, retenir ses larmes, verser une larme ; AUTRES VERBES : attrister, brailler, chagriner, se lamenter, larmoyer, peiner, pleurer, pleurnicher, sangloter.

expressions...
- *Arracher les larmes :* attendrir.
- *Avoir des larmes dans la voix :* parler d'une une voix émue.
- *Avoir les larmes aux yeux :* être prêt à pleurer.
- *Avoir toujours la larme à l'œil :* montrer une sensibilité excessive.
- *Fondre en larmes :* se mettre à pleurer abondamment.
- *Essuyer les larmes de quelqu'un :* consoler quelqu'un.
- *Être au bord des larmes :* être prêt à pleurer.
- *Faire monter les larmes aux yeux :* attendrir.
- *Larmes de crocodiles :* larmes hypocrites.
- *Larmes de sang :* larmes causées par une douleur cruelle.
- *Mettre la larme à l'œil de quelqu'un :* émouvoir.
- *Pleurer à chaudes larmes :* pleurer en versant des larmes abondantes.
- *Rire aux larmes :* rire très fort.
- *Sécher les larmes de quelqu'un :* consoler quelqu'un.
- *Tirer les larmes de quelqu'un :* attendrir quelqu'un.
- *Voix mouillée de larmes :* voix qui tremble d'émotion.

malheur

n. abattement, abois, accablement, adversité, affaissement, affliction, angoisse, calamité, cataclysme, catastrophe, chagrin, chute, consternation, contrariété, contretemps, déboires, déception, déconvenue, découragement, dégoût, démoralisation, désappointement, désastre, désenchantement, désespérance, désespoir, désillusion, désolation, détresse, détriment, déveine, disgrâce, dommage, échec, épreuve, fatalité, fléau, inconvénient, infortune, injures, insuccès, malchance, malheur, mécompte, mésaventure, misère, péripétie, perte, revers, ruine, sort, tristesse, vicissitudes.

adj. cruel, dur, effroyable, extrême, fréquent, froid, grand, inévitable, majeur, maudit, mineur, néfaste, occasionnel, pénible, petit, sombre, terrible, triste.

v. SUJET : le malheur accable, affaiblit, afflige, arrive, assaillent, atteint, attriste, cause, crée, frappe, peine, perturbe, réduit, surprend, survient ; COMPL. : causer le malheur, accepter un malheur, conjurer le malheur, éviter un malheur, s'exposer à des malheurs, lutter contre le malheur, plonger dans le malheur, prévenir le malheur, prévenir un malheur, prévoir un malheur, redouter un malheur, regretter le malheur de, réparer un malheur, sombrer dans le malheur, supporter un malheur.

expressions

- *Un malheur est si vite arrivé :* il faut toujours être prudent.
- *S'exposer à de grands malheurs :* prendre des risques inutiles.
- *Un malheur n'arrive jamais seul :* d'autres malheurs pourraient survenir.

nerf

n. agacement, agitation, cerveau, convulsion, cordon, énervement, excitation, fébrilité, force, hystérie, irritabilité, ligament, muscle, nervosité, neurologie, névralgie, réflexe, sensation, sensibilité, tendon, tic, vigueur, volonté.

adj. alerte, calme, crispé, délicat, détendu, ébranlé, fragile, insensible, lombaire, mixte, moteur, sciatique, sensitif, sensoriel, solide, tendu.

v. AUTRES VERBES : agacer, (se) contracter, convulser, craquer, (se) crisper, (s') exalter, exaspérer, (s') énerver, excéder, horripiler, (s') impatienter, (s') irriter, (se) stresser, ulcérer.

expressions

- *Avoir des nerfs à toute épreuve :* être d'un naturel calme.
- *Avoir du nerf :* avoir de la vigueur.
- *Avoir les nerfs à fleur de peau :* être irritable.
- *Avoir les nerfs à vif :* être très énervé.
- *Avoir les nerfs crispés :* être irrité.
- *Avoir les nerfs en boule :* être en colère.
- *Avoir les nerfs en pelote :* être très énervé.
- *Avoir les nerfs fragiles :* être d'un tempérament nerveux.
- *Avoir les nerfs irritables :* être d'un tempérament nerveux.

- *Avoir les nerfs solides :* être capable de garder son calme.
- *Avoir les nerfs tendus :* être irrité.
- *Avoir ses nerfs :* être énervé.
- *Boule de nerfs :* personne irritable.
- *Calmer ses nerfs :* se calmer.
- *Être à bout de nerfs :* être dans un état de surexcitation qu'on ne peut maîtriser plus longtemps.
- *Être sur les nerfs :* être dans un état de tension nerveuse permanente.
- *Le nerf de la guerre :* l'argent.
- *Maîtriser ses nerfs :* garder son calme.
- *Manquer de nerf :* être mou, languissant.
- *Paquet de nerfs :* personne très nerveuse.
- *Passer ses nerfs sur quelqu'un ou sur quelque chose :* se vider de son agressivité sur quelqu'un ou sur quelque chose.
- *Porter sur les nerfs :* exaspérer.
- *Taper sur les nerfs :* causer un vif agacement.
- *Vivre sur les nerfs :* se dit d'une personne très fatiguée qui n'agit que par des efforts de volonté.

passion

n. adoration, affectivité, agitation, amant, ambition, amour, amoureuse, amoureux, ardeur, aveuglement, béguin, brasier, cœur, désir, effervescence, élan, émoi, émotion, émotivité, emportement, enivrement, envie, état, exaltation, fanatisme, feu, fièvre, folie, fougue, frémissement, frénésie, furie, ivresse, maîtresse, maladie, manie, paroxysme, rage, sentiment, soif, souffrance, transe, trouble.

adj. absolue, affolante, amollie, amortie, amoureuse, apaisée, ardente, aveugle, brûlante, coupable, dangereuse, déchaînée, délirante, destructrice, dévorante, dominatrice, effrénée, éteinte, exigeante, fanatique, folle, foudroyante, grande, immuable, impérieuse, impure, inaltérable, inassouvie, incomprise, incontrôlable, insatiable, insensée, intacte, irrésistible, mortelle, muette, naissante, passagère, persistante, pure, rare, rebelle, refroidie, sombre, subite, véhémente, violente.

v. SUJET: la passion s'affaiblit, s'amollit, s'apaise, diminue, éclate, s'éteint, grandit, meurt, naît, refroidit, se réveille ; **COMPL.:** assouvir sa passion, avouer sa passion, calmer sa passion, contenir sa passion, déchaîner les passions, déclarer sa passion, dominer ses passions, dompter ses passions, éprouver une passion, éveiller une passion, inspirer une passion, maîtriser ses passions, nourrir une passion, obéir à ses passions, refréner ses passions, réprimer ses passions, résister à sa passion, ressentir une passion, satisfaire sa passion, témoigner sa passion ; **AUTRES VERBES:** aimer, assouvir, se déchaîner, électriser, s'emballer, émouvoir, (s') enflammer, enivrer, exciter, fasciner, (se) passionner, satisfaire, troubler.

expressions...

- *Avec, par passion :* passionnément.
- *Avoir la passion pour :* avoir un vif intérêt pour.
- *Fruit de la Passion :* fruit exotique.

peine

n. angoisse, chagrin, châtiment, contrariété, crève-cœur, crime, déception, découragement, délit, déplaisir, dépression, déprime, désagrément, désappointement, deuil, douleur, effort, épreuve, état, fatigue, faute, inquiétude, larme, mal, malheur, mélancolie, misère, nostalgie, pénalité, plaie, pleur, punition, sanction, sanglot, sentence, sentiment, souci, souffrance, tourment, tracas, travail, tristesse.

adj. affreuse, confuse, continuelle, cruelle, délicate, discrète, infligée, insupportable, intense, légère, profonde, sévère, sincère, vive.

v. COMPL.: adoucir la peine, avoir une peine, confier sa peine, consoler sa peine, conter sa peine, déguiser sa peine, endurer sa peine, éprouver une peine,

éprouver de la peine, infliger une peine, modifier la peine, noyer sa peine, prononcer une peine, supporter sa peine ; **AUTRES VERBES:** attrister, chagriner, contrarier, déplaire, désappointer, meurtrir, peiner, soulager, vexer.

expressions...

- *À grand-peine :* difficilement.
- *À peine de :* au risque de.
- *Avoir de la peine à :* parvenir difficilement à.
- *Avoir toutes les peines du monde à :* avoir beaucoup de difficulté à.
- *Avoir une peine de cœur :* avoir un chagrin d'amour.
- *C'est peine perdue :* c'est inutile.
- *Ça vaut la peine :* c'est assez important pour justifier l'effort que l'on fait.
- *Ce n'est pas la peine :* c'est inutile.
- *En être pour sa peine :* voir ses efforts rester sans résultat.
- *Homme, femme de peine :* homme, femme sans qualification précise, qui fait les travaux pénibles.
- *Mourir à la peine :* mourir en travaillant.
- *Perdre sa peine :* faire des efforts inutiles.
- *Donnez-vous la peine de :* veuillez.
- *Délivrer quelqu'un de sa peine :* soulager.
- *En être pour sa peine :* échouer.
- *Être bien en peine de :* être fort embarrassé de.
- *Faire de la peine à quelqu'un :* attrister.
- *Faire peine :* susciter la pitié.
- *N'être pas au bout de ses peines :* avoir encore des difficultés à surmonter.
- *Ne pas plaindre sa peine :* faire de gros efforts.
- *Peines éternelles :* souffrances de l'enfer.
- *Être comme une âme en peine :* se sentir triste et désemparé.
- *À peine :* depuis très peu de temps ; presque pas, tout juste.
- *Perdre sa peine à :* échouer en dépit de ses efforts.
- *Pour votre peine :* en dédommagement.

- *Prendre, se donner beaucoup de peine :* travailler, se démener.
- *Prescription de la peine :* délai au-delà duquel la peine ne peut plus être exécutée.
- *Sous peine de :* sous la menace de.
- *Sans peine :* sans difficulté.
- *Se donner la peine de :* vouloir.
- *Se mettre en peine :* s'inquiéter.

peur

n. affolement, alarme, alerte, angoisse, anxiété, appréhension, aversion, consternation, crainte, effarement, effroi, émotion, émotivité, épouvante, frayeur, frémissement, frousse, hantise, horreur, inquiétude, insécurité, intimidation, lâcheté, menace, panique, phobie, répulsion, sentiment, stupeur, terreur, timidité, trac, transe, trouille.

adj. atroce, effrayante, effroyable, épouvantable, horrible, intense, irraisonnée, morbide, redoutable, terrifiante, vague, viscérale.

V. SUJET: la peur s'atténue, fige, s'installe, s'intensifie, paralyse, saisit ; COMPL. : céder à la peur, dissimuler sa peur, dominer sa peur, éprouver une peur, faire peur, inspirer la peur, maîtriser sa peur, ressentir la peur ; AUTRES VERBES : (s') affoler, (s') alarmer, angoisser, apeurer, appréhender, blêmir, bouleverser, consterner, effaroucher, effrayer, épouvanter, frémir, s'inquiéter, intimider, pâlir, paniquer, redouter, sursauter, terrifier, terroriser, transir, trembler, tressaillir, verdir.

expressions

- *Avoir grand-peur :* avoir très peur.
- *Avoir peur :* craindre.
- *Avoir peur de son ombre :* être très craintif.
- *En être quitte pour la peur :* n'avoir éprouvé que de la frayeur sans subir aucun autre dommage.
- *Avoir plus de peur que de mal :* éprouver surtout de la frayeur et ne subir que des dommages légers.

- *N'avoir pas peur des mots :* ne pas hésiter à employer l'expression exacte.
- *Prendre peur :* être effrayé.
- *Sans peur :* sans éprouver de peur.
- *Une peur bleue :* une peur très vive.
- *De peur de, que :* par crainte de, dans la crainte que.

plaisir

n. agrément, amusement, bien-être, bienfait, bonheur, contentement, délassement, délectation, désir, distraction, divertissement, émotion, enivrement, état, euphorie, faveur, fête, gaité, jeu, joie, jouissance, libido, passe-temps, ravissement, récréation, régal, réjouissance, satisfaction, sensation, sentiment.

adj. amoureux, bon, communicatif, conjugal, coûteux, croissant, dangereux, décevant, défendu, démesuré, doux, faible, fort, inconcevable, innocent, insignifiant, intellectuel, intense, léger, machinal, morbide, nouveau, petit, physique, profond, sensuel, sexuel, suprême, total, trompeur, vif, voluptueux.

V. SUJET: le plaisir augmente, diminue ; COMPL. : avoir du plaisir, éprouver du plaisir, gâcher un plaisir, gâter un plaisir, goûter un plaisir, mourir de plaisir, prendre plaisir, procurer un plaisir, ressentir du plaisir, savourer un plaisir, sentir un plaisir ; AUTRES VERBES : s'amuser, badiner, charmer, (se) contenter, se délasser, se distraire, se divertir, (s') égayer, s'étourdir, festoyer, flatter, frémir, jouir, plaire, plaisanter, ravir, (se) réjouir, rire, (se) satisfaire, sourire.

expressions

- *Avec plaisir :* volontiers.
- *À plaisir :* par caprice ; autant qu'on veut.
- *Au plaisir de vous revoir :* formule d'adieu.
- *Faire plaisir à quelqu'un :* être agréable à quelqu'un.
- *Faites-moi le plaisir de :* formule pour demander ou ordonner quelque chose.

• *Se faire, prendre un malin plaisir à :* faire quelque chose en se réjouissant de l'inconvénient qui en résultera pour autrui.

• *Les plaisirs de la table :* la gastronomie.

• *Pour le plaisir, par plaisir, pour son plaisir :* sans autre raison que le plaisir qu'on y trouve.

rire

n. badinage, badinerie, bouffon, bouffonne, bouffonnerie, caricature, comique, détente, divertissement, éclat, farce, farceur, farceuse, gaieté, hilarité, humoriste, humour, ironie, joie, moquerie, moqueur, moqueuse, parodie, plaisanterie, plaisantin, raillerie, ricanement, ricaneur, ricaneuse, rieur, rieuse, rigolade, risée, risette, sentiment, sourire, tour.

adj. absurde, agressif, aigre, aigrelet, aigu, aimable, amer, âpre, arrogant, atroce, austère, bestial, bête, bizarre, blessant, bon, bref, bruyant, cassé, céleste, chaleureux, clair, communicatif, concret, contagieux, continu, contraint, convulsif, cruel, cynique, dédaigneux, dément, désagréable, désespéré, dévastateur, doux, éclatant, énervé, enfantin, énorme, épais, épanoui, équivoque, éteint, étouffé, faux, fêlé, féroce, forcé, fou, frais, franc, frénétique, gras, grêle, gros, grossier, guttural, hagard, heureux, honnête, honteux, hystérique, ignoble, immense, immotivé, impulsif, incertain, indolent, infernal, insolent, interminable, ironique, jeune, jovial, joyeux, large, léger, libertin, lyrique, mauvais, méchant, méprisant, moqueur, muet, naïf, narquois, nasillard, naturel, nerveux, niais, offensé, pénible, pincé, poli, redoutable, retentissant, sain, sarcastique, sauvage, sceptique, sec, silencieux, sonore, sot, soyeux, strident, stupide, ténébreux, tonitruant, tremblant, triomphal, triomphant, triste, vif, violent, viril.

v. SUJET: le rire s'arrête, éclate, s'éteint, explose, fend, fuse, illumine, monte, repart, résonne, retentit, secoue ; COMPL.: provoquer le rire ; AUTRES VERBES: s'amuser, badiner, dédaigner, (se) dérider, s'esclaffer, glousser, jouer, se marrer, mépriser, se moquer, narguer, se pâmer, plaisanter, pouffer, railler, se réjouir, ricaner, rigoler, sourire.

expressions

• *Un pince-sans-rire :* personne qui fait ou dit quelque chose de drôle, ou qui se moque de quelqu'un, en restant impassible ; qui pratique l'humour à froid.

• *Fou rire :* envie de rire qu'on ne peut pas maîtriser.

sanglot

n. bruit, crise, douleur, éclatement, gémissement, hoquet, inspiration, larme, larmoiement, mouchoir, peine, plainte, pleur, pleurnichage, pleurnicheur, pleurnicheuse, râle, respiration, soupir, spasme, tristesse.

adj. brusque, bruyant, étouffé, grand, guttural, long, profond, régulier, retenu, saccadé, silencieux.

v. SUJET: les sanglots éclatent, étouffent, s'intensifient, jaillissent, nouent, reviennent ; COMPL.: contenir ses sanglots, étouffer ses sanglots, pousser un sanglot, retenir ses sanglots ; AUTRES VERBES: hoqueter, larmoyer, pleurer, pleurnicher, sangloter.

expression

• *Avoir des sanglots dans la voix :* avoir la voix étranglée par des sanglots retenus.

sensation

n. appétit, bien-être, chaleur, dégoût, détente, douleur, écœurement, épuisement, état, étouffement, euphorie, exaltation, extase, faim, fraîcheur, froid, impression, liberté, lourdeur, malaise, mélancolie, peine, perception, plaisir, plénitude, puissance, pureté, repos, sens, sensibilité, sentiment, solitude, souffrance, soulagement, stupeur, surprise, tranquillité, triomphe, tristesse, trouble, vide.

adj. âcre, agréable, aigre, aiguë, amère, atroce, auditive, brutale, confuse, délicieuse, déplaisante, désagréable, douloureuse, enivrante, étrange, exceptionnelle, exquise, externe, extraordinaire, formidable, forte, fugitive, grande, gustative, imperceptible, incertaine, indéfinissable, inexplicable, inoubliable, intense, interne, intolérable, lourde, merveilleuse, nette, nouvelle, olfactive, oppressante, perceptible, plaisante, pure, réconfortante, subtile, surprenante, tactile, thermique, troublante, terrifiante, vague, vertigineuse, violente, visuelle, vive.

v. SUJET: une sensation s'alourdit, angoisse, apparaît, augmente, déplaît, diminue, disparaît, émerveille, s'éveille, s'intensifie, meurt, naît, passe, se perçoit, revient, terrifie, trouble ; COMPL. : accroître une sensation, avoir une sensation, chercher une sensation, éprouver une sensation, percevoir une sensation, rechercher une sensation ; AUTRES VERBES : affamer, angoisser, désirer, flotter, frissonner, percevoir, stimuler.

expressions..
- *À sensation :* de nature à causer une émotion, à attirer l'attention.
- *Avoir la sensation que :* avoir l'impression que.
- *Faire sensation :* produire une vive impression.

sentiment

n. abandon, admiration, adoration, affection, amertume, amitié, amour, angoisse, animosité, antipathie, anxiété, ardeur, attachement, aversion, bien-être, bonheur, bonté, calme, chagrin, cœur, colère, complicité, confiance, contrariété, convoitise, cordialité, crainte, culpabilité, déception, dégoût, délivrance, désespoir, désir, détresse, dignité, douceur, douleur, effroi, émoi, émotion, ennui, enthousiasme, envie, épouvante, espoir, estime, état, euphorie, excitation, faiblesse, familiarité, fierté, gêne, haine, honneur, honte, horreur, impatience, impression, impuissance, indifférence, infériorité, injustice, inquiétude, instinct, intuition, irritation, isolement, jalousie, joie, justice, liberté, malaise, malheur, mécontentement, méfiance, méfiance, mépris, modestie, orgueil, passion, peine, perception, peur, pitié, plaisir, plénitude, possession, pressentiment, pudeur, rage, rancune, reconnaissance, remords, répulsion, respect, responsabilité, ressentiment, révolte, satiété, satisfaction, sécurité, sens, sensation, sensibilité, solitude, supériorité, sympathie, tendresse, trahison, triomphe, tristesse, trouble, vengeance, vide.

adj. agréable, ambivalent, amoureux, ardent, barbare, beau, bizarre, bon, brutal, confus, contradictoire, cruel, délicat, désagréable, divin, étouffé, étrange, exaltant, fort, fraternel, froid, grand, honnête, ignoble, immédiat, impérieux, inattendu, indéfinissable, intérieur, intime, maternel, mauvais, médiocre, mesquin, naturel, nouveau, obscur, pauvre, profond, pur, religieux, tendre, tiède, vague, vif, vrai.

v. SUJET: le sentiment change, disparaît, s'épanouit, s'exprime, grandit, meurt, naît, perturbe, varie ; COMPL. : cacher un sentiment, contenir un sentiment, éprouver un sentiment, exprimer un sentiment, inspirer un sentiment, manifester un sentiment, nourrir un sentiment, partager un sentiment, susciter un sentiment ; AUTRES VERBES : aimer, s'attacher, s'attendrir, blesser, (s') émouvoir, haïr, jalouser, materner, percevoir, sentir.

expressions..
- *Avec sentiment :* de façon émouvante.
- *Sentiments dévoués :* formule de politesse.
- *Sentiments distingués :* formule de politesse.
- *Sentiments respectueux :* formule de politesse.

soupir

n. aise, angoisse, bruit, délivrance, douleur, ennui, expiration, fatigue, gémissement, impatience, inquiétude, inspiration, lassitude, mélancolie, plainte, plaisir, résignation, respiration, sanglot, satisfaction, souffle, souffrance, soulagement.

adj. bruyant, énorme, étouffé, excédé, grand, gros, long, profond.

v. SUJET: le soupir gonfle; **COMPL.:** entendre un soupir, étouffer un soupir, faire un soupir, pousser un soupir, refouler un soupir; **AUTRES VERBES:** exhaler, expirer, soupirer.

expressions..
- *L'objet de ses soupirs:* la personne qu'on aime.
- *Le pont des Soupirs:* célèbre pont de Venise qui menait aux prisons.
- *Recueillir le dernier soupir de quelqu'un:* assister à sa mort.
- *Rendre le dernier soupir:* mourir.

sourire

n. affection, amitié, babine, bonheur, bouche, commissure, complicité, compréhension, contentement, courtoisie, dent, excuse, expression, gaieté, gentillesse, indulgence, joie, lèvre, mépris, mouvement, pitié, politesse, résignation, rire, risette, sympathie, tendresse, visage, yeux.

adj. absurde, accueillant, affectueux, affreux, agréable, aigu, aimable, amer, amusé, anxieux, attendri, avenant, béat, bienveillant, bizarre, bref, câlin, candide, chaleureux, charmant, charmé, charmeur, complice, confiant, confus, contraint, contrit, coquet, crispé, cruel, dédaigneux, délicat, délicieux, déplaisant, désabusé, discret, distingué, distrait, doux, ébahi, éclatant, embarrassé, enchanteur, enfantin, énigmatique, enjôleur, enjoué, ensorcelant, épanoui, étincelant, étrange, exagéré, faible, fané, figé, flamboyant, forcé, fraternel, froid, furtif, gai, gêné, glacé, goguenard, gracieux, grave, heureux, honteux, humble, hypocrite, idiot, ignoble, impassible, implorant, incertain, indéchiffrable, indécis, indéfinissable, innocent, insignifiant, insistant, ironique, irrésistible, lamentable, large, léger, lumi-

neux, maladroit, malin, masqué, mélancolique, menaçant, mielleux, mince, modeste, moqueur, mystérieux, naïf, narquois, navré, petit, pincé, provocant, radieux, ravi, reconnaissant, résigné, réticent, sarcastique, satisfait, sceptique, serein, significatif, sincère, sournois, subtil, tendre, timide, triomphant, triste, vague, vainqueur, voluptueux.

v. SUJET: le sourire s'allume, charme, éclaire, erre, fleurit, flotte, se forme, glisse, illumine, implore, monte, rayonne, se reforme, resplendit, retombe, tombe, tremble, voltige; **COMPL.:** adresser un sourire, arracher un sourire, avoir un sourire, dessiner un sourire, dissimuler un sourire, esquisser un sourire, faire un sourire, recevoir un sourire; **AUTRES VERBES:** s'amuser, convenir, se moquer, plaire, plaisanter, rire, sourire.

expressions..
- *Avoir le sourire:* montrer sa satisfaction.
- *Garder le sourire:* rester de bonne humeur en dépit d'un échec.

tristesse

n. abattement, abîme, accablement, amertume, angoisse, cafard, chagrin, consternation, contrariété, crève-cœur, déception, découragement, dépression, désappointement, désespoir, désolation, deuil, douleur, ennui, épreuve, état, gouffre, inquiétude, larme, lassitude, malaise, mélancolie, monotonie, morosité, nostalgie, peine, pessimisme, plainte, pleur, souci, souffrance.

adj. accablante, ardente, grande, inexorable, insupportable, lourde, profonde, vague.

v. SUJET: la tristesse se dégage, envahit, imprègne, monte, pénètre; **COMPL.:** alléger la tristesse, dissiper la tristesse, soulager la tristesse; **AUTRES VERBES:** attrister, chagriner, consoler, larmoyer, pleurnicher, pleurer, sangloter.

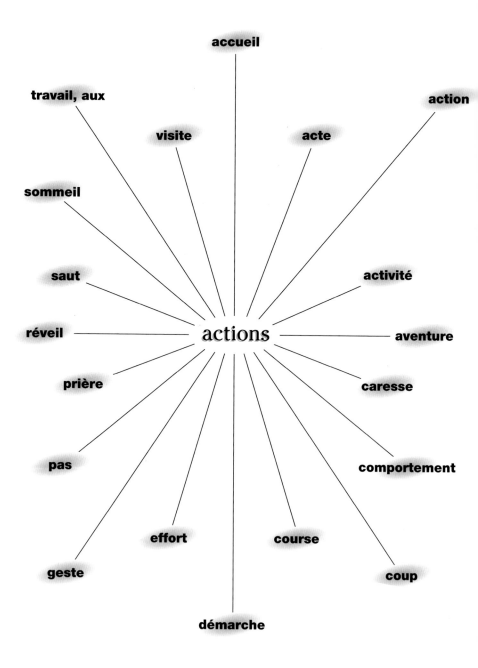

accueil

travail, aux

action

visite

acte

sommeil

saut

activité

réveil

actions

aventure

prière

caresse

pas

comportement

effort

course

geste

coup

démarche

accueil

n. abord, accolade, affabilité, amabilité, arrivée, baiser, bienvenue, bonhomie, embrassade, entrée, hospitalité, hôte, hôtesse, invité, invitée, maison, mot, parole, porte, portier, portière, rebuffade, réception, réceptionniste, salut, traitement.

adj. affable, aimable, avenant, bienveillant, bon, chaleureux, cordial, empressé, enthousiaste, formidable, franc, froid, glacial, gracieux, hospitalier, hypocrite, impressionnant, inhospitalier, inoubliable, mauvais, meilleur, mitigé, rébarbatif, tiède, triomphal, vibrant.

v. COMPL. : faire l'accueil, organiser l'accueil, permettre l'accueil, préparer l'accueil, remercier pour l'accueil, réserver un accueil ; AUTRES VERBES : aborder, accepter, accueillir, admettre, adopter, embrasser, héberger, inviter, recevoir, recueillir, saluer.

acte

n. action, activité, agissement, amour, appel, autorité, bravoure, courage, cruauté, fait, folie, geste, hostilité, malveillance, mouvement, puissance, réalisation, résultat, volonté.

adj. calculé, complexe, conscient, criminel, dernier, gratuit, habile, héroïque, illégal, impulsif, inattendu, inconscient, instinctif, intéressé, involontaire, maladroit, prémédité, premier, préparé, réfléchi, simple, solennel, volontaire.

v. COMPL. : accomplir un acte, faire un acte, juger un acte, passer à l'acte ; AUTRES VERBES : agir, jouer.

expressions..............................
- *Acte manqué :* acte qui révèle un contenu inconscient.
- *Faire acte de bonne volonté :* donner la preuve de ses bonnes dispositions.
- *Faire acte de présence :* ne paraître qu'un instant dans un lieu par devoir ou par politesse.

- *Passage à l'acte :* réalisation d'un désir inconscient.
- *Prendre acte :* faire constater légalement un fait ; prendre bonne note d'un fait.

action

n. accomplissement, achèvement, activité, agilité, agissement, agitateur, agitatrice, animation, apathie, ardeur, aventure, besogne, brio, cause, complice, comportement, conduite, contenance, demande, démarche, devoir, diligence, discours, doigté, dynamisme, effet, efficacité, effort, emportement, énergie, entremise, exécution, exploit, fait, geste, habileté, inaction, inertie, initiative, intervention, labeur, manœuvre, mouvement, moyen, occupation, pas, portée, pouvoir, pratique, prouesse, réaction, réalisation, souplesse, tâche, travail, vivacité, zèle.

adj. abusive, brutale, criminelle, furibonde, héroïque, honteuse, indécente, malhonnête, militaire, sublime, tragique, vile, volontaire.

v. COMPL. : accomplir une action, commettre une action, entraver l'action, entreprendre une action, entrer en action, être en action, exercer une action, manquer d'action, mettre de l'action, mettre en action, parler avec action, réaliser une action ; AUTRES VERBES : accomplir, achever, (s')activer, s'affairer, agir, (s') agiter, améliorer, coopérer, se démener, se dépenser, déterminer, effectuer, (s')employer, engendrer, exécuter, façonner, faire, fonctionner, frapper, influer, intervenir, machiner, manier, manigancer, métamorphoser, modifier, monter, s'occuper, opérer procéder, produire, réactiver, réaliser, (se) remuer, transformer, travailler.

activité

n. action, bricolage, calendrier, compétition, danse, dynamisme, énergie, hobby, horaire, intérêt, loisir, musique, occupation, peinture, poterie, réflexe, sculpture, sport, théâtre, travail, vitalité, vivacité.

adj. calme, clandestine, culturelle, débordante, dynamique, estivale, extérieure, fantastique, forte, grande, gratuite, hivernale, importante, intellectuelle, intense, intéressante, intérieure, limitée, louable, louche, manuelle, mensuelle, mentale, motrice, musicale, mystérieuse, nerveuse, nucléaire, parascolaire, passagère, payante, physique, saisonnière, secrète, sportive, tranquille, volontaire.

v. SUJET : l'activité cesse, commence, finit, se déroule, se prolonge, se termine ; COMPL. : s'abonner à une activité, cesser l'activité, changer d'activité, commencer une activité, contrôler l'activité, diriger une activité, entreprendre une activité, faire une activité, freiner une activité, s'inscrire à une activité, s'intéresser à une activité, participer à une activité, pratiquer une activité, présenter une activité, suspendre une activité.

expressions..

• *Rapport d'activité :* rapport sur les activités d'une compagnie, d'un parti politique, etc.
• *Sphère d'activité :* domaine propre à une entreprise, à un individu.

aventure

n. accident, aléa, avenir, aventurier, aventurière, coureur, coureuse, découverte, désinvolture, destin, destinée, divination, entreprise, exploit, explorateur, exploratrice, fougue, hasard, hâte, héroïne, héros, histoire, imprévu, improvisation, incident, insouciance, instinct, intrigue, irréflexion, mésaventure, nouveauté, passade, péril, péripétie, précipitation, récit, risque, sort, spontanéité, surprise, vagabondage, vie.

adj. accidentelle, amoureuse, bonne, burlesque, comique, déplaisante, dangereuse, déroutante, drôle, enrichissante, expéditive, extraordinaire, fâcheuse, fantastique, fortuite, galante, hasardeuse, hâtive, humaine, imaginaire, imprévisible, imprévue, impromptue, improvisée, inattendue, inopinée, légendaire, mau-

vaise, merveilleuse, nouvelle, occasionnelle, osée, périlleuse, piquante, plaisante, rapide, risquée, romanesque, sentimentale, soudaine, subite, traumatisante.

v. COMPL. : conter une aventure, raconter une aventure, avoir une aventure, tenter l'aventure, pousser l'aventure, courir l'aventure, marcher à l'aventure, errer à l'aventure, se promener à l'aventure ; AUTRES VERBES : s'aventurer, découvrir, entreprendre, explorer, imaginer, improviser, inventer.

expressions..

• *À l'aventure :* sans but précis.
• *Dire la bonne aventure :* prédire l'avenir.

caresse

n. affection, amant, amante, âme, amitié, amour, amoureux, animal, attendrissement, attention, bébé, bienveillance, bonheur, bonté, cajolerie, câlin, câlinerie, chaleur, charme, chat, chatouille, chatouillement, chien, cœur, contact, corps, couple, délicatesse, délice, désir, douceur, duvet, effleurement, élan, embrassement, émoi, émotion, enfant, enlacement, épanchement, étoffe, étreinte, famille, familiarités, femme, finesse, fourrure, frôlement, gâterie, gentillesse, homme, impression, instinct, intérêt, intimité, joue, légèreté, lien, main, mamours, matière, mignardise, nuage, peau, penchant, plume, poil, préférence, qualité, romantisme, sens, sensation, sensualité, sentiment, soin, tendresse, texture, tissu, toucher, trouble, union, valeur, vent, voile.

adj. agréable, affectueuse, aimable, amicale, amoureuse, appuyée, brève, chaleureuse, douce, énergique, enjôleuse, étudiées, familière, imperceptible, innocente, intime, légère, longue, petite, préférée, romantique, tendre, trompeuse, vigoureuse.

v. COMPL. : abreuver de caresses, accabler de caresses, adorer les caresses, aimer les caresses, amadouer avec des caresses, couvrir de caresses, donner une caresse, échanger des caresses, faire une caresse, quémander une caresse, recevoir des caresses, vouloir une caresse ; AUTRE VERBE : caresser.

expressions..

• *La caresse de la brise, du vent :* la douceur du vent ; un vent léger, agréable.

• *Accabler, couvrir quelqu'un de caresses :* faire de nombreuses caresses à quelqu'un.

comportement

n. acte, action, air, allure, attitude, conduite, effet, façon, geste, manière, problème, réaction, trouble.

adj. adolescent, adulte, agressif, animal, bizarre, correct, dangereux, déroutant, déviant, drôle, enfantin, explicite, franc, gênant, habituel, humain, incompréhensible, inhabituel, linguistique, louable, maladif, malsain, mystérieux, pacifique, puéril, sain, sexuel, social, stupide, surprenant, troublé, violent.

v. COMPL. : améliorer le comportement, analyser le comportement, apprécier le comportement, appréhender un comportement, approuver un comportement, avoir un comportement, cerner un comportement, changer de comportement, critiquer un comportement, désavouer un comportement, étudier le comportement, expliquer le comportement, garder un comportement, prendre le comportement, soigner un comportement, souffrir d'un comportement, subir un comportement, transformer le comportement, vanter un comportement, vérifier le comportement.

coup

n. adversaire, arbitre, archet, action, arme, attaque, baffe, bagarre, baguette, balai, balle, ballon, bâton, bec, blessure, bleu, bosse, botte, boxe, boxeur, boxeuse, bruit, choc, claque, canne, canon, chiffon, cible, ciseau, cravache, combat, combattant, combattante, conséquence, contusion, coquard, correction, corps, coude, couteau, dent, duel, ébranlement, ecchymose, ennemi, épaule, épée, face, fessée, feu, figure, fouet, force, fusil, geste, gifle, griffe, heurt, langue, mâchoire, main, mal, marque, marteau, matraque, massue, mouvement, nez, œil, occasion, patte, pichenette, pied, pinceau, poing, point, porte, raclée, raquette, résonnance, rixe, sabot, série, sévice, sifflet, son, sonnette, soufflet, taloche, tam-tam, tambour, tape, tête, tir, trace, traitement, violence, volée.

adj. autorisé, bas, bon, brusque, brutal, cruel, défendu, déloyal, double, droit, fatal, franc, gros, imprévu, isolé, léger, manqué, marqué, mauvais, mortel, perfide, perdu, petit, raté, retentissant, sec, sérieux, seul, sonore, soudain, sourd, terrible, traître, violent.

v. COMPL. : administrer un coup, allonger un coup, amortir un coup, appliquer un coup, assener un coup, compter les coups, contrer un coup, couvrir de coup, cribler de coups, délivrer un coup, détourner un coup, distribuer des coups, (se) donner un coup, échanger des coups, encaisser un coup, envoyer un coup, esquiver un coup, lancer un coup, parer les coups, porter un coup, prendre un coup, produire un coup, ramasser un coup, recevoir un coup, rendre les coups, rouer de coups ; AUTRES VERBES : assommer, attaquer, (se) battre, (se) cogner, écoper, frapper, (se) heurter, lapider, marteler, meurtrir, tomber, tirer.

expressions..

• *À coup sûr :* assurément, de façon certaine.

• *Avoir un bon coup de fourchette :* être un gros mangeur.

• *Au coup par coup :* de façon intermittente.

• *Après coup :* plus tard.

• *Coup de chapeau :* salut, hommage à quelqu'un.

• *Coup d'État :* Manœuvre politique violente, intervention militaire soudaine ; putsch.

- *Coup de fer :* repassage rapide d'un vêtement.
- *Coup de foudre (de cœur) :* tomber amoureux de façon subite.
- *Coup monté :* piège.
- *Coup de tête :* décision brusque, subite.
- *Coup de théâtre :* brusque retournement de situation, événement imprévu.
- *Coup de vieux :* vieillissement brusque, visible, dont on remarque les effets sur une personne.
- *Coup de grâce :* le dernier coup, celui qui conduit à la fin de quelque chose, à la mort.
- *Coup d'œil :* regard bref, rapide.
- *Se donner un coup de peigne :* se recoiffer rapidement.
- *Donner un coup de main (un coup de pouce) :* aider quelqu'un, fournir de l'aide.
- *Faire les quatre cents coups :* faire des bêtises, des excès, tenter de nombreuses expériences.
- *Faire un coup double :* obtenir un double résultat lors d'une seule action.
- *Marquer le coup :* souligner, être sensible à une situation.
- *Ne pas être dans le coup :* ignorer ce qui se passe, être en marge d'une tendance, de la mode, etc.
- *Passer un coup de fil :* faire un appel téléphonique, téléphoner.
- *Une avalanche de coups :* de très nombreux coups.
- *Une pluie de coups :* de très nombreux coups.
- *Un coup de froid (de chaleur, de soleil, de tonnerre, de vent) :* action soudaine du temps.
- *Un coup d'épée dans l'eau :* un coup pour rien, qui ne sert à rien.
- *Un coup dur :* une situation difficile ; malchance.
- *Un coup bas :* acte, procédé déloyal.
- *Sans coup férir :* sans combat.

- *Sur le coup de midi :* à midi.
- *Tout à coup (tout d'un coup) :* subitement.
- *Valoir le coup :* ce qui est digne d'intérêt, qui mérite attention.

course

n. accélération, action, allure, animal, arrêt, arrivée, athlétisme, chemin, chevauchée, compétition, coureur, coureuse, départ, déplacement, distance, élan, énergie, entraînement, épreuve, excursion, fin, force, foulée, galop, immobilité, jogging, lenteur, locomotion, marathon, marche, mobilité, mouvement, parcours, pas, piétinement, randonnée, sport, sprint, trajet, trépignement, trot, vie, vitesse.

adj. animée, athlétique, belle, captivante, cycliste, difficile, dure, effrénée, enlevante, épuisante, ennuyante, exténuante, extérieure, facile, folle, gagnante, grande, gratifiante, hippique, hivernale, intéressante, intérieure, longue, mouvementée, olympique, passionnante, perdante, rapide, sportive, terrible, triomphante.

v. COMPL. : accélérer sa course, disputer une course, participer à la course, ralentir sa course ; AUTRES VERBES : (s') arrêter, accélérer, bouger, claudiquer, clopiner, concourir, courir, danser, décamper, dépasser, se détacher, détaler, devancer, distancer, doubler, écarter, s'élancer, espacer, filer, galoper, glisser, marcher, pédaler, piétiner, (se) presser, rattraper, relayer, remonter, remuer, rencontrer, sauter, semer, skier, sprinter, trotter, vaincre.

expressions
- *À bout de course :* épuisé.
- *Être dans la course :* être en mesure de gagner.
- *En fin de course :* sur son déclin.

démarche

n. agissement, air, allure, approche, attitude, audace, chemin, cheminement, conduite, contact, dandinement, énergie, gaffe, pas, procédure.

adj. agréable, aisée, ardue, assurée, athlétique, boiteuse, bondissante, chancelante, collective, concluante, décidée, dégagée, déterminée, digne, dégingandée, disgracieuse, embarrassée, énergique, engourdie, facile, fière, fructueuse, funeste, glissante, gracieuse, gratuite, hésitante, honnête, incertaine, intelligente, légère, lente, lourde, majestueuse, maladroite, martiale, mesurée, militaire, nerveuse, ondulante, pénible, rapide, sautillante, souple, timide.

v. COMPL. : arrêter une démarche ; AUTRES VERBES : aller, arpenter, atteindre, avancer, cheminer, circuler, couler, défiler, dépasser, descendre, (se) diriger, enjamber, errer, flâner, glisser, gravir, marcher, monter, parader, parcourir, partir, précéder, (se) promener, reculer, se rendre, retourner, rôder, sillonner, suivre, tomber, trébucher, trotter, trottiner.

expressions...............................

- *Démarche de canard :* marcher en se dandinant.
- *Démarche intellectuelle :* manière de penser, de raisonner.

effort

n. accouchement, acharnement, acte, activité, attention, bagarreur, combat, combativité, concentration, constance, courage, dépassement, difficulté, entêté, entêtement, entraînement, facilité, fonceur, fonceuse, force, obstination, opiniâtreté, ouvrage, paresse, paresseux, paresseuse, patience, peine, persévérance, résistance, réussite, soin, ténacité, travail, volonté, zèle.

adj. accompli, acharné, admirable, apparent, astreignant, bel, colossal, combatif, commun, constant, continu, contraire, démesuré, dernier, désespéré, déterminé, difficile, douloureux, dramatique, dur, énergique, éreintant, esquintant, exceptionnel, fatigant, généreux, grand, gros, héroïque, impuissant, intellectuel, intense,

inutile, laborieux, long, louable, magnifique, mental, mesuré, musculaire, naturel, normal, pénible, petit, physique, précis, psychologique, sérieux, soutenu, spontané, stérile, suprême, surhumain, tenace, touchant, utile, vain, vigoureux, violent.

v. COMPL. : consacrer ses efforts, coûter des efforts, déplacer par un effort, déployer des efforts, faire un effort, fournir un effort, glorifier l'effort, poursuivre son effort, provoquer à l'effort, relâcher son effort, sentir l'effort, soutenir l'effort, tenter un effort, trahir l'effort, unir ses efforts ; AUTRES VERBES : s'accrocher, s'acharner, (s') appliquer, batailler, (se) concentrer, (se) consacrer, se démener, (se) dépasser, se dépenser, s'échiner, s'efforcer, (s') employer, (s') épuiser, s'escrimer, s'évertuer, exténuer, (se) fatiguer, harasser, s'ingénier, (se) mobiliser, (se) multiplier, peiner, pousser, (se) remuer, soulever, suer, tâcher, tenter, travailler, vaincre, (se) vouer.

geste

n. acte, action, agitation, automatisme, balancement, bienvenue, bras, chancellement, contorsion, démonstration, expression, fougue, frémissement, frisson, gesticulation, grouillement, hochement, main, maladresse, manière, manifestation, mimique, mouvement, précision, prestidigitateur, prestidigitation, protestation, rapidité, salut, signe, trépignement.

adj. accéléré, accusateur, amoureux, apprêté, approbateur, ardent, automatique, beau, bon, brûlant, brusque, calculé, caractéristique, chaleureux, circulaire, codé, contraint, convulsif, dégourdi, délié, déluré, démonstratif, désordonné, efficace, élégant, emphatique, empressé, énergique, enthousiaste, évasif, excessif, expressif, fébrile, fougueux, gauche, gracieux, grand, habituel, impérieux, impétueux, imprécis, impudique, impulsif, inélégant, inévitable, instinctif, involontaire, lent, leste, machinal, menaçant, mesuré, naturel, nécessaire, obscène, petit, pétulant, précis, preste, prompt, pudique, puissant, rapide, recueilli, répété, répétitif, rituel, rude, saccadé, significatif, simple, sobre, souple, sûr, symptomatique, turbulent, vif, volontaire.

v. COMPL. : accomplir un geste, annoncer par un geste, avertir par un geste, avoir un geste, calculer un geste, déceler un geste, démontrer par un geste, dénoter un geste, désigner par un geste, ébaucher un geste, esquisser un geste, étudier un geste, exécuter un geste, exprimer par un geste, faire un geste, guetter un geste, imiter un geste, indiquer par un geste, manifester par un geste, mimer un geste, préciser par un geste, protester par un geste, réaliser un geste, réprimer un geste, reprocher par un geste, saluer d'un geste, signaler par un geste, signifier par un geste ; AUTRES VERBES : agir, agiter, balancer, bouger, brandir, donner, frémir, gesticuler, remuer, secouer, trépigner.

expression...................................
- *Joindre le geste à la parole :* donner plus d'intensité à un encouragement, à un reproche.

pas

n. accélération, action, aisance, allée, allure, animal, ballerine, ballet, boitillement, cadence, cheval, chorégraphie, chute, course, danse, défilé, démarche, départ, déplacement, direction, distance, empreinte, enjambée, escalier, excursion, flânerie, foulée, jambe, locomotion, marche, montée, mouvement, passage, patinage, pied, piétinement, piste, progression, rapidité, recul, retour, route, rythme, talon, trace, trajet.

adj. agile, appesanti, bon, bruyant, cadencé, chancelant, coulant, coulé, coupé, dansant, dansé, dernier, éloigné, étroit, faux, ferme, feutré, furtif, gaillard, glissant, grand, grave, hasardeux, indifférent, inégal, inutile, irrégulier, large, léger, leste, lointain, long, lourd, magistral, maladroit, mauvais, mesuré, nerveux, nonchalant, oblique, pesant, petit,

premier, pressé, rapproché, régulier, relevé, sautillant, silencieux, souple, tournant, tremblant.

v. COMPL. : accélérer le pas, activer la pas, aller au pas, allonger le pas, arriver sur les pas, avancer au pas, céder le pas, changer de pas, compter ses pas, conduire les pas, diriger ses pas, doubler le pas, écouter des pas, égarer ses pas, emboîter le pas, entendre des pas, étouffer les pas, faire un pas, hâter le pas, imprimer des pas, marcher au pas, marcher sur les pas, marquer le pas, mesurer le pas, (se) mettre au pas, modérer le pas, porter ses pas, précipiter le pas, prendre le pas, presser le pas, quitter d'un pas, ralentir le pas, reconnaître le pas, revenir sur ses pas, rouler au pas, suspendre ses pas, tourner ses pas, traîner le pas, vérifier le pas ; AUTRES VERBES : aller, arpenter, atteindre, avancer, cheminer, circuler, couler, défiler, dépasser, descendre, (se) diriger, enjamber, errer, flâner, glisser, gravir, marcher, monter, parader, parcourir, partir, précéder, (se) promener, reculer, se rendre, retourner, rôder, sillonner, suivre, tomber, trébucher, trotter, trottiner.

expressions...................................
- *À grands pas :* rapidement.
- *À pas de loup :* sans bruit.
- *À pas de tortue :* très lentement.
- *Faire le premier pas :* faire des avances, prendre l'initiative d'une rencontre.
- *Faire les cent pas :* aller et venir en signe d'impatience.
- *Faire un faux pas :* trébucher ; commettre une erreur.
- *Pas à pas :* lentement, progressivement.
- *Pas de course :* pas de quelqu'un qui court.
- *Pas de gymnastique :* pas de course régulier, cadencé.
- *Salle des pas perdus :* dans une gare ou un palais de justice, salle où attendent les gens.

prière

n. adepte, adoration, acte, amour, autel, bible, bréviaire, cantique, célébration, cérémonial, cérémonie, chant, chapelet, chapelle, confiance, confidence, conviction, croyance, croyant, croyante, demande, dévotion, désir, divinité, église, envie, espoir, ferveur, fidèle, foi, formule, hymne, illumination, litanie, livre, louange, méditation, messe, missel, mort, morte, offrande, oraison, oratoire, pardon, pénitent, pénitente, pénitence, piété, prêtre, prêtresse, prie-Dieu, prieur, prieure, psaume, purification, récitation, reconnaissance, recueillement, religieux, religieuse, religion, requête, résolution, rite, sacrifice, souhait, spiritualité, vénération, vœu.

adj. ardente, catholique, chrétienne, intéressée, mentale, publique, secrète, vocale.

v. COMPL. : adresser une prière, dire une prière, écouter une prière, entendre une prière, être en prière, faire une prière, lire une prière, marmonner une prière, réciter une prière, se mettre en prière ; AUTRES VERBES : intercéder, prier.

expressions
- *Prière de :* il est demandé de.
- *Moulin à prières :* cylindre contenant des formules sacrées que l'on fait tourner au moyen d'une poignée.

réveil

n. assoupissement, aube, aurore, avant-midi, bâillement, cauchemar, commencement, début, étirement, étourdissement, évanouissement, éveil, insomnie, jour, lever, lève-tard, lève-tôt, lit, matin, matinée, naissance, nature, patriotisme, printemps, rêve, réveil-matin, sommeil, sonnerie, veille.

adj. brusque, brutal, éreinté, hargneux, joyeux, matinal, naturel, nocturne, pénible, provoqué, subit, terrible.

v. COMPL. : appréhender le réveil, ressusciter au réveil, revivre au réveil, se secouer au réveil, sonner le réveil ; AUTRES VERBES : s'arracher, bâiller, s'ébrouer, s'étirer, (s') éveiller, se lever, (se) ranimer, ressusciter, revivre, (se) réveiller, (se) secouer.

expressions
- *Au réveil :* au moment du réveil.
- *Réveil en sursaut :* être réveillé par un bruit inhabituel.
- *Sonner le réveil :* annoncer aux soldats l'heure du lever par une sonnerie de clairon.

saut

n. air, animal, appel, appui, athlétisme, bond, bondissement, cabriole, chute, corps, danse, danseur, danseuse, déplacement, détente, élan, enjambée, entrechat, envolée, exercice, extension, flexion, hippisme, jeu, mouvement, obstacle, parachute, préparation, sautillement, sol, soubresaut, sport, sursaut, vide, voltige.

adj. acrobatique, athlétique, brusque, dangereux, grand, impossible, imprévu, léger, magnifique, petit, périlleux, vertical, vertigineux.

v. COMPL. : effectuer un saut, exécuter un saut, faire un saut, préparer un saut, se préparer à un saut ; AUTRES VERBES : bondir, franchir, sauter, se déplacer, s'élever.

expressions
- *Saut à la corde :* sauter au moyen d'une corde.
- *Saut en hauteur, en longueur, à la perche :* disciplines sportives.
- *Triple saut :* saut en longueur qu'un athlète exécute en faisant trois appels successifs.
- *Saut périlleux :* saut acrobatique sans appui où le corps exécute une rotation dans l'espace.
- *Au saut du lit :* dès le lever, au réveil.
- *Faire un saut quelque art :* passer rapidement, sans s'attarder.

- *Faire le saut:* se décider à faire quelque chose, franchir le pas.
- *Le saut de la mort:* exercice de haute voltige très dangereux.
- *Faire le grand saut:* mourir.
- *Le saut de l'ange:* plongeon effectué les bras écartés.
- *Saut de puce:* courte distance.

sommeil

n. anesthésie, anesthésiste, assoupissement, bâillement, berceau, berceuse, calmant, calme, cauchemar, coma, couche-tard, couche-tôt, dodo, dormance, dormeur, dortoir, éclipse, engourdissement, éveil, hamac, hibernation, hypnose, hypnotisme, inactivité, inertie, insomnie, léthargie, lit, magnétisme, marmotte, matelas, mort, narcotique, nuit, paillasse, pavot, repos, rêve, réveil, ronflement, sieste, somme, somnambule, somnambulisme, somnifère, somnolence, songe, soporifique, sursaut, torpeur, tranquillisant, veille.

adj. agité, apaisant, assoupissant, bénéfique, berçant, bon, calmant, cauchemardesque, diurne, doux, dur, engourdi, fébrile, fiévreux, hypnotique, inquiet, léger, lent, léthargique, lourd, nerveux, nocturne, pathologique, pénible, premier, profond, provoqué, rapide, réparateur, séculaire, sédatif, somnambule, somnolent, soporifique.

v. SUJET: le sommeil envahit, gagne, surprend; COMPL.: s'abandonner au sommeil, s'arracher du sommeil, céder au sommeil, chercher le sommeil, glisser dans le sommeil, parler dans son sommeil, perdre le sommeil, se réfugier dans le sommeil, sortir du sommeil, succomber au sommeil, tirer du sommeil, tomber de sommeil, trouver le sommeil; AUTRES VERBES: anesthésier, (s')apaiser, s'assoupir, bâiller, bercer, calmer, chloroformer, coucher, dormir, endormir, éveiller, hypnotiser, reposer, réveiller, rêver, ronfler, roupiller, sommeiller, somnoler.

expressions

- *Cure de sommeil:* traitement de troubles psychiques par des médicaments qui provoquent le sommeil.
- *Dormir du sommeil du juste:* dormir profondément.
- *Maladie du sommeil:* maladie contagieuse due à la mouche tsé-tsé.
- *Sommeil de plomb:* sommeil très profond.
- *Sommeil éternel:* la mort.
- *Tomber de sommeil:* ne pas se tenir debout.

travail, aux

n. acharnement, action, activité, agriculture, aide, application, apprenti, apprentie, apprentissage, ardeur, art, artisan, artisane, assiduité, atelier, besogne, boîte, boulot, boutique, bras, bureau, camarade, carrière, chantier, charge, chef de service, chômeur, chômeuse, collègue, combinaison, commis, conflit, congé, contrat, corporation, corvée, effort, embauche, emploi, employé, employée, employeur, employeuse, énergie, entraînement, entreprise, équipe, esclavage, fabrication, façon, fatigue, fonction, fonctionnement, force, forme, gagne-pain, grève, gréviste, groupe, inaction, instrument, intérim, joug, journée, labeur, licenciement, machine, main, main-d'œuvre, manœuvre, métier, occupation, œuvre, oisiveté, opération, ouvrage, ouvrier, ouvrière, paresse, patron, patronne, paysan, paysanne, productivité, profession, professionnel, professionnelle, prolétaire, prolétariat, rendement, renvoi, repos, salaire, salarié, salariée, salopette, sécurité, semaine, service, situation, spécialiste, spécialité, sueur, syndicat, tâche, travailleur, travailleuse, usine, vacances, zèle.

adj. absorbant, acharné, actif, agricole, amateur, annuel, appliqué, artisanal, assidu, automatique, autorisé, beau, cérébral, clandestin, collectif, consciencieux, constant, continu, créateur, dangereux, délicat, difficile, dirigé, domestique, dur, épuisant, facile, fatiguant, fin, forcé, forcené, glorieux, gros, imposé, individuel, intellectuel, intense, interrompu, laborieux, latent, légal, manuel, médiocre, ménager, monotone, musculaire, noble, nocturne, obstiné, opiniâtre, organisé, payé, pénible, personnel, physique, pratique, préparatoire, professionnel, public, qualifié, régulier, remarquable, rémunéré, répétitif, rude, scientifique, scolaire, secret, soigné, soutenu, souterrain, spécialisé, studieux, temporaire.

v. COMPL. : abattre du travail, accomplir un travail, achever le travail, aimer le travail, aller au travail, s'appliquer au travail, s'atteler au travail, avancer le travail, avoir du travail, bâcler le travail, cesser le travail, changer de travail, chercher du travail, cochonner un travail, commencer un travail, crever au travail, déborder de travail, demander du travail, demeurer au travail, détester le travail, entreprendre un travail, être au travail, exécuter un travail, faire un travail, fignoler un travail, fuir le travail, gêner le travail, interrompre le travail, livrer le travail, se mettre au travail, peiner au travail, poursuivre le travail, saboter un travail, soigner un travail, surcharger de travail, suspendre un travail, torcher le travail, se tuer au travail, vivre au travail ; **AUTRES VERBES** : aider, besogner, démissionner, embaucher, employer, engager, exercer, licencier, mourir, occuper, postuler, recruter, remplacer, réussir, solliciter, travailler, trimer, vaquer.

expressions..............................

- *Bourreau de travail :* individu qui travaille beaucoup.
- *Camp de travail :* prison où les détenus sont soumis à des travaux forcés.
- *Salle de travail :* salle d'accouchement.
- *Travail au noir :* travail clandestin, en dehors des conditions légales.

visite

n. ami, amie, amitié, appartement, assiduité, but, civilité, compagnie, consultation, convive, convivialité, découverte, démarche, dentiste, entrevue, examen, expertise, famille, groupe, guide, hôpital, horaire, inspecteur, inspection, inspectrice, invitation, lieu, maison, médecin, mondanité, motif, musée, parent, pays, politesse, prisonnier, région, réception, remerciement, rencontre, rendez-vous, réunion, sollicitation, touriste, tournée, ville, visiteur, voyage.

adj. assidue, autorisée, belle, charmante, continuelle, courte, détaillée, guidée, inattendue, interdite, jolie, longue, médicale, officielle, organisée, petite, singulière, touristique.

v. COMPL. : attendre une visite, avoir une visite, espérer une visite, être en visite, faire une visite, passer une visite, procéder à une visite, recevoir des visites, rendre visite ; **AUTRES VERBES** : découvrir, fréquenter, saluer, visiter.

expressions..............................

- *Carte de visite :* petit carton sur lequel est indiquée la fonction et les coordonnées d'une personne.
- *Avoir de la visite :* recevoir des visiteurs.
- *Droit de visite :* permission légale de voir un enfant après un divorce ou une séparation.

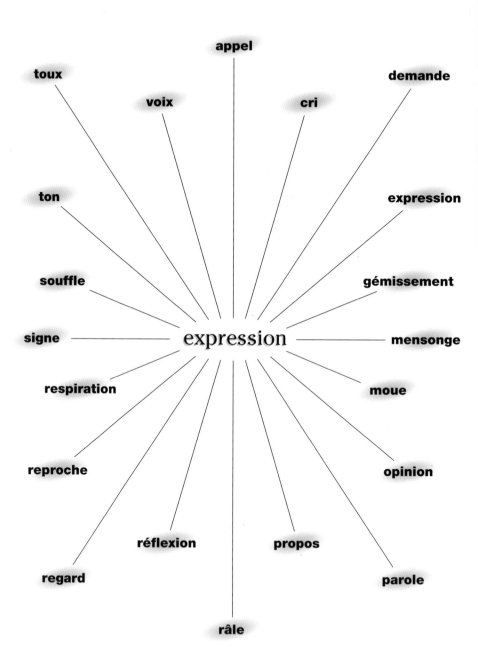

appel

n. cri, interjection, sifflement, sifflet, voix.

adj. audible, cinglant, doux, excitant, fort, inaudible, séculaire, sympathique.

v. SUJET: l'appel alarme, résonne, retentit, réveille; COMPL.: entendre un appel, faire un appel, lancer un appel, répondre à un appel; AUTRE VERBE: appeler.

expressions......................................

- *Appel à l'aide:* appeler au secours.
- *Faillir à l'appel:* ne pas être là.
- *Appel d'offres:* publicité destinée à inviter des candidats potentiels à soumettre une offre.

cri

n. aboiement, acclamation, adieu, alarme, alerte, allégresse, alléluia, altercation, âme, amour, animal, annonce, annonceur, apostrophe, appel, applaudissement, approbation, ardeur, assemblée, avertissement, babil, babillage, ban, barrissement, battement, bêlement, beuglement, bourdonnement, braillard, braillement, braiment, bravo, bruissement, bruit, chant, charivari, chuchotement, chuintement, clameur, coassement, colère, courage, craquement, craquettement, criaillerie, criée, crieur, crieuse, crissement, croassement, désir, détresse, devise, discussion, dispute, douleur, ébrouement, éclat, encouragement, enfant, engueulade, exclamation, exigence, feulement, frayeur, frottement, garde, gazouillement, gémissement, glapissement, glouglou, gloussement, grésillement, grincement, grognement, grommellement, gronderie, guerre, haine, hennissement, hourra, huée, hulement, hurlement, incitation, indignation, interjection, invective, jacassement, jappement, jérémiade, joie, lamentation, louange, meuglement, miaulement, misère, mode, mort, mouvement, mugissement, murmure, nasillement, nature, onomatopée, opinion, opprimé, ovation, parole, pépiement, piaulement, plainte, pleur, poitrine, prière, proclamation, protestation, querelle, râle, ralliement, réclamation, récrimination, réprimande, révolte, ricanement, rugissement, rire, ronronner, roucoulement, rugissement, sanglot, sifflement, signal, signe, slogan, soie, son, supplication, surprise, tapage, tollé, triomphe, tumulte, vacarme, vagissement, vengeance, vocifération, vogue, voix.

adj. aigu, assourdissant, bref, déchirant, dernier, éclatant, épouvantable, étouffé, fort, général, grand, inarticulé, lointain, long, perçant, plaintif, rapproché, sourd, strident, unanime.

v. SUJET: le cri, s'élève, jaillit, monte, retentit; COMPL.: aimer les cris, élever un cri, entendre un cri, faire un cri, jeter des cris, lâcher un cri, pousser un cri, répandre des cris; AUTRES VERBES: aboyer, acclamer, annoncer, appeler, applaudir, babiller, barrir, bégueter, bêler, beugler, blatérer, bourdonner, bousculer, brailler, braire, bramer, cacaber, cacarder, cajoler, caqueter, chanter, chicoter, chuinter, claironner, clamer, coasser, conspuer, crailler, craquer, craqueter, criailler, crier, croasser, dire, disputer, s'ébrouer, éclater, s'écrier, s'égosiller, engueuler, s'époumoner, s'exclamer, exiger, exprimer, se fâcher, feuler, fulminer, gazouiller, geindre, gémir, glapir, glatir, glouglouter, glousser, grésiller, grogner, grommeler, hennir, huer, hululer, hurler, invectiver, jacasser, japper, jargonner, jaser, jurer, se lamenter, manifester, margoter, meugler, miauler, mugir, murmurer, nasiller, ovationner, parler, pépier, pester, piailler, piauler, se plaindre, pleurer, proclamer, protester, raire, râler, ramager, réclamer, récriminer, ronronner, roucouler, rouspéter, rugir, sangloter, siffler, souffler, tempêter, tonner, vagir, vociférer.

expressions......................................

- *À grands cris:* en insistant vivement.
- *Cri de guerre:* exclamation de ralliement des guerriers, des soldats au combat.
- *Dernier cri:* ce qui se fait de plus moderne, de plus récent.

- *Pousser les hauts cris :* protester avec indignation.

demande

n. acte, action, admission, aide, appel, appui, caprice, commande, démarche, désir, devinette, énigme, envie, exigence, expression, imploration, insistance, interrogation, invitation, ordre, prière, question, quête, réclamation, refus, renseignement, réponse, requête, revendication, sommation, souhait, supplique, vœu, volonté.

adj. acceptée, additionnelle, collective, dernière, écrite, embarrassante, générale, honorée, humble, impérative, inadmissible, indiscrète, individuelle, insistante, irrecevable, justifiée, nouvelle, orale, ouverte, rejetée, supplémentaire, verbale, volontaire.

v. COMPL. : accepter une demande, accorder une demande, adresser une demande, appuyer une demande, exaucer une demande, exposer une demande, exprimer une demande, faire une demande, formuler une demande, honorer une demande, présenter une demande, rédiger une demande, rejeter une demande, repousser une demande, satisfaire une demande, satisfaire à une demande ; **AUTRE VERBE :** demander.

expressions....................................

- *Demande en mariage :* démarche par laquelle on demande une personne en mariage.
- *Demande en divorce :* démarche par laquelle on demande le divorce.
- *Belle demande ! :* se dit d'une question sotte, inutile.
- *Livrer sur demande :* livrer sur commande.
- *La demande :* la quantité de produits ou de services que des personnes sont disposées à acheter à un prix donné.
- *La loi de l'offre et de la demande :* relation entre la demande, l'offre et le prix ; état d'un marché.

expression

n. bonté, bouche, caractère, chaleur, chant, colère, communication, démonstration, description, émanation, émotion, énoncé, évocation, figure, force, forme, formulation, formule, froideur, haine, idée, image, impassibilité, ironie, justesse, langage, langue, lexique, liberté, manière, manifestation, masque, méchanceté, mépris, métaphore, mot, mouvement, moyen, musique, mutisme, nervosité, nuance, opinion, parole, peinture, pensée, peur, phrase, physionomie, protestation, regard, sentiment, signe, silence, son, sourire, témoignage, tournure, trait, visage, vivacité, vocabulaire, voix, volonté.

adj. adoucie, audacieuse, complète, corporelle, courante, créative, désabusée, différente, écrite, exacte, familière, figurée, forte, gestuelle, habituelle, hargneuse, heureuse, impropre, joyeuse, libre, littéraire, ludique, majestueuse, meilleure, mystérieuse, orale, picturale, plastique, poétique, populaire, pure, rare, romanesque, sauvage, simple, triviale, verbale, vicieuse, vive.

v. COMPL. : agréer l'expression, bannir l'expression, défier l'expression, donner l'expression, freiner l'expression, jouer avec expression, recevoir l'expression, regarder avec une expression, réprouver l'expression, retenir l'expression, revendiquer l'expression, risquer une expression, se servir d'expressions, trouver l'expression, user d'expressions ; **AUTRES VERBES :** communiquer, crier, décrire, dépeindre, désigner, dire, écrire, évoquer, (s') exprimer, extérioriser, impressionner, indiquer, interpréter, manifester, marquer, montrer, noter, parler, peindre, photographier, rendre, représenter, sculpter, signaler, signifier, suggérer, traduire.

expressions....................................

- *Expression corporelle :* ensemble d'attitudes et de gestes susceptibles de traduire des situations émotionnelles ou physiques.

• *Réduire une chose à sa plus simple expression :* amener une chose à sa forme la plus simple ou la supprimer totalement.

gémissement

n. animal, bête, blessé, blessée, braillement, bruit, chien, cri, douleur, expression, geignement, grimace, hurlement, jérémiade, lamentation, larme, litanie, mer, mourant, orgue, plainte, plaintif, pleur, râle, rictus, sanglot, sentiment, souffrance, soupir, tristesse, vagissement, vent.

adj. continu, déchirant, discret, faible, intermittent, lointain, outré, perceptible, plaintif, poignant, sourd.

v. COMPL. : arracher un gémissement, entendre un gémissement, faire entendre un gémissement, pousser un gémissement ; AUTRES VERBES : geindre, gémir, se plaindre, pleurer, râler, sangloter.

mensonge

n. allégation, artifice, baliverne, bobard, canular, commérage, désinformation, diffamation, dissimulation, duplicité, falsification, feinte, fourberie, histoire, hypocrisie, imposture, inexactitude, insinuation, invention, médisance, menterie, ruse, salade, sornette, tromperie.

adj. bénin, criminel, déraisonnable, détestable, enjolivé, erroné, fabriqué, falsifié, faux, fictif, grave, gros, grossier, inadmissible, inauthentique, incroyable, inexact, innocent, insoutenable, officieux, pieux.

v. SUJET : un mensonge cause, dupe, trompe ; COMPL. : combattre le mensonge, contrefaire un mensonge, débiter un mensonge, découvrir un mensonge, détecter un mensonge, dire un mensonge, échafauder un mensonge, fausser un mensonge, ignorer un mensonge, lâcher un mensonge, raconter un mensonge, truquer un mensonge.

expression......................................

• *C'est vrai, ce mensonge ? :* se dit pour marquer que l'on met en doute une assertion.

moue

n. bouche, dédain, dépit, ennui, grimace, grognement, lèvres, lippe, mécontentement, scepticisme.

adj. boudeuse, incrédule, sceptique, dédaigneuse.

v. COMPL. : faire la moue, retenir une moue ; AUTRES VERBES : bouder, dédaigner, ennuyer, grimacer, grogner, repousser.

opinion

n. appréciation, attente, avis, certitude, conviction, credo, croyance, doctrine, domination, estime, foi, force, idée, imagination, impression, inconstance, information, jugement, pensée, préjugé, présomption, principe, sentiment, soupçon, théorie, thèse, verdict.

adj. arrêtée, artistique, athée, avancée, avantageuse, blessante, bonne, cléricale, commune, compatible, conformiste, contraire, controversée, convergente, défaitiste, désavantageuse, différente, discutable, dominante, douteuse, extrême, fanatique, fausse, générale, haute, hésitante, insoutenable, libérale, littéraire, mauvaise, mondiale, nationale, nuancée, opposée, optimiste, originale, orthodoxe, ouvrière, paradoxale, particulière, personnelle, pessimiste, philosophique, pitoyable, politique, probable, publique, rare, religieuse, rurale, scientifique, semblable, singulière, soutenable, subjective, subtile, subversive, systématique, tranchante, unanime, urbaine.

v. COMPL. : abjurer une opinion, accepter l'opinion, adopter l'opinion, agir sur l'opinion, aller aux opinions, avoir une opinion, braver l'opinion, changer d'opinion, combattre l'opinion, conserver son opinion, convertir à son opinion, (se) convertir à une opinion, se dédire d'une opinion, défendre l'opinion, démordre d'une opinion, donner une opinion, émettre l'opinion, épouser l'opinion, être de l'opinion, exprimer l'opinion, garder son opinion, influencer l'opinion, informer l'opinion, manifester l'opinion, manifester son opinion, négliger l'opinion, partager l'opinion, professer l'opinion, propager l'opinion, se ranger à une opinion, recueillir les opinions, répandre l'opinion, repousser l'opinion, souffrir pour ses opinions, soutenir l'opinion, suivre l'opinion.

expression..

• *Avoir bonne opinion de :* estimer, apprécier.

parole

n. accent, affirmation, allocution, altercation, aparté, aphasie, apostrophe, appel, apprentissage, aptitude, articulation, assurance, avertissement, babil, babillage, badinerie, bagou, baliverne, baratin, bavardage, blablabla, blâme, blasphème, boniment, bourrade, bravade, bredouillement, cancan, caquet, causerie, causette, chanson, charme, civilité, colloque, commérage, communication, compliment, conciliation, conférence, conférencier, conseil, conversation, crécelle, cri, débat, débit, déclamation, déclaration, devise, dialogue, diction, dire, discours, discussion, dispute, don, écrit, écriture, élocution, éloquence, emphase, engagement, énoncé, énonciation, entretien, évangile, exclamation, exposé, expression, facilité, fadaise, flatterie, fluidité, flux, formule, gaffe, hypocrisie, incantation, insulte, interjection, interpellation, intonation, invective, jet, juron, langage, langue, lapsus, larynx, louange, magie, maître, médisance, mélodie, menace, mensonge, monologue, mot, muet, musique, offense, onomatopée, opéra, orateur, oratrice, outrage, paix, palabre, parabole, parleur, parleuse, parlotte, parolier, parolière, persuasion, phonation, phrase, pie, politesse, porte-parole, potin, pourparler, promesse, prononciation, propos, proposition, proverbe, puissance, racontar, ragot, récitation, répartie, rhétorique, sacre, sens, serment, signification, silence, son, sornette, sortie, syllabe,

tirade, ton, torrent, trouble, usage, verbalisation, verbe, verbiage, verve, virtuose, voix, volubilité.

adj. absurde, acerbe, agressive, aigre, aimable, ambiguë, belle, blasphématoire, blessante, bonne, brève, brutale, caressante, célèbre, claire, compréhensible, compromettante, conciliante, consolante, cruelle, dernière, désagréable, diffamatoire, directe, divine, douce, dure, emportée, entrecoupée, équivoque, fameuse, froide, grasse, grossière, hachée, historique, hypocrite, impie, imprudente, incohérente, inintelligible, injurieuse, irréparable, laconique, magique, mémorable, menteuse, mielleuse, mordante, naïve, offensante, oiseuse, première, rituelle, rude, saccadée, sèche, sensée, sentie, simple, touchante, tranchante, vaine, véridique, violente, vive.

v. SUJET : la parole coule, s'envole ; COMPL. : abonder en paroles, accorder la parole, adresser la parole, arracher une parole, avoir des paroles, boire les paroles, calculer ses paroles, conclure sur parole, couper la parole, croire sur parole, dégager sa parole, demander la parole, dévorer les paroles, donner la parole, donner sa parole, échanger des paroles, encourager de la parole, engager sa parole, (s') enivrer de paroles, enlever la parole, étouffer ses paroles, (se) griser de paroles, interrompre la parole, manquer à sa parole, mesurer ses paroles, obtenir la parole, ôter la parole, payer en paroles, percevoir des paroles, perdre la parole, peser ses paroles, prêter la parole, recouvrer la parole, refuser la parole, retirer la parole, tenir parole ; AUTRES VERBES : amadouer, ânonner, apostropher, appeler, articuler, avertir, babiller, bafouiller, balbutier, baragouiner, bavarder, bégayer, blâmer, blasphémer, blesser, bredouiller, cancaner, causer, chanter, chuchoter, citer, claironner, clamer, communiquer, consoler, converser, crier, débiter, déclamer, se dédire, démentir, désavouer, dialoguer, dire, discourir, échanger, échapper, écouter, endormir, énoncer, (s') entretenir, (s') exprimer, flatter, former, gazouiller, grommeler, haranguer, hurler, injurier, intercéder, interpeller, invectiver, jacasser, jargonner, jaser, louer, médire, menacer, mentir, monologuer, murmurer, papoter, pérorer, plaider, prêcher, proférer, prononcer, rabâcher, radoter, réciter, (se) répéter, se rétracter, susurrer, (se) taire, traduire, transmettre.

expressions......................................

- *De belles paroles:* promesses qui restent sans suite.
- *Être de parole, n'avoir qu'une parole:* respecter ses engagements.
- *Passer la parole à quelqu'un:* inviter quelqu'un à parler.
- *Prendre la parole:* commencer à parler.
- *Rendre sa parole à quelqu'un:* délier quelqu'un de sa promesse.
- *Sur parole:* sur la garantie de la bonne foi.
- *Une parole en l'air:* parole prononcée sans sérieux, à la légère.

propos

n. anecdote, badinage, badinerie, bagatelle, baliverne, balourdise, banalité, bêtise, blasphème, boniment, boutade, bruit, calembour, calomnie, chanson, cochonnerie, commentaire, conversation, dire, discours, douceur, échange, entretien, expédient, fin, gaieté, galanterie, grivoiserie, insanité, insinuation, instant, intention, médisance, mensonge, mobile, mot, motif, objet, obscénité, papotage, parole, personnage, phrase, pile, polissonnerie, projet, résolution, rien, saleté, sottise, sujet, table, temps, texte, vantardise, vilenie, vivacité, volonté.

adj. arbitraire, austère, badin, banal, bienveillant, blasphématoire, blessant, bon, cajoleur, calomnieux, caustique, conscient, convenable, cynique, délibéré, déplacé, diffamatoire, énergique, extravagant, ferme, frivole, futile, gai, gaillard, galant, grivois, grossier, guilleret, hardi, impudent, inacceptable, incohérent, inconvenant, injurieux, inopportun, insensé, insultant, intentionné, inten-

tionnel, inutile, joyeux, léger, libertin, libre, maladroit, malintentionné, malséant, malveillant, mauvais, mensonger, mordant, obscène, offensant, opportun, prémédité, relatif, salé, spirituel, stupide, vif.

v. COMPL.: répéter un propos, tenir des propos; AUTRES VERBES: amener, arrêter, calculer, (se) décider, délibérer, envisager, finaliser, persuader, préméditer, prévoir, projeter, (se) promettre, (se) proposer, provoquer, (se) résoudre, songer, souhaiter.

expressions......................................

- *À propos:* au bon moment, au fait.
- *À tout propos:* sans cesse, à n'importe quelle occasion.
- *Avoir le ferme propos:* avoir l'intention arrêtée de.
- *Hors de propos, mal à propos:* à contretemps, au mauvais moment.
- *Tel n'est pas mon propos:* ce n'est pas mon intention.

râle

n. agonie, agonisant, agonisante, auscultation, blessé, blessée, bruit, gorge, moribond, moribonde, mort, râlement, respiration, sécrétion, souffle.

adj. abominable, caverneux, épais, faible, sifflant, sonore.

v. AUTRES VERBES: agoniser, mourir, râler, respirer, souffler.

réflexion

n. adage, critique, délibération, diffusion, dissipation, doute, écho, esprit, étourderie, légèreté, maxime, moralité, note, observation, pensée, raisonnement, remarque, répercussion, spéculation.

adj. anormale, aveuglante, brillante, concluante, désobligeante, éblouissante, enfantine, enrichissante, intense, judicieuse, lente, logique, longue, lucide, luisante, lumineuse, méthodique, morale, multiple, mûrie, pénétrante, préalable, préliminaire, préparatoire, prudente, raisonnable, sage, sensée, sereine, totale.

v. COMPL. : abandonner ses réflexions, s'absorber dans ses réflexions, être plongé dans ses réflexions, livrer ses réflexions, manquer de réflexion, revenir sur ses réflexions ; AUTRES VERBES : annoter, approfondir, aviser, considérer, délibérer, diffuser, juger, mijoter, moraliser, mûrir, penser, peser, réfléchir, réverbérer.

expressions

* *À la réflexion :* lorsque l'on y pense bien.
* *Réflexion faite :* après avoir bien réfléchi.

regard

n. acuité, clin d'œil, éclair, éclat, examen, expression, fascination, feu, flamme, jugement, lueur, magnétisme, malice, observation, œil, œillade, opinion, perception, visée, vision, vivacité, vue.

adj. affolé, agaçant, amoureux, angélique, angoissé, anxieux, ardent, assassin, assuré, atone, audacieux, aveugle, avide, bestial, bizarre, brillant, brûlant, câlin, calme, caressant, céleste, clair, compréhensif, confiant, coquin, courroucé, craintif, cupide, curieux, dédaigneux, dérobé, direct, distrait, dominateur, douloureux, doux, droit, dur, effronté, égaré, éloquent, ensorcelant, éperdu, éteint, étonné, étrange, expressif, farouche, fascinant, faux, féroce, fin, fixe, flamboyant, foudroyant, franc, fulgurant, furibond, furieux, furtif, hagard, haineux, hardi, hautain, hébété, hostile, humide, illuminé, impertinent, impudique, incendiaire, indéfinissable, indiscret, indolent, indulgent, inexpressif, inquiet, inspiré, ironique, joyeux, langoureux, languissant, limpide, louche, magnétique, malicieux, malin, mauvais, méchant, mécontent, mélancolique, méprisant, moqueur, mouillé, mourant, muet, noir, nostalgique, oblique, offensé, passionné, pénétrant,

pensif, perçant, perdu, pétillant, peureux, pitoyable, polisson, premier, profond, provocant, pur, rapide, scrutateur, sévère, sinistre, sournois, suppliant, tendre, torve, triste, vide, vif.

v. COMPL. : appeler les regards, arrêter son regard, attacher son regard, attirer le regard, braquer un regard, caresser du regard, chercher du regard, conduire du regard, couler un regard, darder un regard, décocher un regard, se dérober au regard, désigner du regard, détourner son regard, dévorer du regard, diriger son regard, échanger un regard, embrasser du regard, fixer son regard, foudroyer du regard, fouiller du regard, frapper le regard, glisser le regard, gouverner son regard, jeter un regard, lancer un regard, menacer du regard, montrer du regard, offenser le regard, (s') offrir au regard, parcourir du regard, percer du regard, plonger son regard, porter son regard, poser son regard, promener son regard, réjouir le regard, rencontrer le regard, scruter du regard, soustraire au regard, suivre du regard, tourner son regard, transpercer du regard ; AUTRES VERBES : considérer, dévisager, examiner, explorer, illuminer, observer, regarder, surveiller, viser.

expressions

* *Au regard de :* par rapport à.
* *Avoir droit de regard :* avoir le droit de surveiller, de contrôler.
* *En regard de :* en face de, comparativement à.

reproche

n. admonition, blâme, gronderie, observation, picoterie, récrimination, remontrance, répréhension, réprimande, semonce.

adj. abominable, amer, coléreux, dur, écrit, formulé, grave, grognon, grondeur, honteux, immonde, injuste, juste, lancé, léger, méchant, perpétuel, public, récriminatoire, regrettable, répréhensible, sec, sérieux, sermonneur, sévère, terrible, vif, violent.

v. COMPL.: échapper à un reproche, écoper d'un reproche, écrire un reproche, faire reproche, faire un reproche, formuler un reproche, justifier un reproche, lancer un reprocher; **AUTRES VERBES:** reprocher, réprimander, blâmer, gronder, récriminer, admonester, semoncer, sermonner, tarabuster, malmener, rudoyer.

expression..
• *Être sans reproches:* qui n'a pas de torts.

respiration

n. air, apnée, arrêt, asphyxie, aspiration, asthme, auscultation, bâillement, bouche, bouffée, branchie, bronche, bronchiole, bronchite, diaphragme, essoufflement, éternuement, étouffement, étranglement, expiration, haleine, halètement, hoquet, inhalation, inspiration, larynx, mouvement, nez, oppression, ouïes, oxygène, pharyngite, pharynx, pleurésie, plèvre, pneumonie, poumon, râle, reniflement, rhume, rythme, souffle, soupir, stéthoscope, strangulation, suffocation, syncope, toux, trachée, ventilation.

adj. aisée, angoissée, artificielle, bruyante, courte, difficile, entrecoupée, facile, haletante, intermittente, normale, oppressée, pantelante, précipitée, rauque, sèche, sifflante.

v. COMPL.: arrêter la respiration, contenir sa respiration, ôter la respiration, perdre la respiration, retenir sa respiration; **AUTRES VERBES:** aspirer, bâiller, s'époumoner, (s') essouffler, éternuer, étouffer, étrangler, expirer, flairer, geindre, gémir, humer, inhaler, inspirer, insuffler, oppresser, (s') oxygéner, râler, renifler, respirer, ronfler, siffler, souffler, soupirer, suffoquer, tousser, ventiler.

signe

n. accent, cachet, caractère, caractéristique, clin d'œil, cri, deuil, écriture, expression, fatigue, figure, geste, impatience, indice, intelligence, langage, langue, reconnaissance, signature, symptôme.

adj. affirmatif, clinique, conventionnel, défavorable, distinctif, évident, extérieur, favorable, graphique, indicatif, mauvais, motivé, naturel, négatif, particulier, pathologique, perceptible, positif, précurseur, préliminaire, prémonitoire, sensible, sonore, visible, visuel.

v. COMPL.: communiquer par signes, désigner par un signe, faire un signe, (s') exprimer par signes, montrer par un signe, répondre par signes.

expressions..
• *C'est bon signe:* signe qui annonce quelque chose de bon.
• *C'est mauvais signe:* signe qui annonce quelque chose de mauvais.
• *Ne pas donner signe de vie:* sembler mort, ne pas donner de ses nouvelles.
• *Signe de la croix:* geste de la liturgie chrétienne figurant la croix de Jésus-Christ.
• *Signe des temps:* ce qui semble caractériser l'époque où l'on vit.

souffle

n. air, âme, aplomb, apnée, asphyxie, aspiration, asthme, athlète, atmosphère, bâillement, bouffée, bougie, brise, bronchite, bruit, course, effluve, émanation, endurance, esprit, essoufflement, étranglement, exhalaison, expiration, fatigue, frisson, gémissement, haleine, halètement, hoquet, inspiration, pneumonie, poumon, poussée, rafale, respiration, soupir, suffocation, vent, ventilation, vie.

adj. brutal, bruyant, cardiaque, calme, chaud, court, dernier, divin, empoisonné, glacial, harmonieux, hâtif, léger, parfumé, pénible, puissant, saccadé, second, vital.

v. SUJET: le souffle agite, ride; **COMPL.:** avoir du souffle, exhaler un souffle, manquer de souffle, perdre le souffle, réduire le souffle, retenir son souffle; **AUTRES VERBES:** animer, asphyxier, aspirer, bâiller, (s') essouffler, étouffer, étrangler, exhaler, expirer, haleter, humer, insuffler, mourir, oppresser, râler, respirer, souffler, soupirer, tousser.

expressions......................................

• *Avoir du souffle:* avoir une bonne capacité respiratoire permettant un effort important ou prolongé; avoir de l'aplomb, du culot.
• *Couper le souffle:* étonner vivement.
• *Être à bout de souffle:* être épuisé; ne pas pouvoir poursuivre, continuer un effort.
• *Manquer de souffle:* s'essouffler au cours d'un effort; manquer d'inspiration.
• *Second souffle:* regain d'activité après une défaillance momentanée; nouvelle période d'activité.

ton

n. accent, air, atone, caquet, chanson, chant, conversation, expression, fermeté, froideur, genre, hauteur, indignation, influence, intensité, intonation, langage, lettre, manière, modulation, musique, note, nuance, parole, plaisanterie, politesse, puissance, réprobation, son, sourdine, style, tension, timbre, tonalité, tonus, voix.

adj. acerbe, affecté, aigre, aisé, amical, arrogant, badin, bas, blafard, bon, bref, brusque, brutal, câlin, cassant, chaud, clair, coléreux, convaincu, coquet, coulant, coupant, criard, décisif, dédaigneux, dégagé, détaché, direct, doucereux, doux, égal, élevé, emphatique, estompé, familier, faux, ferme, fier, franc, froid, gai, galant, goguenard, grave, grisâtre, grivois, hargneux, haut, hautain, honnête, humble, hypocrite, impérieux, indifférent, lamentable, langoureux, larmoyant, léger, lyrique, magistral, maniéré, majestueux, maternel, mauvais, meilleur, menaçant, méprisant, mesuré, mielleux, modeste, modulé, monotone, moqueur, mourant, nasillard, naturel, neutre, noble, passionné, paternel, pathétique, pédant, pénétré, péremptoire, piteux,

plaintif, pleureur, poli, précieux, professoral, protecteur, pur, radouci, railleur, rauque, réprobateur, réservé, riche, sarcastique, sec, sérieux, sévère, simple, solennel, sonore, sourd, soutenu, sublime, suppliant, terne, timide, tonique, tragique, tranchant, triste, uniforme, véhément, vif.

V. COMPL.: adopter un ton, adoucir le ton, baisser le ton, changer de ton, descendre le ton, dire sur le ton, donner le ton, élever le ton, être dans le ton, garder un ton, hausser le ton, (se) mettre au ton, (se) mettre dans le ton, monter le ton, prendre son ton, sortir du ton; AUTRES VERBES: balbutier, chanter, chantonner, clamer, crier, débiter, déclamer, détonner, dire, énoncer, entonner, fredonner, moduler, parler, réciter, siffloter, transposer.

expression......................................

• *Donner le ton:* servir de modèle pour les manières, le langage, la façon de voir et de penser d'un groupe social.

toux

n. accès, antitussif, apnée, bronche, bronchiole, bronchite, bruit, chatouillement, convulsion, coqueluche, crachat, enrouement, étouffement, expiration, glotte, gorge, grippe, irritation, larynx, malade, muqueuse, pneumonie, poumon, quinte, remède, respiration, rhume, sirop, soulagement, suffocation, toussotement, trachée.

adj. caverneuse, dérangeante, grasse, maladive, nerveuse, persistante, petite, prolongée, rauque, sèche, volontaire.

V. COMPL.: apaiser la toux, arrêter la toux, entendre la toux, guérir la toux, soigner la toux, soulager la toux; AUTRES VERBES: cracher, enrhumer, enrouer, (s') essouffler, irriter, suffoquer, tousser.

voix

n. aboiement, accent, accord, agilité, altération, ampleur, aphonie, appel, articulation, assentiment, avertissement, babil, babillage, balbutiement, baryton, basse, bouche, brouhaha, bruit, cacophonie, canon, chant, chœur, clairon, cloche, cœur, contralto, cordes vocales, cri, débit, diapason, discours, écho, éclat, enrouement, extinction, gazouillement, glotte, gorge, grondement, hurlement, intensité, intonation, langage, larynx, modulation, mue, murmure, poitrine, registre, résonance, sanglot, son, soprano, timbre, ton, tonalité, tremblement, trémolo, tue-tête, ventriloque, vibration, vocalise.

adj. active, agile, aigre, aiguë, altérée, ample, âpre, argentine, autoritaire, basse, belle, blanche, bouleversée, brisée, brusque, cajoleuse, caressante, cassante, cassée, caverneuse, chancelante, chantante, chaude, chevrotante, claire, claironnante, coupante, criarde, cristalline, cuivrée, déchirée, discordante, douce, doucereuse, éclatante, élevée, empâtée, émue, enchanteresse, enrhumée, enrouée, éplorée, éraillée, éteinte, étouffée, étranglée, faible, fatiguée, fausse, fêlée, ferme, flatteuse, flexible, fluette, flûtée, forte, fraîche, frêle, grasse, grave, grêle, grosse, gutturale, harmonieuse, haute, humaine, impérieuse, intelligible, ironique, juste, lasse, légère, limpide, lugubre, mâle, mélodieuse, menaçante, menue, métallique, moelleuse, monotone, mordante, mourante, musicale, nasale, nasillarde, nette, onctueuse, passive, pâteuse, pathétique, perçante, petite, placée, plaintive, pleine, pointue, posée, prenante, profonde, pronominale, publique, puissante, pure, railleuse, rauque, résonnante, retentissante, riche, ronflante, rude, saccadée, sèche, sévère, sombre, sonore, souple, sourde, stridente, suppliante, timbrée, timide, tonitruante, tonnante, touchante, tranchante, trébuchante, tremblante, tremblotante, triste, usée, vibrante, virile, vive, voilée.

v. SUJET: la voix descend, monte; COMPL.: animer de la voix, baisser la voix, casser la voix, éclaircir sa voix, encourager de la voix, entendre des voix, essayer sa voix, étouffer la voix, hausser la voix, imiter la voix, obéir à la voix, travailler sa voix; AUTRES VERBES: appeler, articuler, balbutier, chanter, crier, déclamer, dire, éclater, énoncer, gémir, parler, pleurer, réciter, soutenir, taire, tousser, vocaliser.

expressions

* *Donner de la voix:* parler très fort; crier, en parlant des chiens de chasse.
* *Être, rester sans voix:* être muet d'émotion.

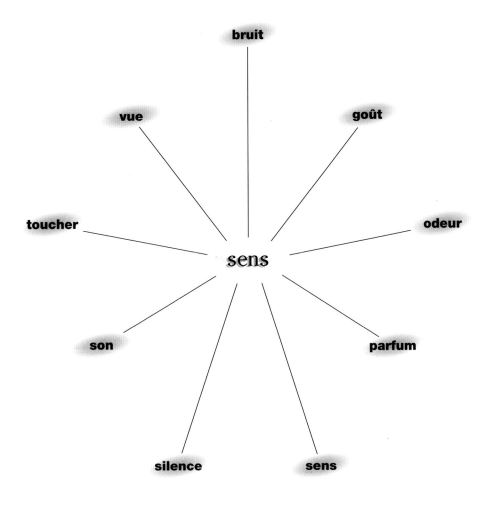

bruit

n. accent, accord, agitation, applaudissement, babil, babillage, bagarre, balbutiement, battement, bavardage, bazar, bobard, boucan, bourdonnement, braillement, brouhaha, brouillage, bruissement, bruitage, bruiteur, bruiteuse, cacophonie, cancan, chamaille, chanson, chant, chantonnement, charivari, chevrotement, choc, chuchotement, chuintement, clameur, clapotement, clappement, claquement, cliquetis, commérage, conversation, course, crachotement, craquement, craquettement, crépitement, cri, criaillerie, crissement, décibel, déflagration, détonation, dispute, écho, éclat, éclatement, esclandre, éternuement, exclamation, explosion, fracas, frémissement, froissement, frôlement, frou-frou, galop, gargouillement, gazouillement, gazouillis, geignement, gémissement, glapissement, glouglou, gloussement, grabuge, grésillement, grincement, grognement, grondement, hoquet, huée, hurlement, insonorisation, jacasserie, jérémiade, lamentation, martèlement, mugissement, murmure, musique, nature, onomatopée, pas, pépiement, pet, pétarade, pétillement, piaillement, plainte, pleur, pollution, potin, protestation, raffut, râle, râlement, ressac, retentissement, ricanement, rire, ronflement, ronron, ronronnement, rot, roucoulement, roulement, rugissement, rumeur, sanglot, sifflement, son, sonnerie, sonnette, sonorité, souffle, soupir, tapage, timbre, tintamarre, tintement, tonnerre, toussotement, toux, trouble, tumulte, vacarme, vagissement, vent, vocifération, voix, vrombissement.

adj. affaibli, agaçant, aigu, ambiant, amorti, anormal, assourdis, assourdissant, atténué, bourdonnant, braillard, bref, bruyant, cadencé, confus, criard, crispant, curieux, détonant, diabolique, discordant, discret, drôle, éclatant, énervant, étouffant, étouffé, étourdissant, étrange, explosif, faible, fantastique, fatiguant, faux, formidable, fort, fracassant, frémissant, gênant, grave, harmonieux, imperceptible, incongru, indistinct,

infernal, inhabituel, inquiétant, insolite, intense, léger, lointain, lourd, mélodieux, menaçant, métallique, monstrueux, musculaire, mystérieux, nocturne, palpitant, pénible, perçant, persistant, perturbateur, plaintif, profond, prolongé, régulier, répété, respiratoire, retentissant, ronflant, saccadé, sec, singulier, sinistre, sonore, soudain, sourd, strident, tapageur, terrible, tonitruant, tumultueux, vague, violent.

v. SUJET : le bruit abasourdit, agace, s'apaise, assourdit, se calme, crispe, s'élève, s'éloigne, énerve, s'éteint, s'étend, étourdit, menace, se précise, se rapproche, se répercute, retentit, se tait ; COMPL. : aimer le bruit, craindre le bruit, détester le bruit, écouter le bruit, émettre un bruit, entendre un bruit, faire un bruit, lutter contre le bruit, percevoir un bruit, produire un bruit, se protéger du bruit, redouter le bruit, répandre le bruit, supporter le bruit ; AUTRES VERBES : babiller, battre, bourdonner, brailler, bruire, carillonner, chantonner, chuchoter, chuinter, clapoter, claquer, cliqueter, craquer, craqueter, crépiter, crier, crisser, détoner, éclater, entrechoquer, éructer, exploser, frapper, fredonner, froufrouter, gargouiller, gazouiller, geindre, gémir, glapir, grésiller, grincer, grogner, gronder, gueuler, huer, hurler, marmonner, marmotter, marteler, murmurer, pépier, pétarader, péter, pétiller, résonner, ronfler, ronronner, roter, roucouler, rouler, siffler, soupirer, susurrer, tambouriner, taper, tinter, tonner, vociférer, vrombir.

expressions

- *Bruit d'enfer :* bruit d'une très grande intensité.

- *Faire courir un bruit :* répandre une nouvelle ou une rumeur dans le public.

- *Faire grand bruit :* avoir un grand retentissement.

- *Faux bruit :* fausse nouvelle.

- *Loin du bruit :* loin de l'agitation du monde.

- *Sans bruit :* discrètement, doucement.

goût

n. acidité, âcreté, amertume, appétit, âpreté, arrière-goût, assaisonnement, avant-goût, beauté, bouche, bouquet, dégoût, délicatesse, détestable, douceur, écœurement, élégance, esthétique, fadeur, finesse, fumet, langue, luxuriant, moderne, palais, raffinement, rancissement, répugnance, répulsion, saveur, sens, succulence, valeur.

adj. acide, acidulé, âcre, agréable, aigre, aigre-doux, amer, appétissant, assaisonné, austère, bizarre, bon, citronné, classique, commun, coûteux, cultivé, dégoûtant, délectable, délicat, délicieux, désagréable, détestable, discret, douceâtre, douteux, doux, écœurant, épicé, excellent, exécrable, exquis, fade, fétide, fin, framboisé, grossier, gustatif, infect, insipide, irritant, mauvais, médiocre, moderne, modeste, naturel, nauséabond, parfait, personnel, pimenté, piquant, raffiné, ragoûtant, rance, ranci, relevé, répugnant, saumâtre, savoureux, suave, succulent, sucré, sur, vanillé, vif.

v. SUJET : le goût se cultive, se développe, se raffine ; COMPL. : développer le goût, flatter le goût, manquer de goût, relever le goût, tâter le goût ; AUTRES VERBES : adorer, aimer, dégoûter, déguster, goûter, répugner, savourer.

expressions..

• *Au goût du jour :* à la mode.
• *Des goûts et des couleurs on ne discute pas :* chacun est libre d'avoir ses goûts et ses opinions.
• *Mettre du goût à ce qu'on fait :* avoir de l'intérêt.
• *Tous les goûts sont dans la nature :* chacun ses goûts, il faut savoir tolérer la diversité des goûts.

odeur

n. aromate, arôme, bouquet, dégagement, désinfectant, désinfection, désodorisant, effluve, émanation, exhalaison, exhalation, flair, fragrance, fumet, haut-le-cœur, infection, intuition, narine, musc, nausée, nez, odorat, parfum, pestilence, poison, puante, puanteur, rancissement, sens, senteur, suavité, suffocation.

adj. acidulée, âcre, agréable, agressive, aigre, ambrée, amère, âpre, aromatique, bonne, cadavérique, capiteuse, chaude, corporelle, désagréable, désinfectante, désodorisante, discrète, douce, empestée, étouffante, exquise, fade, faible, fétide, fine, forte, fragrante, fraîche, horrible, infecte, infectée, inodore, insupportable, malodorante, mauvaise, moisie, musquée, nauséabonde, pénétrante, pesante, pestilentielle, piquante, poignante, poivrée, profonde, puissante, rance, rancie, saine, suave, subtile, sucrée, suffocante, sulfureuse, tenace, violente, vive.

v. SUJET : l'odeur excite, embaume, empeste, flotte, (s') imprègne, (se) répand ; COMPL. : dégager une odeur, éliminer une odeur, exhaler une odeur, flairer l'odeur, purifier une odeur, respirer une odeur, souffler une odeur, soupçonner une odeur ; AUTRES VERBES : aromatiser, assainir, désinfecter, désodoriser, parfumer, puer, sentir.

parfum

n. arôme, bouffée, bouquet, désodorisant, effluve, émanation, encens, épices, essence, flacon, fleur, fruit, lotion, menthe, menthol, nez, odeur, odorat, parfumerie, puanteur, relent, saveur, savon, senteur, soupçon, trace, vapeur, vaporisateur.

adj. acidulé, âcre, agréable, alcoolisé, appétissant, automnal, capiteux, citronné, concentré, délicat, désagréable, discret, doucereux, doux, écœurant, élaboré, enivrant, envahissant, envoûtant, épicé, estival, étouffant, fétide, floral, fort, fruité, infect, léger, lourd, mielleux, musclé, musqué, nauséabond, odorant, odoriférant, persistant, pestilentiel, poivré, printanier, puant, rafraîchissant, repoussant, sain, suave, sucré, subtil, tenace, tonifiant.

v. SUJET : un parfum assainit, attire, camoufle, désodorise, embaume, empeste, empuantit, s'évapore, exhale, flotte, se dégage, étouffe, incommode, imprègne, pue, se répand, repousse, sent ; COMPL. : s'asperger de parfum, choisir un parfum, humer un parfum, offrir un parfum, renifler un parfum, respirer un parfum, sentir un parfum, utiliser un parfum, vaporiser un parfum ; AUTRES VERBES : noyer, parfumer.

expression..

• *Être au parfum de quelque chose :* être informé de quelque chose.

sens

n. acuité, conscience, éveil, finesse, goût, illusion, impression, langue, main, narine, nerf, nez, odeur, odorat, œil (yeux), oreille, organe, ouïe, palais, perception, plaisir, sensation, sensibilité, sensualité, senteur, sentiment, tact, toucher, vision, voie, vue.

adj. artistique, commun, concret, délicat, esthétique, imperceptible, intelligible, palpable, perceptible, physique, subtil, tactile.

v. SUJET : les sens se développent ; COMPL. : affecter les sens, échauffer les sens, éveiller le sens, exciter le sens, percevoir le sens, reprendre ses sens ; AUTRES VERBES : sentir, ressentir.

silence

n. apaisement, aphasie, aphonie, arrêt, bâillon, bouche, bouderie, bruissement, cachotterie, calme, discrétion, dissimulation, fin, interruption, langue, mort, muet, muette, mutisme, mutité, paix, pause, quiétude, secret, son, tranquillité, voix.

adj. absolu, approbateur, boudeur, bouleversant, bref, calme, complet, constant, continu, continuel, court, coutumier, discret, écrasant, éloquent, épais,

épouvantable, éternel, étonnant, extraordinaire, farouche, gênant, glacial, grand, grave, habituel, horrible, hostile, immuable, imposant, incomparable, infini, inhabituel, ininterrompu, insonore, insoutenable, insupportable, interrogateur, long, lourd, lugubre, méprisant, morne, muet, muré, nocturne, obstiné, oppressant, ordinaire, paisible, parfait, pénible, périodique, permanent, perpétuel, pesant, profond, prolongé, prudent, quotidien, recueilli, redoutable, religieux, reposant, réticent, significatif, solennel, tacite, taciturne, terrible, terrifiant, total.

v. SUJET : le silence apaise, bouleverse, calme, enveloppe, s'établit, étonne, glace, s'impose, s'installe, méprise, oppresse, pèse, se prolonge, règne, terrifie, tombe ; COMPL. : faire silence, imposer le silence, interrompre le silence, s'isoler dans le silence, se murer dans le silence, observer le silence, se renfermer dans le silence, rompre le silence ; AUTRE VERBE : (se) taire.

expressions..

• *En silence :* sans faire de bruit.

• *Faire silence :* se taire.

• *Garder le silence sur quelque chose :* garder une chose secrète.

• *Marcher en silence :* marcher à pas feutrés.

• *Obéir en silence :* obéir sans se révolter.

• *Passer sous silence :* éviter volontairement de parler de quelque chose.

• *Réduire quelqu'un au silence :* empêcher quelqu'un de répliquer.

• *Rompre le silence :* donner signe de vie, donner de ses nouvelles.

• *Silence dans la salle :* formule employée pour faire taire les gens lorsque quelqu'un veut prendre la parole ou qu'un spectacle va commencer.

• *Silence, on tourne ! :* au cinéma, indique que tous doivent être prêts pour le tournage d'une scène.

• *Souffrir en silence :* endurer sans se plaindre.

son

n. acoustique, air, amplificateur, audition, baladeur, battement, bruit, cacophonie, chant, consonance, consonne, décibel, disque, durée, écho, émission, enregistrement, hauteur, haut-parleur, homophone, instrument, intensité, interférence, langue, mélodie, microphone, modulation, musique, note, onde, oreille, orthophonie, ouïe, parole, phonème, phonétique, phonologie, phonologue, porte-voix, prononciation, propagation, réflexion, réfraction, registre, répercussion, résonance, réverbération, rythme, sifflement, sonnerie, sonorisation, sonorité, timbre, ton, tonalité, ultrason, vibration, vocalise, voix, voyelle.

adj. abasourdissant, agréable, aigrelet, aigu, amorti, analogique, argentin, articulé, assourdi, assourdissant, audible, authentique, bas, bref, caverneux, clair, complexe, confus, creux, criard, cristallin, cuivré, délié, détonant, digital, discordant, distinct, doux, éclatant, éraillé, étouffé, étrange, étranglé, expressif, faible, faux, fermé, fin, fort, gras, grave, grêle, guttural, harmonieux, imperceptible, inarticulé, indistinct, juste, limpide, mélancolique, mélodieux, métallique, moelleux, mourant, musical, nasal, nasillard, net, ouvert, perçant, perceptible, plaintif, plein, prolongé, puissant, pur, rauque, répété, retentissant, sec, sifflant, simple, simultané, sourd, strident, ténu, tonitruant, triste.

v. SUJET : un son abasourdit, assourdit, éclate, étourdit, se répercute, répond, résonne, retentit, vibre ; COMPL. : amplifier un son, articuler un son, assourdir un son, écouter un son, émettre un son, enregistrer un son, entendre un son, étouffer un son, percevoir un son, produire un son, prononcer un son, rendre un son, renvoyer un son, tirer un son ; AUTRES VERBES : accorder, bruire, chanter,

enrouer, moduler, réverbérer, rythmer, siffler, sonner, sonoriser, tinter, vocaliser.

expressions

• *Au son de :* en écoutant, en suivant la musique.
• *Baisser le son :* réduire le son d'un poste de radio ou de télévision.
• *Ingénieur du son :* celui qui s'occupe de l'enregistrement ou de la prise du son.
• *Son de cloche :* opinion d'une ou de plusieurs personnes.
• *Spectacle son et lumière :* illumination d'un monument, d'un édifice pendant que se fait entendre une évocation sonore et musicale de son histoire.

toucher

n. attouchement, caresse, chatouille, chatouillement, choc, contact, corps, coup, doigt, effleurement, frôlement, frottement, grattage, heurt, main, maniement, manipulation, massage, masseur, palpe, peau, pétrissage, rudesse, rugosité, sens, sujet, tact, tamponnement, tâtonnement, texture.

adj. affectueux, agréable, agressant, agressif, aimable, chaleureux, chatouilleux, délicat, direct, doux, dur, ému, grossier, inaccessible, inexorable, inflexible, intense, léger, poli, raboteux, râpeux, rêche, rectal, rude, rugueux, sensible, sexuel, tangent, tangible, vaginal, vigoureux, violent.

v. SUJET : le toucher émeut, évalue, permet, plaît, séduit ; COMPL. : aimer le toucher, séduire par le toucher ; AUTRES VERBES : attraper, blesser, caresser, chatouiller, contacter, effleurer, flatter, fouetter, heurter, manier, manipuler, masser, palper, pétrir, tapoter, tâtonner, toucher, tripoter.

expression

• *Défense de toucher :* ne pas avoir le droit de toucher.

vue

n. aveuglement, clarté, contemplation, coup d'œil, daltonien, daltonisme, diaphragme, guet, guetteur, inspecteur, inspectrice, lentille, longue-vue, lorgnette, lorgnon, lucidité, lumière, lunette, microscope, myope, myopie, netteté, observation, oculiste, œil (yeux), organe, panorama, perception, presbyte, presbytie, regard, sensation, télescope, translucidité, transparence, trouble, vigilance, visibilité, vision.

adj. basse, belle, bonne, claire, courte, désinvolte, diaphane, distincte, étendue, faible, froide, hallucinante, inouïe, mauvaise, merveilleuse, nette, observatrice, oculaire, opaque, pâle, pénétrante, perçante, plongeante, précise, profonde, puissante, révisable, spectaculaire, splendide, sublime, trouble.

v. SUJET: la vue s'affaiblit, s'améliore, baisse, s'embrouille; COMPL.: s'abîmer la vue, détourner la vue, (se) fatiguer la vue, faciliter la vue, gêner la vue, troubler la vue; AUTRES VERBES: admirer, apercevoir, éblouir, entrevoir, obscurcir, observer, percevoir, regarder, revoir, surveiller, visualiser, voir.

expressions

- *À la vue de tous :* à la connaissance de tout le monde, ouvertement, en public.
- *À perte de vue :* horizon, au loin.
- *En mettre plein la vue à quelqu'un :* impressionner vivement quelqu'un.
- *Perdre la vue :* devenir aveugle.
- *Perdre quelqu'un de vue :* cesser d'entretenir des relations avec quelqu'un.
- *Se dérober à la vue de quelqu'un :* se cacher, se dissimuler.

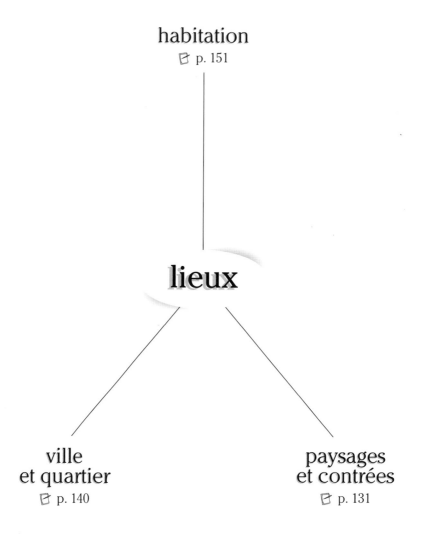

habitation
☞ p. 151

lieux

ville
et quartier
☞ p. 140

paysages
et contrées
☞ p. 131

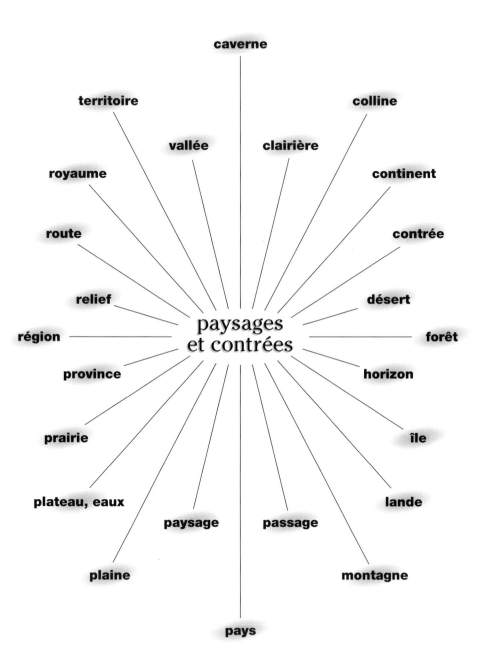

caverne

territoire

colline

vallée   clairière

royaume

continent

route

contrée

relief

désert

région

paysages et contrées

forêt

province

horizon

prairie

île

plateau, eaux

lande

paysage   passage

plaine

montagne

pays

caverne

n. abri, affaissement, âge, antre, calcaire, cascade, cavité, cloison, couche, dégradation, eau, éboulement, éboulis, écho, écroulement, ennui, faune, femme, fosse, grotte, homme, muraille, nappe, noirceur, orifice, paroi, préhistoire, puits, repaire, roc, roche, ruine, source, tanière, terrier, torrent, trou, vide.

adj. abandonnée, ancienne, creuse, effrayante, grande, habitée, humide, lugubre, naturelle, noire, nue, obscure, profonde, sale, secrète, sombre.

v. SUJET: une caverne avale, s'éboule, s'écroule, s'effondre; COMPL.: (s') abriter dans une caverne, entrer dans une caverne, explorer une caverne, se terrer dans une caverne.

clairière

n. arbre, bois, bord, bosquet, brèche, buisson, chemin, entrée, forêt, issue, orée, ouverture, passage, percée, piste, trouée.

adj. bordée, éclairée, dégarnie, éblouissante, ensoleillée, entourée, immense, isolée, plate, trouée.

v. SUJET: une clairière apparaît, se cache, s'étend, longe, surgit; COMPL.: chercher une clairière, déboucher sur une clairière, défricher une clairière, entrer dans une clairière.

colline

n. abîme, bord, bordure, bosse, butte, chalet, cime, corniche, côte, crête, descente, élévation, éminence, escarpement, faîte, falaise, flanc, forme, hauteur, mont, montagne, montée, monticule, penchant, pente, pied, relief, rivage, sable, sommet, surplomb, vallée, vallon, versant.

adj. abrupte, arrondie, basse, brisée, coupée, culminante, décorative, découpée, double, douce, ensorcelée, escarpée, grosse, haute, inégale, lisse,

ombragée, petite, principale, proéminente, sacrée.

v. SUJET: une colline s'arrondit, brise, coupe, découpe, domine, s'élève, émerge, ondule, pointe; COMPL.: descendre une colline, escalader une colline, gravir une colline, grimper une colline, grimper sur une colline, monter une colline.

continent

n. autochtone, capitale, carte, colonie, coutume, déportation, dialecte, empire, endroit, espace, état, étendue, exportateur, folklore, foyer, frontière, géographie, globe, gouvernement, guerre, habitant, habitante, immigration, immigré, immigrée, indigène, invasion, langage, latitude, lieu, littoral, loi, longitude, mœurs, monde, natif, nation, nature, occident, océan, orient partie, peuple, pôle, population, province, race, région, sol, terre, territoire, zone.

adj. accidenté, africain, américain, antarctique, arctique, aride, asiatique, austral, australien, boréal, chaud, désert, divisé, européen, froid, grand, humide, isolé, limité, océanien, occidental, oriental, petit, prospère, riche, septentrional, sous-développé, tempéré, vieux, voisine.

v. SUJET: le continent borde, dérive, englobe, longe, sépare; COMPL.: envahir un continent, retourner sur le continent.

contrée

n. abords, autochtone, bordure, carte, centre, cercle, coin, endroit, ennemi, ennemie, est, état, étendue, folklore, frontière, lieu, limite, nation, nord, occident, orient, ouest, parage, patrie, pays, peuple, produit, province, région, sud, territoire, terroir, voisin, zone.

adj. arctique, australe, boréale, déserte, fertile, florissante, folklorique, généreuse, géographique, hostile, isolée, menaçante, naturelle, occidentale, orientale pauvre, pittoresque, polaire, prospère, régionale, riante, riche, sablonneuse, sauvage, septentrionale, typique, verdoyante, vieillie, voisine.

v. SUJET: une contrée accueille, (se) divise, englobe, s'étend, (se) limite, longe, se perd; COMPL.: diviser une contrée, revenir dans sa contrée; AUTRES VERBES: gouverner, vivre.

désert

n. caravane, chaleur, chameau, climat, désolation, djellaba, dromadaire, dune, eau, est, glace, immensité, infertilité, isolation, lieu, mirage, néant, nomade, nord, oasis, occident, orient, ouest, pierre, plaine, plateau, point, rien, sable, silence, soif, solitude, stérilité, sud, vent, vide, zone.

adj. arctique, aride, austral, boréal, chaud, culturel, dépeuplé, désolé, écarté, froid, glacial, inexploré, inhabité, nordique, nu, perdu, polaire, rocheux, saharien, sauvage, sec, septentrional, stérile, tari, tempéré, tropical, vaste, vide.

v. SUJET: le désert atteint, avance, s'étend, recule; COMPL.: franchir le désert, fuir dans le désert, passer dans le désert, traverser le désert; AUTRE VERBE: déserter.

expressions..
- *Prêcher dans le désert:* parler sans être écouté.
- *Traversée du désert:* longue période d'isolement du pouvoir pour un politicien, un parti.

forêt

n. allée, aménagement, arbre, arbuste, bois, bord, bordure, bosquet, bûche, bûcheron, buisson, chemin, clairière, climat, conservation, coupe, défrichement, espace, feuille, fourré, incendie, limite, massif, mont, montagne, orée, plaine, plantation, raccourci, réserve, sapinière, sentier, terrain, trace.

adj. arctique, boisée, chevelue, clairsemée, déboisée, dense, drue, enchantée, épaisse, généreuse, hantée, impénétrable, luxuriante, nordique, pauvre, privée, profonde, sauvage, sombre, touffue, tropicale, vaste, vierge.

v. SUJET: la forêt avance, borde, (se) cache, (s') étend, recule, meurt; COMPL.: battre la forêt, boiser une forêt, déboiser une forêt, s'égarer dans une forêt, s'enfoncer dans la forêt, entrer dans la forêt, exploiter une forêt, occuper une forêt, planter une forêt, reboiser les forêts, se promener en forêt; AUTRES VERBES: bûcher, chasser, creuser, cueillir.

expression..
- *Les arbres cachent la forêt:* se dit des détails qui cachent l'essentiel.

horizon

n. arc, arc-en-ciel, centre, ciel, couleur, déclin, distance, écart, éloignement, étendue, fuite, intersection, ligne, limite, miroir, nuage, niveau, panorama, paysage, perspective, point, soleil, surface, tableau, tempête, terre, vision, vue.

adj. apparent, artificiel, embrumé, enflammé, insoupçonné, invisible, lointain, plane, plate, sensible, tangent, terrestre, vaporeux, visible.

v. SUJET: l'horizon blêmit, calme, s'éloigne, se ferme, fuit, s'ouvre, recule, sépare; COMPL.: contempler l'horizon, descendre sur l'horizon, dévoiler des horizons, disparaître à l'horizon, disparaître au-dessous de l'horizon, élargir ses horizons, embrasser l'horizon, s'étendre jusqu'à l'horizon, fixer l'horizon, interroger l'horizon, ouvrir des horizons, se pointer à l'horizon, regarder vers l'horizon, scruter l'horizon; AUTRES VERBES: (se) coucher, tirer une ligne.

expressions..
- *Changer d'horizon:* voir autre chose.
- *Voyager vers de nouveaux horizons;* voir autre chose.
- *Faire un tour d'horizon:* étudier toutes les questions.

île

n. archipel, atoll, baigneur, beauté, bloc, continent, corail, désert, eau, ensemble, étendue, forteresse, glace, grève, groupe, îlot, lac, lagon, littoral, mer, mont, montagne, mystère, océan, oiseau, palmier, plage, plateau, pont, roc, roche, terre, tourisme, touriste, ville, volcan.

adj. australe, balnéaire, boréale, côtière, déserte, élevée, émergée, exotique, flottante, fortifiée, grande, habitée, inhabitée, interdite, isolée, militaire, montagneuse, mystérieuse, nordique, occidentale, orientale, petite, peuplée, plate, privée, rocheuse, sacrée, septentrionale.

v. SUJET: l'île baigne, s'éloigne, émerge, s'engloutit, flotte, sépare ; COMPL. : habiter sur une île, visiter une île.

expression..
- *Une île engloutie :* se dit d'une réalité disparue.

lande

n. brousse, bruyère, champ, chemin, désert, friche, humus, jachère, maquis, pinède, plantation, plante, sable, savane, terre, végétation.

adj. bretonne, broussailleuse, couverte, désertique, fertile, germanique, isolée, pure, rase, sablonneuse, sauvage, sèche, solitaire, stérile.

v. SUJET: la lande cache, couvre, s'étend, recouvre ; COMPL. : cultiver la lande, se promener sur la lande.

montagne

n. abîme, accident, aiguille, alpinisme, altitude, arbre, attrait, avalanche, base, bosse, butte, caverne, chaîne, chalet, chaussure, cime, clairière, col, côte, crête, croupe, eau, éboulement, éboulis, élévation, éminence, érosion, escalade, escarpement, excursion, faîte, flanc, faune, flore, forêt, glace, glacier, gorge, gouffre, hauteur, lieu, mamelon, massif, mont, montée, monticule, neige, passage, penchant, pente, pic, pied, piton, plateau, pointe, précipice, promenade, randonnée, ravin, roche, rocher, ruisseau, sable, sol, sommet, soulèvement, terrain, vacance, vallée, versant, volcan.

adj. abrupte, alpine, ancienne, arrondie, conquise, désertique, douce, élevée, enneigée, érodée, escarpée, gigantesque, glacée, haute, isolée, petite, russe, sablonneuse, sacrée, usée, volcanique.

v. SUJET: la montagne apparaît, (se) cache, dissimule, domine, s'élève, gratte, offre, (se) pointe, revêt ; COMPL. : dévaler une montagne, escalader une montagne, gravir une montagne, habiter la montagne ; AUTRES VERBES : dynamiter, marcher.

expressions..
- *C'est la montagne qui accouche d'une souris :* se dit des résultats décevants, dérisoires d'une entreprise, d'un ambitieux projet.
- *Faire battre des montagnes :* être une source de discorde.
- *(Se) faire une montagne de quelque chose :* exagérer les difficultés, l'importance d'une chose.
- *Gros comme une montagne :* très gros, très volumineux.
- *Soulever des montagnes :* se jouer de grandes difficultés.

passage

n. action, allée, bible, bras, canal, caverne, chemin, chenal, clairière, conduit, corridor, cortège, couloir, déchirure, défilé, détroit, eau, écoulement, écritures, endroit, évangile, événement, extrait, franchissement, fuite, galerie, gorge, grotte, heure, intermédiaire, lieu, lieu, lunette, marchandise, obturation, ouverture, parade, passe, piste, porte, récit, route, rue, ruelle, servitude, trace, transition, traversée, trouée, tunnel, voyage.

adj. bloqué, bouché, brusque, connu, couvert, dangereux, délicat, difficile, éphémère, étranglé, étroit, féérique, fermé, franchissable, fréquenté, gardé, inférieur, interdit, majestueux, ménagé, navigable, obligé, obstrué, ouvert, protégé, provisoire, réservé, risqué, secret, souterrain, supérieur, sûr.

v. SUJET: le passage s'élargit, rétrécit; **COMPL.:** attendre le passage, autoriser le passage, barrer le passage, bloquer le passage, céder le passage, déboucher sur un passage, découvrir un passage, dégager le passage, devoir son passage, emprunter un passage, éviter un passage, extraire un passage, se frayer un passage, garder un passage, livrer passage, obstruer un passage, ouvrir un passage, payer son passage, permettre le passage, traverser un passage, trouver le passage.

expressions................................

- *Passage à tabac:* volée de coups, correction.
- *Passage à vide:* perte de dynamisme, d'efficacité.

pays

n. armée, autochtone, bourgeois, bourgeoise, campagne, canton, capitale, carte, circonscription, coin, collectivité, colonie, commune, comté, coutume, déportation, dialecte, dictateur, dictatrice, district, division, domination, élection, empire, endroit, est, espace, état, étendue, exportateur, exportation, folklore, foyer, frontière, gouvernement, gouverneur, gouverneure, guerre, habitant, habitante, habitude, immigration, immigré, immigrée, importation, indigène, langage, lieu, limite, littoral, loi, ministre, mœurs, monde, natif, nation, nord, occident, orient, origine, ouest, partage, patelin, patois, patrie, peuple, population, port, province, race, reine, régime, région, république, roi, royaume, sénat, sol, sud, territoire, terroir, tradition, trou, tyran, zone.

adj. accidenté, administré, agricole, arctique, aride, austral, autonome, barbare, beau, boréal, chaud, civilisé, colonial,

conquis, décentralisée, désert, développé, divisé, envahi, étranger, fabuleux, froid, frontalier, géographique, grand, habité, hostile, humide, industriel, isolé, légal, mystique, natal, nordique, nouveau, occidental, occupé, oriental, pauvre, perdu, petit, pittoresque, polaire, pourri, prospère, riche, sale, septentrional, sous-développé, souverain, tempéré, totalitaire, uni, vieux, voisin.

v. SUJET: le pays accueille, s'allie, borde, (se) défend, englobe, exporte, importe, (se) joint, longe, produit, reçoit, (se) sépare; **COMPL.:** s'acclimater à un pays, administrer un pays, battre le pays, battre un pays, conquérir un pays, courir le pays, diviser un pays, émigrer d'un pays, entrer dans un pays, gouverner un pays, immigrer dans un pays, livrer son pays, mourir pour son pays, rentrer au pays, sauver son pays, vivre en son pays; **AUTRES VERBES:** bannir, déporter.

expressions................................

- *Nul n'est prophète en son pays:* il est plus difficile d'être cru de ses proches que des étrangers.
- *Être en pays de connaissance:* être dans un endroit familier.
- *Battre le pays:* parcourir beaucoup de lieux différents dans un esprit de recherche et d'exploration.
- *Voir du pays:* voyager.
- *Faire voir du pays à quelqu'un:* faire voir beaucoup de choses à quelqu'un.

paysage

n. arbre, aspect, bosquet, bruyère, campagne, chute, construction, contrée, décor, étendue, fabrique, forêt, grève, horizon, lac, lisière, lumière, mer, mont, montagne, nature, océan, ombrage, partie, pays, plan, rive, rocher, scène, site, situation, tableau, terrain, terre, toile, verdure, vue.

adj. abstrait, beau, blafard, brumeux, champêtre, charmant, éclairé, économique, étrange, exotique, exquis, féérique, grand, historique, immense, impressionnable, ingrat, inondé, magnifique, majestueux, méditerranéen, monotone, ordonné, peint, pittoresque, plat, politique, social, sublime, triste, uniforme, urbain, vivant, voilée.

v. SUJET: le paysage cache, embrasse, s'étend; COMPL.: aplanir un paysage, estomper un paysage, niveler un paysage, peindre un paysage.

expression..

• *Faire bien dans le paysage:* faire un bon effet, une bonne impression.

plaine

n. aire, bassin, champ, clairière, colline, culture, dépression, érosion, esplanade, étendue, fleuve, fond, forêt, horizon, lac, mer, milieu, mont, montagne, niveau, pays, plateau, surface, talus, terrasse, vent, verdure.

adj. accidentée, basse, blanche, boisée, bosselée, brûlée, caillouteuse, côtière, couverte, cultivée, découverte, désertique, détrempée, élevée, entourée, fertile, fraîche, glacée, haute, horizontale, immense, inondée, ondulée, onduleuse, plate, rase, rasement, unie, vaste, verte.

v. SUJET: la plaine apparaît, domine, s'étend; COMPL.: cultiver une plaine, traverser la plaine.

expression..

• *Battre la plaine:* parcourir la plaine, explorer la plaine.

plateau, eaux

n. aire, aplanissement, arbre, belvédère, bord, calcaire, désert, escarpement, esplanade, étendue, gouffre, lave, montagne, nappe, niveau, panorama, pic, plaine, plate-forme, secousse, surface, talus, terrasse, volcan, vue.

adj. continental, culminant, désertique, dominant, éventé, haut, plat, solitaire, volcanique.

v. SUJET: le plateau domine, uni, s'élève; COMPL.: atteindre un plateau.

prairie

n. agriculture, animal, arrosage, bestiaux, bétail, blé, campagnard, campagnarde, campagne, champ, chien, colline, culture, élevage, enclos, exploitation, fauchage, ferme, fermier, fermière, fleur, grange, herbage, herbe, irrigation, labourer, lande, lopin, mont, montagne, pâturage, pâture, paysage, paysan, paysanne, plaine, plante, pré, propriété, racine, ranch, récolte, région, savane, sol, tribu, surface, terre, troupeau, végétation, verdure, village.

adj. agricole, artificielle, belle, champêtre, couverte, défrichée, domaine, émaillée, ensemencée, fraîche, grande, naturelle, parée, permanente, rase, riche, rustique, spontanée, temporaire, tropicale, vaste, verte.

v. SUJET: la prairie s'allonge, borde, détruit, s'étend, longe, produit; COMPL.: brouter dans la prairie, labourer une prairie, paître dans la prairie.

province

n. autochtone, bourgeois, bourgeoise, canton, capitale, carte, circonscription, coin, colonie, comté, coutume, dialecte, district, division, domination, empire, endroit, espace, état, étendue, folklore, frontière, gouvernement, gouverneur, immigration, immigré, lieu, limite, loi, magistrat, métropole, nation, noble, partage, partie, patois, patrie, pays, peuple, régime, région, république, royaume, rue, sénat, territoire, terroir, tradition, vie, voisin, zone.

adj. australe, achetée, administrée, autonome, coloniale, conquise, décentralisée, divisée, folklorique, française, frontalière, géographique, hostile, isolée, militaire, occidentale, orientale, pittoresque, prospère, souverain, territoriale, unie, urbaine, voisine.

v. SUJET: la province accueille, borde, (se) défend, englobe, exporte, importe, (se) joint, longe, reçoit, (se) sépare; **COMPL.:** administrer une province, conquérir une province, diviser une province, gouverner une province, immigrer dans une province, (s') installer en province, prendre une province, supprimer une province, vivre en province.

expressions ....
- *Il est très province:* se dit de quelqu'un de provincial, d'un peu gauche.
- *Cela fait province:* se dit de quelque chose de provincial, qui n'est pas à la mode de la capitale, de la ville.

région

n. autochtone, bande, bassin, bord, canton, carte, cercle, ciel, circonscription, climat, colonie, commandant, commandante, commerce, conseil, continent, contrée, contrôle, côté, couche, courbe, découpage, département, district, division, électorat, empire, endroit, ensemble, espace, est, état, étendue, exportation, général, globe, gouvernement, groupement, horizon, importation, langue, lieu, massif, monde, navigation, nomade, nord, occident, orient, ouest, partage, partie, patrie, pays, plan, population, préfet, producteur, productrice, province, république, royaume, sédentaire, sud territoire, vacance, village, ville, voisin, volume, zodiaque, zone.

adj. administrative, aérienne, agricole, antérieure, arctique, australe, basse, boréale, cadastre, clairsemée, climatique, coloniale, commerciale, continentale, cultivée, dangereuse, dense, désolée, déterminée, dominante, économique, étendue, fédérale, géographique, grande, haute, historique, insulaire, lumineuse, maritime, militaire, moyenne, naturelle, nordique, occidentale, orientale, petite, polaire, productive, sauvage, séparatiste, septentrionale, sinistrée, tempérée, territoriale, tropicale, urbaine, vaste.

v. SUJET: la région borde, englobe, s'étend, exporte, importe, produit; **COMPL.:** parcourir une région, sillonner une région.

relief

n. altitude, apparence, arc, arrangement, aspect, bosse, calcaire, carte, changement, climat, contour, contraste, courbe, dépression, élément, figuration, figure, fond, forme, ligne, massif, mont, montagne, moule, niveau, opposition, partie, perception, pic, pierre, plaine, plan, plateau, proéminence, profil, profondeur, proportion, référence, géographie, reste, rondeur, saillie, sculpture, silhouette, splendeur, surface, vallée, variation, vigueur, volume, zone.

adj. accidenté, apparent, bosselé, circulaire, conforme, décoratif, faible, gros, harmonieux, monotone, orné, proportionné, régulier, sculpté, sous-marin, tourmenté, vigoureux.

v. SUJET: le relief (s') accentue, s'affaisse; **COMPL.:** accuser un relief, présenter un relief, se détacher en relief, prendre du relief; **AUTRE VERBE:** relever.

expressions ....
- *Donner du relief:* accentuer, faire ressortir.
- *Mettre en relief:* mettre en évidence.

route

n. accident, allée, aménagement, artère, asphalte, autoroute, avenue, balayeur, balayeuse, banquette, bas-côté, bifurcation, bordure, borne, boulevard, camion, carrefour, chaussée, chemin, circulation, communication, construction, coureur, coureuse, croisée, croisement, cul-de-sac, détour, déviation, direction, domaine, écart, embouteillage, embranchement, entretien, fossé, goudron, impasse, indication, itinéraire, jonction, kilomètre, lacet, ligne, macadam, montagne, moyen, palier, panneau, parade, parcours, passage, patte, pavé, péage, pente, pilote, place, point, police, poste, poteau, promenade, rencontre, réseau, rond-point, rue, ruelle, sentier, servitude, signalisation, suivi, tournant, trace, tracé, trajet, transport, trottoir, ville, virage, voie, voirie.

adj. accidentée, agricole, ancienne, aplanie, âpre, bonne, bordée, carrossable, composée, corrigée, courte, cyclable, défoncée, détournée, difficile, droite, enneigée, entretenue, étroite, fréquentée, impériale, impraticable, large, maritime, mauvaise, meurtrière, militaire, nationale, pavée, principale, publique, royale, sauvage, terrestre, verglacée, vieille, vraie.

v. SUJET : la route aboutit, s'aligne, s'allonge, arpente, (s') arrête, bifurque, borde, conduit, contourne, croise, débouche, dévie, enjambe, longe, mène, (s') ouvre, pénètre, (se) poursuit, suit, se termine, tourne, traverse ; COMPL. : arpenter une route, chercher sa route, construire une route, couper une route, croiser une route, paver une route, prendre la route, suivre la route, traverser une route ; AUTRES VERBES : conduire, courir, marcher, piloter.

expressions......................................

- *Barrer la route à quelqu'un :* l'empêcher de passer.

- *En cours de route :* pendant une opération.

- *Faire de la route :* rouler beaucoup sur les routes.

- *Faire fausse route :* se tromper dans les moyens à employer pour parvenir à ses fins.

- *Faire la route :* partir à l'aventure.

- *Faire route :* se diriger vers une destination.

- *La route est toute tracée :* la conduite à tenir s'impose d'elle-même.

- *Mettre en route :* mettre en marche un moteur, une machine.

- *Tailler la route :* partir.

- *Tenir bien, mal la route :* se dit d'un véhicule qui suit bien, mal l'axe de la route.

- *Tenir la route :* être réalisable.

royaume

n. aire, aristocrate, armée, baron, baronne, bassin, bastion, canton, capitale, château, chevalier, citadelle, colonie, communauté, comte, comté, comtesse, contrée, couronne, dame, dauphin, dauphine, déesse, dieu, division, domaine, domination, duc, duchesse, empereur, empire, endroit, enfer, espace, état, fidèle, garde, gouvernement, héritier, héritière, idole, impératrice, lieu, maître, maîtresse, majesté, majordome, manoir, marquis, marquise, monarchie, monarque, monde, mort, mousquetaire, muraille, noble, page, palace, palais, paradis, partie, pays, peuple, prince, princesse, principauté, province, régence, région, règne, reine, rempart, république, roi, seigneur, sieur, souverain, souveraine, terre, territoire, trône, tsar, valet.

adj. dévasté, gouverné, idéal, spirituel, supérieur.

v. SUJET : le royaume impose, s'oppose ; COMPL. : conquérir un royaume, dévaster un royaume, pacifier un royaume, ravager un royaume, reconquérir un royaume ; AUTRE VERBE : régenter.

expressions......................................

- *Aller au royaume des taupes :* mourir.
- *Le royaume des morts :* les Enfers.

territoire

n. accès, activité, arrondissement, autochtone, autorité, bassin, canton, cercle, circonscription, collectivité, colonie, commune, comté, conquête, constitution, continent, contrée, décentralisation, défense, démarcation, département, district, division, domaine, empire, endroit, ennemi, ennemie, espace, est, état, étendue, évacuation, frontière, gouvernement, groupe, habitant, habitante, humain, juridiction, langue, libérateur, libératrice, lieu, ligne, limite, monde, nation, nord, occident, occupation, orient, ouest, pays, plan, politique, portion, préfecture, principauté, province, race, région, république, réserve, royaume, sécurité, souveraineté, sud, surface, surveillance, troupe, tutelle, village, ville, zone.

adj. abandonné, agricole, austral, boréal, colonial, conquis, continental, défendu, dépendant, désertique, économique, enclavé, géographique, géré, grand, habitable, hostile, inconnu, indépendant, industriel, interdit, limité, localisé, menacé, nationale, naturel, nouveau, occidental, oriental, permanent, politique, public, septentrional, sinistré, terrestre.

v. SUJET: un territoire dépend, englobe, produit, rejoint, renferme, unit; COMPL. : conquérir un territoire, défendre un territoire, protéger son territoire, reconquérir un territoire.

expressions..................................

• *Délimiter son territoire :* imposer des limites.
• *Ne pas céder un pouce de son territoire :* n'accepter aucun compromis.

vallée

n. aval, brouillard, colline, cours, creusement, dépression, direction, eau, érosion, espace, fond, gorge, goulet, horizon, méandre, mont, montagne, nature, partie, plaine, pente, pic, ravin, resserrement, ruisseau, vallon, versant, zone.

adj. allongée, boisée, couverte, creusée, cultivée, élevée, emboîtée, encaissée, étroite, évasée, glaciaire, haute, inférieure, jeune, large, naturelle, perchée, petite, principale, profonde, régulière, rocheuse, sauvage, sèche, solitaire, sousmarine, supérieure, suspendue, transversale, tributaire.

v. SUJET: la vallée s'étend, parcourt, rejoint; COMPL. : descendre dans la vallée, traverser une vallée.

expression..................................

• *Vallée de larmes, de misère :* le monde terrestre par opposition au monde céleste.

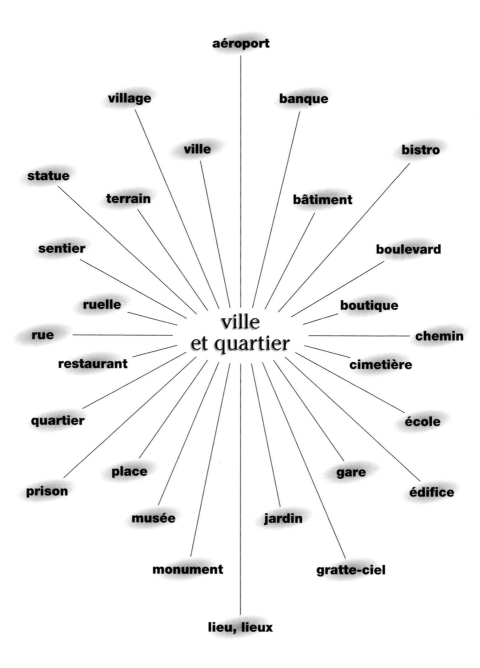

aéroport

village
banque

ville

bistro

statue

terrain
bâtiment

sentier

boulevard

ruelle
boutique

rue
chemin

restaurant
cimetière

**ville
et quartier**

quartier
école

prison
place
gare
édifice

musée
jardin

monument
gratte-ciel

lieu, lieux

aéroport

n. aérodrome, aérogare, aéronautique, aéronef, aile, air, appareil, arrivée, atterrissage, aviateur, aviation, aviatrice, avion, avion-cargo, avion-citerne, avion-école, avionnerie, bagage, bagagiste, bâtiment, bureau, cabine, champ, charter (angl.), commandant, commandante, commande, commandement, commerciale, compagnie, construction, contrôleur, contrôleuse, copilote, courrier, débarquement, départ, douane, douanier, embarquement, endroit, entretien, envol, équipage, escale, flotte, flottille, fret, hangar, hélice, hélicoptère, industrie, jet, marchandise, moteur, moyen, navette, navigation, outremer, passerelle, personnel, pilotage, pilote, piste, planeur, porte-avions, restaurant, salle d'attente, sol, son, soute, tourisme, touriste, trafic, transit, transport, usine, vitesse, vol, voyageur, voyageuse, zone.

adj. accessible, américain, canadien, civil, commercial, consigné, étendu, grand, international, local, lourd, moderne, nouveau (nouvel), petit, privé, régional, réservé, touristique, vieux (vieil).

v. COMPL. : aller à l'aéroport, arriver à l'aéroport, attendre à l'aéroport, conduire à l'aéroport, décoller de l'aéroport, descendre à l'aéroport, s'envoler de l'aéroport, se poser à l'aéroport, partir de l'aéroport, transiter à l'aéroport, voler de l'aéroport, voyager de l'aéroport ; AUTRES VERBES : atterrir, piloter.

banque

n. argent, baisse, banquier, banquière, billet, bordereau, bourse, boursier, boursière, caisse, caissier, caissière, capital, capitalisme, capitaliste, carnet, change, chèque, client, coffre-fort, commerce, commission, compagnie, compte, coupure, courtier, courtière, couverture, créancier, créancière, crédit, déficit, dépôt, dette, devise, échéancier, économie, édifice, employé, employée, entreprise, escompte, établissement, fermeture, filiale, finance, financement, financier, fonds, gérant, gérante, guichet, hausse, heure, horaire, hypothèque, industrie, intérêt, investissement, jeu, liquidation, liste, marché, monnaie, montant, opération, ouverture, paiement, personnel, placement, prêt, prime, recouvrement, retrait, ristourne, spéculateur, spéculation, succursale, terme, titre, transfert, valeur.

adj. centrale, commerciale, commune, contrôlée, existante, fermée, financière, grande, importante, industrielle, luxueuse, moderne, ouverte, privée, publique, spéculative, universelle.

v. SUJET : la banque appartient, contrôle, facilite, ferme, finance, gère, ouvre, place, prête, reçoit, remet, traite, transfère ; COMPL. : aller à la banque, déposer à la banque, se diriger vers la banque, emprunter à la banque, escompter à la banque, investir à la banque, obtenir à la banque, payer à la banque, retirer de la banque, sortir de la banque, spéculer à la banque, tenir une banque ; AUTRES VERBES : changer, économiser, effectuer, perdre.

bâtiment

n. abri, animal, apparence, architecte, architecture, bateau, bâtisse, bâtisseur, bâtisseuse, bois, brique, charpente, charpentier, charpentière, chose, construction, création, destruction, dimension, école, édification, édifice, église, élévation, entrepreneur, entrepreneuse, entreprise, étage, extérieur, façade, ferme, fondation, hôpital, hôtel, immeuble, intérieur, maison, menuisier, menuisière, métier, navire, ornement, ouvrier, ouvrière, partie, peintre, pierre, plan, plâtrier, plâtrière, plombier, plombière, résidence, serrurier, situation, temple, tour, vaisseau, voûte.

adj. ancestral, ancien, bancaire, carré, circulaire, commencé, commercial, couvert, endommagé, énorme, grand, haut, immense, immobilier, imposant, magnifique, médical, neuf, principal, privé, public, rectangulaire, secondaire, solide, sombre, terminé, triste, vaste, vieux.

v. SUJET: le bâtiment rapporte ; COMPL. : aller au bâtiment, bâtir un bâtiment, construire un bâtiment, défaire un bâtiment, édifier un bâtiment, élever un bâtiment, entreprendre un bâtiment, faire un bâtiment, finir un bâtiment, loger dans un bâtiment, peindre un bâtiment, peinturer un bâtiment, reconstruire un bâtiment, réparer un bâtiment, travailler dans un bâtiment.

expression..

• *Quand le bâtiment va, tout va :* dans les affaires, si la base est solide, tout va bien.

bistro

n. alcool, atmosphère, bar, bière, boisson, bouteille, brasserie, breuvage, cabaret, café, casse-croûte (snack-bar), chaise, client, cocktail (angl.), eau-de-vie, employé, employée, endroit, établissement, lait, patron, propriétaire, pub, restaurant, table, taverne, tenancier, thé, tisane, verre, vin.

adj. agréable, amical, chaleureux, coquet, déplaisant, extérieur, grand, intérieur, joli, ordinaire, petit, privé, public, spécial, sympathique, varié.

v. SUJET: le bistro appartient, présente, sert ; COMPL. : acheter un bistro, aller au bistro, boire au bistro, danser au bistro, discuter au bistro, se divertir au bistro, flirter au bistro, parler dans un bistro, snober un bistro, tenir un bistro, vendre au bistro.

boulevard

n. accès, agglomération, allée, arbre, artère, asphalte, autobus, automobile, automobiliste, autoroute, avenue, axe, bicyclette, bifurcation, bordure, bout, camion, carrefour, chaussée, chemin, circulation, couloir, courbe, croisée, cul-de-sac, déneigement, détour, dos-d'âne, élargissement, embranchement, endroit, entrée, entretien, feu (de circulation), fourche, goudron, habitation, impasse, intersection, jonction, maison, nid-de-poule, parc, parcours, passage, pavé,

périphérique, piéton, piste (cyclable), réparation, rétrécissement, rond-point, route, sentier, tournant, trajet, trottoir, urbanisation, urbanisme, urbaniste, ville, virage, voie, voirie.

adj. beau, boisé, bordé, carrossable, entretenu, grand, important, large, occupé, planté, principal.

v. SUJET: le boulevard traverse ; COMPL. : accélérer sur le boulevard, circuler sur le boulevard, conduire sur le boulevard, fermer le boulevard, parcourir le boulevard, parvenir au boulevard, passer sur le boulevard, prendre le boulevard, rouler sur le boulevard, suivre le boulevard.

boutique

n. achat, acheteur, acheteuse, actionnaire, affaire, aliment, antiquaire, antiquité, artisan, artisane, atelier, autorisation, bail, bazar, boutiquier, boutiquière, brocante, brocanteur, brocanteuse, cadeau, caissier, chaussure, client, cliente, clientèle, commerçant, commerçante, commerce, commis, détaillant, détaillante, économie, endroit, entreprise, étalage, étalagiste, éventaire, exportation, fournisseur, fournisseuse, grossiste, importation, licence, local, location, loyer, magasin, marchand, marchande, marchandage, marchandeur, marchandeuse, marchandise, marché, patron, patronne, permission, promotion, propriétaire, publicité, qualité, réclame, réduction, vendeur, vendeuse, vente, vêtement, vitrine.

adj. accueillante, affairée, alimentaire, ancienne, antique, basse, belle, bonne, commerciale, dispendieuse, éclairée, économique, encombrée, exportée, financière, fine, froide, importée, internationale, laide, locale, longue, louche, marchande, mauvaise, mondiale, noire, obscure, occupée, organisée, personnelle, petite, profonde, promotionnelle, publique, rangée, récente, sale, superbe, ténébreuse, vieille.

v. SUJET: la boutique étale, montre, offre ; COMPL. : acheter à la boutique, aller à la boutique, brocanter dans une boutique, exposer à la boutique, magasiner dans une boutique, marchander dans une boutique ; AUTRES VERBES : emballer, étaler, ranger, réduire, vendre.

chemin

n. accotement, acheminement, adresse, affaissement, allée, avenue, berme, boulevard, campagne, carrefour, chaussée, cheminement, circulation, courbe, cul-de-sac, danger, direction, distance, encombrement, fossé, fourche, impasse, intersection, itinéraire, lanterne, marche, marcheur, orientation, ornière, parcours, passage, passant, passante, passerelle, piéton, piétonne, piste, précipice, promenade, randonnée, rang, rond-point, route, rue, ruelle, sentier, sillon, trace, trajet, trottoir, voie.

adj. accidenté, achalandé, aménagé, asphalté, boueux, caillouteux, carrossable, court, dangereux, déblayé, désert, difficile, dissimuler, droit, éclairé, encombré, enneigé, entretenu, étroit, goudronné, impraticable, inondé, large, mauvais, passant, pavé, pierreux, praticable, raboteux, rectiligne, rocailleux, rural, sablonneux, sans issue, sinueux, tortueux, tracé.

v. SUJET : un chemin s'affaisse, bifurque, conduit, débouche, longe, mène, ondule, passe, se ramifie, serpente, sillonne, traverse ; COMPL. : barrer le chemin, continuer son chemin, déblayer un chemin, dégager le chemin, élargir un chemin, emprunter un chemin, encombrer un chemin, entretenir un chemin, se frayer un chemin, goudronner un chemin, longer un chemin, ouvrir un chemin, parcourir un chemin, prendre un chemin, remblayer un chemin, reprendre le chemin, suivre un chemin, tracer un chemin, traverser le chemin ; AUTRES VERBES : acheminer, cheminer, circuler, conduire, marcher, passer, trotter, vagabonder.

expressions.....................................
- *Chemin faisant, en chemin :* pendant le trajet.
- *Ne pas y aller par quatre chemins :* aller droit au but, agir sans détour.
- *Faire son chemin dans la vie :* réussir.
- *Rebrousser chemin :* revenir sur ses pas.
- *Tous les chemins mènent à Rome :* il est possible d'arriver au même résultat pas des moyens différents.

cimetière

n. adieu, affliction, agonie, ancêtre, anéantissement, cadavre, calme, catacombe, caveau, cendre, cercueil, cérémonie, chagrin, consolation, corbillard, coroner, corps, cortège, crémation, crématorium, croix, croque-mort, crucifix, crypte, décès, déchirement, défunt, délivrance, dépouille, dépression, désolation, déterrement, deuil, douleur, drame, embaumeur, embaumeuse, emplacement, enterrement, entrepreneur, épitaphe, fantôme, fin, fleur, fosse, fossoyeur, fossoyeuse, fourgon, funérailles, incinération, inscription, lamentation, larme, malheur, mausolée, mémoire, momie, monument, morgue, mort, nécrologie, nostalgie, oraison, ossements, ossuaire, peine, pierre tombale, pompes funèbres, profanation, réconfort, repos, revenant, sépulture, service funèbre, silence, terrain, terre, testament, tombe, tombeau, trépas, tristesse, urne.

adj. austère, calme, catholique, déchirant, désert, désolé, funèbre, imposant, juif, lugubre, macabre, morne, nostalgique, ombragé, paisible, paysager, pénible, protestant, retiré, sinistre, tranquille, triste.

v. SUJET : un cimetière attriste ; COMPL. : fleurir un cimetière, profaner un cimetière, refleurir un cimetière ; AUTRES VERBES : affliger, affronter, agoniser, attrister, consoler, creuser, déterrer, ensevelir, enterrer, errer, exhumer, gésir, incinérer, mourir, peiner, périr, pleurer, porter, prier, se recueillir, trépasser.

école

n. absence, absentéisme, académie, accès, admission, adolescence, adolescent, adolescente, affiche, alphabétisation, ami, apprentissage, assiduité, autobus, autorité, bibliothèque, bulletin, bureau, cafétéria, cahier, calcul, camarade, cancre, cantine, cartable, carte, casier, certificat, chiffre, chouchou, classe, cloche, collège, comité, commissaire, commission scolaire, compas, concierge, congé, conseiller, conseillère, conservatoire, copain, copine, correction, corridor, couloir, cour, cours, craie, crayon, croissance, culture, décrochage, décrocheur, décrocheuse, devoir, dictée, diplôme, directeur, directrice, direction, discipline, doctorat, document, douance, échec, écolier, écolière, écriture, éducation, élève, enfance, enfant, enseignant, enseignante, enseignement, entrée, épreuve, équipe, escalier, établissement, étape, étude, étudiant, évaluation, examen, exercice, externe, fournitures, garderie, génie, géographie, gomme à effacer, gymnase, histoire, infirmier, infirmière, informatique, innovation, instituteur, institutrice, institution, instruction, interne, laboratoire, langue, laxisme, lecture, livre, lycée, lycéen, lycéenne, maître, maîtresse, manuel, maternelle, mathématique, matière, note, ordinateur, orthophoniste, orthographe, papier, parent, pédagogie, pédagogue, pensionnaire, pensionnat, plagiat, plume, ponctualité, prématernelle, prix, professeur, professeure, professorat, programme, projet, punition, pupitre, question, rang, rattrapage, récréation, recteur, rectrice, récupération, réforme, règle, règlement, relâche, rendement, renommée, renvoi, réponse, résultat, retenue, réussite, sanction, science, scolarisation, scolarité, secrétaire, secrétariat, semaine, semestre, session, sévérité, sortie, stylo, succès, tableau, test, transport, travail, trimestre, trousse, uniforme, université, vacances, valeur.

adj. accueillante, agréable, alternative, attirante, austère, bonne, buissonnière, classique, commerciale, confessionnelle, cosmopolite, créative, éducative, ennuyeuse, enrichissante, éprouvante, formatrice, grande, gratuite, innovatrice, intéressante, internationale, invitante, laïque, libre, linguistique, littéraire, maternelle, mauvaise, mixte, moderne, multiculturelle, nationale, normale, obligatoire, organisée, originale, petite, primaire, privée, professionnelle, publique, religieuse, renommée, réputée, scientifique, secondaire, sévère, sportive, stimulante, subventionnée, surpeuplée, traditionnelle, unique.

v. SUJET : l'école apprend à, cultive, éduque, épanouit, forme, instruit, ouvre ; **COMPL. :** s'absenter de l'école, aller à l'école, entrer à l'école, fréquenter l'école, ouvrir une école, quitter l'école, retourner à l'école ; **AUTRES VERBES :** aider, apprendre, calculer, comprendre, décrocher, écrire, encourager, enseigner, étudier, exercer, expérimenter, expliquer, guider, s'inscrire, interroger, s'instruire, lire, participer, pratiquer, professer, questionner, récompenser, rédiger, travailler.

expressions..

- *Être de la vieille école :* être conservateur dans sa façon d'agir ou de penser.
- *Faire école :* avoir des adeptes, des disciples.
- *Faire l'école buissonnière :* flâner, se promener plutôt que d'aller en classe.

édifice

n. bâtiment, bâtisse, collège, construction, école, édification, église, élévation, érection, habitation, hauteur, hôpital, hôtel, immeuble, manufacture, prison, structure, tour, valeur.

adj. architectural, commercial, complexe, grand, haut, immense, important, imposant, moderne, privé, public, religieux, résidentiel, surmonté, ultramoderne, vaste.

v. SUJET : l'édifice s'écroule, s'effondre, s'intègre ; **COMPL. :** bâtir un édifice, construire un édifice, décrire un édifice, démolir un édifice, détruire un édifice, élever un édifice, ériger un édifice, inaugurer un édifice ; **AUTRE VERBE :** édifier.

gare

n. agent, aiguilleur, aller, arrêt, arrivée, autobus, avance, bagage, bateau, bâtiment, billet, billetterie, bruit, chariot, chemin, chemin de fer, cheminée, cheminot, conducteur, conductrice, consigne, convoi, couchette, couloir, débarcadère, débarquement, départ, déraillement, destination, embarcadère, embarquement, employé, employée, enregistrement, file, fourgon, guichet, halte, horaire, installation, jonction, ligne, locomotive, marchandise, métro, monorail, passager, passagère, passe, personnel, poinçon, porte, porte-bagages, quai, rail, retard, retour, salle, service, sifflet, signal, silence, sonnerie, station, terminus, train, transport, vacancier, vacancière, vacarme, vitesse, voie, voyage, voyageur, voyageuse, wagon.

adj. ancienne, bondée, centrale, chaleureuse, démodée, désuète, ferrovière, grande, moderne, occupée, peuplée, rapide, récente, routière, vide, vieille, vieillotte.

v. AUTRES VERBES: attendre, déposer, descendre, faire, manquer, monter, partir, prendre, voyager, (se) garer.

gratte-ciel

n. administration, appartement, architecte, architecture, ascenseur, balcon, bâtiment, bâtisse, béton, boulevard, bureau, centre-ville, charpente, cité, colonne, commerce, commune, complexe, concentration, construction, contrefort, édifice, élévation, endroit, entreprise, étage, façade, fenêtre, galerie, gardien, gardienne, habitation, hauteur, hébergement, immeuble, loyer, lumière, métropole, miroir, municipalité, ossature, piéton, pilier, place, plan, projet, quartier, réparation, restaurant, squelette, structure, terrasse, tour, ville, virage, visite, voûte.

adj. haut, historique, immense, moderne, nombreux, vieux, vitré.

v. SUJET: le gratte-ciel atteint; COMPL.: bâtir un gratte-ciel, construire un gratte-

ciel, habiter dans un gratte-ciel, rebâtir un gratte-ciel, reconstruire un gratte-ciel, terminer un gratte-ciel, travailler dans un gratte-ciel, visiter un gratte-ciel.

jardin

n. agriculture, arbre, arbuste, arrosage, arrosoir, bêche, botanique, botaniste, brouette, clôture, éden, emplacement, espace, fleur, fruit, gazon, grillage, herbe, horticulteur, horticulture, jardinage, jardinet, jardinier, jardinière, légume, meuble, ombrage, paradis, parc, parterre, paysagiste, pelle, pelouse, pierre, plantation, plante, plate-bande, pot, potager, râteau, sécateur, semis, serre, terrain, tondeuse, zoologie, zoologiste.

adj. botanique, commun, éclatant, enchanté, enchanteur, ensoleillé, entouré, épanoui, exigu, fabuleux, fleuri, fruitier, grand, horticole, immense, impressionnant, magnifique, miniature, minuscule, ombragé, ombrageux, ordonné, orné, parfumé, paysager, personnalisé, petit, privé, public, rectangulaire, reposant, splendide, terrestre, vaste, zoologique.

v. SUJET: un jardin embaume, s'étale, s'étend; COMPL.: aller au jardin, arroser son jardin, bêcher le jardin, cultiver le jardin, engazonner un jardin, ensemencer le jardin, entretenir le jardin, garnir le jardin, marcher dans le jardin, observer un jardin, pénétrer dans un jardin, planter dans le jardin, se promener dans un jardin, regarder le jardin, sarcler le jardin, semer dans le jardin, soigner le jardin, transplanter dans le jardin, tailler le jardin, tondre le jardin, travailler dans le jardin, traverser le jardin, visiter le jardin; AUTRE VERBE: jardiner.

lieu, lieux

n. aménagement, appartement, contrée, côté, dedans, dehors, derrière, emplacement, endroit, espace, lieu-dit (lieudit), local, localité, maison, naissance, pays, place, point, position, poste, présence, propriété, région, résidence, royaume, séjour, topographie, toponyme, toponymie, ville.

adj. abandonné, abstrait, adossé, aménagé, calme, champêtre, charmant, délaissé, désert, désolé, fréquentable, général, géographique, géométrique, infréquentable, magnifique, maudit, mémorable, paisible, perdu, physique, privé, public, reposant, retiré, rustique, sacré, saint, sauvage, secret, serein, sinistre, souterrain, topographique, tranquille, voisin.

v. SUJET: le lieu cache, change; **COMPL. :** accéder à un lieu, adorer un lieu, arriver dans un lieu, choisir un lieu, déloger d'un lieu, emménager dans un lieu, enfermer dans un lieu, entrer dans un lieu, évacuer un lieu, habiter dans un lieu, haïr un lieu, localiser un lieu, maudire un lieu, se présenter dans un lieu, se produire dans un lieu, quitter un lieu, revenir au même lieu, sortir d'un lieu, (se) tenir dans un lieu, trouver un lieu, vider un lieu, visiter un lieu.

expressions.....................................

- *En haut lieu:* au sommet de l'organisation sociale.
- *En temps et lieu:* au moment et à l'endroit convenable.
- *Vider les lieux:* partir vite, vider la place.

monument

n. ancienneté, architecte, architecture, bâtiment, beauté, construction, dignité, dimension, édifice, immeuble, intensité, ouvrage, plaque, sculpteur, sculpteuse, sculpture, souvenir.

adj. ancien, antique, archéologique, architectural, artistique, authentique, commémoratif, digne, élevé, énorme, esthétique, grand, grandiose, historique, immense, important, imposant, majestueux, monumental, public, remarquable, romain, vaste, vénérable.

v. COMPL. : conserver un monument, ériger un monument, étudier un monument, observer un monument, reproduire un monument, restaurer un monument, visiter un monument.

musée

n. architecture, art, artiste, bande dessinée, billet, billetterie, cinéma, cire, civilisation, collection, collectionneur, collectionneuse, conservation, conservatoire, copie, culture, dessin, endroit, esquisse, établissement, exposition, faux, galerie, gardien, graveur, gravure, guichet, guide, horaire, intérêt, joaillerie, lieu, muséum, musique, nu, objet, œuvre, orfèvrerie, peintre, peinture, photographie, porte, portrait, poupée, présentation, reproduction, richesse, sculpteur, sculpture, tableau, valeur, vente aux enchères, vernissage, ville.

adj. artistique, beau, désaffecté, désert, grand, historique, impressionnant, petit, riche, scientifique, technique.

v. SUJET: le musée expose, possède, présente, vend; **COMPL. :** acheter au musée, analyser au musée, observer au musée, visiter un musée.

place

n. agora, architecture, art, bâtiment, carrefour, cathédrale, centre-ville, citadelle, cité, commune, complexe, construction, église, endroit, espace, esplanade, forteresse, lieu, lumière, métropole, municipalité, parc, plan, projet, quartier, restaurant, rond-point, terrasse, ville.

adj. calme, convenable, découverte, déterminée, digne, éminente, entourée, étendue, grande, habitée, juchée, libre, matérielle, morale, occupée, officielle, passante, publique, réservée, restreinte, sociale, vaste, vide.

v. SUJET: la place ouvre; **COMPL. :** atteindre la place, camper sur la place, céder la place, changer de place, chasser de la place, chercher une place, demeurer à la place, déposer à la place, descendre à la place, donner sa place, dresser une place, fourmiller sur la place, gagner une place, habiter la place, (s') installer à sa place, laisser sa place, mériter une place, mettre à sa place, occuper une place, parader sur la place, prendre une place, procurer une place, ranger à sa place, (se) rassembler sur la place, remettre à sa place, réserver une place, rester à sa place, (se) réunir sur la place, se tenir sur la place, trouver une place ; AUTRES VERBES : déplacer, localiser, (se) placer, nicher, remplacer, replacer, supplanter.

expressions

- *Qui va à la chasse perd sa place :* la personne qui abandonne une situation risque de ne pas la retrouver au retour.

- *Remettre quelqu'un à sa place :* rappeler quelqu'un à l'ordre.

- *Se mettre à la place de quelqu'un :* s'imaginer dans la situation de quelqu'un, se mettre dans la peau de quelqu'un.

prison

n. acquittement, accusation, accusé, accusée, agresseur, agression, agressivité, arrestation, avocat, bandit, barbelés, barreau, brutalité, cachot, cellule, chaînes, chef d'accusation, clan, clé, coupable, cour, crime, criminalité, criminel, criminelle, délinquant, délinquante, délit, déshonneur, détention, détenu, détenue, drame, durée, empreinte, emprisonnement, évadé, évadée, évasion, exécution, forteresse, fou, gangster, gangstérisme, gardien, gardienne, grille, guérite, guillotine, incarcération, inculpé, innocent, innocente, juge, jugement, justice, libération, liberté, loi, mafia, malfaiteur, malfaiteuse, menotes, meurtrier, meurtrière, mur, oubliette, parjure, pègre, peine, peloton, pendaison, pénitencier, perquisition, plaidoirie, plaidoyer, police, policier, policière, portrait, préfecture, préméditation, prisonnier, prisonnière, procès, punition, rebelle, récidiviste, réclusion, réinsertion, répression, sécurité, sentence, sentinelle, serrure, sursis, surveillance, travail, verrou, victime, violence, voleur, voleuse.

adj. fédérale, fermée, froide, humide, impénétrable, insalubre, malsaine, moderne, perpétuelle, provinciale, salubre, sinistre, surpeuplée, surveillée, verrouillée, vétuste.

v. COMPL. : condamner à la prison, criminaliser, détenir en prison, être en prison, s'évader de prison, faire de la prison, jeter en prison, mettre en prison, sortir de prison ; AUTRES VERBES : acquitter, appréhender, arrêter, capturer, décriminaliser, disculper, emprisonner, exécuter, exonérer, gracier, guillotiner, incarcérer, incriminer, inculper, innocenter, libérer, se parjurer, pénaliser, pendre, perpétrer, récidiver, surveiller.

expression

- *Vivre dans une prison dorée :* vivre richement mais privé de liberté.

quartier

n. administration, agglomération, alentours, arbre, arrondissement, asphalte, banlieue, baraquement, bicyclette, bidonville, bistrot, boulevard, bourg, bourgade, boutique, cabaret, canton, centre, chemin, circonscription, circulation, cité, citoyen, citoyenne, classe, commerce, commune, concentration, croissant, détour, diocèse, district, division, école, emplacement, endroit, environnement, environs, faubourg, gens, ghetto, groupe, habitant, habitation, hôtel, immeuble, impasse, intersection, jonction, lieu, localité, magasin, mairie, maison, milieu, misère, municipalité, opulence, parc, paroisse, partie, passage, pâté, patelin, pauvreté, pavé, périphérie, personne, piéton, piste, place, population, préfecture, région, restaurant, route, rue, secteur, section, sentier, taverne, village, villageois, villageoise, ville, virage, visite, voie, voisin, voisinage, voisine, zone.

adj. abandonné, atroce, chic, dangereux, délabré, désert, élégant, général, horrible, immonde, inconnu, industriel, infecte, intéressant, laid, malfamé, médiocre, minable, misérable, opulent, pauvre, populaire, populeux, religieux, réservé, résidentiel, riche, silencieux, sordide, supérieur, surpeuplé.

V. AUTRES VERBES : administrer, améliorer, comporter, déménager, fréquenter, habiter, promener, quitter, résider, sortir, visiter, vivre, (s') amuser, (s') installer, (s') intéresser.

restaurant

n. addition, aliment, auberge, bistro, boisson, breuvage, buffet, café, caisse, cantine, carte, casse-croûte (snack-bar), chef, client, cliente, clientèle, consommateur, consommatrice, consommation, coutellerie, cuisine, cuisinier, cuisinière, dessert, entrée, établissement, goûter (lunch-angl.), habitué, hôtel, invitation, maître d'hôtel, marmiton, menu, note, nourriture, pensionnaire, personnel, plat, plongeur, plongeuse, popote, portion, pourboire, prix, repas, restaurateur, restauration, rôtisserie, salle, serveur, serveuse, service, sommelier, sommelière, spécialité, traiteur, traiteuse, vaisselle, verrerie.

adj. bon, chaleureux, chic, chinois, communautaire, confortable, dispendieux, énorme, excellent, exotique, fixe, garni, gastronomique, immense, italien, luxueux, médiocre, modéré, ordinaire, petit, populaire, principal, réconfortant, régional, simple, somptueux, sympathique, universitaire, végétarien.

V. SUJET : le restaurant offre, prépare ; **COMPL. :** boire au restaurant, commander au restaurant, consommer au restaurant, critiquer un restaurant, cuisiner dans un restaurant, demander dans un restaurant, inviter dans un restaurant, manger au restaurant, payer au restaurant, recevoir au restaurant, servir au restaurant ; **AUTRES VERBES :** apporter, apprécier, déguster, prendre, restaurer.

rue

n. agglomération, allée, arbre, arroseur, arroseuse, artère, asphalte, avenue, bala-

yeur, balayeuse, bifurcation, bordure, boulevard, carrefour, centrale, chaussée, chemin, circulation, communication, courbe, croisée, cul-de-sac, détour, élargissement, embranchement, endroit, fourche, habitation, impasse, intersection, jonction, macadam, maison, parc, parcours, passage, pavage, pavé, réparation, rond-point, route, sentier, tournant, trajet, trottoir, urbanisation, urbanisme, urbaniste, ville, virage, voie, voirie.

adj. aménagée, asphaltée, belle, bondée, bordée, boueuse, bruyante, caillouteuse, carrossable, centrale, chaude, déserte, droite, éclairée, éloignée, encombrée, enneigée, étroite, extérieure, fermée, fréquentée, grimpante, grise, humide, immense, indiquée, large, longue, lugubre, mauvaise, misérable, morne, noire, ouverte, pavée, plaintive, polluée, poudreuse, poussiéreuse, praticable, principale, privée, publique, routière, sale, silencieuse, sinueuse, sordide, tiède, tortueuse, tranquille, vide.

V. SUJET : la rue aboutit, s'allonge, bifurque, arpente, communique, descend ; **COMPL. :** arpenter la rue, arriver à la rue, asphalter une rue, balayer la rue, détourner la rue, errer dans la rue, fermer la rue, longer la rue, monter la rue, ouvrir la rue, paver la rue, prendre une rue, prendre par la rue, réparer la rue, rouler dans la rue, suivre la rue, traverser la rue.

ruelle

n. accès, allée, arbre, arrière, asphalte, automobile, automobiliste, bicyclette, bifurcation, bordure, chaussée, chemin, circulation, courbe, cul-de-sac, déneigement, détour, dos-d'âne, élargissement, embranchement, endroit, entrée, entretien, gravier, goudron, habitation, immeuble, impasse, intersection, jonction, maison, nid-de-poule, parc, parcours, passage, pavé, piéton, piste (cyclable), quartier, réparation, rétrécissement, route, sable, sentier, tournant, trajet, ville, virage, voie, voirie.

adj. barrée, courte, défoncée, déserte, enneigée, étroite, exiguë, fréquentée, impraticable, obscure, propre, restreinte, sale, silencieuse, sombre, tortueuse.

v. SUJET : la ruelle aboutit, coupe, débouche, dévie, rétrécit ; **COMPL. :** s'engouffrer dans la ruelle, marcher dans la ruelle, passer par la ruelle, pénétrer dans la ruelle, prendre la ruelle, prendre par la ruelle, suivre la ruelle.

sentier

n. allée, arbre, bicyclette, bifurcation, bois, bordure, campagne, chaussée, chemin, couloir, courbe, cul-de-sac, déneigement, détour, dos-d'âne, élargissement, embranchement, endroit, entrée, gravier, impasse, itinéraire, jonction, montagne, nid-de-poule, obstacle, parc, parcours, passage, piéton, piétonne, piste, réparation, rétrécissement, route, sable, sinuosité, tournant, trajectoire, trajet, traverse, ville, virage, voie.

adj. abrupt, boueux, cahoteux, difficile, escarpé, étroit, hasardé, hasardeux, impraticable, long, scabreux, sinueux, vertigineux.

v. SUJET : le sentier aboutit, bifurque, rétrécit, serpente, tourne, trace, se perd ; **COMPL. :** arpenter un sentier, (se) hasarder dans un sentier, marcher dans un sentier, monter un sentier, parcourir un sentier, prendre un sentier.

expression..

• *Les sentiers battus :* la voie de la facilité, les moyens connus.

statue

n. argile, art, bois, bronze, buste, cire, copie, figure, fonte, hauteur, marbre, original, personnage, pierre, plastique, plâtre, reproduction, sculpteur, sculpteuse, sculpture, statuette, taille, terre, tête.

adj. dispendieuse, élancée, grande, haute, immobile, imposante, impressionnante, lourde, majestueuse, modelée, petite, riche, sculpturale, taillée, volumineuse.

v. SUJET : la statue représente ; **COMPL. :** adorer une statue, collectionner les statues, couler une statue, ériger une statue, faire une statue, s'intéresser à une statue, modeler une statue, mouler une statue, sculpter une statue, tailler une statue.

terrain

n. champ, culture, défrichement, emplacement, espace, étendue, propriété, relief, sol, souterrain, surface, terre.

adj. accidenté, aplani, argileux, battu, boisé, bosselé, boueux, calciné, cultivable, cultivé, désert, fécond, ferme, frais, glissant, gras, herbeux, humide, immense, inculte, labouré, mou, mouillé, pierreux, plat, précis, productif, propre, raboteux, ravagé, remué, retourné, sablonneux, sauvage, sec, spongieux, terrestre, trempé, uni, vague, vierge.

v. SUJET : le terrain produit ; **COMPL. :** acheter un terrain, arpenter un terrain, construire sur un terrain, cultiver un terrain, défricher un terrain, égaliser un terrain, enterrer dans un terrain, fouiller dans un terrain, labourer un terrain, marcher sur le terrain, niveler le terrain, remblayer un terrain, vendre un terrain, vivre sur un terrain.

expressions..

• *Sur le terrain :* sur les lieux de l'action.
• *Tâter le terrain :* s'informer de l'état des choses avant de prendre une décision.
• *Terrain d'entente :* compromis, base sur laquelle deux personnes s'entendent.

village

n. accès, administration, agglomération, allée, antiquité, arbre, arrière, asphalte, auberge, aubergiste, automobile, automobiliste, banlieue, bicyclette, bifurcation, bois, boisé, bordure, boulevard, bourg, bourgade, cabaret, campagnard, campagne, centre, chalet, chaumière, chaussée, chemin, circulation, citadin, citadine, cité, commerce, commune, concentration, courbe, cul-de-sac, déneigement, détour, district, endroit, environnement, ferme, gens, goudron, grange, gravier, groupe, habitant, habitation, hameau, hôtel, immeuble, impasse, intersection, jonction, localité, mairie, maison, métropole, milieu, municipalité, parc, parcours, passage, patelin, pavé, paysan, paysanne, personne, piéton, piste, place, population, quartier, réparation, rétrécissement, restaurant, route, rue, sable, section, sentier, souvenir, taverne, tournant, trajet, ville, villageois, villageoise, virage, visite, voie.

adj. campagnard, commun, éparpillé, intime, isolé, joli, local, natal, organisé, petit, pittoresque, rural, situé, voisin.

v. AUTRES VERBES : apercevoir, déménager, former, habiter, nicher, quitter, rentrer, retourner, revenir, situer, vivre.

adj. accueillante, active, anéantie, bombardée, colorée, commerçante, commerciale, cosmopolite, crasseuse, déserte, détruite, énorme, épiscopale, étendue, excitante, fantôme, funèbre, gigantesque, grande, grise, grosse, huppée, importante, inconnue, industrielle, infernale, inhumaine, joyeuse, malpropre, maritime, merveilleuse, métropolitaine, mondiale, morne, morte, nocturne, occupée, peuplée, polluée, populeuse, résidentielle, riche, saccagée, sale, silencieuse, triste, unique, universitaire, urbaine, vaste, vivante.

v. SUJET : la ville s'agrandit, s'allonge, s'assoupit, change, se colore, se dessine, (se) développe, (se) dresse, s'endort, s'éveille, se transforme ; **COMPL. :** bâtir une ville, circuler dans la ville, détruire une ville, envahir la ville, fonder une ville, fouiner dans une ville, investir dans une ville, magasiner en ville, (se) promener en ville, visiter la ville.

ville

n. activité, administration, agglomération, aménagement, aqueduc, architecture, artère, attrait, autobus, autoroute, avenue, banlieue, boulevard, bruit, bureau, capitale, caractère, centre, centre commercial, circulation, citadin, citadine, cité, cœur, commerce, concentration, conseiller municipal, construction, déchet, déclin, densité, développement, dimension, édifice, égout, environnement, étalement, finance, fondateur, fondation, gratte-ciel, habitant, habitante, habitation, histoire, hôtel de ville, immeuble, industrie, jardin, limite, loisir, maire, mairesse, mairie, marché, métro, métropole, municipalité, organisation, parc, paroisse, périphérie, place, plan, police, pollution, population, port, quartier, résidence, rue, section, square (angl.), taille, transport, urbanisation, urbanisme, urbaniste, visite, voirie, zone.

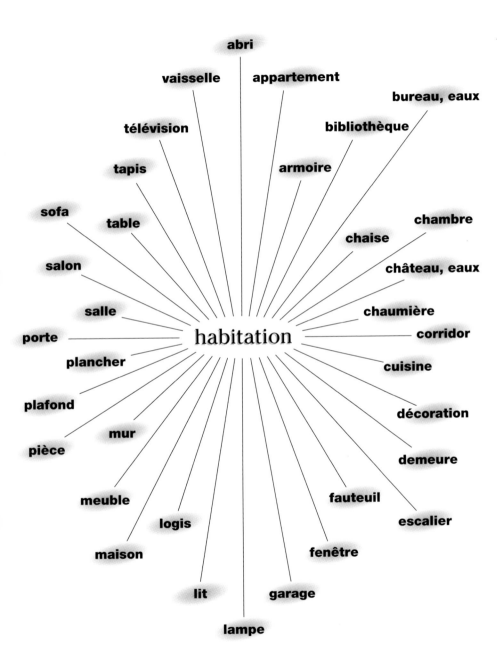

abri
vaisselle
appartement
bureau, eaux
télévision
bibliothèque
tapis
armoire
sofa
table
chambre
chaise
salon
château, eaux
salle
chaumière
porte
habitation
corridor
plancher
cuisine
plafond
décoration
mur
pièce
demeure
meuble
fauteuil
logis
escalier
maison
fenêtre
lit
garage
lampe

abri

n. acier, armature, asile, auvent, baraquement, bois, cabane, cache, cage, caverne, charpente, chenil, cocon, fort, fortification, foyer, gîte, grotte, hangar, hutte, muraille, niche, paravent, refuge, remise, repaire, rempart, retranchement, sécurité, silence, sous-sol, sûreté, tente, toit, tôle, tourelle, tranchée, tranquillité.

adj. aménagé, antiaérien, antiatomique, artificiel, bétonné, blindé, cuirassé, fortifié, marin, météorologique, militaire, naturel, nucléaire, permanent, protégé, rustique, sécuritaire, silencieux, souterrain, sûr, temporaire.

v. COMPL. : abandonner un abri, (s') assurer d'un abri, attaquer l'abri, atteindre un abri, (se) barricader dans un abri, se blottir dans un abri, construire un abri, défendre son abri, dissimuler son abri, élever un abri, fortifier un abri, imiter un abri, inventer un abri, ouvrir un abri, protéger un abri, rejoindre un abri, se retrancher dans un abri, solidifier un abri, se terrer dans un abri ; AUTRE VERBE : (s') abriter.

expressions
• *Être à l'abri du besoin :* ne manquer de rien.
• *Être à l'abri du vent :* être protégé du vent.
• *Mettre quelqu'un à l'abri :* protéger quelqu'un contre un danger.
• *Mettre ses dossiers à l'abri :* placer ses dossiers dans un endroit sûr.
• *Se mettre à l'abri :* se protéger.
• *Se mettre à l'abri des regards :* s'arranger pour ne pas être vu.

appartement

n. auberge, bail, chambre, château, chez-soi, confort, décoration, déménagement, demeure, entretien, garçonnière, habitation, hôtel, immeuble, location, logement, logis, loyer, maison, partage, pied à terre, résidence, refuge, silence, studio, tranquillité.

adj. accueillant, chaleureux, commode, délabré, élégant, gardé, grand, hospitalier, humide, loué, lumineux, luxueux, meublé, petit, resserré, royal, salubre, sinistre, splendide, surveillé.

v. COMPL. : décorer un appartement, enjoliver un appartement, entretenir un appartement, louer un appartement, négliger un appartement, partager un appartement, sous-louer un appartement, vider un appartement.

armoire

n. bibelot, bois, boisson, buffet, cabinet, classement, commode, compartiment, encoignure, espace, fichier, garde-robe, glace, habitacle, hauteur, linge, livre, métal, meuble, penderie, placard, porte, rangement, remisage, remise, tablette, tiroir, tour, vaisselle, volume.

adj. antique, encombrante, exiguë, colossale, étroite, frigorifique, grande, indispensable, modeste, petite, pratique, profonde, simple, spacieuse, rustique.

v. COMPL. : astiquer une armoire, cirer une armoire, classer dans une armoire, conserver dans une armoire, disposer dans une armoire, polir une armoire, protéger dans une armoire, ranger dans une armoire, remplir une armoire, renfermer dans une armoire, vider une armoire.

expressions
• *Armoire à glace :* personne à forte carrure.
• *Fond d'armoire :* vêtements usagés ou démodés.

bibliothèque

n. album, archive, armoire, bahut, bibelot, bouquin, brochure, bureau, cabinet, chambre, classement, conte, cote, couverture, crayon, dictionnaire, document, dossier, écrit, édition, encyclopédie, étagère, exemplaire, fable, fascicule, imprimé, index, journal, légende, livre, livret, magazine, manuscrit, meuble, mobilier, nouvelle, ouvrage, papier, planche, plaque, poème, publication, rayon, récit, recueil, référence, revue, roman, sellette, tablette, tome, traité, travail, volume.

adj. ambulante, municipale, murale, nationale, populaire, privée, publique, renommée, scientifique, spécialisée, technique, universelle, vitrée, vivante.

v. COMPL.: (s') abonner à la bibliothèque, compléter sa bibliothèque, bouquiner dans une bibliothèque, constituer une bibliothèque, emprunter à la bibliothèque, enrichir sa bibliothèque, fouiller dans une bibliothèque, monter une bibliothèque, ranger sa bibliothèque.

expression

• *Un rat de bibliothèque:* se dit de quelqu'un qui passe tout son temps à lire, à fouiller dans les bibliothèques.

bureau, eaux

n. agrafeuse, archive, armoire, bibliothèque, bloc-notes, buvard, calendrier, cartable, chaise, classement, classeur, colle, comptabilité, crayon, disquette, document, dossier, écran, étagère, fauteuil, fenêtre, fichier, gomme à effacer, imprimante, index, livre, marqueur, ordinateur, papier, patte, plume, pupitre, registre, répondeur, revue, sac, secrétaire, stylo, table, tablette, télécopieur, téléphone, tiroir, travail, volume.

adj. accueillant, administratif, commercial, consultatif, démissionnaire, éclairé, encombré, exécutif, fédéral, politique, provincial, provisoire, vaste.

v. COMPL.: consulter un bureau, élire un bureau, être convoqué dans le bureau, faire partie du bureau, s'installer dans son bureau, se rendre au bureau, renouveler son bureau, s'introduire dans le bureau.

expressions

• *C'est un véritable homme de bureau:* qui consacre sa vie au bureau.
• *Cette affaire est sur le bureau:* on commence à s'occuper de cette affaire.

chaise

n. accoudoir, banc, banquette, barreau, berçante, berceuse, bois, bras, canapé, cuir, divan, dossier, fauteuil, métal, paille, patte, pied, repos, siège, sommeil, table, tabouret, toile, trône, velours.

adj. antique, confortable, double, électrique, longue, moderne, pivotante, pliante, rembourrée, roulante, rustique, simple.

v. COMPL.: construire une chaise, dessiner une chaise, empailler une chaise, louer sa chaise, pailler une chaise, prêter sa chaise, réserver sa chaise.

expression

• *Être assis entre deux chaises:* être dans une situation incertaine, instable; être embarrassé.

chambre

n. armoire, bibliothèque, bureau, causeuse, chaise, chambrette, colocataire, commode, confort, couette, couverture, couvre-lit, dortoir, douillette, drap, édredon, étagère, fauteuil, fenêtre, garde-robe, intimité, jeu, jouet, lampe, linge, lit, livre, locataire, logement, mansarde, matelas, miroir, patère, pièce, placard, porte, poupée, refuge, repos, respect, retrait, réveil, rideau, sac, salle, solitude, sommeil, sommier, table, table de nuit, tapis, tenture, tiroir, tranquillité.

adj. accueillante, communicante, chaleureuse, délabrée, dénudée, ensoleillée, étroite, froide, glaciale, haute, humide, invitante, mansardée, minuscule, misérable, nue, obscure, pneumatique, rectangulaire, reposante, sombre, sordide.

v. COMPL.: (se) confiner à sa chambre, (s') enfermer dans sa chambre, entretenir une chambre, louer une chambre, ranger une chambre.

expressions

• *Faire chambre à part:* coucher dans deux chambres séparées.

- *Garder la chambre:* être obligé de rester au lit.

château, eaux

n. aristocrate, armée, baron, baronne, bassin, bastion, bourreau, canal, canon, châtelain, chevalier, citadelle, comte, comtesse, contrée, couronne, dame, dauphin, dauphine, division, domestique, donjon, douve, duc, duchesse, empereur, empire, enceinte, endroit, espace, état, fidèle, fort, forteresse, fossé, fou, garde, gouvernement, héritier, héritière, impératrice, isolement, lieu, mâchicoulis, maître, maîtresse, majesté, majordome, manoir, marquis, marquise, meurtrière, monarchie, monarque, muraille, noble, page, paix, palace, palais, paradis, peuple, pont-levis, prince, princesse, principauté, province, régence, région, règne, reine, rempart, république, résidence, retrait, rigole, roi, royaume, sécurité, seigneur, servante, serviteur, sieur, souterrain, souverain, souveraine, terre, tour, tourelle, tranchée, trône, tsar, valet.

adj. branlant, délabré, démodé, désuet, éblouissant, fortifié, hanté, humide, imposant, lugubre, médiéval, récent, romantique, rustique, sévère, sombre, vieillot.

v. SUJET: le château accueille, se dresse, étonne, réjouit; COMPL.: abandonner un château, anéantir un château, défendre un château, dessiner un château, s'enfuir du château, se réfugier au château, se réfugier dans un château, rêver à un château.

expressions

- *Faire, bâtir des châteaux en Espagne:* échafauder des projets irréalisables, impossibles.
- *Mener une vie de château:* mener une vie opulente, facile et oisive.

chaumière

n. abandon, auberge, baraque, bicoque, bonheur, cabane, cagibi, case, chalet, cheminée, décoration, délabrement, demeure, destruction, disparition, éloignement, entretien, gîte, grandeur, habitation, hutte, isolement, logement, logis, loyer, maison, masure, pauvreté, petitesse, refuge, résidence, retrait, simplicité, taudis.

adj. abandonnée, délabrée, dépeinturée, déserte, éclairée, enfumée, ensoleillée, fermée, inhabitée, insalubre, isolée, jolie, mignonne, misérable, obscure, pauvre, petite, rustique, sombre, splendide, triste.

v. COMPL.: abandonner une chaumière, agrandir une chaumière, détruire une chaumière, embellir une chaumière, illuminer une chaumière, quitter une chaumière, se satisfaire d'une chaumière, solidifier une chaumière, veiller dans une chaumière.

expressions

- *La veillée des chaumières:* recueil de récits simples et sentimentaux.
- *Une chaumière et un cœur:* idéal de l'homme simple et sensible.
- *Une histoire qui fait pleurer dans les chaumières:* une histoire sentimentale.
- *Un style veillée des chaumières:* un style naïf, simple.

corridor

n. canal, coulée, couloir, débouché, entrée, étroitesse, fuite, galerie, hall, passage, passe, sortie, trou, tunnel, vestibule.

adj. éclairé, étouffant, étroit, indispensable, long, lugubre, lumineux, obscur, secret, sombre, sordide, souterrain, vaste.

v. COMPL.: emprunter un corridor, s'enfoncer dans le corridor, étouffer dans un corridor, longer le corridor, paniquer dans un corridor, se perdre dans les corridors, utiliser un corridor.

expression

- *Se rincer le corridor:* boire.

cuisine

n. appareil, argenterie, armoire, assiette, casserole, chaise, charcuterie, chef, clarté, comptoir, conserve, couteau, coutellerie, cuiller, cuisinette, cuisinier, cuisinière, décoration, dessert, écumeuse, électroménager, entretien, évier, fouet, four, fourchette, fromage, fruit, gant (de four), garde-manger, grille-pain, lave-vaisselle, légume, livre (de recettes), louche, marmite, meuble, nourriture, pâtes, pâtisserie, placard, plante, plat, plateau, poêle, pot, recette, réchaud, réfrigérateur, repas, salle à manger, soucoupe, soupe, spatule, table, tasse, tenture, ustensile, vaisselier, vaisselle, verre, verrerie.

adj. artisanale, bourgeoise, claire, complète, équilibrée, familiale, fine, gastronomique, internationale, légère, lourde, nationale, portative, raisonnée, riche, roulante, spacieuse, typique, végétarienne.

v. COMPL. : envahir la cuisine, goûter à la cuisine, préparer la cuisine, raffoler de la cuisine, rapporter à la cuisine, rationner une cuisine ; AUTRE VERBE : cuisiner.

expressions
• *Cuisiner quelqu'un :* interroger quelqu'un avec insistance pour obtenir un aveu.
• *Il parle un latin de cuisine :* un latin parlé par des ignorants, fautif.

décoration

n. accessoire, apparat, atours, banderole, bibelot, brillance, clinquant, couleur, discrétion, dorure, embellissement, extravagance, fioriture, fleur, guirlande, lumière, luminosité, ornement, ornementation, parure, peinture, plaque, ramage, rideau, tableau, tape à l'œil, tenture, trophée.

adj. architecturale, classique, éblouissante, époustouflante, étonnante, exceptionnelle, extérieure, intérieure, majestueuse, novatrice, originale, remarquée, somptueuse, surprenante, théâtrale, unique.

v. SUJET : la décoration éblouit, étonne ; COMPL. : arracher une décoration, changer la décoration, couvrir d'une décoration, s'enorgueillir d'une décoration, inventer une décoration, mériter une décoration, porter une décoration, refuser une décoration, renouveler sa décoration, retirer une décoration.

expression
• *Changement de décoration :* de décor.

demeure

n. appartement, auberge, cambuse, chambre, château, chez-soi, cuisinette, décoration, domicile, embellissement, entretien, fête, foyer, gîte, habitation, hospitalité, logement, logis, maison, paix, palais, réception, repos, réfection, réparation, résidence, royaume, salle de bain, salon, séjour.

adj. accueillante, ancestrale, antique, avenante, céleste, fascinante, fastueuse, funèbre, hantée, imposante, luxueuse, magnifique, modeste, noble, originale, riche, royale, somptueuse, splendide, terrifiante, vaste.

v. SUJET : la demeure accueille, fascine, enchante, réjouit ; COMPL. : accueillir dans sa demeure, cohabiter dans une demeure, décorer une demeure, embellir une demeure, emménager dans une demeure, entretenir une demeure, (s') établir dans une demeure, se fixer dans une demeure, hiverner dans une demeure, inviter dans sa demeure, louer une demeure, résider dans une demeure ; AUTRE VERBE : demeurer.

expressions
• *À demeure :* d'une manière stable, fixe.
• *Jusqu'à sa dernière demeure :* jusqu'à son tombeau.
• *Pendre la crémaillère dans sa demeure :* fêter son installation dans une nouvelle demeure.

escalier

n. ascenseur, ascension, balustrade, bois, cage, colimaçon, contremarche, degré, descente, échelle, échappement, élévation, escalade, extension, fer, fuite, hauteur, marche, métal, montée, palier, pente, perron, rampe, service.

adj. abrupt, de bois, de fer, d'honneur, délabré, de pierre, de service, électrique, étroit, haut, large, mécanique, monumental, raide, roulant, suspendu, tournant.

v. SUJET: l'escalier contourne, descend, s'enfonce, s'enroule, monte, pivote, rejoint, réunit; **COMPL.:** dégringoler un escalier, escalader un escalier, gravir un escalier, grimper un escalier, jouer dans un escalier, tomber dans un escalier.

expressions

• *Avoir l'esprit de l'escalier, l'esprit d'escalier:* avoir un esprit de répartie qui se manifeste tardivement, trop tard.

• *Monter en escalier:* en ski, monter parallèlement à la pente.

fauteuil

n. accoudoir, aisance, banc, banquette, bergère, bras, canapé, causeuse, chaire, chaise, confort, coussin, détente, divan, dossier, duvet, lecture, liberté, mousse, pieds, place, pouf, repos, rêve, siège, sofa, sommeil, tabouret, tranquillité, trône, velours.

adj. à bascule, ancien, confortable, douillet, électrique, invitant, moelleux, pivotant, pliant, rembourré, roulant, vacant.

v. COMPL.: avancer un fauteuil, se blottir dans un fauteuil, briguer le fauteuil de, se carrer dans un fauteuil, céder le fauteuil à, (se) jucher sur un fauteuil, offrir un fauteuil, se percher sur un fauteuil, tomber dans un fauteuil, se vautrer dans un fauteuil.

expression

• *Arriver dans un fauteuil:* arriver en tête sans difficulté dans une compétition.

fenêtre

n. accoudoir, baie, barreau, cadre, calfeutrage, châssis, corniche, embrasure, fenestration, glace, guichet, hublot, judas, lucarne, œil de bœuf, persienne, revêtement, solarium, soupirail, verrière, vitrage, vitrail, volet.

adj. battante, basculante, bouchée, cachée, calfeutrée, colorée, coulissante, discrète, givrée, glacée, enjolivée, fermée, ouverte, salie, ronde, vitrée.

v. COMPL.: aveugler la fenêtre, barricader la fenêtre, boucher la fenêtre, condamner la fenêtre, dégager la fenêtre, garnir la fenêtre, murer la fenêtre, obstruer la fenêtre, percer une fenêtre, pousser la fenêtre, revêtir la fenêtre, vitrer la fenêtre.

expressions

• *Dormir la fenêtre ouverte:* dormir au frais.

• *Enveloppe à fenêtre:* encadrement pour y inscrire l'adresse.

• *Fracturer la fenêtre:* briser la fenêtre pour voler.

• *Jeter son argent par les fenêtres:* dépenser tout son argent.

• *Les fenêtres de l'âme:* les yeux.

• *Mettre le nez à la fenêtre:* aller voir ce qui se passe.

• *Ouvrir une fenêtre sur:* donner un aperçu de.

• *Prendre l'air à la fenêtre:* regarder dehors, se détendre.

• *Regarder par la fenêtre:* chercher à voir.

• *Sauter par la fenêtre:* se sauver.

• *Se tenir derrière une fenêtre:* surveiller ce qui se passe.

• *Ouvrir une fenêtre sur le monde:* faire entrevoir le monde.

garage

n. abri, alignement, atelier, bicyclette, débarras, dépôt, emplacement, entretien, hangar, moto, motocyclette, remise, voiture.

adj. dispendieux, efficace, équipé, moderne, poussiéreux, sale, souterrain, vaste.

v. COMPL. : compter sur le garage, déposer au garage, éviter le garage, rentrer au garage, sortir du garage.

expression..

• *Mettre, orienter, ranger sur une voie de garage :* mettre de côté provisoirement ; confiner à un poste sans avenir.

lampe

n. abat-jour, ampoule, chaleur, chalumeau, clarté, éblouissement, éclairage, fanal, feu, flamme, huile, incandescence, lampadaire, lampion, lanterne, lueur, lumière, lumignon, luminaire, luminosité, lustre, mèche, phare, réverbère, torche, tube, veilleuse.

adj. antique, aveuglante, discrète, douce, éblouissante, électrique, génératrice, halogène, intense, médiocre, moderne, torchère.

v. SUJET : la lampe dégage, s'éteint, rassure ; **COMPL. :** accrocher une lampe, allumer la lampe, baisser la lampe, changer la lampe, entretenir la lampe, éteindre la lampe, installer la lampe, moucher la lampe, monter une lampe, remplacer la lampe, souffler la lampe, surveiller la lampe, suspendre la lampe, vérifier la lampe.

lit

n. alitement, baldaquin, bassinette, berceau, canapé, chevet, couchette, courtepointe, couverture, couvre-pied, couvre-lit, dortoir, drap, fond, grabat, hamac, literie, litière, matelas, oreiller, paillasse, pied, ravin, sommier, somnambule, somnolence, taie.

adj. amovible, ancestral, célèbre, confortable, douillet, grand, illustre, immense, invitant, jumeaux, métallique, moelleux, petit, pliant, rustique, soyeux, spacieux.

v. SUJET : le lit accueille, grince, invite ; **COMPL. :** clouer au lit, démonter un lit, dresser son lit, faire le lit, garder le lit, (se) mettre au lit, monter un lit.

expressions..

• *Être couché sur un lit de roses :* s'abandonner au bonheur.

• *Faire le lit de quelqu'un :* préparer la venue de quelqu'un.

• *Faire son lit dans :* s'installer avec plaisir dans.

logis

n. accueil, appartement, auberge, bail, chambre, château, cuisinette, demeure, entente, famille, foyer, garçonnière, habitation, hospitalité, location, logement, maison, pied à terre, réception, résidence, salon, séjour.

adj. accueillant, agréable, chaleureux, champêtre, désert, exigu, glacial, insalubre, modeste, pauvre, rustique, sinistre, sombre, spacieux, vieillot.

v. SUJET : un logis, accueille, attire ; **COMPL. :** abandonner un logis, construire un logis, demeurer au logis, embellir un logis, emménager dans un logis, entretenir le logis, s'établir dans un logis, s'introduire dans un logis, restaurer un logis, s'ennuyer au logis, s'établir dans un logis, s'introduire dans un logis ; **AUTRE VERBE :** loger.

expressions..

• *La folle du logis :* l'imagination.

• *La fée du logis :* la maîtresse de maison.

maison

n. appartement, asile, baraque, bâtisse, bicoque, bungalow, cabane, caserne, chalet, chaumière, château, corridor, demeure, domicile, édifice, escalier, façade, fondation, garage, grenier, habitation, immeuble, logement, logis, maisonnette, masure, maisonnée, manoir, niche, pavillon, perron, pignon, résidence, retraite, rez-de-chaussée, sous-sol, taudis, toiture, vestibule, voiture.

adj. accueillante, agréable, aristocratique, basse, bourgeoise, chaleureuse, confortable, coquette, cossue, décrépite, délabrée, déserte, éloignée, endormie, fermée, hantée, honnête, inhabitée, insalubre, isolée, luxueuse, moderne, pittoresque, repoussante, royale, rustique, sauvage, sinistre, triste, vieillotte.

v. SUJET: la maison accueille, enchante, réchauffe, réjouit; **COMPL.:** abandonner une maison, assurer une maison, bâtir une maison, concevoir une maison, confier sa maison, décorer une maison, élever une maison, enjoliver une maison, entretenir une maison, fréquenter une maison, fuir la maison, léguer une maison, loger dans une maison, louer une maison, partir de la maison, posséder une maison, prêter sa maison, recevoir dans sa maison, solidifier une maison, transporter sa maison.

expressions

- *À la maison:* chez soi.
- *C'est la maison du bon Dieu:* une maison particulièrement accueillante et hospitalière.
- *La Maison-Blanche:* la résidence du président des États-Unis.
- *La maison du Père, la maison céleste:* le paradis.

meuble

n. abattant, acajou, aménagement, ameublement, antiquaire, appartement, armoire, bahut, banc, banquette, battant, beauté, bibliothèque, bois, brocanteur, buffet, bureau, canapé, causeuse, chaise, chêne, chiffonnier, classeur, coffret, commode, console, contreplaqué, corniche, couleur, cuir, design, desserte, dessin, dimension, divan, dorure, ébéniste, ébénisterie, entretien, épaisseur, époque, esthétique, étagère, état, étoffe, fabrication, fauteuil, fonction, forme, frêne, hauteur, histoire, housse, industrie, jardin, laque, largeur, lit, maison, marchand, marqueterie, matériau, menuiserie, menuisier, merisier, métal, mobilier, moulure, noyer, objet, orme, ornement, osier, patine, patrimoine, peinture, pièce, pied, piètement, pin, placage, poids, portemanteau, profondeur, pupitre, rangement, réparation, rotin, secrétaire, siège, sofa, solidité, style, table, tabouret, tapissier, teinte, tiroir, tissu, trépied, utilité, vaisselier, vernis.

adj. ancien, antique, authentique, ciré, contemporain, discret, enjolivé, encombré, laqué, luisant, luxueux, métallique, moderne, raffiné, rugueux, rustique, unique, usagé, verni.

v. COMPL.: astiquer un meuble, concevoir un meuble, déménager un meuble, déplacer un meuble, disposer des meubles, entretenir un meuble, essuyer un meuble, flatter un meuble, frotter un meuble, garnir de meubles, ranger ses meubles, réparer un meuble; **AUTRE VERBE:** (se) meubler.

expressions

- *S'installer dans ses meubles:* chez soi, selon ses goûts.
- *Sauver les meubles:* préserver l'indispensable, l'essentiel lors d'un désastre.

mur

n. aplomb, appui, assises, brèche, brique, crépi, écroulement, enceinte, enclos, élévation, escalade, fissure, fortification, garde-fou, hauteur, isolement, pan, muraille, muret, palissade, parapet, paroi, pierre, plâtre, prison, rempart, rempiètement, sommet, soutènement.

adj. armé, bas, blindé, caché, crépi, décrépi, droit, épais, étanche, fortifié, fragile, haut, maçonné, mince, mitoyen, penché, plâtré, solide, souterrain.

v. SUJET: le mur bloque, cache, s'élève, protège, réduit; **COMPL.:** assiéger un mur, chauler un mur, défoncer un mur, échauder un mur, enjamber un mur, plâtrer un mur, protéger un mur, s'adosser à un mur, s'appuyer contre un mur, sauter un mur, solidifier un mur, soutenir un mur; **AUTRES VERBES:** emmurer, murer.

expressions

- *Dans ses murs :* chez soi.
- *Enfermer entre quatre murs :* emprisonner.
- *Entre quatre murs :* dans une maison vide, chez soi.
- *Parler à un mur :* ne pas être entendu, écouté.
- *Raser les murs :* se cacher.

pièce

n. aération, agencement, aménagement, ameublement, angle, antichambre, appartement, atmosphère, beauté, bibliothèque, boudoir, bureau, cabinet, calme, chaleur, chambre, cloison, coin, confort, cuisine, cuisinette, décoration, désordre, dimension, dortoir, éclairage, espace, étage, exposition, fenestration, fenêtre, garde-robe, grandeur, hauteur, insonorisation, largeur, logement, lumière, luxe, maison, meuble, mobilier, mur, occupant, odeur, ordre, ouverture, placard, plafond, plancher, porte, porte-fenêtre, rangement, rez-de-chaussée, salle, salle à manger, salle de bain, salle de jeu, salle de séjour, salon, sous-sol, toilette, vestiaire, vestibule.

adj. abandonnée, banale, chaleureuse, circulaire, condamnée, confortable, déserte, éclairée, encombrée, étouffante, exiguë, humide, insonorisée, lambrissée, lumineuse, luxueuse, misérable, nauséabonde, obscure, surchauffée, triste, unique, vaste, vide.

v. COMPL. : agrandir une pièce, embellir une pièce, emménager dans une pièce, (s') emmurer dans une pièce, (s') enfermer dans une pièce, (s') entasser dans une pièce, entrer dans une pièce, fermer une pièce, fuir une pièce, jouir d'une pièce, louer une pièce, protéger une pièce, (s') isoler dans une pièce, quitter une pièce.

expression

- *Être fait d'une seule pièce :* d'un bloc.

plafond

n. bordure, cadre, caisson, contour, coupole, couverture, décoration, dôme, faux plafond, hauteur, limite, papier peint, plafonnier, plinthe, recouvrement, plâtre, toit.

adj. ancien, bas, décoratif, de toile, doré, en rosaces, flottant, gothique, haut, ouvragé, plein, rustique, sculpté, suspendu, surélevé.

v. COMPL. : fixer au plafond, fixer le plafond, marcher au plafond, nettoyer le plafond, peindre un plafond ; AUTRE VERBE : plafonner.

expression

- *Avoir une araignée au plafond, dans le plafond :* être sot, fou.

plancher

n. bois, bord, bordure, carpette, carrelage, céramique, charpentier, cire, contour, ébénisterie, limite, lustre, marqueterie, mosaïque, parquet, parqueterie, plancher-support, périmètre, prélart, solidité, solive, soliveau, stabilité, tapis, tuile.

adj. brillant, ciré, de cèdre, de charpente, de chêne, en béton armé, glissant, lustré, mat, propre, rugueux, rustique, sale, suspendu.

v. SUJET : le plancher s'affaisse, s'effondre, (se) gonfle ; COMPL. : cirer un plancher, frotter un plancher, gratter un plancher, nettoyer un plancher, polir un plancher, salir un plancher, vernir un plancher.

expressions

- *Avoir le pied au plancher :* appuyer à fond sur la pédale d'accélérateur d'une automobile.
- *Débarrasser le plancher :* sortir.
- *Le plancher des vaches :* la terre ferme.

porte

n. accès, accueil, aluminium, baie, battant, battement, bois, cadenas, cadrage, châssis, clef, encadrement, entrée, gond, grille, issue, judas, moustiquaire, ouverture, perron, rideau, sécurité, serrure, seuil, sortie, verrou, vitre.

adj. basse, battante, blindée, close, condamnée, communiquante, coulissante, d'entrée, de secours, d'honneur, fausse, française, interdite, piétonne, pleine, secrète, sécuritaire.

v. SUJET: la porte grince; COMPL.: attendre à la porte, camoufler la porte, condamner une porte, défoncer une porte, entrebâiller la porte, murer une porte, obstruer la porte, passer la porte, prendre le porte, reconduire à la porte, se heurter à la porte, verrouiller la porte.

expressions...
- *De porte en porte:* aller de maison en maison.
- *Être aux portes de la mort:* être tout près de mourir.
- *Faire du porte à porte:* se dit de quelqu'un qui va de maison en maison.
- *L'ennemi est à nos portes:* l'ennemi est tout près.
- *Mettre quelqu'un à la porte:* le congédier, l'expulser.
- *Ouvrir les portes d'une ville, d'une place à l'ennemi:* capituler, se rendre, abandonner la bataille.

salle

n. antichambre, bibliothèque, billard, boudoir, chambre, chirurgie, cinéma, classe, eau, embarquement, étude, garde, hall, jeu, local, manger, parloir, pièce, salle de bain, salon, toilette, vestibule.

adj. aérée, bondée, comble, commune, décorée, démesurée, déserte, éclairée, élégante, enfumée, funèbre, humide, imposante, luxueuse, magnifique, profonde, splendide, vaste, vide.

v. COMPL.: condamner une salle, demeurer dans la salle, embellir une salle, envahir une salle, nettoyer une salle, occuper une salle, ouvrir une salle, quitter une salle, réserver une salle, vider une salle.

expression...
- *Faire salle comble:* remplir une salle.

salon

n. armoire, attente, bibliothèque, billard, boudoir, canapé, chaise, causeuse, coiffure, dégustation, divan, essayage, fauteuil, fumoir, mobilier, pièce, réception, repos, salle, sofa, table, thé.

adj. aéré, aristocratique, bourgeois, commercial, fermé, hautain, littéraire, funéraire, moderne, modeste, mondain, mortuaire, noble, particulier, politique, privé, rustique, sophistiqué, spacieux, vétuste, vieillot.

v. COMPL.: accueillir dans son salon, converser au salon, fonder un salon, discuter dans un salon, échanger dans un salon, faire salon, inviter dans son salon, tenir salon, recevoir dans son salon, se réunir dans un salon, se tenir au salon, vivre au salon.

sofa

n. accoudoir, bois, bras, canapé, causeuse, chaise, confort, cuir, coussin, détente, divan, fauteuil, housse, joue, lit, meuble, mobilier, mousse, paix, peluche, rapiéçage, rembourrage, repos, siège, souplesse, tissu, velours.

adj. accueillant, antique, confortable, doucereux, douillet, élégant, imposant, luxueux, moderne, moelleux, rigide, rustique.

v. COMPL.: (s') allonger sur un sofa, s'avachir sur un sofa, (se) détendre sur un sofa, (s') endormir sur un sofa, (s') étendre sur un sofa, dormir sur un sofa, paresser sur un sofa, plonger sur un sofa, rêver sur un sofa, somnoler sur un sofa.

table

n. assiette, allonge, buffet, bureau, chaise, chevet, comptoir, console, cuisine, cuisson, couteau, coutellerie, couvert, domestique, dressoir, desserte, domestique, établi, fourcette, gastronome, meuble, mobilier, nappe, napperon, nuit, patte, place, planche, rallonge, repas, serveur, service, sous-nappe, support, tablée, tablette, tiroir, ustensile, vaisselle, vaisselier, verre, verrerie, voisin.

adj. abondante, antique, accueillante, élégante, garnie, gastronomique, ovale, pauvre, pliante, remplie, riche, roulante, rustique, vide, volante.

v. COMPL.: déposer sur la table, desservir la table, disposer sur la table, dresser la table, embellir une table, garnir une table, inviter à sa table, (se) lever de table, mettre sur la table, passer à table, présider la table, remplir la table, renverser la table, sortir de table; AUTRE VERBE: s'attabler.

expressions..
- *Mettre cartes sur table:* ne rien cacher.
- *Passer de l'argent sous la table:* passer de l'argent en secret.
- *Rouler sous la table:* être en état d'ébriété.
- *Se tenir bien à table:* s'y comporter selon les usages.

tapis

n. broderie, canevas, carpette, couverture, descente de lit, dessin, dessous de lampe, dessus de piano, feutre, fond, fourrure, jute, linoléum, natte, paillasson, plancher, tapisserie, tenture, tissu, toile cirée.

adj. ancien, chaud, chiné, cloué, épais, magique, mécanique, mobile, moelleux, ras, roulant, uni, velouté, volant.

v. SUJET: un tapis accumule, décore, embellit, se salit, tapisse; COMPL.: battre un tapis, brosser un tapis, clouer un tapis, coller un tapis, couper un tapis, installer un tapis, mettre un tapis, nettoyer un tapis, poser un tapis, secouer un tapis.

expressions..
- *Amuser le tapis:* jouer petit jeu en attendant la partie sérieuse; tromper.
- *Dérouler le tapis rouge:* recevoir quelqu'un avec tous les honneurs.
- *Envoyer quelqu'un au tapis:* abattre quelqu'un, mettre quelqu'un à terre, au sol.
- *Être sur le tapis:* être l'objet de la conversation.
- *Marchand de tapis:* marchand ambulant, vendant des tapis et divers objets souvent exotiques; personne marchandant âprement.
- *Mettre une affaire, une question sur le tapis:* proposer une affaire à un examen collectif.
- *Tapis vert:* rectangle de gazon d'un jardin, d'un parc.
- *Tapis volant:* tapis magique des légendes orientales.

télévision

n. antenne, appareil, bulletin, câble, chaîne, circuit, émission, film, informations, image, magnétoscope, production, reportage, radiotélévision, télé, téléaffichage, téléchargement, télécommande, télécommunication, téléconférence, télédétection, télédiffusion, téléenseignement, téléfilm, téléimpression, télémarketing, télésouffleur, téléspectateur, téléthon, transmission.

adj. éducative, électronique, dynamique, géante, instructive, interactive, nationale, petite, populaire, scolaire, télégénique, universitaire.

v. SUJET: la télévision amuse, clarifie, communique, divertit, éclaire, éduque, informe, instruit, justifie, montre, questionne, renseigne; COMPL.: bénéficier de la télévision, contrôler la télévision, s'instruire à la télévision, préférer la télévision, profiter de la télévision, regarder la télévision; AUTRE VERBE: téléviser.

vaisselle

n. argent, argenterie, assiette, assiette à soupe, assiette creuse, bahut, beurrier, bol, buffet, cabaret, cafetière, compotier, couteau, couteau à beurre, couteau à viande, couvert, cuiller à café, cuiller à soupe, cuiller à thé, débris, décor, déjeuner, desserte, dîner, dorure, écuelle, évier, faïence, fourchette à dessert, fourchette à salade, huilier, lavette, lave-vaisselle, légumier, louche, métal, motif, moutardier, nourriture, pile, plastique, plat, plateau, plonge, plongeur, poivrier, porcelaine, poterie, pyrex, réchaud, récipient, repas, saladier, salière, saucière, service, soucoupe, souper, soupière, sucrier, table, tasse, terre cuite, tesson, théière, torchon, ustensile, vaisselier, verre, verrerie.

adj. cassée, creuse, épaisse, étincelante, incassable, métallique, moulée, neuve, plate, propre, sale, unie.

v. SUJET: la vaisselle décore, se casse, sert; COMPL.: acheter de la vaisselle, casser de la vaisselle, égoutter de la vaisselle, empiler de la vaisselle, entasser de la vaisselle, essuyer de la vaisselle, étaler de la vaisselle, faire de la vaisselle, laver de la vaisselle, laver la vaisselle, manger dans de la vaisselle, nettoyer de la vaisselle, présenter de la vaisselle, ranger de la vaisselle, rincer de la vaisselle, salir de la vaisselle, vendre de la vaisselle.

expression..

- *S'envoyer la vaisselle à la tête :* se disputer violemment.

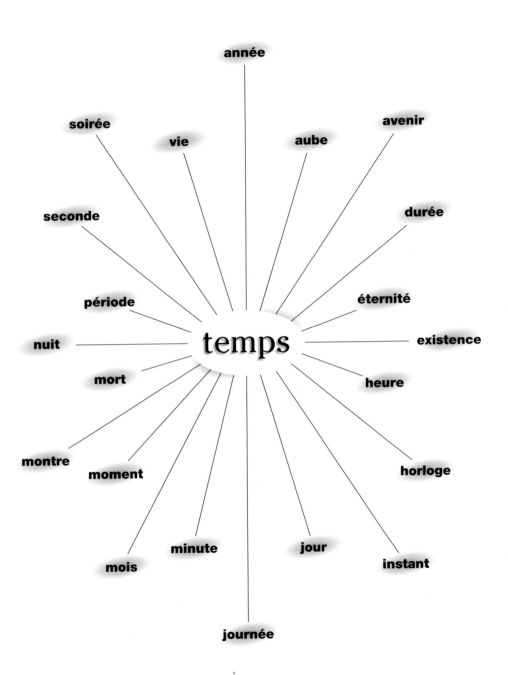

année

n. âge, an, annales, année-lumière, annuaire, août, automne, avril, calendrier, centenaire, date, décembre, décennie, début, équinoxe, étape, été, février, fin, hiver, janvier, jour, juillet, juin, mars, millénaire, mois, novembre, octobre, printemps, quinquennal, saison, semaine, semestre, septembre, siècle, trimestre.

adj. académique, bénéfique, bissextile, bonne, budgétaire, chaude, civile, cruelle, dernière, désastreuse, difficile, dure, écoulée, financière, froide, lunaire, mauvaise, passée, pénible, pluvieuse, précédente, présente, prochaine, productive, sabbatique, sèche, séculaire, solaire, stérile, tropique.

v. SUJET: l'année (s') achève, commence, (s') écoule, finit, passe, se termine.

expressions

- *Bonne et heureuse année:* souhait adressé en début d'année.
- *Les années folles:* les années 1920-1930 en Europe occidentale et en Amérique du Nord.

aube

n. alouette, aurore, chant, commencement, coq, crépuscule, début, horizon, jour, lever, lueur, matin, matinée, naissance, pointe, réveil, soleil.

adj. brumeuse, frémissante, froide, grise, incertaine, pâle, rougeâtre, sordide, splendide.

v. SUJET: l'aube apparaît, s'étend, se lève, paraît, point, se pointe; AUTRES VERBES: se lever, se réveiller.

expressions

- *À l'aube de:* au commencement de.
- *Dès l'aube:* de très bonne heure.

avenir

n. destin, destinée, futur, sort, temps.

adj. attendu, bel, brillant, déterminé, grand, inattendu, incertain, inconnu, indéterminé, lointain, prédestiné, prévisible, prochain, proche, sombre, terne.

v. COMPL.: assurer son avenir, briser son avenir, craindre l'avenir, (se) ménager un avenir, prédire l'avenir, (se) préparer un avenir, présager l'avenir, prévoir l'avenir.

expressions

- *À l'avenir:* à partir de maintenant.
- *Dans un avenir proche:* bientôt.
- *L'avenir nous le dira:* nous ne pourrons le savoir que plus tard.

durée

n. âge, an, ancienneté, année, année-lumière, après-midi, automne, avant-midi, bail, cadence, calendrier, chronomètre, continuité, cours, décennie, demie, demi-heure, demi-journée, échéance, époque, ère, été, éternité, existence, expiration, heure, hiver, horaire, horloge, horloger, horlogère, immortalité, instant, jour, journée, laps, longévité, longueur, matinée, millénaire, minutage, minute, minuterie, mois, moment, montre, mouvement, nuit, octogénaire, patience, pendule, période, perpétuité, printemps, quadragénaire, quart, quartier, quinquagénaire, quinquennat, quinzaine, retard, retardataire, sablier, saison, seconde, semaine, semestre, septuagénaire, session, sexagénaire, siècle, soir, soirée, temps, terme, trentaine, trimestre, vie, vingtaine.

adj. allouée, annuelle, brève, calculée, chronométrée, constante, continue, courte, déterminée, écoulée, écourtée, éphémère, éternelle, exagérée, fixe, fugace, garantie, hebdomadaire, illimitée, immuable, indéfinie, indéterminée, interminable, invariable, limitée, longue, mensuelle, moyenne, passagère, perpétuelle, précise, prescrite, prolongée, réelle, quotidienne, semestrielle, trimestrielle, variable.

v. SUJET: la durée s'achève, s'allonge, s'étend, s'éternise, se perpétue, traîne; COMPL.: allonger la durée, arrondir la durée, couper la durée, chronométrer la durée, diminuer la durée, écourter la durée, établir la durée, étirer la durée, minuter la durée, perpétuer la durée, prolonger la durée, raccourcir la durée ; AUTRES VERBES : attendre, célébrer, débuter, demeurer, devancer, fuir, patienter, perdurer, persévérer, persister, retarder, rogner, subsister, survivre, traîner.

éternité

n. continuation, continuité, durée, existence, immortalité, infini, permanence, perpétuité, prolongation, temps, vie.

adj. bienheureuse, malheureuse.

v. COMPL. : avoir l'éternité, durer une éternité, paraître une éternité ; AUTRE VERBE : (s') éterniser.

expressions

• *Avoir l'éternité devant soi :* avoir tout son temps.
• *De toute éternité :* depuis toujours.
• *Pour l'éternité :* pour toujours.

existence

n. destin, durée, mode, présence, réalité, vie.

adj. affreuse, agitée, bonne, brève, dépouillée, déréglée, dorée, douce, douloureuse, harmonieuse, instable, irréprochable, laborieuse, libre, malheureuse, minable, misérable, morale, morne, orageuse, paisible, poétique, possible, précieuse, propre, pure, radieuse, réelle, réglée, sage, sédentaire, simple, tragique, triste.

v. COMPL. : affirmer l'existence, assurer l'existence, avoir une existence, changer l'existence, (se) compliquer l'existence, connaître l'existence, déceler l'existence, découvrir l'existence, (s') empoisonner l'existence, ignorer l'existence, justifier l'existence, mener une existence, nier l'existence, révéler l'existence, signaler l'existence, soupçonner l'existence ; AUTRES VERBES : être, exister.

expressions

• *Mettre un terme à son existence :* se tuer, mourir.
• *Mettre fin à son existence :* se tuer, mourir.

heure

n. aiguille, cadran, durée, horaire, horloge, journée, midi, minuit, minute, moment, montre, période, seconde, temps.

adj. agréable, avancée, convenue, creuse, cruciale, décisive, demie, déterminée, exacte, exaltante, fixe, fixée, indue, ingrate, interminable, juste, locale, longue, lugubre, matinale, normale, paisible, parfaite, précise, prescrite, prévue, sereine, silencieuse, solennelle, supplémentaire, tardive, tranquille, triste, venue.

v. SUJET : les heures s'écoulent, s'étiolent, s'étirent, défilent, passent, sonnent ; COMPL. : avancer l'heure, changer l'heure, compter les heures, consacrer une heure, dire l'heure, donner l'heure, gagner une heure, indiquer l'heure, lire l'heure, oublier l'heure, perdre une heure, reculer l'heure, regarder l'heure, retarder l'heure, surveiller l'heure ; AUTRES VERBES : chronométrer, minuter.

expressions

• *À toute heure :* à tout moment.
• *À la bonne heure ! :* au bon moment ; c'est tant mieux.
• *À son heure :* au moment qui convient.
• *À l'heure :* à temps.
• *À la première heure :* le plus tôt possible.
• *À une heure avancée :* tard.
• *De bonne heure :* tôt.
• *D'heure en heure :* à mesure que les heures passent.
• *N'avoir pas d'heure :* être incapable de respecter un horaire régulier.
• *Sur l'heure :* tout de suite.
• *D'une heure à l'autre :* d'un moment à l'autre.
• *Heure creuse :* moment de ralentissement des activités.

- *Heure de pointe :* moment de grande affluence.
- *N'avoir pas une heure à soi :* être très occupé.
- *Pour l'heure :* pour le moment.
- *Remettre les pendules à l'heure :* réajuster son attitude ; remettre les choses au point.
- *Tout à l'heure :* dans un moment ; il y a un moment.

horloge

n. aiguille, balancier, boîtier, bruit, cadran, caisse, clef, coffre, coucou, marteau, mécanisme, moteur, mouvement, pendule, poids, poussoir, régulateur, remontoir, résonateur, ressort, réveil, rouage, sonnerie, tambour, tic-tac, timbre.

adj. ancienne, électrique, électronique, muette, murale, parlante, publique, résonante, rustique, sonnante, vieille.

v. SUJET : l'horloge (s') arrête, carillonne, fonctionne, résonne, sonne ; COMPL. : avancer une horloge, démonter une horloge, dérégler une horloge, monter une horloge, régler une horloge, remonter une horloge, retarder une horloge ; AUTRES VERBES : chronométrer, minuter, compter.

expression
- *Réglé comme une horloge :* extrêmement régulier.

instant

n. durée, minute, moment, seconde, temps.

adj. bref, cauchemardesque, court, décisif, effroyable, éphémère, éternel, extraordinaire, fugitif, grave, insignifiant, imminent, magnifique, merveilleux, parfait, passager, propice, redoutable, solennel, sublime, terrible, terrifiant.

v. SUJET : l'instant file, passe ; COMPL. : attendre l'instant, attendre un instant, jouir de l'instant, profiter de l'instant.

expressions
- *À chaque instant :* continuellement.
- *À l'instant :* tout de suite.
- *Dans un instant :* très bientôt.
- *Dès l'instant que :* dans la mesure où.
- *Un instant :* attendez un peu.
- *Dans l'instant :* immédiatement.
- *En un instant :* rapidement.
- *L'instant fatal :* au moment de la mort.
- *Pour l'instant :* pour le moment.

jour

n. après-demain, après-midi, aube, aujourd'hui, avant-hier, avant-midi, avant-veille, clarté, crépuscule, demain, dimanche, hier, jeudi, journée, lendemain, lueur, lumière, lundi, mardi, matin, matinée, mercredi, midi, minuit, mois, moment, nuit, rayon, samedi, semaine, soir, soirée, soleil, surlendemain, temps, veille, vendredi.

adj. attendu, brumeux, calme, chantant, chaud, clair, coloré, délicat, difficile, éblouissant, éclatant, ensoleillé, exquis, favorable, férié, frais, gai, glacial, humide, incertain, mémorable, mouvant, naissant, obscur, ouvrable, plein, pluvieux, rayonnant, serein, sombre, splendide, tiède, torride, unique.

v. SUJET : le jour (s') achève, apparaît, baisse, chute, se couche, décline, éclaire, se lève, luit, monte, naît, paraît, pointe, raccourcit, rallonge, rayonne, tombe ; COMPL. : compter les jours.

expressions
- *Au grand jour :* au vu et au su de tous.
- *Au jour le jour :* d'une manière régulière.
- *Beau comme le jour :* très beau.
- *D'un jour à l'autre :* d'un instant à l'autre.
- *De jour en jour :* graduellement.
- *De tous les jours :* courant.
- *Être comme le jour et la nuit :* être très différents.
- *Exposer au grand jour :* divulguer.

- *Jour après jour:* de manière habituelle.
- *Les vieux jours de quelqu'un:* vieillesse.
- *Mettre à jour:* actualiser.
- *Nuit et jour, jour et nuit:* sans arrêt.
- *Voir le jour:* naître.
- *Un de ces jours:* dans un avenir imprécis.
- *Un jour ou l'autre:* tôt ou tard.
- *Vivre au jour le jour:* vivre sans se préoccuper du lendemain.

journée

n. après-midi, aube, avant-midi, crépuscule, durée, jour, matin, midi, nuit, période, soir, soirée, temps.

adj. accablante, agréable, belle, bonne, calme, charmante, chaude, claire, complète, courte, délirante, dévorante, entière, épuisante, étincelante, exceptionnelle, fatigante, fraîche, froide, heureuse, languide, lénifiante, lumineuse, maussade, merveilleuse, morne, orageuse, perturbée, pluvieuse, radieuse, remplie, silencieuse, sombre, stagnante, suffocante, terrible, tiède.

v. SUJET: la journée (s') achève, (s') annonce, s'écoule, se termine, commence, finit, glisse, paraît, passe; COMPL.: entamer une journée, perdre sa journée.

expression...

- *À longueur de journée:* tout le jour, jour après jour.

minute

n. durée, heure, instant, moment, période, seconde, temps.

adj. interminable, longue, petite, silencieuse, solennelle.

v. SUJET: les minutes s'écoulent, s'envolent, s'étirent, passent; AUTRES VERBES: chronométrer, minuter.

expressions..

- *À la minute:* à l'instant même.

- *D'une minute à l'autre:* dans un avenir très proche.
- *Être à la minute:* être très pressé.
- *La minute de vérité:* le moment exceptionnel et décisif où la vérité éclate.
- *Pas une minute:* pas du tout.
- *Une bonne minute:* instant qui paraît long.
- *Une petite minute:* instant qui paraît court.

mois

n. année, août, automne, avril, calendrier, décembre, été, février, hiver, janvier, jour, juillet, juin, mai, mars, novembre, octobre, période, printemps, saison, semaine, semestre, septembre, temps, trimestre, zodiaque.

adj. automnal, chaud, dernier, estival, froid, hivernal, long, pluvieux, précédant, printanier, prochain, suivant, venteux.

v. SUJET: le mois s'écoule, s'étire, passe.

moment

n. durée, heure, minute, instant, intervalle, période, seconde, temps.

adj. agréable, ambigu, angoissant, approprié, atroce, attendu, bouleversant, bref, captivant, chagrinant, chaleureux, charmant, charnière, choisi, critique, crucial, culminant, décisif, délicat, désagréable, divin, donné, effrayant, effroyable, embarrassant, enchanté, ennuyant, enrichissant, époustouflant, épouvantable, étincelant, étonnant, exaltant, exquis, extraordinaire, fatidique, favorable, grand, grandiose, heureux, horrible, important, impressionnant, inattendu, inopportun, inoubliable, joyeux, libre, long, lucide, magique, magnifique, mort, mauvais, opportun, paisible, paniquant, passionnant, passionnant, pathétique, petit, précis, productif, propice, puissant, rassurant, remarquable, rêvé, révélateur, simple, solennel, solitaire, sombre, splendide, stressant, superbe, surprenant, terrible, terrifiant, triste, ultime, vibrant.

v. SUJET: le moment dure, s'écoule, s'enfuit, meurt, naît, passe; **COMPL.:** attendre un moment, choisir le moment, guetter le moment, passer un moment, profiter du moment, saisir le moment, trouver un moment, vivre un moment.

expressions

- *À aucun moment:* jamais.
- *D'un moment à l'autre:* bientôt.
- *Dans un moment:* bientôt.
- *En un moment:* rapidement.
- *Un moment!:* attendez!
- *À tout moment:* continuellement.
- *Par moments:* par intervalles, de temps à autre.
- *Sur le moment:* au moment précis où une chose survient.
- *Au moment de:* sur le point de.
- *Avoir de bons moments:* connaître des périodes heureuses.
- *Au moment où:* lorsque.
- *Du moment que:* puisque.
- *N'avoir pas un moment à soi:* avoir un emploi du temps très chargé.
- *Pour le moment:* présentement.
- *Pour un moment:* pour peu de temps.

montre

n. aiguille, boîtier, bracelet, cadran, chronomètre, date, fuseau, heure, jour, minute, numérique, pile, poche, poignet, remontoir, ressort, seconde, sonnerie, temps, trotteuse.

adj. ancienne, antique, argentée, banale, belle, brisée, chère, dorée, électronique, élégante, grosse, laide, luxueuse, magnifique, moderne, nouvelle, numérique, originale, petite, vieille.

v. SUJET: la montre (s') arrête, se brise, indique; **COMPL.:** porter une montre, regarder sa montre, régler une montre, remonter sa montre.

expressions

- *Course contre la montre:* chose que l'on doit finir dans un délai très court.

- *Dans le sens des aiguilles d'une montre:* dans un mouvement circulaire de la gauche vers la droite.
- *Montre en main:* en un temps précis, vérifié.
- *Se battre contre la montre:* chose que l'on doit finir dans un délai très court.

mort

n. agonie, âme, anéantissement, arrêt, cadavre, cercueil, corps, décédé, décès, défunt, défunte, dépouille, deuil, disparition, disparu, enterrement, fin, funérailles, immobilité, nuit, perte, suicide, tombe, tombeau, trépas, veuf, veuve.

adj. abrupte, absolue, accidentelle, affreuse, anticipée, apparente, cérébrale, clinique, douce, glorieuse, grotesque, héroïque, imprévisible, inévitable, inexpliquée, infligée, insidieuse, lamentable, lente, lugubre, macabre, mystérieuse, naturelle, provoquée, rapide, répugnante, soudaine, subite, tragique, violente, volontaire.

v. SUJET: la mort approche, arrive, frappe, survient; **COMPL.:** accepter la mort, appeler la mort, braver la mort, chercher la mort, constater la mort, craindre la mort, entraîner la mort, envisager la mort, infliger la mort, invoquer la mort, précipiter la mort, risquer la mort, tomber mort, triompher de la mort; **AUTRES VERBES:** finir, mourir, ressusciter, terminer, trépasser.

expressions

- *À la vie à la mort:* toujours.
- *Avoir la mort dans l'âme:* être très triste.
- *Avoir la mort sur le visage:* sembler proche de la mort.
- *Donner la mort:* tuer.
- *Être à l'article de la mort:* être sur le point de mourir.
- *Être à la mort:* être sur le point de mourir.
- *Être à moitié mort:* être très malade.

- *Être entre la vie et la mort :* être en grand danger de mourir.
- *Être mort de quelque chose :* ressentir quelque chose à un haut degré.
- *Être sur son lit de mort :* être sur le point de mourir.
- *Faire le mort :* faire semblant d'être mort.
- *Mourir de sa belle mort :* mourir sans souffrance, de vieillesse.
- *Peine de mort :* peine prévoyant l'exécution d'un condamné.
- *Plus vif que mort :* se dit de quelqu'un qui, sous l'emprise de la peur, paraît incapable de réagir.
- *Se blesser à mort :* de manière mortelle.
- *Se donner la mort :* se suicider.

nuit

n. aube, crépuscule, durée, insomnie, lit, mort, nuitée, obscurité, ombre, pénombre, période, rêve, sommeil, temps, ténèbres.

adj. agitée, bienfaisante, blanche, bleuâtre, brève, bruyante, calme, chaude, claire, complète, courte, criblée, cruelle, délicieuse, dense, désastreuse, douce, douillette, éclairée, écrasante, effroyable, enchantée, ensorcelante, envoûtante, épaisse, éternelle, étoilée, étouffante, étrange, fabuleuse, fantastique, fatigante, figée, fraîche, frénétique, froide, glacée, glaciale, grisâtre, heureuse, humide, immense, infecte, insondable, interminable, lactée, longue, louche, lourde, lumineuse, magnifique, majestueuse, mauvaise, mémorable, miséricordieuse, moite, morne, muette, noire, nuageuse, occupée, opaque, orageuse, paisible, pénible, pluvieuse, profonde, radieuse, scintillante, sèche, séduisante, sereine, silencieuse, sombre, sonore, splendide, suffocante, superbe, tapageuse, ténébreuse, terrible, tiède, tombante, tranquille, transparente, triste, unique, voilée.

v. SUJET : la nuit s'abat, arrive, avance, s'épaissit, s'étale, naît, tombe, vient ; COMPL. : dormir sa nuit, passer la nuit ; AUTRES VERBES : se réveiller, rêver.

- *C'est le jour et la nuit :* il s'agit de deux choses opposées.
- *De nuit :* qui se passe la nuit.
- *Jour et nuit, nuit et jour :* continuellement.
- *La nuit des temps :* une époque très reculée dont on ne sait rien.
- *Nuit blanche :* nuit sans sommeil.
- *Nuit et jour :* sans cesse.

période

n. année, antiquité, cycle, décennie, durée, époque, ère, étape, heure, instant, intervalle, jour, millénaire, minute, mois, moment, Moyen Âge, phase, renaissance, seconde, siècle, temps.

adj. actuelle, ancienne, antique, automnale, bouleversante, chronologique, classique, contemporaine, courte, critique, dernière, déterminée, difficile, éphémère, estivale, glorieuse, heureuse, historique, hivernale, importante, inoubliable, intéressante, limitée, longue, malheureuse, marquante, mémorable, moderne, précédante, préhistorique, première, primitive, printanière, récente, redoutable, réjouissante, révolutionnaire, saisonnière, sombre, suspecte, terne, triste, troublante, troublée.

v. SUJET : la période (s') achève, commence, débute, s'écoule, finit, précède, suit, se termine ; COMPL. : traverser une période ; AUTRE VERBE : durer.

seconde

n. centième, chronomètre, dixième, durée, fraction, heure, horloge, instant, millième, minute, moment, montre, temps, trotteuse.

adj. inoubliable, intense, interminable, passagère, précieuse.

v. SUJET : les secondes défilent, s'écoulent, s'enfuient, passent ; COMPL. : compter les secondes ; AUTRE VERBE : chronométrer.

expressions
- *En une fraction de seconde :* très rapidement.
- *En une seconde :* tout de suite.
- *Sans attendre une seconde :* aussitôt.
- *Une seconde ! :* attendez un instant.

soirée

n. coucher, crépuscule, durée, nuit, soir, temps, tombée, veillée.

adj. affreuse, agréable, amusante, charmante, chaude, courte, dansante, désastreuse, divertissante, drôle, enivrante, excitante, fantastique, fraîche, froide, gaie, harmonieuse, humide, idyllique, intéressante, intime, longue, mondaine, monotone, pénible, plaisante, romantique, spectaculaire, tiède, voilée.

v. SUJET : la soirée (s') achève, commence, débute, se déroule, dure, s'éternise, finit, passe, se termine ; **COMPL. :** clôturer la soirée, consacrer la soirée, donner une soirée.

expressions
- *En soirée :* qui a lieu dans la soirée.
- *Le clou de la soirée :* principale attraction de la soirée.
- *Tenue de soirée :* habit ou smoking ; robe de soirée.

vie

n. âme, année, destin, destinée, esprit, existence, jour, longévité, période, souffle, survie, survivance, temps, vitalité.

adj. acceptable, active, agitée, animale, austère, brève, casanière, chère, conjugale, courante, désordonnée, difficile, dure, éphémère, errante, éternelle, exemplaire, extraordinaire, familiale, heureuse, humaine, intérieur, malheureuse, modérée, mouvementée, nomade, obscure, organique, pratique, précaire, privée, professionnelle, publique, raisonnable, rangée, ratée, réglée, remplie, réussie, sédentaire, sentimentale, simple, solitaire, spirituelle, tranquille, tumultueuse, végétale.

v. SUJET : la vie commence, s'éteint, finit ; **COMPL. :** affronter la vie, consacrer sa vie, défendre sa vie, donner la vie, gagner sa vie, mener une vie, passer sa vie, perdre la vie, ranimer la vie, rater sa vie, réussir sa vie, risquer sa vie, sacrifier sa vie, sauver la vie, vivre sa vie ; **AUTRES VERBES :** être, exister, vivre.

expressions
- *À la vie, à la mort :* pour toujours.
- *À vie :* pour tout le temps qui reste à vivre.
- *Amis pour la vie :* pour toujours.
- *Attenter à sa vie :* tenter de se suicider.
- *Ce n'est pas une vie :* c'est une situation insupportable.
- *De ma vie :* jamais.
- *Devoir la vie à quelqu'un :* avoir été sauvé par quelqu'un.
- *Être en vie :* être vivant.
- *Être sans vie :* être mort.
- *Faire la vie :* mener une vie de plaisirs.
- *Femme de mauvaise vie :* prostituée.
- *Mener grande vie :* dépenser.
- *Ôter la vie à quelqu'un :* tuer.
- *Question de vie ou de mort :* question capitale.
- *Redonner, rendre la vie à quelqu'un :* ranimer quelqu'un, rassurer quelqu'un, lui redonner espoir.
- *Refaire sa vie :* réorganiser son existence sur des bases nouvelles, se remarier.
- *Revenir à la vie :* ressusciter.

animaux
p. 172

monde vivant

végétaux
p. 183

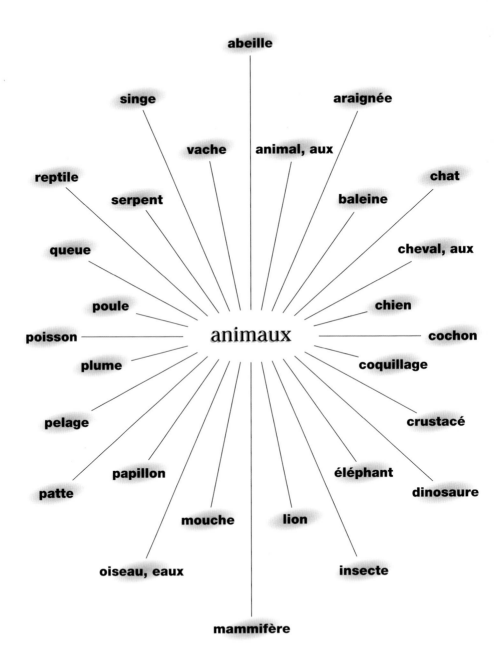

abeille

singe

araignée

vache animal, aux

reptile

chat

serpent

baleine

queue

cheval, aux

poule

chien

poisson — **animaux** — cochon

plume

coquillage

pelage

crustacé

papillon

éléphant

patte

dinosaure

mouche lion

oiseau, eaux

insecte

mammifère

abeille

n. aiguillon, aile, alvéole, apiculteur, apicultrice, apiculture, bourdon, cellule, cire, colonie, danse, dard, élevage, essaim, femelle, fleur, gaufre, insecte, larve, mâle, mellification, miel, nectar, nid, nourrice, nymphe, œuf, peloton, ouvrière, piqûre, pollen, rayon, reine, ruche, rucher, venin, vol.

adj. active, alerte, butineuse, courageuse, efficace, impériale, inférieure, laborieuse, légère, mellifère, piqueuse, pondeuse, rapide, reproductrice, sauvage, supérieure, travaillante, ventileuse, vénéneuse.

v. SUJET : l'abeille bourdonne, butine, dégorge, distille, pique, pond, travaille, ventile, vole ; COMPL. : entretenir les abeilles, nourrir les abeilles, se faire assaillir par les abeilles, se faire piquer par une abeille, se faire poursuivre par des abeilles.

animal, aux

n. bestiole, bétail, bête, carnivore, crustacé, espèce, faune, fauve, félin, gibier, granivore, herbivore, insecte, insectivore, mammifère, microbe, omnivore, poisson, prédateur, reptile, rongeur, troupeau, zoo.

adj. apprivoisé, aquatique, bipède, carnassier, carnivore, chasseur, domestique, féroce, fouisseur, grimpeur, herbivore, invertébré, marin, migrateur, quadrupède, ruminant, sauvage, terrestre, tropical, venimeux, vertébré, vorace.

v. SUJET : l'animal attaque, bondit, charme, chasse, guette, surveille ; COMPL. : abattre un animal, apprivoiser un animal, chasser un animal, dépecer un animal, domestiquer un animal, dompter un animal, dresser un animal, élever un animal, entretenir un animal, éventrer un animal, nourrir un animal, pourchasser un animal, poursuivre un animal, soigner un animal, toiletter un animal, traquer un animal.

araignée

n. arachnide, coléoptère, colonie, dard, embuscade, épeire (araignée de jardin), fil, glande, insectarium, insecte, insectivore, lubrifiant, morsure, mygale, patte, piqûre, soie, tarentule, tique, toile, venin.

adj. dégoûtante, horrible, horrifiante, piqueuse, repoussante, rouge, travaillante, velue, venimeuse, veuve.

v. SUJET : l'araignée effraie, apeure, emprisonne, enveloppe, ficelle, tisse, répugne ; COMPL. : écraser une araignée, capturer des araignées, collectionner des araignées, observer des araignées.

expression
* *Avoir une araignée au plafond :* avoir l'esprit quelque peu dérangé.

baleine

n. aileron, baleineau, baleinier, baleinière, banc, bande, bec, béluga, bosse, bouche, branchies, cachalot, chasse, cétacé, environnement, dent, épaulard, évent, fanon, graisse, harpon, huile, mâchoire, mammifère, mer, nageoire, observation, pêche, plancton, poisson, protection, queue, rorqual, suif.

adj. agile, énorme, blanche, bleue, gigantesque, gracieuse, lourde.

v. SUJET : la baleine siffle, souffle ; COMPL. : admirer les baleines, capturer une baleine, contempler les baleines, harponner une baleine, observer les baleines, pourchasser les baleines, protéger les baleines.

expressions
* *Être gros comme une baleine :* énorme.
* *Rire, se tordre comme une baleine :* rire en ouvrant la bouche toute grande.

chat

n. angora, animal, cajolerie, carnivore, chasse, chatière, chaton, chatonne, chatte, chat-tigre, dent, douceur, élégance, félin, féline, fourrure, gouttière, griffe, lait, langue, lion, litière, mammifère, matou, miaou, miaule, miaulement, minet, minette, minou, mistigri, moustache, pelage, persan, poil, poisson, queue, race, rat, sauvage, siamois, souplesse, souris, sphinx, tigre, velours, yeux.

adj. agressif, câlin, capricieux, châtré, carnivore, domestique, doux, élégant, marbré, précieux, princier, roux, sauvage, tigré, soyeux.

v. SUJET: le chat bâille, chasse, s'étire, guette, griffe, miaule, ronronne; la chatte chatonne; **COMPL.:** amadouer un chat, craindre un chat, flatter un chat, se méfier d'un chat, se pelotonner comme un chat, toiletter un chat.

expressions

- *Avoir un chat dans la gorge:* être enroué.
- *Donner sa langue au chat:* renoncer à deviner.
- *Chat échaudé craint l'eau froide:* une mésaventure rend prudent.
- *Écrire comme un chat:* écrire d'une main illisible.
- *Être, vivre comme chien et chat:* vivre en se chamaillant constamment.
- *Il n'y a pas un chat:* il n'y a personne, le lieu est désert.
- *Jouer au chat et à la souris:* s'épier par jeu, sans vouloir se rencontrer.
- *Il n'y a pas de quoi fouetter un chat:* l'affaire est insignifiante.

cheval, aux

n. alezan, andalou, âne, animal, anglais, attelage, avoine, bourricot, bourrique, cavalerie, cavalier, charretier, chevalerie, chevalier, chevauchée, coureur, coureuse, course, crinière, croupe, cow-boy, écurie, élevage, éperon, équitation, étalon, étrier, fer, ferme, ferrure, hennissement, hippodrome, jument, lasso, licol, licorne, manège, mammifère, monture, mule, mulet, mustang, naseau, persan, poitrail, poulain, pouliche, pur-sang, race, sabot, zèbre, zébrure.

adj. ardent, cambré, docile, domestique, doux, efflanqué, fougueux, fourbu, fringant, hippique, impétueux, ongulé, piaffeur, rapide, récalcitrant, rétif, sauvage, vaillant, vif, vigoureux.

v. SUJET: le cheval galope, hennit, parade, piaffe, rue, s'ébroue, se cabre, trotte, va au pas; la jument pouline; **COMPL.:** atteler un cheval, brider un cheval, capturer un cheval, chevaucher un cheval, dompter un cheval, échanger un cheval, ferrer un cheval, monter à cheval, récompenser un cheval, soigner un cheval.

expressions

- *Être à cheval sur ses principes:* y tenir rigoureusement.
- *Homme de cheval:* cavalier.
- *Monter sur ses grands chevaux:* s'emporter, le prendre de haut.
- *Une dose de cheval:* une dose très forte.
- *Une fièvre de cheval:* une fièvre violente.

chien

n. aboiement, accouplement, ami, animal, basset, beagle, berger, bichon, bouche, bouledogue, bouvier, boxer, braque, bull terrier, cabane, caniche, canin, chasse, chenil, chienne, chihuahua, chiot, cocker, colley, collier, course, croc, dalmatien, danois, dent, doberman, épagneul, esquimau, fidélité, flair, fourrure, fox-terrier, garde, grognement, gueule, guide, hurlement, husky, jappement, labrador, laisse, lévrier, mâchoire, maître, mammifère, molosse, morsure, museau, niche, nourriture, odorat, pâté, patte, pékinois, pitbull, poil, pointer, policier, saint-bernard, terrier, toutou, vétérinaire, vitesse.

adj. abandonné, agile, bâtard, courageux, docile, doux, enragé, errant, fidèle, habile, limier, malicieux, obéissant, pataud, rapide, reconnaissant.

v. SUJET : le chien aboie, chasse, flaire, glapit, gronde, guette, hurle, jappe, mord, poursuit, renifle, vagabonde ; **COMPL. :** affamer un chien, attacher un chien, braconner avec un chien, dompter un chien, dresser un chien, élever un chien, engraisser un chien, exciter un chien, gronder un chien, museler un chien, siffler un chien.

expressions...

- *Arriver comme un chien dans un jeu de quilles :* arriver à l'improviste.
- *Entre chien et loup :* à l'aube.
- *Éprouver un mal de chien :* rencontrer de nombreuses difficultés.
- *Être couché en chien de fusil :* les genoux ramenés sur le corps.
- *Un temps de chien :* mauvais temps, un temps terrible.
- *Vivre comme chien et chat :* vivre en se chamaillant constamment.

cochon

n. animal, boue, charcuterie, cochonnaille, cochonnée, cochonnerie, cochonnet, couenne, engrais, fange, fromage, goret, graisse, groin, jambon, mammifère, porc, porcelet, porcherie, pourceau, quartier, queue, saucisson, soue, truie, verrat, viande.

adj. dégueulasse, domestique, énorme, fumé, gras, noir, omnivore, porcin, puant, rose, rôti, vorace.

v. SUJET : le cochon grogne, se vautre ; **COMPL. :** dépecer un cochon, égorger un cochon, élever un cochon, engraisser un cochon, éventrer un cochon, griller un cochon, saigner un cochon, saler un cochon ; **AUTRE VERBE :** cochonner.

expressions...

- *Avoir des yeux, des petits yeux de cochon :* petits et enfoncés.
- *Être gras comme un cochon :* très gras.
- *Il a une tête de cochon, un caractère de cochon :* il est très entêté, il a un mauvais caractère.

- *Jouer un tour de cochon à quelqu'un :* desservir, trahir quelqu'un.
- *Manger comme un cochon :* malproprement.
- *Soûl comme un cochon :* très ivre.

coquillage

n. coffret, collier, coquille, culture, dent, disque, eau, écaille, nervure, élevage, escargot, étoile, fruit de mer, huître, mer, miroir, mollusque, moule, moulière, nacre, palourde, perle, plateau, rocher, sable.

adj. comestible, conique, dentelé, doré, empoisonné, fusiforme, nacré, nervuré, rosé, spiralé, turriculé, univalve.

v. COMPL. : aimer un coquillage, chercher un coquillage, collectionner un coquillage, cuisiner un coquillage, déguster un coquillage, goûter un coquillage, goûter à un coquillage, manger un coquillage, pêcher un coquillage, ramasser un coquillage, trouver un coquillage.

expression...

- *Raisonner comme un coquillage :* faire un raisonnement creux.

crustacé

n. animal, antennes, appendice, assiette, cage, cancre, carapace, corps, crabe, crevette, cuirasse, écrevisse, fossiles, homard, langouste, langoustine, mâchoire, mandibule, patte, pédoncule, pince, queue, tégument, tourteau.

adj. aquatique, gluant, marcheur, mou, ovipare, succulent, visqueux.

v. SUJET : le crustacé chasse, mange, pince, trouve ; **COMPL. :** cuire des crustacés, cuisiner des crustacés, manger des crustacés, pêcher un crustacé, trouver un crustacé.

dinosaure

n. brontosaure, carnivore, crâne, disparition, faune, force, fossile, maître, mammifère, ongulé, pachyderme, préhistoire, ptéranodon, reptile, saurien, squelette, stégosaure, terreur, trace, tyrannosaure, tricératops, vélociraptor.

adj. colossal, énorme, fort, géant, gigantesque, gros, lent, lourd, immense, musclé, préhistorique, robuste, terrible.

v. SUJET: le dinosaure détruit, effraie, fait la loi, impressionne, règne; COMPL.: classer les dinosaures, étudier les dinosaures, imiter les dinosaures.

éléphant

n. Afrique, Asie, barrissement, cirque, cornac, défense, dent, dressage, éléphante, éléphanteau, espèce, fossile, gestation, herbivore, ivoire, mammifère, mammouth, masse, pachyderme, peau, pelage, pesanteur, poids, savane, taille, trompe, troupe, troupeau.

adj. blanc, considérable, domestiqué, énorme, gigantesque, gris, immense, lourd, noir, ongulé, pesant, rugueux.

v. SUJET: l'éléphant barrit; COMPL.: capturer un éléphant, chasser un éléphant, dresser un éléphant, étudier les éléphants, nourrir les éléphants, protéger les éléphants, soigner les éléphants.

expressions
- *Avoir une peau d'éléphant:* avoir une peau très dure, impénétrable.
- *Faire d'une mouche un éléphant:* exagérer une faute légère.
- *Il a une mémoire d'éléphant:* il a une mémoire exceptionnelle.
- *Un éléphant dans un magasin de porcelaine:* un lourdaud qui intervient dans une affaire délicate.

insecte

n. abdomen, abeille, acarien, aiguillon, aile, alvéole, antenne, asticot, banc, blatte, bombyx, bourdon, brahmaéide, bruissement, cafard, carapace, chenille, chrysalide, cigale, cire, coccinelle, cocon, coléoptère, criquet, dard, demoiselle, élytre, éphémère, essaim, femelle, fleur, forficule, fossile, fourmi, fourmilière, frelon, grillon, guêpe, hanneton, insectarium, insecticide, insectivore, larve, lèvre, libellule, luciole, mâchoire, mâle, mandibule, mante religieuse, maringouin, masque, maxillaire, microbe, miel, monarque, morpho, mouche, moustiquaire, moustique, nectar, nèpe, nid, nuée, nymphe, œuf, ouvrier, ouvrière, papillon, parasite, patte, perce-oreille, pince, piqueur, poil, poison, pollen, pollinisation, polyphème, pou, puce, puceron, pulpe, punaise, reine, ruche, sauterelle, scarabée, soie, souci, sphinx, suçoir, taon, tapette, teigne, termite, termitière, thorax, tique, trachée, trompe, tue-mouches, uranie, ver, vermine, vol, yeux.

adj. ailé, articulé, broyeur, carnivore, éphémère, fileur, insectivore, invertébré, larvaire, lécheur, nuisible, ovipare, perce-bois, piqueur, solitaire, suceur.

v. SUJET: l'insecte butine, injecte, pique, ronge, suce; COMPL.: arroser les insectes, détruire les insectes, écarter les insectes, étudier les insectes, exterminer les insectes, chasser les insectes, lutter contre les insectes, pulvériser les insectes.

expression
- *Écraser quelqu'un comme un insecte:* écraser quelqu'un comme s'il ne valait rien.

lion

n. Afrique, animal, bande, cage, carnage, caverne, chasse, chat, cirque, cœur, crinière, croc, cruauté, fauve, félidé, félin, force, forêt, loi, griffe, jaguar, jungle, lionceau, lionne, maître, mammifère, orgueil, pelage, Pérou, puma, règne, roi, rugissement, savane, supériorité, tanière, tête, toison.

adj. agile, autoritaire, brave, carnassier, cruel, digne, féroce, imposant, musclé, noble, orgueilleux, puissant, rancunier, redoutable, robuste, sauvage.

v. SUJET: le lion attaque, chasse, épie, guette, gronde rugit; COMPL.: admirer le lion, attaquer le lion, chasser le lion, craindre le lion, envier le lion, imiter le lion, pourchasser le lion, surveiller le lion, tuer le lion.

expressions..

- *Avoir bouffé du lion :* être animé d'une énergie ou d'un courage inaccoutumés.
- *Fort comme un lion :* très fort.
- *Tourner comme un lion en cage :* s'impatienter.

mammifère

n. allaitement, âne, animal, antilope, arbre, baleine, bison, blaireau, bœuf, bovidés, buffle, cachalot, canidés, carnassiers, carnivore, castor, cerf, cervidés, cétacés, chacal, chameau, chamois, chasse, chat, chauve-souris, cheval, chèvre, chevreuil, chien, chinchilla, civette, cobaye, cœur, corne, daim, dauphin, dent, dentition, disparition, dromadaire, échidné, écureuil, élan, éléphant, équidés, espèce, famille, félidés, femelle, femme, fennec, fossile, fouine, fourmilier, fourrure, furet, gazelle, girafe, glande, glouton, gorille, griffe, grizzli, hamster, hérisson, hibernation, hippopotame, homme, hyène, insectivores, jaguar, kangourou, koala, lait, lama, lapin, lemming, léopard, lièvre, lion, loir, loris, loup, loutre, lynx, macaque, mâle, mamelle, mammouth, mangouste, marmotte, marsouin, marsupiaux, martre, milieu, morse, mouffette, mouflon, mouton, mulot, musaraigne, narval, nourriture, ocelot, ongle, ongulés, orangoutang, ornithorynque, otarie, ours, ovipare, pachydermes, panda, panthère, peau, pécari, pelage, petit, phoque, poil, porc, porc-épic, primates, protection, puma, putois, rat, raton, renard, renne, reproduction, rhinocéros, rongeur, ruminants, sabot, sang chaud, sanglier, singe, souris, taille, tamia, tapir, tatou, taupe, taureau, tigre, vertébrés, vison, vivipare, yack, zèbre, zébu, zibeline, zoo, zoologie, zorille.

adj. aérien, aquatique, arboricole, canidé, carnivore, édenté, énorme, gigantesque, insectivore, omnivore, ovipare,

rongeur, ruminant, terrestre, végétarien, vivipare.

v. SUJET : le mammifère allaite, attaque chasse, hiberne, mange, protège, ronge, surveille ; COMPL. : chasser les mammifères, empailler un mammifère, nourrir les mammifères, piéger un mammifère, protéger les mammifères, surveiller les mammifères.

mouche

n. aile, alvéole, antenne, araignée, asticot, bestiole, charogne, chiasse, chiure, déchet, essaim, insecte, insecticide, larve, microbe, miel, moucheron, moustiquaire, moustique, nuage, patte, pêche, piqûre, trompe, tsé-tsé, tue-mouches.

adj. ailée, bleue, déplaisante, domestique, fatigante, harcelante, infectieuse, maçonne, mortelle, noire, nuisible, verte.

v. SUJET : la mouche bourdonne, envahit, harcèle, importune, pique, se pose, zigzague ; COMPL. : attraper des mouches, chasser des mouches, collectionner les mouches, étudier les mouches, écraser des mouches, tuer des mouches.

expressions..

- *Mourir, tomber comme des mouches :* mourir en masse, en grand nombre.
- *On aurait entendu une mouche voler :* le plus profond silence régnait.
- *Quelle mouche le pique ? :* pourquoi se met-il en colère brusquement et sans raison apparente ?
- *Une fine mouche :* une personne très fine, habile, rusée.

oiseau, eaux

n. aigle, aigrette, aile, aire, albatros, alouette, amorce, ara, arbre, autour, autruche, aviculteur, aviculture, bande, basse-cour, bec, bécasse, bécasseau, bécassine, becquée, bergeronnette, bernache, bouvreuil, branche, bréchet, bruant, busard, buse, cabane, cacatoès, cage, caille, canard, canari, cane, caquet, cardinal, casoar, chant, chardonneret, choucas, chouette, cigogne, colibri, collet, colombe, coloration, colvert, condor, coq, corbeau, cormoran, corneille, corps, coucou, couleur, coureur, couvée, crécerelle, crête, cri, croupion, cygne, dinde, dindon, doigt, dressage, duc, duvet, échassier, émeu, engoulevent, envergure, épervier, épouvantail, essor, étourneau, faisan, faucon, fauvette, flamant, fossile, fou, frugivore, gallinacés, gazouillement, gazouillis, geai, gélinotte, gerfaut, gésier, glouglou, gloussement, goéland, granivore, griffe, grimpeur, grive, gros-bec, grue, habitat, héron, hibou, hululement, huppe, ibis, incubation, insectivore, jabot, jars, juchoir, lagopède, linotte, lori, loriot, macareux, marabout, marais, martin-chasseur, martinet, martin-pêcheur, ménure, mergule, merle, mésange, moineau, mouette, narine, nichée, nid, nidification, nuée, ocelle, œuf, oie, oiseleur, oiselier, oisellerie, oisillon, orfraie, ornithologie, ornithologiste, outarde, ovipare, palmipède, palmure, panachure, paon, paradisier, pariade, passereaux, passerine, patte, pélican, pépiement, perchoir, perdrix, perroquet, perruche, petit, pic, pie, piège, pigeon, pigeonnier, pingouin, pintade, pipit, piscivore, pison, plumage, plume, pluvier, ponte, proie, queue, ramage, rapace, roitelet, rossignol, roucoulement, rouge-gorge, roulade, sarcelle, sautillement, serin, serre, sifflement, sittelle, survol, taille, tête, toucan, tourterelle, troglodyte, urubu, vanneau, vautour, vertèbre, vol, volaille, volatile, volée, volière.

adj. aquatique, coureur, diurne, domestique, échassier, marin, migrateur, ovipare, percheur, planeur, plongeur, piqueur, sauteur, sauvage, tropical, vagabond.

v. SUJET: l'oiseau s'apparie, bâtit, becquette, chante, gazouille, juche, mue perche, picore, picote, roucoule, saute, sautille, siffle, vole; COMPL.: admirer les oiseaux, capturer des oiseaux, chasser des oiseaux, empailler des oiseaux, étudier les oiseaux, observer les oiseaux.

expressions

- *À vol d'oiseau :* se dit d'une distance en ligne droite d'un point à l'autre de la surface terrestre.
- *Baiser d'oiseau :* baiser léger, tendre.
- *C'est un oiseau rare :* une personne irremplaçable, étonnante.
- *C'est un vilain oiseau :* une personne déplaisante.
- *Être gai, libre comme un oiseau :* être insouciant.
- *Un appétit d'oiseau :* appétit léger.

papillon

n. abdomen, aile, antenne, arbre, beauté, bombyx, brahmaéide, cécropia, champ, chasse, chenille, chrysalide, cocon, collection, concentration, corps, couleur, danaïde, écaille, entomologie, entomologiste, envergure, envol, espèce, feuille, filet, forêt, habitat, insecte, itinéraire, larve, lépidoptères, métamorphose, migration, mimétisme, monarque, morpho, mue, nectar, nymphe, ocelle, ornithoptère, palpe, papilionacées, papillonnage, patte, phalène, piéride, plante, polyphème, reproduction, saison, saturnidés, soie, souci, sphinx, splendeur, taille, tête, thorax, transformation, trompe, uranie, vanesse, ver, vol, xanthie.

adj. articulé, coloré, crépusculaire, diurne, éphémère, léger, multicolore, nocturne.

v. SUJET: le papillon danse, folâtre, volette, voltige; COMPL.: attraper des papillons, chasser des papillons, collectionner des papillons, danser comme un papillon, prendre des papillons; AUTRE VERBE: papillonner.

expressions

- *Avoir des papillons dans l'estomac :* être nerveux.
- *Papillons noirs :* idées sombres, tristes, mélancolie passagère.
- *Un papillon :* un esprit léger, volage, une personne d'humeur inconstante.

patte

n. animal, chat, chien, cochon, éléphant, extrémité, griffe, jambe, lapin, mandibule, oie, oiseau, ongle, pied, pince, serre, talon.

adj. agile, alerte, allongée, basse, blanche, courbée, courte, fine, fragile, griffée, grosse, légère, lourde, onglée, palmée, pesante, pliée, repliée, sale.

v. COMPL. : attraper par la patte, casser la patte, donner la patte, écraser la patte, lever la patte, marcher sur la patte, montrer la patte, plier la patte, sauter sur une patte, tendre la patte ; AUTRES VERBES : claudiquer, piaffer, piétiner.

expressions......................................

- *En avoir plein les pattes :* être fatigué après une longue promenade ; en avoir assez.
- *Montrer patte blanche :* être sans soupçon.
- *Retomber sur ses pattes :* se tirer sans dommage d'une affaire fâcheuse.
- *Sortir, se tirer des pattes de quelqu'un :* lui échapper, reprendre son indépendance.
- *Se mettre, marcher à quatre pattes :* se déplacer en posant les mains et les pieds par terre.
- *Tirer dans les pattes de quelqu'un :* lui susciter des difficultés.

pelage

n. bison, cerf, chaleur, chevelure, crin, crinière, cuir, daim, douceur, duvet, éleveur, épaisseur, épiderme, épilation, fourrure, froidure, hibernation, laine, livrée, manteau, mantelure, mousse, mouton, peau, pelade, poil, protection, rigidité, robe, tondaison, toison, tonte, touffe.

adj. brillant, clair, chaud, crépu, doux, duveteux, épais, étincelant, fauve, fin, frisé, gras, gris, hérissé, hirsute, laineux, lisse, lustré, pelucheux, ras, rayé, rugueux, soyeux, superbe, tacheté, terne, velouté, zébré.

v. COMPL. : colorer le pelage, entretenir le pelage, flatter le pelage, lisser le pelage, raser le pelage, rebrousser le pelage, tondre le pelage.

plume

n. amas, autruche, canard, chapeau, coq, couette, couverture, décoration, duvet, éclat, faisan, faisceau, fête, flèche, folklore, froissement, gibier, huppe, manteau, oie, oiseau, paon, panache, perroquet, plumage, plumeau, protection, ramage, touffe, volaille.

adj. blanche, chatoyante, décorative, duveteuse, éclatante, flamboyante, frisée, hérissée, noire, tachetée.

v. COMPL. : arracher les plumes, froisser les plumes, frotter les plumes, hérisser ses plumes, lisser ses plumes, montrer ses plumes, recouvrir de plumes ; AUTRES VERBES : déplumer, emplumer, plumer, remplumer.

expressions......................................

- *Léger comme une plume :* très léger.
- *Perdre ses plumes :* perdre ses cheveux.
- *Homme de plume :* homme instruit, de lettres, érudit.

poisson

n. achigan, agrès, aiglefin, aileron, alevin, alose, anchois, anguille, appât, aquarium, arête, aspic, banc, barbe, barbillon, barbote, barbue, baudroie, blennie, bouche, branchie, brème, brochet, cabillaud, canne, capelan, carpe, cartilage, caviar, chair, congre, cyprin, dauphin, daurade, dent, doré, écaille, élevage, éperlan, épinoche, espadon, esturgeon, évent, filet, flétan, forme, frai, frayère, fretin, goberge, gymnote, hameçon, hareng, harpon, hippocampe, lac, laitance, laitée, lamproie, larve, ligne, limande, loricaire, lotte, mâchoire, maquereau, marchand, marée, maskinongé, mer, merlan, merlu, mérou, mollusque, morue, mouche, moulinet, murène, museau, nage, nageoire, nasse, océan, odeur, œil, œuf, omble, ondulation, orphie, os, ouïe, ovipare, peau, pêche, pêcherie, perchaude, perche, piranha, pisciculteur, pisciculture, pleuronectiforme, plie, poisson-chat, poissonnerie, poissonnier, poisson-scie, poulamon, queue, raie, reproduction, requin, rivière, rouget, roussette, sardine, saumon, sole, taille, tête, thon, touladi, truite, turbot, ver, vitesse, vivier.

adj. agile, allongé, cartilagineux, cru, dangereux, écailleux, fusiforme, osseux, piscivore, pourri, rapide, salé, vertébré.

v. SUJET: le poisson folâtre, fraye, frétille, pond, sautille; COMPL.: apprêter du poisson, harponner le poisson, pêcher le poisson, peupler de poissons, prendre du poisson, préparer le poisson, taquiner le poisson, vider le poisson.

expressions
- *Engueuler quelqu'un comme du poisson pourri:* invectiver quelqu'un.
- *Être heureux comme un poisson dans l'eau:* se trouver dans son élément.
- *Finir en queue de poisson:* se dit d'une chose dont la fin est décevante.

poule

n. abats, aile, aviculteur, avicultrice, aviculture, basse-cour, blanc, bouillon, cage, chair, chapon, cocorico, coq, coquelet, coquerico, couveuse, couvoir, crème, crête, cuisse, dinde, dindon, élevage, ergot, faisan, foie, fricassée, gallinacé, gélinotte, gloussement, grain, juchoir, jus, lait, nid, œuf, oiseau, os, paille, patte, perchoir, pied, poitrine, poulailler, poularde, poulet, poulette, poussin, poussinière, queue, volaille.

adj. blanche, domestique, engraissée, farcie, fumée, huppée, mouchetée, noire, pondeuse, reproductrice, rôtie, rousse, sautée, truffée.

v. SUJET: la poule caquette, chante, couve, glousse, gratte, picore, pond; COMPL.: déplumer une poule, égorger une poule, embrocher une poule, engraisser une poule, farcir une poule, saigner une poule.

expressions
- *Mère poule:* mère qui couve ses enfants.
- *Poule mouillée:* personne poltronne; personne timorée.
- *Quand les poules auront des dents:* jamais.
- *Se coucher, se lever comme, avec les poules:* se coucher, se lever très tôt.
- *Tuer la poule aux œufs d'or:* tuer, détruire par avidité ou impatience la source d'un profit important.

queue

n. bout, cheval, couette, croupière, fin, fouet, houppe, panache, pédicule, poil, tige, tire-bouchon.

adj. allongée, basse, courte, coupée, écourtée, effilée, flexible, lisse, longue, molle, petite, poilue, raide, redressée, relevée, touffue.

v. SUJET: la queue frétille, se roule; COMPL.: battre de la queue, lever la queue, redresser la queue, relever la queue, remuer la queue.

expressions
- *Finir en queue de poisson:* finir de façon insatisfaisante.
- *Se suivre à la queue leu leu:* se suivre l'un derrière l'autre, comme on dit que marchent les loups.

reptile

n. alligator, animal, aspect, bec, bouche, cage, caïman, caméléon, carapace, corps, cou, crochet, crocodile, croissance, cuirasse, dent, dinosaure, disparition, doigt, écaille, éclosion, embryon, ennemi, épine, espèce, étude, femelle, forme, fossile, fuite, gavial, gecko, glissement, griffe, habitat, iguane, langue, lézard, locomotion, mâchoire, mâle, membre, mimétisme, moloch, morsure, mue, museau, narine, nourriture, œil, œuf, orvet, ovipare, peau, ponte, proie, queue, rapidité, reproduction, reptation, répugnance, sang froid, saurien, scinque, seps, serpent, taille, tortue, vagissement, varan, venin, ventouse, ventre, vertébré, zonure, zoo, zoologie.

adj. dégoûtant, difforme, hideux, immense, monstrueux, ondulant, ovipare, rampant, rapide, repoussant, répugnant, reptilien, sournois, subtil, venimeux, vorace.

v. SUJET : le reptile attaque, se coule, danse, fourmille, glisse, s'insinue, mord, mue, rampe, se traîne ; COMPL. : attaquer les reptiles, capturer les reptiles, effrayer les reptiles, emprisonner les reptiles, fuir les reptiles.

serpent

n. anaconda, animal, anneau, aspic, boa, bouche, charmeur, cobra, collier, corail, corne, corps, côte, couleur, couleuvre, crochet, crotale, cuir, dard, dent, dompteur, écaille, ennemi, eunecte, fourche, gueule, habitat, invertébré, langue, locomotion, longueur, mâchoire, morsure, mue, naja, nasique, nœud, nourriture, œil, œuf, ondulation, ovipare, ovovivipare, peau, piqûre, poison, proie, python, queue, rapidité, reptation, reptile, salive, serpenteau, sifflement, taille, tête, venin, ventre, vertèbre, vipère, zoo.

adj. charmeur, cornu, dangereux, enjôleur, énorme, hypocrite, long, marin, menaçant, meurtrier, monstrueux, perfide, redoutable, séducteur, sournois, tentateur, trompeur, venimeux, vilain.

v. SUJET : le serpent charme, darde, étouffe, étrangle, fascine, se faufile, mord, mue, pique, rampe, siffle ; COMPL. : capturer un serpent, étudier les serpents, imiter le serpent ; AUTRE VERBE : serpenter.

singe

n. abajoue, agilité, agressivité, alouate, amusement, arbre, atèle, babouin, cerveau, chimpanzé, comportement, corps, crâne, cri, doigt, drill, étourderie, face, femelle, forêt, frugivore, geste, gesticulation, gibbon, gorille, grimace, groupe, guenon, habitat, imitation, macaque, magot, main, mâle, mamelle, mammifère, mandrill, membre, mimique, moquerie, nasique, nourriture, œil, ongle, orang-outan, oreille, ouistiti, peau, petit, poids, pouce, primate, queue, rapidité, rhésus, sagouin, saïmiri, saki, sapajou, taille, tamarin, tête, tour, végétaux.

adj. acrobate, agile agité, apeuré, arboricole, boudeur, drôle, folichon, frugivore, gracile, grimpeur, habile, hurleur, laineux, malin, malfaisant, moqueur, nerveux, noir, pleureur, rancunier, rapide, ridicule, roux, siffleur, souple, vengeur, vert.

v. SUJET : le singe culbute, dévisage, gesticule, imite, saute, tourne en rond ; COMPL. : faire le singe, imiter le singe, mimer le singe, parodier le singe ; AUTRE VERBE : singer.

expressions

• *Faire le singe :* faire des grimaces pour amuser.
• *Laid comme un singe :* très laid.
• *On n'apprend pas à un singe à faire des grimaces :* on n'apprend pas de ruses à un homme plein d'expériences.
• *Payer en monnaie de singe :* récompenser ou payer par des belles paroles, des promesses creuses.

vache

n. agriculture, auge, avoine, beuglement, beurre, bison, bœuf, boucher, boucherie, bouse, bovin, bouvillon, buffle, champ, corne, cuir, cultivateur, cultivatrice, enclos, étable, ferme, foin, fourrage, fromage, génisse, lait, mamelle, mammifère, meuglement, mufle, museau, pacage, pâturage, peau, queue, reproduction, rumination, taure, taureau, vaccin, vacherie, vachette, veau, vétérinaire, zébu.

adj. agressive, avicole, enragée, grasse, insouciante, laitière, lente, lourde, maigre, paisible, racée, reproductrice, somnolente, tachetée.

v. SUJET: la vache beugle, broute, meugle, mugit, pacage, pâture, rumine, vêle; COMPL.: débiter une vache, rassembler les vaches, sacrifier une vache, soigner les vaches, tirer les vaches, traire les vaches.

expressions..

- *Une vache à lait:* personne qu'on exploite, source de profit.
- *Manger de la vache enragée:* en être réduit à des privations extrêmes.
- *Une vache n'y trouverait pas son veau:* se dit d'un grand désordre.

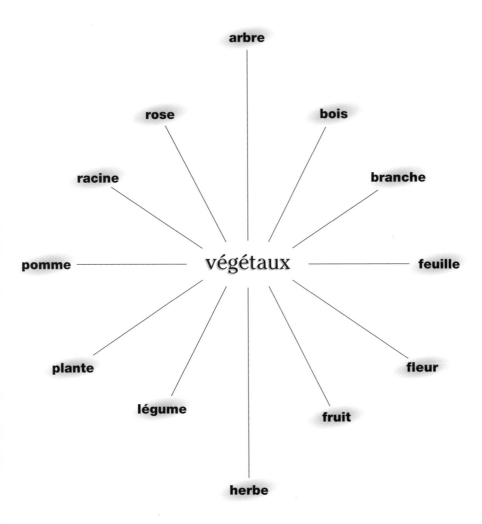

arbre

rose   bois

racine   branche

pomme   végétaux   feuille

plante   fleur

légume   fruit

herbe

arbre

n. abattage, abricotier, anacardier, acacia, acajou, aiguille, airelle, alignement, allée, amandier, amarante, amélanchier, anacardier, arboriculteur, arboriculture, arbrisseau, arbuste, aubépine, aulne, avelinier, avenue, avocatier, azalée, balsa, bambou, baobab, bas, baumier, bois, boisement, bordure, bosquet, bouleau, boulevard, bouquet, bourgeon, bouton, bouture, branchage, branche, brin, brindille, broussaille, bruyère, bûcheron, buis, buisson, cacaoyer, caféier, camélia, camphrier, cannelier, câprier, cassis, cèdre, cerisier, cerne, châtaignier, chêne, chèvrefeuille, cime, citronnier, clémentinier, coca, cocotier, conifère, cordon, cornouiller, cotonnier, coudrier, coupe, cyprès, daphné, dattier, déboisement, débourrement, dessèchement, ébénier, écorce, effeuillement, églantier, embranchement, émondeur, épicéa, épine, épinette, érable, espèce, essence, eucalyptus, faîte, feuillage, feuille, feuillu, fibre, figuier, fleur, flore, forêt, fourche, fourré, framboisier, frêne, frondaison, fuchsia, fusain, futaie, gelée, genévrier, giroflier, glycine, gourmand, goyavier, grenadier, groseillier, haie, haut, henné, hêtre, hévéa, hibiscus, hortensia, houx, if, jardin, jasmin, jujubier, kaki, kapokier, kolatier, laurier, lavande, lierre, ligne, lilas, limettier, lisière, mail, mandarinier, manguier, manioc, marronnier, massif, mélèze, merisier, mimosa, mousse, mûrier, muscadier, myrte, myrtille, nœud, noisetier, noyer, obier, olivier, ombrage, oranger, origan, orme, osier, pacanier, palétuvier, palissade, palissandre, palmier, pamplemoussier, papayer, pêcher, pépinière, peuplement, peuplier, pied, pin, plant, plantation, poinsettia, poirier, poivrier, pommettier, pommier, pousse, prunélaïe, prunellier, prunier, racine, rameau, ramée, ramure, rangée, raphia, rejeton, repeuplement, repousse, rhododendron, ricin, rideau, romarin, ronce, rosier, sapin, sensitive, séquoia, sève, sol, soleil, sommet, sorbier, souche, sureau, sylviculture, taille, taillis, teck, témoin, terre, tête, thuya, thym, tige, tilleul, tonnelle, touffe, tremble, troène, tronc, tuteur, végétal, végétation, verdure, verger, vigne, viorne, voûte, yucca.

adj. abrité, abattu, acclimaté, antique, arborescent, arboricole, bagué, boisé, bourgeonnant, branchu, butté, caverneux, cerné, chenu, condamné, coupé, courbé, couvert, creux, cultivé, déchaussé, déchiqueté, découronné, décrépit, dégarni, déplanté, dépouillé, déraciné, développé, éborgné, ébranché, écimé, éclairci, écorcé, effeuillé, élagué, élancé, émondé, émoussé, encroué, énorme, enraciné, entaillé, épanoui, épineux, épluché, équarri, essouché, étêté, exotique, fertile, feuillu, fleuri, forcé, fourchu, fruitier, géant, gigantesque, grand, greffé, gros, habillé, incisé, indigène, ligneux, lugubre, luisant, maigre, malingre, mort, moussu, nain, noir, noueux, nu, ombragé, petit, planté, pourrissant, poussé, rabattu, rabougri, rameux, rechaussé, reverdi, saigné, sec, sinistre, stérile, taillé, tordu, touffu, transplanté, triste, verdi, vert, vieux, vigoureux.

v. SUJET : un arbre bourgeonne, se couvre de, croît, dépérit, se dépouille, se développe, se dresse, s'effeuille, s'épanouit, fleurit, grandit, jaunit, meurt, penche, se penche, porte, pousse, produit, se ramifie, reverdit, sèche, tombe, végète, verdit ; COMPL. : abattre un arbre, (s') abriter sous un arbre, acclimater un arbre, baguer un arbre, butter un arbre, cerner un arbre, couper un arbre, courber un arbre, cultiver un arbre, déchausser un arbre, découronner un arbre, dégarnir un arbre, déplanter un arbre, dépouiller un arbre, déraciner un arbre, éborgner un arbre, ébrancher un arbre, écimer un arbre, éclaircir un arbre, écorcer un arbre, effeuiller un arbre, élaguer un arbre, émonder un arbre, enraciner un arbre, entailler un arbre, éplucher un arbre, équarrir un arbre, essoucher un arbre, étêter un arbre, forcer un arbre, greffer un arbre, grimper à un arbre, habiller un arbre, inciser un arbre, monter à un arbre, monter sur un arbre, (se) percher sur un arbre, peupler d'arbres, planter un arbre, rabattre un arbre, rechausser un arbre, repeupler d'arbres, saigner un arbre, tailler un arbre, transplanter un arbre; AUTRES VERBES: boiser, déboiser, reboiser.

expressions..

• *Faire l'arbre fourchu:* avoir les pieds en haut et la tête en bas en se tenant sur les mains.

• *Entre l'arbre et l'écorce il ne faut pas mettre le doigt:* on ne doit pas s'immiscer dans une affaire où il y a des intérêts contradictoires.

• *Couper l'arbre pour avoir le fruit:* supprimer une source de profit pour obtenir un avantage immédiat.

• *C'est au fruit qu'on connaît l'arbre:* c'est à l'œuvre qu'on peut juger l'auteur.

• *Les arbres cachent la forêt:* les détails empêchent parfois d'avoir une vue d'ensemble.

• *Arbre de Noël:* sapin (ou branche de sapin) décoré pour le jour de Noël.

• *L'arbre de la science du bien et du mal:* l'arbre qui donne le fruit défendu.

• *L'arbre de vie:* arbre du paradis terrestre. Avec son fruit, l'homme aurait pu conserver son innocence.

scie, sciure, sculpteur, sculpteuse, sculpture, sève, souche, teck, tronc.

adj. ciré, clair, combustible, dur, exotique, huilé, humide, ignifuge, inflammable, laqué, ligneux, mort, mou, noueux, odorant, ouvré, peint, plaqué, poreux, pourri, précieux, renflé, résineux, rongé, sec, sombre, teint, teinté, tendre, tordu, traité, travaillé, veiné, vermoulu, verni, vert.

v. SUJET: le bois brûle, craque, durcit, gauchit, pétille, sèche; COMPL.: abattre le bois, couper le bois, décaper le bois, dévernir le bois, fendre le bois, ignifuger le bois, mesurer le bois, peindre le bois, polir le bois, poncer le bois, repolir le bois, sabler le bois, scier le bois, sculpter le bois, tailler le bois, teindre le bois, travailler le bois, vernir le bois; AUTRES VERBES: boiser, (se) chauffer, déboiser, reboiser.

expressions..

• *Avoir la gueule de bois:* avoir mal à la tête, se sentir mal après avoir trop bu.

• *Montrer de quel bois on se chauffe:* montrer de quoi on est capable (formule de menace).

• *Toucher du bois:* toucher un objet de bois pour écarter un danger possible.

bois

n. abattage, acajou, allume-feu, arbre, bâton, billot, boiserie, bran, branche, bûche, bûcheron, cendre, chantier, charpentier, chauffage, chêne, cheval, coffret, combustible, construction, contre-plaqué, copeau, corde, coupe, couteau, créosote, ébène, ébéniste, écharde, éclat, écorce, érable, essence, établi, feu, finition, foresterie, forêt, four, grain, hache, imprégnation, madrier, marqueterie, menuiserie, menuisier, menuisière, merisier, meuble, moulure, nœud, outil, panneau, papier, parquet, parqueterie, pin, placage, planche, poêle, polissage, ponçage, ponceuse, poutre, rabot, rabotage, reboisement, résine, rondin, sablage, sableuse,

branche

n. arboriculture, arbre, balancement, base, bois, bout, branchage, branchette, brin, brindille, cime, courbure, développement, ébranchoir, élagage, émondage, émondeur, émondoir, fourré, fruit, greffe, massif, moignon, ombrage, pampre, perchoir, pousse, racine, ramage, rame, rameau, ramée, ramification, ramure, rejet, rejeton, reproduction, souche, squelette, taille, taillis, tige, tronc.

adj. anguleuse, arrachée, basse, brisée, cassée, chargée, coupée, courbée, couverte, craquée, dénudée, dépouillée, enchevêtrées, entrecroisées, entrelacées, épaisse, étalée, étendue, feuillue, fine, fleurie, flexible, forte, fruitière, gaulée, gigantesque, haute, latérale, liées, ligneuse, menue, morte, noire, noueuse, nouvelle, ôtée, pliée, poussée, ramassée, ramifiée, ravalée, repiquée, résistante, rompue, saisie, sèche, secouée, subdivisée, taillée, tirée, tordue, touffue.

v. SUJET: une branche se balance, se courbe, craque, s'étale, s'étend, fleurit, ombrage, plie, ploie, pousse, se ramifie, résiste, se subdivise, tient bon; des branches s'enchevêtrent, s'entrecroisent, s'entrelacent; COMPL.: arracher une branche, (s') asseoir sur une branche, briser une branche, casser une branche, couper une branche, courber une branche, craquer une branche, dépouiller une branche, gauler une branche, lier des branches, monter à une branche, monter sur une branche, ôter une branche, plier une branche, ramasser une branche, ravaler une branche, repiquer une branche, rompre une branche, saisir une branche, sauter de branche en branche, secouer une branche, tailler une branche, tirer une branche, tordre une branche; AUTRES VERBES: découronner, dépouiller, ébrancher, élaguer, émonder.

expressions......................................
- *Être comme l'oiseau sur la branche:* être dans une position incertaine, non assurée.
- *Scier la branche sur laquelle on est assis:* se mettre dans une position critique.
- *S'accrocher à toutes les branches:* ne rien omettre, utiliser tous les moyens nécessaires.
- *Se rattraper aux branches:* saisir une opportunité qui permet de rétablir une position critique.
- *Choisir sa branche:* choisir son domaine d'activité.
- *Vieille branche:* vieil ami, vieux copain.

feuille

n. aiguille, amas, arbre, arbrisseau, arbuste, automne, bosquet, bourgeon, bruissement, chlorophylle, chou, compost, compostage, conifère, défoliant, défoliation, dent, effeuillement, feuillage, feuillu, fleur, frondaison, gui, herbier, houx, laitue, laurier, murmure, nervure, ombrage, ombre, papier, plante, rameau, râteau, ratissage, tabac, tas, tige, trèfle, verdure.

adj. brune, caduque, charnue, découpée, dentée, dentelée, dorée, fanée, grasse, jaune, jaunie, lobée, morte, orangée, persistante, pourrie, rouge, rousse, sèche, séchée, tachetée, velue, verte.

v. SUJET: une feuille s'épanouit, se fane, flotte, frissonne, jaunit, pousse, rougit, tapisse, tombe, tournoie, tremble, verdit; COMPL.: arracher une feuille, brûler une feuille, composter une feuille, déchiqueter une feuille, ramasser une feuille, râteler des feuilles, ratisser des feuilles; AUTRES VERBES: défolier, dénuder, effeuiller.

expression......................................
- *Trembler comme une feuille:* trembler beaucoup.

fleur

n. anémone, anthère, arbre, arrosoir, arum, aubépine, azalée, balsamine, bégonia, belle-de-jour, bleuet, bordure, botanique, boule-de-neige, bouquet, bouquetière, bourgeon, bouton, bouton d'or, bruyère, bulbe, calice, camélia, camomille, campanule, canna, capucine, champ, chardon, chaton, chèvrefeuille, chrysanthème, cime, clématite, collection, commerce, coquelicot, corolle, couleur, couronne, crocus, cyclamen, dahlia, eau, éclat, éclosion, effluve, églantine, enveloppe, épi, étamine, fécondation, fleuriste, fleuron, floraison, flore, fragilité, fraîcheur, fruit, fuchsia, gardénia, gentiane, géranium, gerbe, giroflée, glaïeul, glycine, graine, grappe, gueule-de-loup, guirlande, hélianthe (soleil), herbe, hortensia, horticulture, immortelle, inflorescence, insertion, iris, jacinthe, jardin, jardinage, jardinet, jardinier, jardinière, jasmin, jonquille, laurier, lavande, lilas, limbe, lis (lys), liseron, lobe, magnolia, marché, marguerite, massif, mimosa, muguet, myosotis, narcisse, nénuphar, œillet, orchidée, organe, ovaire, ovule, pâquerette, parfum, parterre, parure, pavot, pédoncule, pensée, perce-neige, pervenche, pétale, pétunia, phlox, pied-d'alouette, pissenlit, pistil, pivoine, plante, plate-bande, pollen, pollinisation, pot, primevère, rame, réceptacle, régime, reine-marguerite, renoncule, rhododendron, rose, sauge, sépale, serre, soleil, stigmate, suc, terre, tige, tisane, trèfle, tulipe, velours, vente, verveine, violette, yucca, zinnia.

adj. abîmée, accolée, alterne, apétale, arrachée, arrosée, artificielle, attirante, belle, bizarre, brillante, brodée, butinée, caduque, charmante, ciselée, colorée, comestible, composée, coupée, cueillie, cultivée, délicate, déposée, dépouillée, desséchée, diurne, divergente, double, dressée, écailleuse, échancrée, éclose, effeuillée, embellie, empoisonnée, entière, enveloppante, envoyée, épanouie, étalée, étiolée, exotique, exquise, fanée, femelle, flétrie, fraîche, grande, hermaphrodite, imbriquée, imprimée, incomplète, infléchie, irrégulière, lancée, mâle, médicinale, merveilleuse, mise, morte, naturelle, nocturne, non composée, nouée, nue, odorante, odoriférante, offerte, opposée, ornementale, oscillante, ouverte, pailletée, panachée, paniculée, parfumée, passée, pédonculée, peinte, persistante, plumeuse, portée, régulière, sauvage, sculptée, sèche, séchée, semée, simple, solitaire, souple, tigrée, tombée, tordue, tronquée, tropicale, vendue.

v. SUJET: une fleur boutonne, coule, défleurit, se déploie, se dépouille, éclôt, s'effeuille, embaume, (s') embellit, s'épanouit, se fane, se flétrit, fleurit, fructifie, jonche, meurt, s'ouvre, pousse, refleurit, sèche, tombe; COMPL.: arranger des fleurs, arroser une fleur, butiner une fleur,

couper une fleur, (se) couvrir de fleurs, cueillir une fleur, cultiver une fleur, déposer une fleur, effeuiller une fleur, émailler de fleurs, embellir de fleurs, enraciner une fleur, envoyer des fleurs, lancer des fleurs, mettre une fleur, nouer des fleurs, offrir des fleurs, parsemer de fleurs, planter une fleur, porter une fleur, semer une fleur, vendre des fleurs, voler de fleur en fleur; AUTRES VERBES: défleurir, déflorer, fleurir.

expressions

- *Dire quelque chose avec des fleurs:* exprimer des souhaits, des remerciements ou des sentiments avec des fleurs.
- *Ni fleurs ni couronnes:* enterrement ou cérémonie très simple.
- *La fleur au fusil:* gaiement.
- *Couvrir quelqu'un de fleurs:* flatter, encenser quelqu'un.
- *Semer des fleurs sur la tombe de quelqu'un:* parler en bien de quelqu'un après sa mort.
- *Une vie semée de fleurs:* une vie douce, aisée, heureuse.
- *Être fleur bleue:* être sentimental.
- *Comme une fleur:* facilement, sans difficulté.
- *Faire une fleur à quelqu'un:* accorder une faveur à quelqu'un.
- *À fleur de:* presque sur le même plan, le même niveau.
- *Sensibilité à fleur de peau:* grande sensibilité, mais superficielle.
- *Dans la fleur de l'âge:* en pleine jeunesse.

fruit

n. abricot, agrume, airelle, alcool, amande, anacarde, ananas, arboriculteur, arboriculture, arbre, arrosoir, aubergine, aveline, avocat, baie, banane, bleuet, bonbon, branche, cassis, cédrat, cep, cerise, chair, châtaigne, citron, citrouille, clémentine, coco, cœur, coing, colorant, coloration, compote, cône, confiture, conservation, coque, corbeille, cornouille, coulis, coupe, courge, cueillette, culture, datte, diaphragme, distillation, duvet, eau, eau-de-vie, écale, écorce, emballage, essence, expédition, fécondation, figue, fraise, framboise, fructification, fruiterie, fruitier, gâteau, gaule, gelée, gland, gousse, goût, goyave, grain, graine, grappe, grenade, groseille, jujube, jus, kaki, kiwi, lime, macédoine, mandarine, mangue, marmelade, marron, maturation, maturité, melon, merise, mirabelle, mûre, muscade, myrtille, noisette, noix, noyau, olive, orange, ovaire, ovule, pacane, pamplemousse, papaye, parfum, pastèque, pâte, peau, pêche, pectine, pelure, pépin, piment, pistache, plante, poivre, poivron, pollinisation, pomme, pommette, pomoculture, potiron, primeur, prune, pruneau, prunelle, pulpe, purée, pyramide, quartier, queue, raisin, réceptacle, récolte, réfrigération, régime, saison, salade, samare, sécateur, séchage, serre, soleil, sorbet, suc, tache, tamarin, terre, tomate, tranche, transport, trognon, vanille, verger, vin, vitamine, zeste.

adj. acide, aigre, aigrelet, allongé, amer, aplati, aqueux, arrondi, avarié, beau, candi, charnu, coloré, comestible, composé, confit, conservé, cotonneux, coulant, croqué, cru, cueilli, cuit, cultivé, dénoyauté, doré, doux, duveté, éclaté, emballé, épluché, équeuté, évidé, expédié, exotique, fondant, frais, gaulé, gros, grumeleux, juteux, ligneux, mangé, meurtri, mordu, mûr, naturel, noué, odorant, ovoïde, parfumé, piqué, pourri, précoce, pressé, pulpeux, réfrigéré, ridé, sain, saisonnier, sauvage, savoureux, sec, séché, simple, succulent, sucré, sur, suret, taché, talé, tapé, tardif, tombé, transporté, tropical, velouté, vendu, véreux, vermeil, vert.

v. SUJET: un fruit se colore, se cotonne, coule, se dessèche, se développe, se forme, grossit, mûrit, se noue, pourrit, se ride, tombe, tourne; COMPL.: colorer un fruit, croquer un fruit, cueillir un fruit, cuire un fruit, dénoyauter un fruit, emballer un fruit, éplucher un fruit, équeuter un fruit, évider un fruit, expédier un fruit, gauler un fruit, manger un fruit, meurtrir un fruit, mordre un fruit, peler un fruit, presser un fruit, réfrigérer un fruit, transporter un fruit, vendre un fruit; AUTRE VERBE: fructifier.

expressions
- *C'est au fruit qu'on connaît l'arbre:* c'est l'œuvre qu'on peut juger l'auteur.
- *Le fruit défendu:* fruit de l'arbre de la science du bien et du mal. Dieu avait défendu à Adam et Ève de le manger.
- *Le fruit défendu:* chose qu'on désire mais dont on doit s'abstenir.
- *Le fruit d'une union, d'un mariage, de l'amour:* enfant.
- *Porter fruit:* rapporter.
- *Récolter le fruit de quelque chose:* subir les conséquences, bonnes ou mauvaises, d'une action.
- *Fruit vert:* jeune fille qui n'est pas encore épanouie.

herbe

n. aromate, assaisonnement, bouquet, brin, cerfeuil, chiendent, chlorophylle, ciboulette, coriandre, culture, désherbage, désherbant, druide, estragon, faux, foin, fourche, fourrage, gazon, haschisch, herbage, herbicide, herbier, herbivore, herborisation, herboriste, herboristerie, marijuana, menthe, parterre, pâtre, pâturage, pâture, pelouse, persil, pique-nique, pissenlit, prairie, pré, rosée, savane, sorcier, sorcière, thym, tondeuse, touffe, végétation, vertu, verveine.

adj. annuelle, aquatique, aromatique, couchée, courte, cultivée, drue, entretenue, fauchée, fine, folle, fraîche, givrée, grasse, haute, humide, jaunie, mauvaise, médicinale, mouillée, nuisible, odorante, officinale, potagère, provençale, rase, roussie, sèche, séchée, tendre, tondue, touffue, verte, vivace.

v. SUJET: l'herbe craque, se dessèche, embaume, envahit, frissonne, jaunit, nuit, ondoie, ondule, ploie, pousse, reverdit, sèche; COMPL.: arracher l'herbe, arroser l'herbe, brouter l'herbe, couper l'herbe, déraciner l'herbe, entretenir l'herbe, extirper l'herbe, faucher l'herbe, tondre l'herbe ; AUTRES VERBES : s'asseoir, courir, déjeuner, désherber, fumer, gambader, herboriser, marcher, paître, se rouler, sarcler.

expressions

• *Couper l'herbe sous le pied de quelqu'un :* supplanter quelqu'un en le devançant.

• *En herbe :* encore jeune, mais plein de promesses.

• *Pousser comme de la mauvaise herbe :* pousser rapidement, facilement.

légume

n. ail, aliment, arrosoir, artichaut, asperge, assaisonnement, aubergine, bette, betterave, bouillon, brocoli, bulbe, cantaloup, carotte, céleri, champignon, chicorée, chou, chou-fleur, chou-rave, ciboulette, citrouille, concombre, condiment, conserve, cornichon, cosse, courge, courgette, cresson, culture, eau, échalote, endive, épinard, estragon, fève, fenouil, feuille, racine, fines herbes, flageolet, fleur, fruit, fruiterie, garniture, gousse, grain, graine, haricot, horticulteur, horticulture, jardin, jardinier, jardinière, laitue, légumineux, lentille, macédoine, mâche, mange-tout, maraîcher, maraîchère, marchand, maturité, melon, melon d'eau, navet, oignon, oseille, panais, pastèque, patate, pelure, persil, piment, pissenlit, poireau, pois, poivron, pomme de terre, potager, potiron, pourpier, primeur, radis, radis noir, raifort, rame, rave, régime végétal, romaine, rutabaga, salade, salsifis, sarclage, sarriette, scarole, soja, soleil, soupe, terre, tige, tomate, truffe, végétal, végétarien, végétarienne, vinaigre.

adj. arraché, arrosé, biné, comestible, coupé, cru, crû, cueilli, cuit, cultivé, déchaussé, déshydraté, épluché, farineux, frais, fruitier, garni, gratiné, gros, hâtif, macéré, mangé, maraîcher, nettoyé, pommé, potager, poussé, préparé, râpé, récolté, repiqué, sarclé, sec, vendu, vert.

v. SUJET : le légume accompagne, croît, garnit, grossit, nourrit, pomme, pousse ; COMPL. : arracher un légume, arroser un légume, biner un légume, couper un légume, cueillir un légume, cuire un légume, cultiver un légume, déchausser un légume, éplucher un légume, faire les légumes, garnir un légume, gratiner un légume, macérer un légume, manger un légume, nettoyer un légume, préparer un légume, râper un légume, récolter un légume, repiquer un légume, sarcler des légume, vendre un légume.

plante

n. abricotier, acacia, acajou, acclimatation, ail, airelle, algue, ananas, anémone, aneth, anis, arachide, arbre, arbrisseau, arbuste, aromate, arrosoir, artichaut, arum, asperge, aubépine, aubergine, aulnaie, aulne, avelinier, avoine, azalée, balsamine, bambou, bananier, baobab, bardane, basilic, bégonia, belle-de-jour, betterave, bleuet, botanique, botaniste, bouleau, boule-de-neige, bourgeon, bourgeonnement, bouton, bouton-d'or, bouture, branche, brocoli, bruyère, cacaotier, cacaoyère, cactus, caféier, caféière, camélia, camomille, campanule, camphrier, canna, canne, canneberge, cannelier, cantaloup, câprier, capucine, carotte, cassis, cèdre, cédrière, céleri, cep, céréale, cerfeuil, cerisaie, cerisier, champ, champignon, champignonnière, chanvre, chardon, châtaigne, châtaigneraie, chênaie, chêne, chêneau, chèvrefeuille, chicorée, chiendent, chlorophylle, chou, chou-fleur, chrysanthème, ciboulette, citronnier, citrouille, clématite, cloche, clochette, coca, cocotier, cognassier, colza, concombre, conifère, coquelicot, coriandre, cornichon, cornouiller, cotonnier, coudrier, courge, cresson, cressonnière, crocus, culture, cumin, cuticule, cyclamen, cyprès, dahlia, dattier, dioxyde de carbone, eau, ébénier, échalote, églantier, embryon, endive, épice, épicéa, épinard, épine, épinette, érable, estragon, étiolement, eucalyptus, fenouil, feuille, fève, figuier, fleur, floraison, flore, foin, formation, fougeraie, fougère, fourrage, fourragère, fraiseraie, fraisier, framboisier, frênaie, frêne, fromager, froment, fructification, fruit, fuchsia, fusain, genévrier, genièvre, gentiane, géranium, germe, germination, gingembre, giroflée, giroflier, glycine, goémon, gourgane, goyavier, graine, graminée, grenadier, groseillier, gueule-de-loup, gui, guimauve, haricot, hélianthe, herbe, herbier, herborisation, herboriste, herboristerie, hêtre, hévéa, hortensia, houblon, houblonnière, houssaie, houx, hybride, if, igname, immortelle, iris, ivraie, jacinthe, jardin, jasmin, jonc, jonchaie, jonquille, jujubier, laiteron, laitue, laurier, laurier-rose, lavande, légume, légumineuse, lentille, liane, lichen, lierre, lilas, lin, lis (lys), liseron, lotus, lupin, luzerne, luzernière, mâche, magnolia, magnolier, maïs, mandarinier, mangetout, manguier, manioc, marguerite, marjolaine, marronnier, mélèze, melon, menthe, merisier, millet, mimosa, mirabellier, mousse, moutarde, muflier, muguet, mûrier, muscadier, myosotis, myrte, myrtille, narcisse, navet, nénuphar, noiseraie, noisetier, noyer, nutrition, œillet, oignon, olivaie, olivier, oranger, orangeraie, orchidée, orge, origan, ormaie, orme, ormeau, ortie, oseille, oseraie, osier, palétuvier, palmier, pamplemousse, panais, papayer, papyrus, pâquerette, parasite, pastèque, patate, pavot, pêcher, pensée, perce-neige, persil, pervenche, pétunia, peuplier, phlox, pied, pied-d'alouette, pigment, piment, pin, pissenlit, pistachier, pivoine, plantain, plantation, plante, plante à fibres, plante à grains, platane, poil, poireau, poirier, pois, poivrier, poivron, pomme de terre, pommeraie, pommier, pot, potiron, pousse, primevère, prunelaie, prunellier, prunier, racine, radis, raifort, rame, ramification, rave, réglisse, reine-claude, reine-marguerite, reinette, remède, renoncule, reproduction, respiration, rhizome, rhododendron, rhubarbe, ricin, riz, rizière, romaine, romarin, ronce, ronceraie, rose, roseau, roseraie, rosier, rotin,

rutabaga, safran, salsifis, sapin, sapinière, sarment, sarrasin, sarriette, sauge, saulaie, saule, seigle, serre, sésame, sève, soleil, sorbier, spore, suc, sureau, tabac, tamarin, tamarinier, teck, terre, thé, thuya, thym, tige, tilleul, tisane, tomate, tournesol, trèfle, tremble, truffe, tubercule, tulipe, vanillier, varech, végétal, végétation, venue, verdure, verveine, vigne, vignoble, violette, viorne, vipérine, vivace, vrille, yucca, zinnia, zizanie.

adj. alimentaire, annuelle, antarctique, aquatique, arborescente, arctique, argentée, aromatique, arrosée, artificielle, asséchée, bisannuelle, brûlante, bulbeuse, carnivore, cellulaire, chevelue, composée, crûe, cueillie, cultivée, déchaussée, décorative, dentelée, déracinée, dorée, écarlate, empotée, épanouie, épineuse, étiolée, exotique, fanée, flétrie, fourragère, fraîche, frémissante, géante, graminée, grande, grasses, grimpante, grosse, herbacée, humide, hybride, indigène, jaune, jaunie, lavée, légumineuse, levée, ligneuse, limoneuse, luisante, maigre, mangée, médicinale, molle, morte, naine, naturelle, ornementale, potagère, pourpre, rabougrie, ramée, rampante, recueillie, remontante, remplacée, rempotée, repiquée, replantée, rousse, sauvage, sèche, sucrière, taillée, textile, tropicale, vasculaire, végétative, vénéneuse, verdoyante, verte, violacée, vivace, vivante.

v. SUJET : une plante boutonne, se couvre de, croît, dépérit, s'enracine, s'épanouit, s'étiole, se fane, fleurit, fructifie, grandit, lève, meurt, s'ouvre, pousse, refleurit, végète, vient, vit ; COMPL. : arroser une plante, assécher une plante, cueillir une plante, cultiver une plante, déchausser une plante, déraciner une plante, empoter une plante, enraciner une plante, étioler une plante, laver une plante, manger une plante, planter une plante, ramer une plante, recueillir une plante, remplacer une plante, rempoter une plante, repiquer une plante, replanter une plante, tailler une plante ; AUTRE VERBE : herboriser.

pomme

n. acide, beignet, charlotte, chausson, cidre, cœur, compote, confiture, dessert, eau-de-vie, fruit, fruiterie, fruitier, gelée, jus, marmelade, odeur, pâtisserie, peau, pépin, pomiculteur, pomiculture, pommeraie, pommette, pommettier, pommier, pomoculture, pulpe, quartier, reinette, reinette, saveur, senteur, sirop, sucre, tarte, trognon, vide-pomme.

adj. achetée, belle, blanche, blonde, bonne, conservée, consommée, coupée, couperosée, croquée, crue, cuite, différente, douce, empilées, épluchée, ferme, fermentée, givrée, grise, jaune, juteuse, mangée, mûre, parfumée, piquée, pommé, pourrie, ratatinée, ronde, rouge, sauvage, striée, sucrée, tombée, véreuse, verte.

v. SUJET: une pomme se conserve, embaume, mûrit, tombe; COMPL.: consommer une pomme, couper une pomme, croquer une pomme, cuire une pomme, éplucher une pomme, manger une pomme, mordre une pomme, piquer une pomme.

expressions......................................
- *Pomme de discorde:* sujet qui engendre discussions et divisions.
- *Haut comme trois pommes:* petit.
- *Être ridé comme une vieille pomme:* être très ridé.
- *Tomber dans les pommes:* perdre connaissance.
- *Pomme d'Adam:* bosse plus ou moins apparente au bas du cou des hommes.
- *Pomme de terre:* patate.
- *Pomme d'arrosoir, de douche:* partie arrondie percée de petits trous qui s'ajuste au bec et permet de verser l'eau en pluie.

racine

n. arbre, arracheur, arracheuse, betterave, bouture, bulbe, carotte, céleri, chicorée, enfouissement, faisceau, gentiane, gingembre, guimauve, navet, oignon, plante, vasculaire, poil, pomme de terre, radis, raifort, ramification, réglisse, rejeton, rhizome, rutabaga, salsifis, sol, souche, terre, tige, tubercule.

adj. apparente, bonne, bulbeuse, chevelue, comestible, composée, déchaussée, déracinée, échappée, enracinée, enrobée, entière, farineuse, fibreuse, fourragère, grasse, latérale, ligneuse, noueuse, pivotante, pralinée, primaire, profonde, rameuse, savoureuse, simple, verticale.

v. SUJET: la racine absorbe, croît, s'échappe, s'enfonce, s'enracine, se fixe, maintient, naît, se nourrit; COMPL.: arracher, déchausser, enrober, envoyer, hacher, introduire, jeter, manger, pousser, praliner; AUTRES VERBES: déraciner, enraciner.

expressions......................................
- *Prendre racine:* rester longtemps debout au même endroit.
- *Manger les pissenlits par la racine:* être mort.
- *Prendre racine chez quelqu'un:* s'installer chez quelqu'un, ne plus en partir.
- *Attaquer le mal à sa racine:* attaquer le mal à la base.
- *Les racines de notre civilisation:* la source de notre civilisation.
- *La racine du nez, de la langue, des ongles:* l'endroit où commence le nez, la langue, les ongles.
- *Racine des cheveux:* partie la plus proche du cuir chevelu.
- *La racine d'une tumeur:* la partie la plus profonde de la tumeur.

rose

n. aromate, bouquet, bouton, broussailles, champ, confiture, couronne, eau, églantier, églantine, épine, essence, étamine, fleur, fleuriste, fourré, gerbe, huile, jardin, mai, odeur, parfum, pétale, roseraie, rosier.

adj. artificielle, blanche, éclose, effeuillée, embaumante, épanouie, fanée, flétrie,

191

foncée, fraîche, grosse, jaune, jetée, odorante, odoriférante, offerte, ornementale, pâle, petite, perdue, plantée, portée, poussée, respirée, rose, rouge, sauvage, vermeille.

v. SUJET: une rose éclôt, embaume, s'épanouit, se fane, se flétrit, orne, pousse; **COMPL.:** décorer de roses, effeuiller une rose, greffer une rose, jeter des roses, offrir une rose, orner de roses, perdre une rose, planter une rose, porter une rose, respirer une rose; **AUTRE VERBE:** fleurir.

expressions..

- *Être frais comme une rose:* avoir un teint resplendissant.
- *Pas de roses sans épines:* toute joie implique une peine.
- *Ne pas sentir la rose:* ne pas sentir bon.
- *Envoyer quelqu'un sur les roses:* lui faire comprendre méchamment qu'il dérange.
- *Découvrir le pot au roses:* découvrir le secret d'une affaire, d'une aventure.
- *Un roman, un film à l'eau de rose:* conventionnel, sentimental et fade.
- *Voir la vie en rose:* trouver la vie belle.

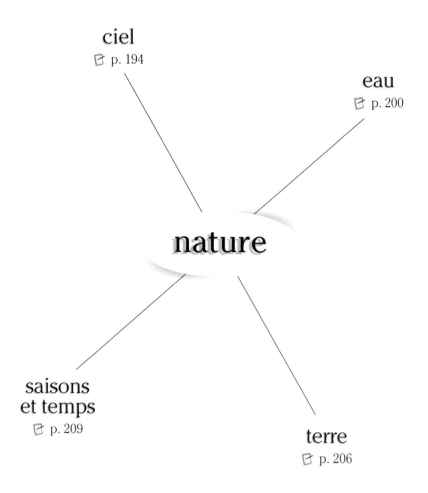

ciel
📖 p. 194

eau
📖 p. 200

nature

saisons
et temps
📖 p. 209

terre
📖 p. 206

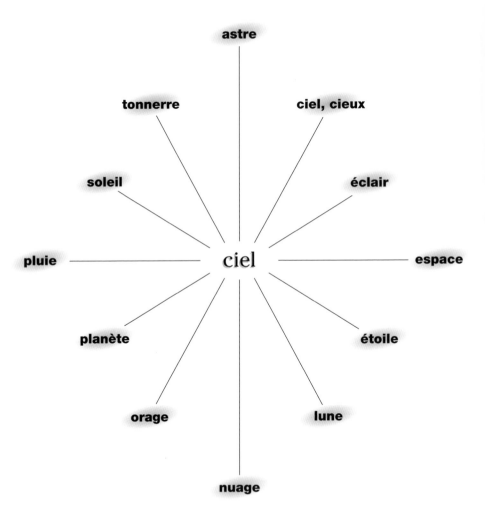

astre

n. apogée, astéroïde, astrologie, astrophysicien, astrophysicienne, astrologue, astronaute, astronome, astronomie, avenir, azimut, ciel, clairvoyance, comète, constellation, corps, cosmonaute, cosmos, coucher, cycle, degré, divination, éclipse, ellipse, équateur, espace, étoile, fusée, galaxie, globe, gravitation, gravité, harmonie, horizon, horoscope, influence, latitude, lever, longitude, lune, lunette, méridien, météore, météorite, observateur, observatrice, observation, observatoire, occultisme, œil, orbite, parallèle, planète, pôle, prédiction, rayonnement, satellite, science, signe, soleil, sphère, système, télescope, tropique, zénith, zodiaque.

adj. blafard, brillant, céleste, constellé, cosmique, culminant, disparu, elliptique, équatorial, errant, filant, influençable, influent, lointain, luisant, lumineux, naturel, observable, occulte, resplendissant, scintillant, sphérique, télescopique, tropical, visible.

v. SUJET : l'astre brille, culmine, s'enfuir, file, gravite, influence, luit, resplendit, se retire, scintille, tourne ; **COMPL. :** consulter les astres, contempler les astres, croire les astres, lire dans les astres, observer les astres, prédire par les astres, regarder les astres.

expression

• *Être né sous un astre favorable :* être promis à un heureux destin.

ciel, cieux

n. air, âme, ange, arc-en-ciel, astéroïde, astre, astrologie, astrologue, astronaute, astronome, astronomie, atmosphère, aurore, aurore australe, aurore boréale, avion, carte, constellation, cosmonaute, cosmos, crépuscule, déesse, dieu, dirigeable, éclaircie, éclipse, espace, étoile, étoile filante, extraterrestre, firmament, foudre, fusée, galaxie, gravitation, horizon, insecte, luminosité, lune, mer, météo, météore, météorite, météorologie, montgolfière, neige, nuage, observateur, observatoire, océan, oiseau, orage, orbite, paradis, plafond, planétarium, planète, pluie, prévision, prophète, satellite, sextant, soleil, télescope, température, tempête, terre, univers, verglas, voie lactée, voûte céleste, zénith, zodiac.

adj. azur, bas, bleu, brouillé, brumeux, calme, changeant, chargé, clair, clément, couvert, divin, embrumé, empourpré, ennuagé, ensoleillé, étoilé, étranger, gris, illuminé, immense, lourd, menaçant, noir, nuageux, orageux, paisible, pluvieux, pommelé, pur, serein, sombre, tourmenté, transparent.

v. SUJET : le ciel s'assombrit, se couvre, s'éclaircit, s'ennuage, s'ensoleille, se noircit ; **COMPL. :** admirer le ciel, contempler le ciel, descendre du ciel, s'envoler dans le ciel, examiner le ciel, fixer le ciel, illuminer le ciel, monter au ciel, observer le ciel, parcourir le ciel, regarder le ciel, régner dans le ciel, remercier le ciel, scruter le ciel, tomber du ciel, voler dans le ciel.

expressions

• *À ciel ouvert :* en plein air ; au grand jour.

• *Au nom du ciel :* s'il vous plaît, je vous en prie.

• *Élever quelqu'un au ciel :* l'admirer, vanter ses mérites.

• *Entre ciel et terre :* en l'air et à une certaine hauteur.

• *Être au septième ciel :* ressentir la plus grande joie.

• *Feu du ciel :* éclair, foudre.

• *Lever les yeux, les bras, les mains au ciel :* les lever vers le haut.

• *Remuer ciel et terre :* faire l'impossible.

• *Sous d'autres cieux :* dans un autre, en d'autres pays.

• *Sous le ciel :* ici-bas, au monde.

• *Tomber du ciel :* arriver à l'improviste, comme par miracle ; être stupéfait, ne rien comprendre.

éclair

n. déchirure, flash, foudre, illumination, lumière, lueur, tonnerre.

adj. aveuglant, blanchâtre, éblouissant, foudroyant, fulgurant, instantané, lumineux, passager, rapide, terrifiant, violent.

v. SUJET: l'éclair déchire, fend, foudroie, frappe, illumine, surprend, zigzague ; **COMPL.:** apercevoir un éclair, guetter un éclair, regarder un éclair, surveiller un éclair ; **AUTRES VERBES:** (s') abriter, éclairer, (se) protéger.

expressions

• *Être vif comme l'éclair:* être très rapide.
• *Ses yeux lancent des éclairs:* se dit d'une personne fâchée, furieuse.
• *Un éclair de génie:* un moment d'intelligence.
• *Un voyage éclair:* un voyage de courte durée.

espace

n. astéroïde, astre, astrologie, astrologue, astronaute, astronome, astronomie, atmosphère, ciel, constellation, cosmonaute, cosmos, étoile, étoile filante, extraterrestre, fusée, galaxie, gravitation, lune, météore, météorite, monde, navette, néant, observateur, observatoire, orbite, planétarium, planète, satellite, soleil, système solaire, télescope, terre, trou noir, univers, voie lactée, zénith, zodiac.

adj. abstrait, céleste, courbe, noir, silencieux, vaste.

v. COMPL.: aller dans l'espace, observer l'espace, occuper l'espace, propulser dans l'espace, regarder dans l'espace, scruter l'espace, (se) situer dans l'espace ; **AUTRES VERBES:** écarter, élargir, empiéter, environner, espacer, étaler, (s') étendre, étirer.

étoile

n. ascension, astérisque, astre, astronaute, branche, ciel, clarté, constellation,

cosmos, cosmonaute, déclinaison, déplacement, déviation, énergie, firmament, galaxie, lueur, mouvement, nuit, observatoire, pointe, scintillement, sphère, télescope, traînée, voûte.

adj. brillante, céleste, clignotante, culminante, étincelante, filante, fixe, invisible, livide, lointaine, lumineuse, menue, pâle, parsemée, rayonnante, scintillante, tremblante, vacillante, visible.

v. SUJET: l'étoile s'allume, apparaît, brille, décline, étincelle, file, monte, pâlit, point, scintille ; **COMPL.:** dessiner une étoile, distribuer des étoiles, observer les étoiles, prédire par les étoiles, regarder les étoiles ; **AUTRE VERBE:** consteller.

expressions

• *Coucher, dormir, passer la nuit à la belle étoile:* dormir à l'extérieur.
• *Être né sous une bonne étoile:* avoir de la chance, réussir dans ce que l'on fait.
• *Une étoile est née:* une grande vedette est née.
• *Une étoile:* une star, une vedette.

lune

n. astéroïde, astre, astrologie, astrologue, astronaute, astronome, astronomie, ciel, comète, constellation, cosmonaute, cosmos, coucher, cratère, croissant, cycle, distance, éclipse, espace, étoile, extraterrestre, face, firmament, fusée, galaxie, globe, gravitation, gravité, hémisphère, horoscope, météore, météorite, nuit, observateur, observation, observatoire, ombre, orbite, parallèle, planétarium, planète, prédiction, quartier, rayonnement, satellite, science, signe, soleil, sonde, sphère, système, télescope, terre, univers, voie lactée, zodiaque.

adj. blafarde, blême, croissante, décroissante, éclairée, écornée, élargie, froide, immobile, invisible, large, lumineuse, lunatique, noire, nouvelle, nue, pâle, pleine, proche, ronde, versatile, visible, vivante, voilée.

V. SUJET : la lune brille, (se) couche, croît, décroît, (se) dégage, descend, dessine, éclaire, (se) lève, monte, tourne ; **COMPL. :** marcher sur la lune, observer la lune.

expressions

- *Être dans la lune :* être distrait.
- *Lune de miel :* les premiers moments d'un mariage ; période de bonne entente.
- *Promettre la lune :* promettre l'impossible.

nuage

n. averse, bande, brouillard, bruine, brume, buée, ciel, ciré, cirrus, climat, condensation, cumulus, cyclone, écharpe, éclair, éclaircie, foudre, giboulée, goutte, grêle, grésil, humidité, intempérie, météo, météorologie, météorologue, nébulosité, neige, nimbus, nues, nuée, ouate, ondée, orage, ouragan, parapluie, paratonnerre, pluie, pluviomètre, précipitations, prévision, purée de pois, soleil, stratus, température, temps, tempête, tonnerre, trombe, vapeur, vent, verglas.

adj. bas, blanc, cotonneux, épais, échevelé, floconneux, gris, gros, haut, léger, lourd, menaçant, nébuleux, noir, orageux, petit, rare, translucide, transparent.

V. SUJET : le nuage s'alourdit, apparaît, court, crève, disparaît, se forme, noircit, obscurcit, passe, roule ; les nuages s'amoncellent, s'éparpillent ; **COMPL. :** balayer les nuages, chasser les nuages, disperser les nuages, percer les nuages, pousser les nuages, traverser les nuages ; **AUTRE VERBE :** condenser.

expressions

- *Être dans les nuages :* ne pas écouter, rêver.
- *Un bonheur sans nuage :* un bonheur sans ennui, sans problème.
- *Un nuage de :* un soupçon de, une petite quantité de.

- *Vivre sur un nuage :* être coupé de la réalité.

orage

n. abri, bourrasque, ciel, éclair, foudre, giboulée, grain, grêle, imperméable, lourdeur, météorologie, nuage, ondée, ouragan, panne, parafoudre, parapluie, paratonnerre, perturbation, peur, phobie, pluie, précipitations, rafale, sursaut, tempête, temps, tonnerre, tourmente, vent.

adj. bienfaisant, bref, dévastateur, diluvien, estival, gros, imprévu, inattendu, néfaste, nocturne, précurseur, soudain, subit, violent.

V. SUJET : l'orage s'abat, s'apaise, approche, cingle, contrarie, se déchaîne, détrempe, se dissipe, éclate, gronde, inonde, menace, ravage, rugit, sévit ; **COMPL. :** appréhender un orage, entendre l'orage, espérer un orage, éviter l'orage ; **AUTRES VERBES :** s'abriter, foudroyer, pleuvoir, sursauter.

expression

- *Il y a de l'orage dans l'air :* il y a une tension qui annonce une querelle.

planète

n. apogée, astre, astrologie, axe, ciel, corps, densité, dimension, géographie, horoscope, Jupiter, Mars, Mercure, mouvement, Neptune, orbite, planétarium, Pluton, satellite, Saturne, système, Terre, univers, Uranus, Vénus, voûte.

adj. bénéfique, céleste, éloignée, errante, géante, gigantesque, hémisphérique, inférieure, invivable, massive, mobile, opposée, planétaire, proche, supérieure, volumineuse.

V. SUJET : la planète évolue, gravite, représente, tourne ; **COMPL. :** admirer une planète, comparer une planète, étudier une planète, examiner une planète, explorer une planète, marcher sur une planète.

pluie

n. abri, arc-en-ciel, arrosage, auvent, averse, bâche, baromètre, botte, bourrasque, brouillard, bruine, brume, capuche, capuchon, cataracte, chapeau, ciel, ciré, climat, cyclone, déluge, débordement, douche, eau, éclair, éclaircie, essuie-glace, flaque, foudre, giboulée, givre, goutte, gouttière, grain, grêle, grésil, humidité, imperméable, inondation, intempérie, météo, météorologie, météorologue, neige, noyade, nuage, ondée, orage, ouragan, parapluie, paratonnerre, pluviomètre, précipitations, prévision, rideau, rosée, soleil, température, tempête, tonnerre, trombe, vent, verglas.

adj. battante, bénéfique, bienfaisante, chaude, continue, diluvienne, douce, fine, froide, glacée, grosse, monotone, soudaine, tiède, verglacée.

v. SUJET : la pluie augmente, cingle, dégouline, fouette, martèle, mouille, pénètre, perturbe, ruisselle, tombe, transperce ; COMPL. : (se) protéger de la pluie ; AUTRE VERBE : (s') abriter.

expressions..

- *Ennuyeux comme la pluie :* très monotone.
- *Faire la pluie et le beau temps :* exercer un pouvoir, avoir beaucoup d'influence.
- *Parler de la pluie et du beau temps :* dire des choses banales, sans importance.
- *Tombé de la dernière pluie :* nouvellement arrivé.
- *Traverser un rideau ou un mur de pluie :* rencontrer une très grande quantité de pluie passagère.

soleil

n. allergie, arc-en-ciel, ardeur, astre, aube, aurore, baignade, brillance, bronzage, brûlure, canicule, casquette, chaleur, chapeau, coucher, coup de soleil, crème, crépuscule, danger, densité, désert, distance, divinité, éclipse, énergie, ensoleillement, été, étoile, exposition, feu, fièvre, fleur, fruit, halo, insolation, jardin, jour, journée, lever du jour, lever, lumière, lune, lunettes, malaise, matin, matinée, mer, météo, météorologie, météorologue, nuage, ombrelle, orbite, palmier, parasol, piscine, plage, plante, pluie, printemps, radiation, rayon, rayonnement, reflet, serre, solarium, spectre, sud, suffocation, système, temps, terre, tombée du jour, tournesol, tropiques, vacances, verrière, vitamine.

adj. agréable, ardent, beau, bienfaisant, brillant, brûlant, chaud, clair, doré, éblouissant, ensoleillé, épuisant, étincelant, exposé, fatigant, hâlé, léger, lourd, luisant, oblique, prolongé, radieux, rempli, reposant, solaire, torride, tropical, visible.

v. SUJET : le soleil bascule, brille, brûle, se cache, chauffe, se couche, darde, décline, décoche, éblouit, éclaire, s'élève, flamboie, frappe, illumine, incendie, jaunit, plonge, projette, rayonne, réchauffe, reluit, remplit, renaît, répand, reparaît, resplendit, rougit, tiédit, tombe ; COMPL. : adorer le soleil, s'exposer au soleil, regarder le soleil ; AUTRES VERBES : bronzer, ensoleiller.

expression ....

- *Le soleil brille, luit pour tout le monde :* il y a des choses dont tout le monde peut profiter.

tonnerre

n. abri, affolement, alarme, anxiété, baromètre, bourrasque, brouillard, bruit, brume, chaleur, ciel, ciré, climat, crainte, danger, déluge, écho, éclair, éclaircie, électricité, épouvante, foudre, frayeur, grondement, humidité, imperméable, inondation, intempérie, météo, météorologie, météorologue, nuage, orage, ouragan, panique, parapluie, paratonnerre, perturbation, peur, pluie, pluviomètre, précipitations, prévision, roulement, température, tempête, temps, terreur, vent.

adj. bruyant, éloigné, fracassant, lointain, proche, violent.

v. SUJET : le tonnerre apeure, assourdit, gronde, résonne, retentit, réveille, roule, surprend ; **COMPL. :** craindre le tonnerre, entendre le tonnerre ; **AUTRE VERBE :** tonner.

expressions..

- *Une personne du tonnerre :* une personne extraordinaire.
- *Un coup de tonnerre :* ce qui arrive brutalement, subitement ; un accident, une catastrophe.
- *Tonnerre ! :* juron.

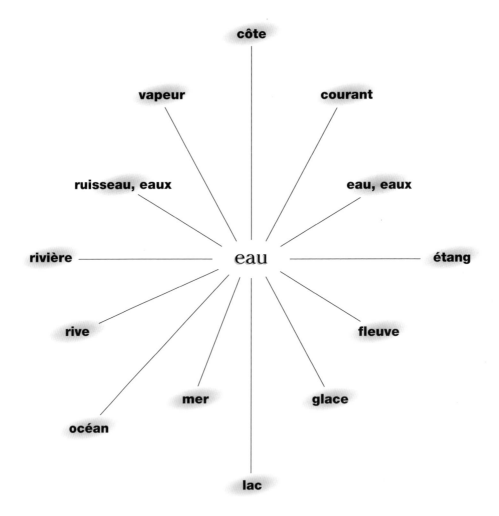

côte

vapeur courant

ruisseau, eaux eau, eaux

rivière — eau — étang

rive fleuve

mer glace

océan

lac

côte

n. bord, bordure, contour, échancrure, falaise, lagune, littoral, plage, rivage, versant.

adj. abrupte, basse, dangereuse, découpée, escarpée, inabordable, inaccessible, marécageuse, raide, rocheuse, sablonneuse.

v. SUJET : la côte attire, délimite ; **COMPL. :** descendre la côte, (s') échouer sur la côte, gravir la côte, grimper la côte, longer la côte, naviguer près de la côte.

expression...
- *Être à la côte :* être sans argent.

courant

n. amont, aval, cascade, cataracte, chute, eau, écoulement, fleuve, marée, mouvement, quantité, rapide, reflux, remous, rivière, torrent.

adj. arctique, ascendant, chaud, dangereux, écumeux, faible, fort, froid, impétueux, insurmontable, marin, maritime, rapide, superficiel.

v. SUJET : le courant (s') accélère, charrie, entraîne, jaillit, pousse, transporte ; **COMPL. :** s'abandonner au courant, descendre le courant, nager contre le courant, ramer avec le courant, remonter le courant, s'opposer au courant, suivre le courant ; **AUTRE VERBE :** refluer.

expression ....
- *C'est monnaie courante :* c'est habituel.

eau, eaux

n. aquarium, aqueduc, averse, bain, barrage, bassin, canal, cascade, cataracte, chute, citerne, clapotement, crue, débâcle, débit, déluge, douche, drave, électricité, embâcle, étang, évier, flaque, fleuve, flotte, fontaine, glace, goutte, gouttière, grotte, inondation, lac, lavabo, marais, marécage, mer, océan, onde, ondée, piscine, pluie, poisson, puits, reflux, régime, remous, réservoir, rivière, robinet, ruisseau, seau, source, sourcier, sourcière, torrent, trombe, vapeur, verglas.

adj. abondante, bénite, bleue, boueuse, bouillante, claire, contaminée, courante, croupie, distillée, dormante, douce, dure, ferrugineuse, fraîche, froide, gazéifiée, gazeuse, glacée, haute, incolore, inodore, limpide, lourde, morte, naturelle, oxygénée, plate, polluée, potable, profonde, pure, résiduelle, salée, saumâtre, souterraine, stagnante, sulfurée, thérapeutique, tiède, transparente, trouble, usée, vive.

v. SUJET : l'eau bout, bouillonne, clapote, coule, déborde, désaltère, s'écoule, s'égoutte, gèle, (s') infiltre, jaillit, mouille, murmure, nettoie, pénètre, rafraîchit, resurgit, ruisselle, suinte, tombe, tourbillonne ; **COMPL. :** (s') arroser avec de l'eau, (s') asperger d'eau, assainir l'eau, (se) baigner dans l'eau, barboter dans l'eau, boire de l'eau, drainer l'eau, épurer l'eau, filtrer l'eau, flotter sur l'eau, (s') imbiber d'eau, jeter à l'eau, (se) lancer à l'eau, laver à l'eau, naviguer sur l'eau, pomper l'eau, prendre l'eau, puiser l'eau, tirer l'eau, tomber dans l'eau, traiter l'eau, tremper dans l'eau, voguer sur l'eau ; **AUTRES VERBES :** (se) dessécher, (se) déshydrater, ébouillanter, échauder, immerger, inonder, mouiller, submerger.

expressions...
- *À fleur d'eau :* à la surface de l'eau.
- *Se retrouver le bec dans l'eau :* se retrouver sans rien.
- *Être comme l'eau et le feu :* être en désaccord.
- *Être comme un poisson dans l'eau :* être très à l'aise.
- *Faire eau :* avoir une fuite d'eau, en parlant d'un navire.
- *L'eau passera sous les ponts :* le temps s'écoulera.
- *Mettre de l'eau dans son vin :* faire des concessions.
- *Mettre l'eau à la bouche :* donner envie.

- *Suer sang et eau :* se dépenser énormément.
- *Un château d'eau :* un réservoir d'eau aérien.
- *Un coup d'épée dans l'eau :* une action inutile.
- *Un point d'eau :* un lieu où l'on trouve de l'eau.
- *Un roman à l'eau de rose :* un roman sentimental.

étang

n. couvée, bassin, bourbier, héron, jonc, lac, mare, marécage, nénuphar, sauvagine, roseau, source.

adj. artificiel, naturel, poissonneux, salé, stagnant.

v. SUJET : l'étang communique, se remplit, se vide ; **COMPL. :** alimenter un étang, aménager un étang, assécher un étang, (se) baigner dans un étang, barboter dans un étang, dépolluer un étang, (se) déverser dans un étang, ensemencer un étang, irriguer un étang, nettoyer un étang, pêcher dans un étang, (se) rafraîchir dans un étang.

fleuve

n. affluent, alluvions, balise, barrage, bas-fond, bateau, batture, berge, bord, bouée, branche, bras, brise-glace, chenal, courant, courbe, crue, débâcle, débit, delta, digue, eau, écluse, embâcle, embouchure, estuaire, étranglement, flot, haut-fond, île, inondation, limon, littoral, marée, méandre, navigation, niveau, phare, plaisance, pont, régime, rive, sinuosité, source, traversier, tunnel, volume.

adj. abondant, côtier, encaissé, enchâssé, étroit, impétueux, intarissable, international, large, magnifique, majestueux, national, navigable, sinueux, tortueux.

v. SUJET : le fleuve aboutit, baigne, charrie, court, déborde, (se) déverse, inonde, traverse ; **COMPL. :** descendre un fleuve, draguer un fleuve, endiguer un fleuve, remonter un fleuve ; **AUTRE VERBE :** échouer.

expressions

- *Le fleuve de la vie :* la vie qui s'écoule avec régularité.
- *Un fleuve de boue, de sang, de larmes :* une grande quantité de boue, de sang, de larmes, qui s'écoule.
- *Un roman-fleuve :* un roman comportant plusieurs personnages et dont le récit s'étend sur plusieurs générations.

glace

n. banc, banquise, bloc, boisson, brise-glace, calotte, chute, couche, congélateur, congélation, cornet, crème glacée, cristaux, débâcle, cube, dégel, eau, embâcle, flocon, fonte, frais, fraîcheur, froid, gel, gelée, givre, glaciation, glacier, glacière, glaçon, glissade, grêle, grêlon, grésil, hiver, iceberg, igloo, masse, morceau, neige, pain, patin, patinage, patinoire, refroidissement, sorbet, traîneau, verglas, verre.

adj. artificielle, bonne, délicieuse, fondue, fragile, frappée, froide, mauvaise, mince, naturelle, solide.

v. SUJET : la glace (se) casse, craque, fend, fond, (se) rompt ; **COMPL. :** ajouter de la glace, briser de la glace, casser de la glace, déguster une glace, faire fondre de la glace, glisser sur la glace, manger une glace, manquer de glace, marcher sur la glace, mettre de la glace, patiner sur la glace, prendre une glace ; **AUTRES VERBES :** congeler, décongeler, déglacer, glacer.

expressions

- *Une boule de glace :* boule de crème glacée que l'on met sur un cornet.
- *Une coupe de glace :* coupe de crème glacée.
- *Une mer de glace :* grande étendue de glace.

- *Un pont de glace:* chemin de glace formé sur un cours d'eau que l'on utilise pour passer d'une rive à l'autre.
- *Avoir un cœur de glace, être de glace, rester de glace:* faire preuve d'insensibilité.
- *Avoir un visage de glace:* un visage froid, dur, sans réaction; avoir un air glacial.
- *Briser, rompre la glace:* dissiper la gêne lors d'un premier contact.
- *Du sucre glace:* sucre en poudre très fine utilisé en pâtisserie.

lac

n. barque, bord, canot, chalet, chaloupe, dériveur, eau, grève, kayak, pêche, pédalo, plaisance, planche à voile, quai, rive, vague, voilier.

adj. artificiel, calme, enchâssé, ensemencé, grand, immense, important, limpide, marécageux, naturel, paisible, petit, poissonneux, profond, salé, transparent.

v. SUJET: le lac brille, étincelle, miroite, reflète; COMPL.: (se) baigner dans le lac, dépolluer un lac, naviguer sur le lac, polluer un lac, se promener sur le lac, traverser un lac, canoter sur, naviguer sur, (se) noyer dans.

expression
- *Tomber dans le lac:* ne pas réussir une affaire.

mer

n. abysse, albatros, algue, archipel, astérie, atoll, baleine, ballottement, banc, banquise, bas-fond, bateau, berge, bord, bouillon, bouteille, bras, bruit, canal, cargo, clapotement, clapotis, coquillage, courant, crustacé, cure, déferlante, déferlement, eau, embrun, épave, étendue, filet, fleuve, flot, flux, hameçon, hautfond, houle, huître, iceberg, île, immensité, lac, lagon, lame de fond, large, littoral, marée, marin, mollusque, moule, naufrage, niveau, océan, océanographe, océanographie, ouragan, paquebot,

pêche, pêcheur, pétrolier, phare, plage, plancton, poisson, port, profondeur, radar, radeau, raz de marée, récif, reflux, remous, ressac, rivage, rive, ronflement, rouleau, roulis, sable, sauvetage, sel, sirène, sous-marin, squale, surface, tempête, thalassothérapie, tourbillon, transat, traversier, typhon, vague, varech, voilier.

adj. agitée, argentée, azurée, calme, cinglante, clémente, continentale, déchaînée, démontée, équatoriale, favorable, furieuse, glauque, haute, hostile, houleuse, immobile, intercontinentale, intérieure, mugissante, pleine, polaire, profonde, puissante, salée, tropicale, vaste.

v. SUJET: la mer (s') agite, berce, se calme, charrie, se déchaîne, descend, engloutit, hurle, monte; COMPL.: contempler la mer, (se) baigner dans la mer, jeter à la mer, maîtriser la mer, périr en mer, prendre la mer, traverser la mer, voguer sur la mer, voir la mer; AUTRE VERBE: amerrir.

expressions
- *Courir la terre et les mers:* aller partout à travers le monde.
- *Ce n'est pas la mer à boire:* ce n'est pas difficile.
- *Il boirait la mer et les poissons:* il a très soif.
- *Une goutte d'eau dans la mer:* un geste sans effet.
- *Un homme à la mer:* quelqu'un placé dans une situation désespérée.

océan

n. abysse, albatros, algue, archipel, astérie, atoll, baleine, banquise, bateau, bruit, canal, cargo, clapotement, clapotis, coquillage, continent, courant, crustacé, déferlement, eau, embrun, épave, étendue, filet, flot, flux, hameçon, haut-fond, houle, iceberg, île, immensité, lame de fond, large, littoral, marée, marin, mer, naufrage, océanographe, océanographie, ouragan, paquebot, pêche, pêcheur, pétrolier, phare, plancton, poisson, port, profondeur, radar, radeau, raz de marée, récif, reflux, remous, ressac, rivage, ronflement, rouleau, roulis, sable, sauvetage, sel, sirène, sous-marin, squale, surface, tempête, terre, tourbillon, transat, traversier, typhon, vague, varech, voilier.

adj. agité, calme, déchaîné, démonté, impétueux, indomptable, infini, insondable, furieux, meurtrier, vaste.

v. SUJET: l'océan se déchaîne, engloutit; **COMPL.:** admirer l'océan, apprivoiser l'océan, (se) baigner dans l'océan, contempler l'océan, naviguer sur l'océan, périr dans l'océan, traverser l'océan; AUTRE VERBE: survivre.

rive

n. bas-fond, bateau, berge, bord, bordure, bouteille, château de sable, clapotement, clapotis, contour, coquillage, côte, courant, déferlement, eau, épave, falaise, filet, flot, fond, galet, grève, houle, lagon, lame, lisière, littoral, marée, marin, naufrage, niveau, océan, océanographe, océanographie, pêche, pêcheur, phare, plage, poisson, port, récif, reflux, remous, ressac, rivage, sable, terre, transat, vague, varech, quai, rivage, riverain.

adj. découpée, droite, escarpée, gauche, lointaine, méditerranéenne, rectiligne, sauvage, verdoyante.

v. SUJET: la rive s'allonge, apparaît, se dessine, disparaît, s'étire; **COMPL.:** aménager la rive, apercevoir la rive, (s') approcher de la rive, distinguer la rive, s'éloigner de la rive, habiter sur la rive, jouer sur la rive, longer la rive, marcher sur la rive, nettoyer la rive, pêcher sur la rive, se promener sur la rive, toucher la rive; AUTRES VERBES: accoster, débarquer, dériver, échouer.

expression..
• *Le temps n'a point de rive:* le temps coule, passe inexorablement.

rivière

n. affluent, bateau, berge, bord, bouée, bras, caillou, canal, caniveau, canot, cascade, chenal, chute, confluent, courant, cours, crue, débâcle, débit, drave, eau, écluse, écoulement, embâcle, embarcation, embouchure, fleuve, galet, gazouillis, glace, inondation, kayak, lac, lit, méandre, mer, pêche, ponceau, pont, rapide, rigole, rivage, rive, riverain, sable, sinuosité, source, torrent, tourbillon, tournant, voie, volume.

adj. débordante, navigable, poissonneuse, profonde, tortueuse.

v. SUJET: la rivière arrose, baisse, charrie, déborde, dégèle, descend, gèle, grossit, se jette dans, monte, resurgit, serpente, sort; **COMPL.:** (se) baigner dans une rivière, baliser une rivière, descendre une rivière, draguer une rivière, endiguer une rivière, flotter sur une rivière, longer une rivière, pêcher dans une rivière, remonter une rivière, traverser une rivière.

expression..
• *Une rivière de diamants:* un collier serti de diamants.

ruisseau, eaux

n. affluent, averse, bruine, caillou, canal, caniveau, chenal, chute, clapotis, confluent, cours, débit, eau, écoulement, flaque, galet, gazouillis, giboulée, glace, goutte, gouttelette, inondation, larme, mare, méandre, orage, pluie, précipitations, sable, sinuosité, source, torrent, tourbillon, tournant, trombe (d'eau), voie.

adj. clair, étroit, jaseur, limpide, long, petit, profond, tortueux.

v. SUJET: le ruisseau babille, coule, déborde, filtre, gazouille, murmure, serpente; **COMPL.:** enjamber un ruisseau, franchir un ruisseau, longer un ruisseau, traverser un ruisseau, (se) tremper dans un ruisseau.

expression........................
- *Tomber, rouler dans le ruisseau :* sombrer dans la déchéance.

vapeur

n. air, bain, brume, brouillard, bruine, buée, chaleur, condensation, eau, émanation, essence, étuve, évaporation, fumet, gaz, gouttelette, humidité, nuage, nuée, odeur, parfum, pluie, pression, suspension, température, vaporisateur, vaporisation.

adj. aromatique, atmosphérique, blanche, brûlante, fine, légère, suffocante.

v. SUJET: la vapeur circule, s'échappe, s'élève, s'évaporer; COMPL.: couper la vapeur, dégager de la vapeur, émaner de la vapeur, exhaler de la vapeur, renverser la vapeur, souffler de la vapeur; AUTRE VERBE: vaporiser.

expressions........................
- *À la vapeur:* se dit d'aliments cuits au-dessus d'une eau en ébullition.
- *Avoir des vapeurs:* avoir des bouffées de chaleur.
- *Les vapeurs du vin:* l'ivresse.
- *À vapeur:* qui utilise la vapeur d'eau comme force motrice.
- *À toute vapeur:* à toute vitesse.

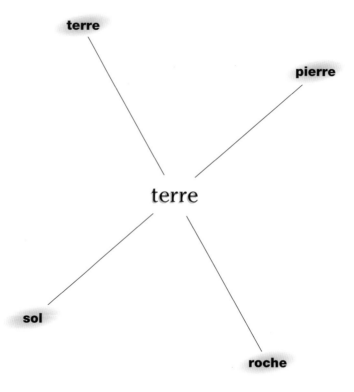

pierre

n. agate, albâtre, archéologie, ardoise, arête, aspect, banc, basalte, béton, bloc, brèche, caillou, calcaire, calcul, carrière, coupe, couteau, construction, corrosion, dallage, dalle, dolmen, dureté, éclat, émeri, empierrement, extraction, feldspath, fossile, fragment, galet, gemme, gemmologie, gemmologiste, géologie, granit, gravier, grenat, grès, grotte, gypse, jade, joyau, lance-pierres, lapidation, liais, lit, maçon, maçonnerie, malachite, marbre, masse, matériau, matière, menhir, meulière, mica, moellon, monolithe, monument, moraine, mortier, muraille, obsidienne, onyx, opale, outil, palet, patine, pavage, pavé, pétrification, pierraille, pierre ponce, pierreries, pureté, quartier, quartz, revêtement, roc, rocaille, roche, rocher, sable, schiste, sciotte, sculpture, silex, stalactite, stalagmite, stèle, substance, taille, tailleur, tailleuse, talc, texture, topaze, tourmaline, turquoise, valeur, zircon.

adj. abrasive, agglomérée, angulaire, argileuse, artificielle, blonde, brillante, calcaire, consacrée, corrosive, creuse, cubique, dorée, dure, émeraude, factice, fausse, fine, fondamentale, fruste, funéraire, gemme, grande, granitique, grenat, grosse, homogène, légère, levée, lourde, minérale, monolithique, opale, pierreuse, plate, polie, poreuse, précieuse, préhistorique, rare, rigide, rigoureuse, rocailleuse, rocheuse, rubis, sablonneuse, sacrée, saphir, sèche, solide, taillée, talquée, tendre, terreuse, tombale, turquoise, vieille, volcanique.

v. SUJET: la pierre s'effrite; **COMPL.:** aiguiser avec une pierre, bâtir avec des pierres, bombarder de pierres, cimenter des pierres, construire avec des pierres, couper des pierres, décaper des pierres, démolir des pierres, détruire des pierres, équarrir des pierres, graver des pierres, jeter des pierres, lancer des pierres, lier des pierres, paver avec des pierres, percer des pierres, polir des pierres, poncer des pierres, poser des pierres, sceller des pierres, sculpter des pierres, tailler des pierres; **AUTRES VERBES:** empierrer, épierrer, lapider.

expressions..
- *Âge de pierre:* époque préhistorique.
- *Être, rester de pierre:* rester insensible.
- *Faire d'une pierre deux coups:* à l'aide d'un seul moyen, obtenir deux résultats.
- *Geler à pierre fendre:* geler très fort.
- *Il a posé la première pierre:* il a été le fondateur.
- *Jeter la pierre à quelqu'un:* accuser quelqu'un, le blâmer.
- *Malheureux comme les pierres:* très malheureux.
- *N'avoir pas une pierre où reposer sa tête:* être très pauvre, être sans gîte.
- *Visage de pierre:* immobile.

roche

n. bloc, dureté, éclat, éclatement, écueil, émiettement, entassement, imperméabilité, masse, matière, minerai, minéral, minéralier, minéralogie, minéralogiste, perméabilité, pierre, polissage, porosité, poussière, récif, rocher, taille, transformation.

adj. aplatie, appauvrie, compacte, consistante, décalcifiée, dure, fendillée, friable, imperméable, irrégulière, lisse, lourde, marine, massive, minérale, minéralogique, perméable, pesante, plate, polie, poreuse, rocheuse, rude, rugueuse, taillée, terrestre, usée, vieillie, volcanique.

v. SUJET: la roche éclate, s'effrite, se fendille, forme, tombe; **COMPL.:** couper une roche, creuser une roche, croître sur une roche, émietter une roche, forer une roche, lancer une roche, polir une roche, pousser sur une roche, pulvériser une roche, tailler une roche, vivre sur une roche.

expressions..
- *Clair comme de l'eau de roche:* facile à comprendre.
- *Il y a anguille sous roche:* il y a quelque chose de louche.

sol

n. agriculture, arrosage, calcaire, couche, croûte, culture, dessèchement, dureté, engrais, exploitation, fertilité, gel, gelée, glaise, humidité, inégalité, mouvement, pauvreté, plancher, produit, propriété, richesse, sable, savane, sécheresse, sismographe, sous-sol, stabilité, surface, terre, territoire, végétation.

adj. Aménagé, argileux, asséché, battu, biologique, boueux, caillouteux, calcaire, dégelé, dénudé, desséché, détrempé, dur, encombré, ferme, fertile, français, gelé, glacé, glissant, gluant, hospitalier, humide, inégal, lisse, mou, mouvant, natal, noir, paternel, pauvre, polaire, pourri, poussiéreux, raboteux, sablonneux, sali, saturé, sec, solide, souterrain, stérile, tendre, terrestre, tiède, vierge.

v. SUJET : le sol s'effondre, tremble ; COMPL. : aplatir le sol, brasser le sol, creuser le sol, cultiver le sol, fertiliser le sol, inonder le sol, joncher le sol, quitter le sol, raser le sol, rouler sur le sol, s'approprier le sol, s'enfoncer dans le sol, saturer le sol, pencher vers le sol, (se) poser sur le sol, se rapprocher du sol, se reposer sur le sol, tomber sur le sol, toucher le sol.

terre

n. aplatissement, argile, astronome, astronomie, atmosphère, axe, boue, butte, catacombe, chaux, continent, couche, d'exil, domaine, écorce, élément, élévation, enclos, enterrage, épaisseur, équateur, étendue, être, ferme, forme, fouille, géographe, géographie, géologie, géologue, globe, gravitation, hémisphère, homme, horizon, humain, latitude, longitude, masse, matière, mer, méridien, milieu, monde, monticule, morceau, motte, mouvement, nature, niveau, orbite, parallèle, particule, patrie, pays, planète, pôle, propriété, réalité, remblai, remblayage, révolution, rotation, secousse, seigneurie, séisme, sismologie, substance, surface, système, terrain, terrarium, terrasse, terrassement, terreau, terre-plein, territoire, tremblement, tropique, univers, végétal.

adj. accidentée, aménagée, ancestrale, ancienne, arctique, argileuse, astronomique, australe, basse, battue, boréale, brune, calcaire, cuite, cultivable, déserte, détrempée, étrangère, ferme, grasse, humide, immense, inconnue, inculte, inexplorée, légère, lointaine, lourde, métallique, meuble, montagneuse, natale, naturelle, noire, pauvre, pesante, plate, pourrie, promise, rare, ronde, sablonneuse, sainte, sauvage, seigneuriale, sismique, solaire, solide, souterraine, tropicale, verte.

v. COMPL. : acheter de la terre, acquérir une terre, aplatir la terre, brasser la terre, cacher dans la terre, courir sur la terre, creuser la terre, cultiver la terre, déblayer la terre, défricher la terre, égaliser la terre, enfoncer dans la terre, enfouir dans la terre, enlever la terre, étendre la terre, extraire la terre, fouiller la terre, habiter la terre, pelleter la terre, piocher la terre, (se) poser à terre, posséder la terre, remblayer avec de la terre, remuer la terre, rester sur la terre, se retirer sur ses terres, rouler la terre, supporter la terre, tasser la terre, tourner la terre, transporter la terre, vendre la terre, vivre sur la terre ; AUTRES VERBES : atterrir, ensevelir, enterrer, déterrer.

expressions..

- *Être six pieds sous terre :* être mort.
- *Mettre pied à terre :* descendre de cheval.
- *Terre à terre :* réaliste, matérialiste.
- *Vouloir rentrer sous terre :* éprouver de la honte.

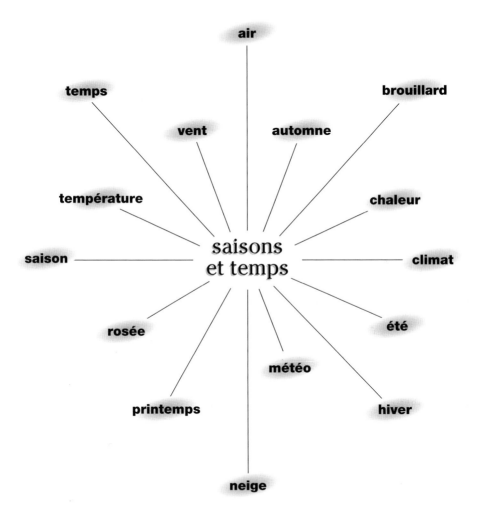

air

temps

brouillard

vent

automne

température

chaleur

saison

saisons
et temps

climat

rosée

été

météo

printemps

hiver

neige

air

n. aérostat, atmosphère, bouffée, brise, bulle, climatiseur, courant, effluve, émanation, espace, fluide, gaz, poche, trou, turbulence, vent, ventilateur.

adj. alpin, bienfaisant, bon, chaud, comprimé, confiné, embaumé, étouffant, frais, frisquet, froid, humide, impur, insalubre, irrespirable, léger, libre, liquide, lourd, malsain, marin, mauvais, parfumé, pollué, pur, salubre, sec, tiède, vicié, vif.

v. SUJET : l'air (s') agite, se raréfie, vibre ; **COMPL. :** aspirer l'air, fendre l'air, humer l'air, pomper l'air, prendre l'air, purifier l'air, respirer l'air ; **AUTRES VERBES :** aérer, (s') enivrer, éventer, s'envoler, exhaler, planer, ventiler, voler.

expressions..
- *Aller prendre l'air :* aller respirer l'air pur, marcher.
- *Besoin de changer d'air :* besoin de sortir de la routine.
- *Des paroles, des promesses en l'air :* qui ne sont pas sérieuses.
- *Foutre tout en l'air :* se dégager de tout, en avoir marre.
- *Il y a de l'orage dans l'air :* le climat est tendu, les esprits sont surchauffés.
- *Libre comme l'air :* sans contrainte, sans entrave.
- *Mettre tout en l'air :* mettre tout en désordre.
- *Se donner de l'air :* se détendre, se libérer de ses obligations.
- *Vivre de l'air du temps :* vivre de peu.

automne

n. brouillard, brume, chasse, chute des feuilles, climat, confiture, conserve, cueillette des pommes, déclin, gelée, halloween, labour, marinade, noirceur, novembre, obscurité, octobre, pluie, préparatifs, récolte, saison, septembre, vendange, vent.

adj. agréable, chaud, coloré, froid, gris, humide, interminable, long, magnifique, mélancolique, pluvieux, triste, venteux.

v. SUJET : l'automne (s') annonce, arrive, commence, dépouille, finit, refroidit ; **COMPL. :** aimer l'automne, attendre l'automne, détester l'automne, fêter l'automne ; **AUTRES VERBES :** arracher, cueillir, effeuiller, engranger, joncher, ramasser, râteler, récolter, voyager.

expression..
- *L'automne de la vie :* l'âge de la sagesse, de l'expérience et du commencement de la vieillesse.

brouillard

n. bruine, brume, crachin, eau, gouttelette, soupe, vapeur.

adj. automnal, dense, diaphane, épais, opaque, vaporeux.

v. SUJET : le brouillard s'alourdit, (s') atténue, se dissipe, s'effiloche, s'élève, enfume, enveloppe, s'épaissit, s'éternise, flotte, noie, obscurcit, tombe, voile ; **COMPL. :** couper le brouillard, disparaître dans le brouillard, percer le brouillard, (se) perdre dans le brouillard, traverser le brouillard ; **AUTRE VERBE :** embrouiller.

expressions..
- *Avoir du brouillard devant les yeux :* ne pas bien voir.
- *Être dans le brouillard :* avoir trop bu, être en état d'ébriété ; être incapable de voir clair dans une situation.
- *Foncer dans le brouillard :* être déterminé, en oublier l'essentiel.
- *N'y voir que du brouillard :* ne pas trouver de solution à un problème.

chaleur

n. acclimatation, bouffée, brise, brûlure, calorie, calorifuge, canicule, climat, coup, courant d'air, degré, désert, déshydratation, été, éventail, feu, fièvre, hydratation, moiteur, mousson, rafraîchissement, réchauffement, sensation, soleil, solstice, source, sudation, sudorifique, sueur, température, thermomètre, thermostat, tiédeur, transpiration, tropiques, vague, ventilateur.

adj. accablante, aride, brûlante, cuisante, désertique, desséchante, douce, écrasante, endurable, étouffante, excessive, humide, incommodante, insupportable, intense, légère, lourde, modérée, orageuse, réconfortante, sèche, suffocante, supportable, tempérée, torride, tropicale.

v. SUJET: la chaleur s'abat, accable, cuit, défraîchit, dégourdit, déshydrate, écrase, fait fondre, fane, flétrit, · incommode, ralentit, réconforte, sévit; COMPL.: combattre la chaleur, réverbérer la chaleur; AUTRES VERBES: s'acclimater, aérer, éventer, fournir, perdre, produire, profiter, rafraîchir, souffrir, ventiler.

expression..
- *L'époque des chaleurs:* chez les mammifères, état de la femelle quand elle accepte l'approche du mâle.

climat

n. aridité, écart, glaciation, humidité, microclimat, précipitation, pression, sécheresse, surprise, température.

adj. alpin, brumeux, chaud, continental, côtier, délicieux, déprimant, désertique, doux, équatorial, froid, glacial, humide, insalubre, instable, malsain, maritime, méditerranéen, paradisiaque, pluvieux, polaire, salubre, sec, tempéré, tonifiant, torride, tropical, variable, vivifiant.

v. SUJET: le climat abat, accable, déprime, influence, revigore, tonifie, vivifie; COMPL.: s'accommoder à un climat, (s') adapter au climat, changer de climat, influencer le climat, résister au climat, vivre sous un climat.

expression..
- *Sous tous les climats:* partout.

été

n. arc-en-ciel, août, baignade, balançoire, camping, canicule, chaleur, cyclisme, excursion, feu de camp, fleur, golf, jardin, juillet, moustique, pique-nique, piscine, plaisir, saison, soleil, tennis, terrasse, vacances, villégiature.

adj. accablant, agréable, ardent, bel, chaud, décevant, ensoleillé, étouffant, humide, indien, orageux, pluvieux, pourri, productif, prometteur, sec, torride, tropical.

v. SUJET: l'été arrive, assèche, brûle, dure, finit, fuit, s'installe, persiste, (se) prolonge, repart; COMPL.: espérer l'été, jouir de l'été, passer l'été, profiter de l'été, voyager durant l'été.

expression..
- *L'été de la vie, de l'âge:* l'âge de la maturité.

hiver

n. bise, fourrure, frisson, froid, froidure, glace, glissade, hibernation, luge, mitaine, neige, patin, patinage, raquette, saison, ski, sport, tempête, temps des fêtes, traîneau, tuque.

adj. agréable, clément, court, difficile, doux, froid, interminable, long, neigeux, précoce, rigoureux, rude, sec, tardif.

v. SUJET: l'hiver achève, approche, arrive, dure, s'éternise, s'installe, persiste; COMPL.: affronter l'hiver, aimer l'hiver, attendre l'hiver, détester l'hiver, fuir l'hiver, passer l'hiver, redouter l'hiver; AUTRES VERBES: (s') emmitoufler, hiberner, hiverner, (se) réchauffer.

expression..
- *L'hiver de la vie:* la vieillesse.

météo

n. ballon-sonde, bulletin, carte, condition, creux, cyclone, dépression, donnée, écran, ensoleillement, front, humidité, instrument, navigation, nébulosité, observatoire, occlusion, ordinateur, phénomène, pluie, poste, précipitation, pression, prévision, pronostic, radar, radio, record, satellite, station, système, vent, visibilité.

adj. agréable, alarmante, changeante, continentale, fiable, imprévisible, incertaine, indispensable, inquiétante, instable, nationale, nécessaire, prévisible, régionale, utile.

v. COMPL. : connaître la météo, douter de la météo, expliquer la météo, se fier à la météo, vulgariser la météo ; AUTRE VERBE : présager.

neige

n. avalanche, blancheur, blizzard, bonhomme, boule, chasse-neige, chute, congère, cristaux, flocon, fonte, hiver, névé, pelle, poudrerie, rafale, raquette, ski, tempête, traîneau.

adj. artificielle, blanche, collante, épaisse, éternelle, fraîche, immaculée, légère, lourde, mouillée, poudreuse, rare.

v. SUJET : la neige s'accumule, s'amoncelle, blanchit, couvre, durcit, ensevelit, fond, fouette, glace, persiste, perturbe, pique, poudre, tombe ; COMPL. : se promener dans la neige, enlever la neige, glisser sur la neige, jouer dans la neige, marcher sur la neige, pelleter la neige, souffler la neige, tasser la neige, transporter la neige ; AUTRES VERBES : congeler, enneiger, geler, neigeoter.

expressions
- *Blanc comme neige :* sans tort, non coupable.
- *Faire boule de neige :* se dit d'une chose qui va en grossissant.

printemps

n. attente, boue, bourgeon, crocus, débâcle, éclosion, effluve, érablière, fonte, fraîcheur, giboulée, hirondelle, inondation, mars, nid, perce-neige, renaissance, renouveau, retour, réveil, saison, semailles, sève, tulipe.

adj. doux, ensoleillé, naissant, passager, pluvieux, précoce, précurseur, prometteur, tardif.

v. SUJET : le printemps arrive, commence, embaume, s'installe, ramène, réchauffe, réjouit, réveille, revient, revigore, tarde ; COMPL. : aimer le printemps, attendre le printemps, chanter le printemps, espérer le printemps ; AUTRES VERBES : (s') adoucir, fondre, inonder, pousser, ressusciter, revivre.

expression
- *Le printemps de la vie :* la jeunesse.

rosée

n. aube, bruine, buée, condensation, dépôt, eau, fraîcheur, gouttelette, liquide, matin.

adj. délicate, fine, fraîche, lourde, matinale.

v. SUJET : la rosée brille, se condense, (se) dépose, étincelle, s'évapore, humecte, mouille, perle, rafraîchit, (se) répand, tombe ; COMPL. : ruisseler de rosée.

expression
- *Tendre comme la rosée :* tendreté, en parlant des aliments comme la viande et les légumes.

saison

n. activité, automne, chaleur, chasse, climat, douceur, durée, époque, équinoxe, été, fenaison, feuillaison, floraison, gelée, hiver, moisson, mousson, neige, pêche, période, pluie, printemps, récolte, renouveau, retour, rigueur, rythme, semailles, solstice, sommeil, temps, végétation.

adj. automnale, basse, belle, chaude, courte, cycliste, estivale, froide, haute, hivernale, littéraire, morte, nouvelle, pluvieuse, printanière, sèche, théâtrale, touristique.

v. SUJET : la saison commence, file, finit, fuit, passe, repasse, revient ; COMPL. :

aimer la saison, détester la saison, jouir de la saison, profiter de la saison, traverser la saison; AUTRES VERBES: hiberner, voyager.

expressions......................................

• *N'être plus de saison:* n'être pas convenable.

• *Voyager en pleine, en haute saison:* voyager durant la période où les touristes sont nombreux.

• *Voyager hors saison:* voyager durant une période tranquille, quand il y a peu de touristes.

température

n. altitude, baisse, chaleur, climatisation, degré, écart, froid, gel, latitude, montée, réchauffement, refroidissement, régulateur, sensation, thermomètre, variation, zéro.

adj. ambiante, chaude, clémente, confortable, constante, douce, égale, étouffante, froide, glaciale, humide, moyenne, normale, tiède, variable.

v. SUJET: la température s'adoucit, descend, fraîchit, monte; COMPL.: avoir de la température, prendre sa température; AUTRES VERBES: chauffer, geler, tempérer.

temps

n. air, augure, averse, baromètre, brouillard, brume, chaleur, ciel, cyclone, dépression, éclaircie, front, giboulée, grain, grêle, hygromètre, intempérie, météorologue, nébulosité, neige, nuage, orage, perturbation, pluie, précipitation, prédiction, pression, probabilité, radar, statistique, température, tempête, thermomètre, vent, verglas.

adj. affreux, beau, bouché, brumeux, calme, clair, couvert, détestable, ensoleillé, épouvantable, frisquet, gris, gros, incertain, lourd, magnifique, maussade, mauvais, nébuleux, neigeux, nuageux, pluvieux, serein, superbe, triste, variable, vilain.

v. SUJET: le temps (s') assombrit, (se) brouille, (s') éclaircit, (se) gâte, se radoucit, se rafraîchit, se réchauffe, se refroidit, se rembrunit, tourne, vire; COMPL.: affronter le temps, braver le temps, jouir du temps, prévoir le temps, redouter le temps, subir le temps; AUTRES VERBES: grêler, neiger, pleuvoir.

expressions......................................

• *Faire la pluie et le beau temps:* faire à sa guise, à son goût.

• *Gros temps:* une tempête, un orage, une forte précipitation.

• *Par tous les temps:* peu importe les conditions météorologiques.

• *Parler de la pluie et du beau temps:* parler de choses banales.

• *Un temps à ne pas mettre un chien dehors:* un temps épouvantable.

• *Vivre de l'air du temps:* vivre de peu.

vent

n. accalmie, anémomètre, aquilon, atmosphère, bise, bouffée, bourrasque, brise, bruit, chanson, cyclone, direction, éolienne, éventail, fureur, girouette, mistral, moulin, mouvement, nordet, noroît, ouragan, paravent, phénomène, rafale, rose, soufflet, tempête, tornade, tourbillon, typhon, ventilateur, vitesse, volet, zéphyr.

adj. brûlant, chaud, contraire, déchaîné, doux, faible, favorable, fort, glacial, impertinent, impétueux, instable, léger, lugubre, marin, modéré, plaintif, puissant, redoutable, sec, stable, taquin, tourbillonnant, vigoureux, violent.

v. SUJET: le vent (s') agite, s'apaise, balaie, se calme, caresse, charrie, chasse, claque, court, décoiffe, diminue, disperse, s'élève, emporte, s'engouffre, gémit, hurle, se lève, mugit, pince, pique, pousse, râle, redouble, rôde, siffle, souffle, soulève, tourne, vire; COMPL.: avancer contre le vent, marcher contre le vent, naviguer avec le vent, pousser par le vent, sentir le vent; AUTRES VERBES: éventer, flairer, gîter, planer, venter.

expressions...

- *Aller contre vents et marées :* surmonter tous les obstacles.

- *Arriver, passer en coup de vent :* arriver, passer très rapidement.

- *Aux quatre vents :* ouvert de tous les côtés.

- *Avoir du vent dans les voiles :* réussir, prospérer.

- *Avoir le vent dans le dos :* être avantagé.

- *Avoir vent de quelque chose :* entendre parler de quelque chose.

- *En plein vent :* être exposé, ne pas être protégé.

- *Être dans le vent :* suivre la mode, être branché.

- *Tourner au moindre vent :* être léger, changeant.

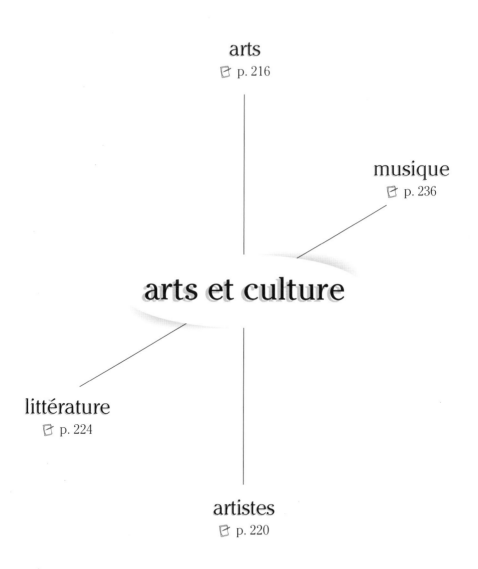

arts
☞ p. 216

musique
☞ p. 236

arts et culture

littérature
☞ p. 224

artistes
☞ p. 220

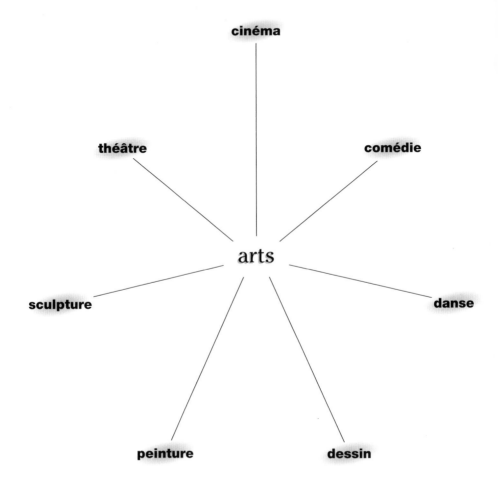

cinéma

n. acteur, actrice, affiche, amplificateur, animation, art, avant-première, aventure, bande, billet, cadrage, caméra, champ, cinéaste, cinémascope, cinémathèque, claquette, comédien, comédienne, complexe, couleur, critique, décorateur, décoratrice, diffusion, documentaire, doublage, écran, émulsion, enregistrement, essai, esthétique, exclusivité, fiction, film, format, image, maquilleur, maquilleuse, métier, microphone, montage, monteur, navet, objectif, ombre, ouvreur, panoramique, pellicule, perche, photographie, piste, plateau, plongée, prise, procédé, producteur, programmation, projecteur, projection, rampe, réalisateur, réalisatrice, régisseur, régisseuse, relief, reproduction, rythme, salle, scénario, scénariste, science-fiction, scripte, son, sonorisation, studio, suspense, trépied, truc, trucage, vedette, vue.

adj. animé, blanc, classique, comique, commercial, documentaire, grand, muet, noir, parallèle, parlant, politique, professionnel, réaliste, scientifique, sonore, spontané, traditionnel.

v. SUJET: le cinéma affiche, crée, produit; **COMPL.:** aller au cinéma, jouer au cinéma; **AUTRES VERBES:** composer, enregistrer, filmer, monter, présenter, projeter, réaliser, tourner.

expressions
• *C'est du cinéma:* c'est invraisemblable.
• *Faire du cinéma:* jouer dans un film.
• *Il nous a fait tout un cinéma:* une démonstration affectée, toute une mise en scène.
• *Se faire du cinéma:* se monter la tête, s'imaginer les choses comme on souhaiterait qu'elles soient.
• *Toute cette histoire, c'est du cinéma!:* du bluff, du roman.
• *Tu as vu ça au cinéma:* réplique pour signifier qu'on ne croit pas à une histoire.

comédie

n. acte, acteur, actrice, artiste, auteur, auteure, bouffon, bouffonne, caractère, cinéma, clown, comédien, comédienne, comique, costume, dialogue, directeur, directrice, étoile, farce, film, habilleur, habilleuse, héros, humoriste, impresario, intrigue, jeu, maquilleur, maquilleuse, mœurs, monologue, nœud, parodie, personnage, pièce, revue, ridicule, rôle, saynète, scène, sketch, théâtre, tragédie, troupe.

adj. amusante, attachante, authentique, captivante, charmante, comique, drôle, héroïque, humaine, humoristique, musicale, triste.

v. SUJET: la comédie divertit; **COMPL.:** composer une comédie, créer une comédie, écrire une comédie, penser à une comédie, rédiger une comédie, répéter une comédie.

expressions
• *Cessez votre comédie!:* ne prenez pas cette attitude insupportable, désagréable.
• *Jouer la comédie:* faire semblant.
• *La comédie humaine:* l'ensemble des actions humaines considéré comme se déroulant suivant des normes, pour atteindre à un dénouement.
• *Quelle comédie!:* un événement qui n'est pas digne d'être pris au sérieux.
• *Sa vie n'est qu'une comédie:* sa vie n'est pas sérieuse.
• *Tout cela est pure comédie:* mensonge, plaisanterie, simulation.

danse

n. action, activité, art, bal, ballet, barre, bruit, cadence, castagnette, chaîne, chausson, chorégraphie, claquette, conservatoire, corps, couple, cours, danseur, danseuse, écart, entrechat, expression, festival, figure, folklore, forme, foyer, funambule, galop, genre, gigue, groupe, intermède, leçon, main, maître, marche, mesure, mime, mouvement, musicien, musique, orchestre, pas, pied, piste, plateau, pointe, quadrille, récital, révérence, ronde, rythme, soirée, son, technique, tourné, valse, ventre.

adj. acrobatique, ancienne, antique, ardente, classique, cosmique, effrénée, endiablée, enfantine, exotique, expressive, folklorique, funambulesque, gitane, grave, grotesque, guerrière, lascive, légère, lente, liturgique, lourde, macabre, moderne, nationale, nuptiale, paysanne, plastique, populaire, régionale, religieuse, rituelle, rythmique, sacrée, satyrique, sautillante, sociale, trépidante, typique, villageoise.

v. SUJET: la danse commence, émeut, invite, séduit, touche, transporte; COMPL.: exécuter une danse, giguer, interrompre une danse, jouer une danse, rythmer une danse; AUTRES VERBES: se balancer, bouger, valser.

expressions..

• *Avoir le cœur à la danse:* être de bonne humeur.
• *Avoir, recevoir une danse:* se faire battre, rouer de coups.
• *Commencer la danse:* être le premier à être attaqué, soit à la guerre, soit en procès.
• *Donner une danse à quelqu'un:* lui administrer une correction, des coups.
• *Entrer dans la danse:* entrer en action, participer à quelque chose.
• *La danse du panier:* l'action de faire danser l'anse du panier.
• *Mener la danse:* diriger une action collective, prendre des décisions.
• *Mettre en danse:* mettre en action.
• *Ouvrir la danse:* la commencer.
• *Renoncer à, se retirer de la danse:* ne plus avoir d'affaires de cœur.

dessin

n. académie, affiche, album, apparence, aquarelle, art, bande, bosse, calque, canevas, caricature, carton, cartouche, cire, compas, conception, contour, couleur, craie, crayon, croquis, décalque, ébauche, échelle, école, effet, élévation, encadrement, encre, enfant, ensemble, esquisse, étude, exposition, face, figure, film, force, fresque, fusain,

genre, gomme, graphique, hachure, histoire, humour, illustration, image, imitation, légende, ligne, main, maquette, masse, mesure, modèle, motif, mouvement, nature, nu, objet, œuvre, ornement, papier, patron, paysage, peinture, perspective, pinceau, plan, planche, plomb, plume, portrait, profil, projection, projet, proportion, pureté, règle, relief, repérage, représentation, rythme, schéma, silhouette, surface, table, tableau, tapisserie, tête, toile, tracé, trait, vie, vignette.

adj. abstrait, coloré, comique, découpé, esquissé, estompé, expressionniste, fignolé, figuratif, froid, griffonné, habile, humoristique, imaginaire, industriel, lâché, lavé, léché, ombré, piqué, pointillé poncé, publicitaire, rapide, satirique, soigné.

v. SUJET: le dessin exprime, expose, illustre, raconte, représente; COMPL.: agrandir un dessin, apprendre le dessin, copier un dessin, décalquer un dessin, effacer un dessin, enseigner le dessin, fixer un dessin, imiter un dessin, reproduire un dessin; AUTRES VERBES: dessiner, gribouiller, griffonner, peindre, tracer.

expressions..

• *Avoir besoin d'un dessin:* avoir besoin d'explications.
• *Faire un dessin à quelqu'un:* donner des explications supplémentaires.

peinture

n. acrylique, action, aquarelle, art, atelier, bois, brosse, buste, cadre, caricature, carton, chevalet, cire, collage, collection, coloris, contour, contraste, copie, couche, couleur, couteau, croûte, décor, doigt, eau, ébauche, école, effet, enduit, esquisse, essence, esthétique, exposition, expression, figure, fini, flou, fond, forme, fresque, galerie, genre, gouache, harmonie, horizon, huile, image, impression, jour, lumière, maquette, masse, matière, métal, mode, modèle, morceau, musée, nuance, ombre, panorama, papier,

adj. ancien, antique, beau, bon, captivant, cartonné, cher, déchiré, dédicacé, défectueux, dépareillé, doré, écorné, ennuyant, épuisé, grand, historique, illustré, imprimé, incomplet, instructif, intéressant, liturgique, luxueux, manuscrit, marbré, moderne, neuf, numéroté, poétique, poussiéreux, rare, relié, religieux, révélé, sacré, saint, traduit, vieux.

v. COMPL. : acheter un livre, analyser un livre, apprendre dans les livres, attaquer un livre, brocher un livre, cartonner un livre, censurer un livre, commencer un livre, composer un livre, conseiller un livre, consulter un livre, copier un livre, couvrir un livre, critiquer un livre, débrocher un livre, déconseiller un livre, dédicacer un livre, défendre un livre, dévorer un livre, donner un livre, éditer un livre, emprunter un livre, fabriquer un livre, faire un livre, fermer un livre, feuilleter un livre, se fier à ses livres, finir un livre, illustrer un livre, imprimer un livre, inscrire sur les livres, s'instruire dans les livres, interdire un livre, lire un livre, louer un livre, manier un livre, mettre le nez dans un livre, offrir un livre, ouvrir un livre, pâlir sur ses livres, parcourir un livre, plonger dans ses livres, porter sur les livres, prêter un livre, produire un livre, publier un livre, rééditer un livre, relier un livre, relire un livre, résumer un livre, saisir un livre, sortir un livre, tenir les livres, tenir un livre, terminer un livre, traduire un livre ; AUTRES VERBES : raconter, bouquiner.

expressions...

- *À livre ouvert* : sans préparation, à la première lecture.
- *Livre blanc* : recueil de documents officiels publié par un gouvernement ou un organisme quelconque.
- *Livre noir* : ouvrage de sorcellerie, de magie.

magazine

n. abonné, abonnée, abonnement, actualité, adolescent, adolescente, art, article, bricolage, chronique, cinéma, collaborateur, collaboratrice, commentaire, communiqué, correcteur, correctrice, courrier, couverture, cuisine, décoration, divertissement, éditeur, édition, éditorial, éditrice, émission, encart, enfant, enquête, exclusivité, femme, hebdomadaire, homme, horoscope, illustration, information, informatique, intérêt, interview, jeune, journal, kiosque, livraison, loisir, mensuel, mode, mots croisés, musique, nouvelle, opinion, périodique, photo, photographe, pigiste, présentateur, présentatrice, présentoir, presse, publication, publicité, radio, rédacteur, rédaction, rédactrice, reportage, revue, science, sortie, sport, sujet, télévision, tirage, tribune, voyage.

adj. illustré, féminin, télévisé, radiophonique, mensuel, hebdomadaire, sportif, télédiffusé, quotidien, périodique, bimensuel, trimestriel, bimestriel, intéressant, scientifique, culinaire, religieux, horticole, agricole, illustré, musical, informatique.

v. COMPL. : s'abonner à un magazine, acheter un magazine, consulter un magazine, déchirer un magazine, découper un magazine, écouter un magazine, écrire dans un magazine, éditer un magazine, illustrer un magazine, jeter un magazine, lire un magazine, livrer un magazine, poster un magazine, publier un magazine, ranger un magazine, recevoir un magazine, regarder un magazine, vendre un magazine ; AUTRES VERBES : analyser, classer, classifier, entendre, photographier, rédiger, répertorier, voir.

mot

n. abréviation, accentuation, accord, accent, acrostiche, adjectif, adverbe, alphabet, altercation, ambiguïté, anagramme, analogie, anecdote, angliciser, anglicisme, antécédent, antonyme, appellation, apposition, archaïsme, argot, article, articulation, auteur, auteure, barbarisme, base, billet, boutade, calembour, calque, charade, classe, composition, concept, concision, conjonction, conjugaison, contenu, contexte, contraction, couleur, déformation, dénomination, dérivation, descripteur, dictionnaire, dicton, discours, distribution, écrit, écriture, écrivain, écrivaine, ellipse, emphase, emprunt, énigme, épithète, équivoque, étymologie, évolution, expression, famille, féminin, figure, fonction, formation, franciser, genre, grammaire, groupe, hiatus, homonyme, idée, index, interjection, interprétation, langage, lettre, lexique, liaison, locution, masculin, mélodie, monosyllabe, morphème, morphologie, motus, nature, néologisme, niveau, nom, nombre, nomenclature, onomatopée, ordre, orthographe, outil, parole, paronyme, participe, passe, pensée, phonétique, phonologie, phrase, plaisanterie, pléonasme, pluriel, préfixe, prénom, préposition, prononciation, proposition, racine, radical, rébus, régionalisme, répertoire, rhétorique, rôle, saveur, sémantique, sens, signe, signification, singulier, son, sonorité, souche, substantif, suffixe, syllabe, synonyme, syntaxe, terme, terminaison, terminologie, texte, thème, thésaurus, tour, tournure, usage, valeur, verbalisme, verbe, vocable, vocabulaire.

adj. analogique, anglais, archaïque, articulé, bas, beau, blasphématoire, blessant, clair, complet, composé, concret, consacré, convenu, courant, creux, cruel, dérivé, dernier, didactique, dur, emprunté, étranger, exact, exotique, expressif, faible, familier, fort, frappant, galant, grammatical, grec, gros, grossier, harmonieux, historique, ignoble, imprononçable, impropre, inarticulé, inédit, inusité, invariable, latin, lexical, littéraire, magique, mémorable, nouveau, obscur, obsolète, péjoratif, piquant, pittoresque, poétique, populaire, précis, propre, rare, régional, répété, rude, savant, scientifique, secret, simple, spécialisé, technique, terne, terrible, thématique, usé, usité, usuel, vague, vain, variable, vieilli, vieux, vilain, vivant, vulgaire.

v. COMPL.: adresser un mot, articuler un mot, attendre un mot, avoir des mots, balbutier un mot, chercher ses mots, comprendre un mot, copier un mot,

créer un mot, définir un mot, dériver un mot, dire un mot, se donner le mot, échanger des mots, écorcher un mot, écrire un mot, emprunter un mot, épeler un mot, estropier un mot, faire des mots, forger un mot, franciser un mot, glisser un mot, ignorer le mot, interpréter un mot, lâcher le mot, lire un mot, mâcher ses mots, marteler un mot, orthographier un mot, peser ses mots, prendre au mot, prononcer un mot, recopier un mot, sauter un mot, scander un mot, toucher un mot, traîner ses mots, traduire un mot, transcrire un mot, trouver un mot; **AUTRES VERBES:** couler, crier, employer, être en usage, lire, parler, provenir, trancher, vieillir.

expressions

- *Au bas mot:* en évaluant au plus bas.
- *Avoir des mots avec quelqu'un:* se quereller avec quelqu'un.
- *Avoir son mot à dire:* être en droit de donner son avis.
- *Bon mot, mot d'esprit:* parole spirituelle.
- *En un mot:* brièvement.
- *Gros mot:* terme grossier.
- *Jouer sur les mots:* tirer parti des doubles sens que les mots peuvent présenter.
- *Mot à mot, mot pour mot:* littéralement, sans rien changer.
- *Mot-clé:* mot qui donne l'explication d'un problème.
- *Mot d'ordre:* consigne donnée en vue d'un action précise.
- *Prendre quelqu'un au mot:* accepter sur-le-champ la proposition qu'a faite quelqu'un.
- *Se donner le mot:* se mettre d'accord.
- *Toucher un mot:* parler brièvement à quelqu'un de quelque chose.

page

n. bulletin, colonne, copie, dictionnaire, dos, encyclopédie, en-tête, feuille, feuillet, folio, journal, ligne, livre, marge, numéro, pagination, papier, recto, roman, texte, verso, volume.

adj. blanche, dactylographiée, dernière, immortelle, imprimée, lignée, manuscrite, médiocre, pliée, polycopiée, première, quadrillée volante.

v. COMPL. : arracher la page, corner la page, déchirer la page, feuilleter la page, marquer la page, mettre en pages, numéroter la page, perdre la page, plier la page, retrouver la page, tourner la page ; AUTRE VERBE : paginer.

expressions

• *Être à la page :* être au courant de l'actualité, de la dernière mode.

• *La plus belle page de sa vie :* le meilleur moment.

• *Le syndrome de la page blanche :* le manque d'inspiration.

• *Se mettre à la page :* suivre la dernière mode.

• *Tourner la page :* passer volontairement à un autre sujet, à une autre occupation ; oublier le passer, ne pas se perdre en regrets inutiles.

• *Une page sanglante :* un événement sanglant, terrible.

papier

n. agenda, article, ballot, bande, billet, bloc-notes, bois, bouleau, bout, brouillon, buvard, cahier, calepin, calque, carbone, carnet, carré, carte, carton, chanvre, chapeau, chemise, chiffon, chronique, classeur, collage, communiqué, confetti, copie, corbeille, cornet, coton, coupe-papier, couverture, crayon, cuve, décor, défibrage, dépêche, document, dossier, écrit, écrivain, écrivaine, éditorial, emballage, émeri, encre, enquête, enveloppe, essuie-tout, feuille, fibre, filigrane, format, fronce, grain, gratte-papier, guirlande, identité, impression, interview, journal, lanterne, lettre, lin, lissage, livre, machine, main, monnaie, morceau, mouchoir, musique, nappe, note, ombrelle, onglet, panneaux,

paperasse, papeterie, papetier, papetière, papillote, paravent, parchemin, pâte, plume, polycopie, presse, rame, registre, reliure, répertoire, reportage, riz, rognure, rouleau, ruban, sac, serviette, soie, stencil, stylo-feutre, stylo-plume, table, titre, toilette, valeur, vélin.

adj. adhésif, blanc, bouffant, collant, épais, faux, fin, fort, glacé, gommé, granuleux, gras, hygiénique, ligné, lisse, mâché, marbré, moiré, peint, photographique, quadrillé, réglé, résistant, solide, souple, timbré, translucide, transparent, uni, vieux.

v. COMPL. : brûler le papier, cacher des papiers, chiffonner le papier, couper le papier, déchirer le papier, découper le papier, défibrer le papier, dessiner sur du papier, écrire sur du papier, écrire un papier, fouiller dans des papiers, froisser le papier, glacer le papier, imprimer du papier, jeter du papier, noircir du papier, noter sur du papier, peindre sur du papier, perdre ses papiers, recycler le papier, se faire faire des faux papiers ; AUTRES VERBES : emballer, envelopper, flamber, glisser.

expressions

• *Papier à lettres :* papier d'une pâte fine destiné à la correspondance.

• *Papier à musique :* papier sur lequel sont imprimés des portées pour écrire la musique.

• *Papier à dessin :* papier blanc et solide.

• *Papier journal :* papier de qualité très ordinaire sur lequel on imprime des journaux.

• *Papier d'emballage :* papier résistant destiné à envelopper des objets volumineux ou pesants.

• *Papier cristal :* papier translucide, glacé et lustré sur les deux faces.

• *Papier peint :* papier décoratif dont on tapisse les murs intérieurs.

• *Papier mâché :* papier réduit en petits morceaux et mélangé à de l'eau additionné de colle, de manière à former une pâte que l'on peut modeler.

- *Papier sensible :* papier utilisé pour le tirage d'une photo.
- *Papier de verre :* papier enduit d'une préparation abrasive servant à poncer, à polir.

phrase

n. affirmation, cliché, compliment, conversation, dialogue, discours, écrivain, écrivaine, énoncé, exclamation, excuse, expression, fioriture, formule, grammaire, interrogation, intonation, inversion, mélodie, mouvement, négation, paraphrase, parole, pensée, périphrase, phraséologie, ponctuation, principale, propos, proposition, rythme, sémantique, sens, structure, style, subordonnée, sujet, syntaxe, terme, terminologie, tournure, verbe, vocabulaire.

adj. boiteuse, cadencée, célèbre, complexe, courte, creuse, éloquente, emphatique, exclamative, française, grande, harmonieuse, harmonique, impérative, interrogative, irrégulière, longue, mélodieuse, menteuse, mielleuse, musicale, passionnée, petite, poétique, préparée, prétentieuse, principale, recherchée, rythmée, solide, sonore.

v. COMPL. : achever sa phrase, composer une phrase, construire une phrase, corriger une phrase, couper une phrase, dire une phrase, échanger des phrases, écrire une phrase, former une phrase, prononcer une phrase, traduire une phrase, transcrire une phrase ; **AUTRES VERBES :** ânonner, appauvrir, articuler, communiquer, coordonner, déclamer, écrire, phraser, subordonner.

expressions

- *Faire des phrases :* tenir un discours creux, conventionnel.
- *Petite phrase :* élément d'un discours repris par les média pour son impact potentiel sur l'opinion.
- *Phrase toute faite :* cliché.
- *Sans phrases :* sans commentaire.

poème

n. acrostiche, allitération, amour, anthologie, antiquité, ballade, beauté, cadence, cantate, cantique, chanson, chant, charme, comédie, complainte, composition, coupe, couplet, création, dialogue, diction, écriture, émotion, épître, épopée, fable, inspiration, interprétation, littérature, livre, mètre, monosyllabe, mot, mouvement, muse, musique, mystère, nombre, ode, odelette, œuvre, opéra, parole, pastourelle, pied, poésie, poète, prose, prosodie, quatrain, recueil, renaissance, rime, romance, rythme, satire, sentiment, sonnet, strophe, syllabe, théâtre, tragédie, vers, verset, versification, verve.

adj. beau, bucolique, burlesque, champêtre, comique, descriptif, didactique, dramatique, émouvant, épique, érotique, grand, héroïque, lyrique, pastoral, romantique, satirique, tragique, triste.

v. COMPL. : écrire un poème, composer on poème, envoyer un poème, chanter un poème ; **AUTRES VERBES :** rimer, chanter, célébrer, versifier.

expressions

- *C'est tout un poème :* c'est incroyable.
- *Poème à forme fixe :* poème dont le nombre de vers et de strophes est fixé par des règles.
- *Poème en prose :* texte bref et poétique ne respectant pas les conventions du vers.
- *Poème symphonique :* œuvre orchestrale illustrant un thème.

texte

n. citation, discours, écrit, énoncé, explication, manuscrit, œuvre, passage, rédaction.

adj. amusant, ancien, dactylographié, divertissant, drôle, effrayant, fabuleux, fantastique, gai, général, historique, imprimé, incomplet, intéressant, invraisemblable, littéraire, littéral, lu, manuscrit, merveilleux, mythique, original, parlé, polycopié, primitif, profane, romantique, sentimental, triste, universel, vieux.

v. COMPL. : citer un texte, composer un texte, comprendre un texte, consigner un texte, copier un texte, dépouiller un texte, écouter un texte, écrire un texte, enregistrer un texte, entendre un texte, étudier un texte, expliquer un texte, faire revivre un texte, forger un texte, inscrire un texte, interpréter un texte, inventer un texte, lire un texte, marquer un texte, mémoriser un texte, noter un texte, présenter un texte, raconter un texte, rapporter un texte, réciter un texte, rédiger un texte, relater un texte, restituer un texte, traduire un texte, transcrire un texte.

expressions...

- *Coller au texte :* mot pour mot.
- *Dans le texte :* sans se servir d'une traduction.

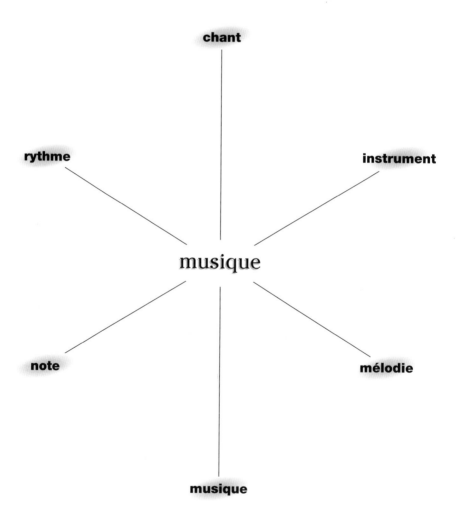

chant

n. accent, accord, air, art, ballade, bruit, cantique, chanson, chanteur, chanteuse, chœur, conservatoire, couplet, débit, duo, exercice, harmonie, hymne, intonation, mélodie, messe, musique, opéra, parole, phrase, poème, professeur, professeure, prose, psaume, quatuor, refrain, répertoire, requiem, romance, sérénade, solfège, solo, son, technique, texte, timbre, trio, unisson, variation, vocalise, voix.

adj. aigu, bruyant, charmant, discordant, doux, épique, faux, fort, funèbre, grave, harmonieux, hypnotisant, juste, liturgique, lyrique, magique, mélodieux, mystérieux, national, nuptial, pastoral, patriotique, populaire, profane, religieux, royal, sacré.

v. SUJET: le chant berce, calme, charme, élève, endort, séduit, touche; COMPL.: entonner un chant, écouter un chant, interpréter un chant; AUTRES VERBES: chanter, chantonner, écouter, fredonner.

expressions.....................................
- *Au chant du coq:* au point du jour.
- *Le chant des sirènes:* discours séduisant.
- *Le chant du cygne:* la dernière œuvre d'un créateur, avant sa mort.

instrument

n. accordéon, accordeur, accordeuse, accordoir, âme, anche, archet, barde, baryton, basse, basson, bec, bois, boîte, caisse, chevalet, cheville, clairon, clarinette, clave, clavier, clé, cloche, contrebasse, cor, corde, cornemuse, cornet, corps, cuivre, cymbale, diapason, ensemble, flûte, grelot, guimbarde, guitare, harmonie, hautbois, jeu, luth, mandoline, manivelle, marteau, mélodie, musette, musique, note, objet, orchestre, orgue, pavillon, pédale, percussions, piano, rythme, saxophone, solo, son, soufflerie, tambour, tambourin, timbale, timbre, triangle, trombone, trompette, trou, tuba, tuyau, vent, vide, violon, violencelle, xylophone.

v. SUJET: un instrument interprète, joue; COMPL.: accorder un instrument, jouer d'un instrument.

mélodie

n. accent, air, berceuse, brio, chanson, chant, composition, couplet, émotion, marche, mélomane, morceau, note, orchestre, oreille, ouverture, partie, phrase, phrasé, pièce, poème, prélude, refrain, ritournelle, rythme, sérénade, solo, son, texte, thème, ton, vers.

adj. angélique, belle, brillante, céleste, classique, dramatique, énergique, gaie, grave, imparfaite, jolie, joyeuse, mystique, populaire, romantique, rythmée, sensible, stridente, suave, triste.

v. SUJET: la mélodie berce, calme, charme, endort, séduit, touche; COMPL.: chanter une mélodie, écouter une mélodie, fredonner une mélodie, siffler une mélodie.

musique

n. album, ambiance, âme, art, bal, ballade, ballet, basse, cadence, canon, carton, cassette, chambre, chanson, chant, chœur, chorale, compositeur, compositrice, concert, concerto, couplet, danse, disque, divertissement, dynamique, école, église, émotion, expression, film, finale, foire, folklore, gamme, gradation, harmonie, hymne, improvisation, instrument, interlude, introduction, langage, livret, maître, manège, mélodie, messe, mesure, méthode, mode, modulation, motif, mouvement, muse, musicien, note, nuance, octave, œuvre, opéra, oreille, ouverture, parole, partie, passage, pédale, pièce, portée, prélude, professeur, professeure, psaume, récital, recueil, règle, refrain, rue, rythme, scène, sentiment, sérénade, son, symphonie, temps, tenue, théâtre, thème, ton, trait, valse, virtuose, voix.

adj. acoustique, agréable, ancienne, baroque, classique, contemporaine, criarde, dansante, discordante, douce, dramatique, écrite, électronique, ennuyeuse, enregistrée, entraînante, exotique, facile, fausse, folklorique, gaie, grave, grossière, ininterrompue, instrumentale, intérieure, joyeuse, juste, légère, lyrique, mauvaise, militaire, moderne, monotone, parfaite, petite, populaire, profane, régulière, religieuse, romantique, sacrée, savante, sensible, spirituelle, suave, symphonique, triste, variée, vocale, vraie.

v. SUJET: la musique adoucit, berce, émeut, évoque, exprime, imite, joue; COMPL.: aimer une musique, apprécier une musique, apprendre la musique, arranger une musique, composer une musique, comprendre la musique, écrire une musique, étudier la musique, fredonner une musique, harmoniser une musique, improviser une musique, jouer de la musique, lire la musique, orchestrer une musique, transcrire la musique; AUTRES VERBES: chanter, danser.

expressions

• *Changer de musique:* parler d'autre chose.
• *Connaître la musique:* savoir de quoi il retourne, savoir comment s'y prendre.
• *En avant la musique!:* allons-y!
• *Être réglé comme du papier à musique:* être prévu dans tous les détails.

note

n. bécarre, bémol, blanche, croche, dièze, durée, expression, figure, forme, gamme, hauteur, intervalle, mouvement, musique, noire, notation, octave, partition, point, portée, quarte, quinte, ronde, seconde, septième, signe, sixte, son, tierce, ton, tonalité, touche.

adj. accentuée, aiguë, appuyée, basse, claire, cristalline, détachée, fausse, finale, grave, haute, juste, langoureuse, liée, mélancolique, perlée, piquée, plaintive, tenue, triste.

v. COMPL.: attaquer une note, croquer une note, jouer une note; AUTRES VERBES: chanter, composer, écrire.

expressions

• *Donner la note:* donner l'exemple à suivre.
• *Être dans la note:* être dans le style.
• *Fausse note:* élément qui ne convient pas à un ensemble, qui détruit une harmonie.
• *Forcer la note:* exagérer.
• *Note juste:* détail vrai, juste, approprié.

rythme

n. accent, accompagnement, air, allure, cadence, césure, concert, déplacement, durée, effet, finale, mesure, métrique, mouvement, musique, partition, phrase, reprise, retour, silence, son, style, suite, syncope, tempo, temps.

adj. alerte, cassé, continu, endiablé, faible, fort, haché, improvisé, irrégulier, joyeux, juste, lent, mou, parfait, rapide, régulier, saccadé, syncopé, vif.

v. SUJET: le rythme accélère, augmente, s'intensifie, ralentit; COMPL.: accélérer le rythme, accentuer le rythme, attaquer un rythme, battre le rythme, changer de rythme, improviser un rythme, marquer le rythme, suivre le rythme; AUTRE VERBE: rythmer.

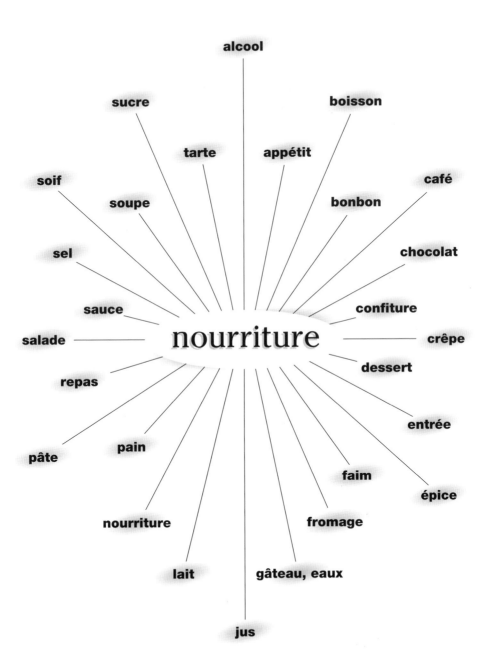

alcool

n. alcoolisme, affaiblissement, alcoolique, alcootest, allergie, apéritif, appellation contrôlée, bar, barman, barmaid, barrique, beuverie, biberon, bidon, bière, bistro, bordeaux, bouchon, bouquet, bouteille, brassage, brasserie, brasseur, buffet, bulles, buveur, buveuse, cabaret, café, caféier, canette, casse, cassis, cellier, céréale, champagne, cidre, citronnade, cocktail, cognac, combustible, concentration, contenant, cuvée, degré, dégustation, délire, démence, dépendance, dépôt, déshydratation, digestif, distillation, distillerie, distributeur, doigt, drogue, eau, eau-de-vie, épicier, épicière, esprit, festivité, friction, fruits, fût, futaille, gin, gorgée, gourde, goût, goutte, grains, grenadine, hydromel, impuretés, industrie, ivresse, ivrogne, jus, kir, lampe, lampée, larme, limonade, limonadier, liqueur, magnum, marque, mélangeur, mousse, nectar, orangeade, panaché, parfum, pinte, planteur, pousse-café, primeur, pub, punch, purification, rafraîchissement, raisin, régie, réjouissance, réserve, retrouvaille, rhum, robe, salon de thé, sangria, santé, sirop, soda, soif, soluble, solvant, sommelier, sommelière, spiritueux, taverne, température, tempérance, teneur, tequila, thermomètre, toast, tonneau, tonnelet, trait, treillage, trou, verre, vieillissement, vigne, vin, vodka, whisky.

adj. absolu, alcoolisé, altéré, ambré, amer, anglais, aromatique, arrosé, artificiel, blanc, brûlant, brut, buvable, capiteux, chocolaté, consommation, coupé, couru, coûteux, délicieux, dénaturé, désaltéré, doux, écossais, effervescent, élégant, emballant, épicé, équilibré, excellent, faible, fermenté, fort, français, gai, grand, idéal, imbuvable, industriel, insipide, intense, interdit, international, ivre, jaune, léger, lourd, luxueux, malsaine, modique, moelleux, morbide, mousseux, national, naturel, noir, olfactif, parfumé, petit, plate pompette, populaire, potable, primaire, recherché, rectifié, régional, relevé, rosé, rouge, rouquin, saturé, sec, secondaire, sobre, soûl, souple, tertiaire, tiède, tord-boyaux, vieilli.

v. SUJET : l'alcool s'achète, alcoolise, se boit, se brasse, se collectionne, se conserve, se consomme, convient à, se coupe, se déguste, désaltère, se dilue, se distille, se distribue, enivre, étanche, s'embouteille, s'entrepose, s'éponge, s'évapore, excite, s'exporte, flambe, s'importe, s'incorpore, se livre, se marie à, se mélange, se mesure, s'offre, pue, rafraîchit, réjouit, se renverse, se sent, se sirote, se vend, se verse, sert, se sert, soûle ; COMPL. : abuser de l'alcool, acheter de l'alcool, apprécier l'alcool, arroser d'alcool, brasser de l'alcool, chauffer à l'alcool, choisir l'alcool, conserver dans l'alcool, consommer de l'alcool, convertir en alcool, déglacer à l'alcool, déguster un alcool, se désaltérer avec de l'alcool, détremper dans l'alcool, diluer de l'alcool, distiller de l'alcool, doser l'alcool, embouteiller de l'alcool, enduire d'alcool, enrober d'alcool, entreposer l'alcool, éponger l'alcool, exhaler l'alcool, exclure l'alcool, exporter de l'alcool, (s') imbiber d'alcool, importer de l'alcool, inclure l'alcool, incorporer de l'alcool, livrer l'alcool, macérer dans l'alcool, mêler de l'alcool, mesurer de l'alcool, napper d'alcool, noyer d'alcool, offrir de l'alcool, prendre de l'alcool, préparer l'alcool, renverser de l'alcool, sélectionner l'alcool, sentir l'alcool, siphonner de l'alcool, siroter de l'alcool, suinter l'alcool, vaporiser de l'alcool, vendre de l'alcool ; AUTRE VERBE : alcooliser.

appétit

n. aliment, anorexie, apéritif, appétit, aspiration, attirance, attrait, besoin, boulimie, curiosité, dégoût, délice, désir, désir instinctif, envie, faim, gloutonnerie, gourmandise, goût, inclination, instinct, mets, passion, plaisir, répugnance, répulsion, soif, tendance, voracité.

adj. alléchant, ardent, bas, bon, débordant, dégoûtant, délicat, déplaisant, déréglé, dévorant, engageant, énorme, érotique, excessif, glouton, grand, grossier, immodéré, insatiable, intellectuel, léger, maladif, petit, ragoûtant, rebutant, repoussant, robuste, sensitif, sexuel, solide, violent, vorace.

v. SUJET: l'appétit vient, revient; **COMPL.:** aiguiser l'appétit, assouvir l'appétit, augmenter l'appétit, contenter l'appétit, couper l'appétit, creuser l'appétit, développer l'appétit, donner de l'appétit, émousser l'appétit, éveiller l'appétit, exciter l'appétit, faire passer l'appétit, gâter l'appétit, manger à son appétit, mettre en appétit, ouvrir l'appétit, perdre l'appétit, provoquer l'appétit, rassasier l'appétit, remettre l'appétit, reprendre l'appétit, réveiller l'appétit, satisfaire l'appétit, stimuler l'appétit.

expressions...

• *L'appétit vient en mangeant:* plus on mange, plus on a faim.
• *Rester sur son appétit:* rester sur sa faim.
• *Bon appétit:* souhait adressé avant de manger.
• *Demeurer, rester sur son appétit:* n'être point satisfait dans son désir ou ses prétentions.

boisson

n. abricot, alcool, ananas, apéritif, bar, barrique, beuverie, bière, bistrot, boire, bonbonne, bouillon, bouteille, breuvage, buveur, cabaret, café, camomille, canette, carafe, cerise, cidre, citron, citronnade, cocktail, cognac, cordial, débit, décoction, demi, digestif, doigt, eau, eau-de-vie, élixir, émulsion, expédition, fine, fraise, fût, futaille, gingembre, gorgée, goutte, grenadine, honneur, infusion, ingrédient, ivresse, jus, lait, lait de poule, lampée, larme, levure, limonade, liqueur, liquide, macération, magnum, mandarine, mangue, mélange, menthe, mixture, mûre, nectar, orangeade, panaché, philtre, piquette, porto, potion, préparation, punch, rafraîchissement, rasade, réglisse, rhum, sirop, soda, soif, solution, sommelier, sommelière, spiritueux, tequila, thé, tilleul, tisane, toast,

tonneau, tonnelet, tonnelle, tord-boyaux, trait, verre, verveine, vin, whisky.

adj. acide, aigre, aigre-douce, aigrelette, alcoolisée, alléchante, amère, ambre, aromatique, artificielle, astringente, blanche, blonde, bouillie, brûlante, brune, calorifique, chambrée, chaude, chimique, chocolatée, citronnée, concentrée, congelée, courante, coûteuse, dangereuse, décaféinée, délayée, délicieuse, digestive, douce, équilibrée, équitable, excellente, exquise, extraordinaire, fade, fermentée, fraîche, froide, fruitée, gazéifiée, grande, hygiénique, imbuvable, impropre, industrielle, infusée, insipide, liquoreuse, modique, mortelle, mousseuse, nature, naturelle, originale, parfumée, passée, pétillante, pimentée, piquante, poivrée, populaire, purgative, rafraîchissante, rare, recherchée, remarquable, rosée, rousse, salée, sucrée, surie, thérapeutique, tiède, tonifiée, tonique, tranquille, vanillée.

v. SUJET: une boisson désaltère, s'adoucit, s'apprécie, se boit, se brasse, se collectionne, se colore, se commercialise, se congèle, se conserve, se décongèle, se décore, se déguste, s'enrichit, s'entrepose, s'épice, se garnit de, se goûte, se jette, se mélange, se mesure, se modifie, s'offre, se présente, se rafraîchit, se réchauffe, se refroidit, se sale, se sert, se sirote, se sucre, tiédit; **COMPL.:** adorer une boisson, ajuster une boisson, apprécier une boisson, arroser de boisson, brasser une boisson, collectionner des boissons, colorer une boisson, commercialiser une boisson, congeler une boisson, conserver des boissons, critiquer une boisson, décongeler une boisson, décorer une boisson, déguster une boisson, se délecter d'une boisson, se désaltérer avec une boisson, détester une boisson, emballer une boisson, embouteiller une boisson, enrichir une boisson, entreposer une boisson, épicer une boisson, faire circuler une boisson, garnir une boisson, goûter une boisson, interdire une boisson, inventer une boisson, jeter une boisson, mélanger des boissons, mesurer une boisson, modifier une boisson, offrir une boisson, prescrire une boisson, présenter une boisson, rafraîchir une boisson, réchauffer une boisson, refroidir une boisson, rejeter une boisson, saler une boisson, servir une boisson, siroter une boisson, sucrer une boisson, tiédir une boisson, vanter une boisson, vomir une boisson ; AUTRES VERBES : lancer, mettre, trinquer.

bonbon

n. aromate, bâtonnet, berlingot, boîte, bonbonnière, bouchée, boule, caramel, casserole, cassonade, chique, chocolat, confiserie, confiseur, cornet, dragée, ficelle, fondant, friandise, gâterie, gelée, guimauve, jujube, liqueur, marron glacé, mélasse, menthe, mesure, miel, moule, papillote, pastille, pâte, praline, produit, recette, récipient, réglisse, sac, sirop, sucette, suçon, sucre, sucre d'orge, sucrerie, surprise, tire.

adj. acidulé, anglais, aromatisé, cuit, enveloppé, fondant, fourré, gros, parfumé, petit, rose, sucré, sur.

v. SUJET : le bonbon se caramélise, se croque, s'enveloppe, se mange, se suce ; COMPL. : adoucir un bonbon, aromatiser un bonbon, avaler un bonbon, caraméliser un bonbon, casser un bonbon, concocter un bonbon, confectionner des bonbons, couler des bonbons, cuisiner des bonbons, décorer un bonbon, démouler des bonbons, s'étouffer avec un bonbon, fabriquer des bonbons, faire chauffer des bonbons, faire prendre des bonbons, faire refroidir des bonbons, garnir un bonbon, glacer un bonbon, mouler des bonbons, napper des bonbons, sucrer un bonbon.

expression..

• *C'est du bonbon :* c'est délicieux et sucré ; c'est facile, passionnant.

café

n. arabica, arôme, besoin, bistrot, boisson, bol, cabaret, café-concert, café-crème, caféine, cafétéria, cafetière, cappuccino, chocolat, crème, culture, cybercafé, déjeuner, demi-tasse, élixir, essence, express, filtre, gorgée, goût, grain, graine, kilo, lait, lampée, marc, moka, moulin, paquet, pause-café, percolateur, plant, plantation, pot, poudre, rasade, récolte, saveur, soucoupe, sucre, tasse, thé, torréfaction.

adj. âcre, allongé, aromatisé, brûlant, buvable, chaud, colombien, concentré, corsé, décaféiné, express, fort, froid, glacé, imbuvable, importé, infusé, instantané, irlandais, matinal, médiocre, moulu, nocif, noir, nuisible, parfumé, pernicieux, potable, ravigotant, réconfortant, robuste, sirupeux, soluble, stimulant, sucré, tiède, torréfié, turc, vert.

v. SUJET : le café excite, intoxique, irrite, nuit, réchauffe, réconforte, réveille, stimule ; COMPL. : abuser de café, boire du café, éviter le café, faire du café, griller le café, infuser le café, ingurgiter un café, laper son café, moudre le café, prendre un café, réchauffer le café, remuer son café, renverser un café, savourer un café, servir le café, siroter un café, sucrer un café, torréfier le café, verser le café.

chocolat

n. amande, aromate, arôme, barre, bavaroise, bouchée, brownie, bûche, cacao, carte, chocolaterie, chocolatier, chocolatière, confiseur, confiseuse, consommateur, consommatrice, consommation, crème, croquette, crotte, cuisson, décorticage, dépôt, dîner, éclair, enrobage, entremets, étalage, extraction, fabrication, fabrique, fin, four, ganache, gâteau, glace, grillage, lait, lapin, mélange, menu, mets, miel, moule, mousse, noisette, nougat, œuf, pâte, pépite, pliage, portion, poudre, récipient, refroidissement, régal, repas, service, sorbet, soufflé, souper, sucre, tablette, tasse, triage, truffe, vanille.

adj. amer, artisanal, belge, blanc, carré, chocolaté, crémeux, décoré, délicieux, durci, enrobé, exquis, fantaisie, foncé, fondant, fondu, fourré, friand, fumant, glacé, granuleux, grillé, grumeleux, hollandais, importé, liquide, maison, marbré, mi-sucré, mou, oblong, onctueux, ovale, parfumé, plaisant, praliné, rond, sucré, suisse, tiède, vanille, velouté.

v. SUJET: le chocolat abonde, bouille, se congèle, se conserve, se déguste, cuit, fond, nourrit, se mange, soutient; COMPL.: allonger le chocolat, broyer le chocolat, casser le chocolat, conserver le chocolat, cuire le chocolat, décorer le chocolat, décortiquer le chocolat, délayer le chocolat, dépenser pour du chocolat, déposer le chocolat, disposer du chocolat, distribuer du chocolat, donner du chocolat, s'empiffrer de chocolat, enrober de chocolat, entamer le chocolat, envelopper le chocolat, fondre le chocolat, garnir de chocolat, se gaver de chocolat, gorger de chocolat, goûter le chocolat, jeter le chocolat, livrer le chocolat, manger le chocolat, mélanger le chocolat, mettre du chocolat, offrir du chocolat, préparer le chocolat, présenter le chocolat, recevoir du chocolat, réchauffer le chocolat, réduire le chocolat, refroidir le chocolat, servir le chocolat, trier le chocolat, verser le chocolat.

expression.....................................

• *Être chocolat:* être frustré, privé d'une chose sur laquelle on comptait.

confiture

n. abricot, automne, biscotte, biscuit, bleuet, calorie, cerise, collation, compote, coulis, couteau, crêpe, cuiller, cuisine, déjeuner, fraise, framboise, fruit, garde-manger, gâteau, gelée, goûter, groseille, jarre, marmelade, orange, pectine, poire, pot, prune, raisin, réfrigérateur, rhubarbe, rôtie, saveur, sucre, tantinet, tartine, toast.

adj. acide, alléchante, amère, appétissante, calorifique, claire, collante, diététique, douce, engraissante, épaisse, fruitée, liquide, maison, nourrissante, sucrée, sure.

v. COMPL.: cuire de la confiture, déguster la confiture, s'empiffrer de confiture, entreposer la confiture, essayer une confiture, étendre la confiture, faire de la confiture, goûter une confiture, manger de la confiture, préparer de la confiture, se priver de confiture, rater une confiture, se régaler de confiture, savourer une confiture, tartiner de la confiture; AUTRES VERBES: cuisiner, engraisser.

crêpe

n. accompagnement, apprêt, asperge, assaisonnement, batteur, béchamel, beignet, beurre, bol, buffet, carte, champignon, chocolat, courgette, crème glacée, crêperie, crêpier, crêpière, cuillère, dessert, dîner, eau, farine, fromage, galette, ingrédient, jambon, jardinière, lait, légume, malaxeur, marron, mets, œuf, pâte, poivron, portion, praline, repas, robot culinaire, saucisse, service, souper, spatule, tomate.

adj. alcoolisée, appétissante, aromatisée, arrosée, bretonne, collante, épaisse, exotique, flambée, fourrée, garnie, légère, lourde, mince, nappée, nature, originale, parfumée, poudrée, repliée, roulée, salée, simple, sucrée, suzette.

v. SUJET: la crêpe se conserve, se cuisine, cuit, se déguste, se mange, se réfrigère; COMPL.: acheter une crêpe, apprêter une crêpe, assaisonner une crêpe, battre une crêpe, choisir une crêpe, cuire une crêpe, cuisiner une crêpe, décorer une crêpe, découper une crêpe, déposer une crêpe, détacher une crêpe, donner une crêpe, dorer une crêpe, s'empiffrer de crêpes, enrober une crêpe, épicer une crêpe, étendre une crêpe, faire une crêpe, faire sauter une crêpe, farcir une crêpe, fourrer une crêpe, garnir une crêpe, se gaver de crêpes, glacer une crêpe, gorger une crêpe, habiller une crêpe, manger une crêpe, mettre dans une crêpe, mouiller une crêpe, napper une crêpe, parfumer une crêpe, préparer une crêpe, réchauffer une crêpe, replier une crêpe, rouler une crêpe, saupoudrer une crêpe, soulever une crêpe.

expressions

- *Retourner quelqu'un comme une crêpe :* influencer quelqu'un au point de le faire changer instantanément d'opinion.
- *S'aplatir comme une crêpe :* se soumettre lâchement.

dessert

n. ananas, assiette, atocas, babeurre, banane, biscuit, biscuiterie, bûche, buffet, carré, carte, cerise, charlotte, chausson, chocolat, choix, citron, complément, compote, confiserie, cornet, couronnement, couteau, crème, crème glacée, croustade, danoise, dîner, douceur, entremets, esquimau, fin, flan, fruit, gâteau, glace, goyave, kiwi, lait, macaron, mangue, mélangeur, menu, mets, miel, morceau, mousse, muffin, noix, palmier, pamplemousse, papaye, pâtisserie, pâtissier, pâtissière, portion, praline, pudding, raisin, régal, repas, robot culinaire, service, sorbet, souper, tarte, trottoir, viennoiserie, yogourt.

adj. abondant, affreux, anodin, appétissant, attrayant, bon, chaud, choisi, croustillant, culinaire, divin, exceptionnel, exquis, froid, fumant, habituel, indigeste, léger, lourd, maison, malsain, mauvais, nutritif, ordinaire, parfait, préféré, quelconque, raffiné, régional, relevé, sain, substantiel, succulent, sucré.

v. SUJET: le dessert alimente, nourrit, restaure, s'absorbe, s'avale, se consomme, se cuisine, se déguste, se dessert, se décore, se mâche, se mange, se mastique, se mijote, se prépare, se savoure, s'ingère, s'ingurgite, s'orne ; COMPL. : acheter du dessert, avaler un dessert, confectionner un dessert, dégus-ter du dessert, desservir le dessert, dévorer le dessert, s'empiffrer de dessert, épicer le dessert, faire un dessert, se gaver de dessert, gober le dessert, ingérer le dessert, ingurgiter le dessert, manger du dessert, se nourrir de dessert, prendre le dessert, préparer le dessert, se régaler de dessert, se repaître de dessert, savourer le dessert, servir le dessert, sucer le dessert.

entrée

n. antipasto, asperge, assiette froide, bâtonnet de fromage, bouchée, buffet, carte, caviar, charcuterie, consommé, dîner, escargot, fondue parmesan, hors-d'œuvre, huître, légume, menu, mets, mousse de fruits de mer, ordonnance, palourde, salade, portion, potage, repas, saumon, service, soufflé, soupe, timbale, viande.

adj. affriolante, aigre-douce, appétissante, carnée, charcutière, chaude, classique, courante, crémeuse, décorative, exotique, froide, fromagère, gratinée, légère, lourde, marinière, originale, parfumée, recherchée, relevée, simple, végétale, végétarienne, verte.

v. SUJET: l'entrée nourrit, rassasie, restaure, s'avale, se confectionne, se crée, cuit, se déguste, se digère, se gobe, se grignote, se mange, se digère, se prépare, se présente, se savoure, se sert, s'ingère ; COMPL. : apporter l'entrée, arranger l'entrée, assaisonner l'entrée, assortir l'entrée, choisir l'entrée, colorer l'entrée, combiner l'entrée, commander l'entrée, confectionner l'entrée, décorer l'entrée, déguster l'entrée, déposer l'entrée, dresser l'entrée, faire honneur à l'entrée, garnir l'entrée, glacer l'entrée, goûter l'entrée, gratiner l'entrée, grignoter l'entrée, habiller l'entrée, napper l'entrée, parfumer l'entrée, pimenter l'entrée, préparer l'entrée, rafraîchir l'entrée, réchauffer l'entrée, refroidir l'entrée, savourer l'entrée, terminer l'entrée.

épice

n. anis, aromate, assaisonnement, bétel, cannelle, condiment, cubèbe, cumin, curry (ou cari), gingembre, girofle (clou, griffes de girofle), moutarde, muscade (noix muscade), paprika, piment, poivre, poudre, safran, sauge, thym, vanille.

adj. aphrodisiaque, aromatique, aromatisée, blanche, bonne, douce, étrangère, éventées, exotique, fines, forte, petite, principale, orientale, piquante.

v. SUJET: une épice accentue, accompagne, adoucit, ajoute, améliore, aromatise, assaisonne, donne (du goût), pimente, poivre, relève; COMPL.: acheter des épices, aimer les épices, mélanger des épices, mettre des épices, préparer des épices, saupoudrer d'épices, taxer les épices, vendre des épices; AUTRE VERBE: épicer.

faim

n. abstinence, affamé, affamée, alimentation, ambition, appétit, avidité, besoin éprouvé, boulimie, creux, cupidité, dégoût, diète, disette, écœurement, envie, estomac, famine, fringale, goût, gourmandise, inanition, jeûne, manque, privation, satiété, soif, sous-alimentation, tourment.

adj. affamée, dévorante, grande, horrible, insatiable, intellectuelle, jouissante, maladive, pressante, vorace.

v. COMPL.: apaiser sa faim, assouvir sa faim, avoir faim, calmer sa faim, couper sa faim, crever de faim, donner la faim, mourir de faim, nourrir sa faim, rassasier sa faim, ressentir la faim, rester sur sa faim, ronger par la faim, satisfaire sa faim, sentir la faim, tromper sa faim, manger à sa faim, rester sur sa faim; AUTRES VERBES: affamer, jeûner.

expressions................................

- *Un crève-la-faim, un meurt-de-faim:* quelqu'un qui n'a pas le nécessaire pour vivre.
- *J'ai une de ces faims:* j'ai énormément faim.
- *Manger à sa faim:* manger suffisamment.
- *Ne pas manger à sa faim:* manquer du nécessaire.
- *Prendre quelqu'un par la faim:* le faire céder en lui coupant les vivres.
- *Rester sur sa faim:* continuer à avoir faim après avoir mangé; ne pas obtenir tout ce qu'on attendait d'un spectacle, d'une lecture.

fromage

n. affinage, biscotte, biscuit, bleu, boîte, bouchée, boule, brebis, brie, caillé, camembert, cheddar en grains, cheddar en meule, chèvre, cloche, couteau, crème, croûte, dessert, double crème, emmental, emmenthal, feta, fondue, fromager, fromagerie, gorgonzola, goût, gruyère, lactose, lait, macaroni, maturation, meule, moisissure, moule, odeur, Oka, pain, parmesan, pâte, plateau, pointe, pomme, portion, quiche, raclette, raisin, rancissement, râpe, ration, repas, roquefort, roulé aux fines herbes, salaison, sandwich, sel, soufflé, tarte, tartine, tranchoir, triple crème, vache, vin, yaourt, yogourt.

adj. affiné, blanc, bleu, caillé, canadien, coulant, dégoulinant, demi-ferme, doux, dur, écrémé, entier, exquis, ferme, fermenté, fondu, fort, frais, français, fumé, gras, gratiné, hollandais, importé, maigre, marbré, moisi, mou, onctueux, orange, persillé, pressé, puant, râpé, renommé, repoussant, rond, sain, salé, sec, suisse, température, tranché, vieilli.

v. SUJET: le fromage coule, dégage, durcit, fermente, moisit, pue, ramollit, rancit, sèche, sent, vieillit; COMPL.: affiner un fromage, couper un fromage, déguster un fromage, égoutter un fromage, manger du fromage, râper du fromage, sentir un fromage, servir le fromage, tartiner un fromage.

expression................................

- *Entre la poire et le fromage:* à la fin du repas, quand les propos deviennent moins sérieux.

gâteau, eaux

n. amande, baklava, barquette, base, beigne, beurre, biscuit, biscuiterie, boîte, brioche, bûche, buffet, caramel, carte, cassonade, charlotte, chausson, chou, citron, clafoutis, craquelin, crème anglaise, crème au beurre, crème fouettée, crème pâtissière, dîner, éclair, enduit, entremets, farine, flan, forêt-noire, four, friandise, galette, gâterie, gaufre, glaçage, glace, guimauve, madeleine, malaxeur, mélangeur, mélasse, menu, meringue, mets, miel, mille-feuilles, moka, moule, mousse, œuf, opéra, palmier, papillote, paquet, pastille, pâte, pâtisserie, pâtissier, petit beurre, portion, poudre, pudding, rayon, religieuse, repas, robot culinaire, sabayon, sablé, savarin, service, sirop, soufflé, souper, sucre, tarte, tartelette.

adj. appétissant, aromatisé, caramélisé, carré, doux, feuilleté, glacé, fourré, gros, marbré, meringué, monté, paquet, petit, régional, rond, sec.

v. SUJET: le gâteau se découpe, se garnit, se gorge, se mange, se parfume, se sert, s'imbibe; COMPL.: apprêter un gâteau, caraméliser un gâteau, cuire un gâteau, décorer un gâteau, distribuer du gâteau, s'empiffrer de gâteau, garnir un gâteau, se gaver de gâteau, habiller un gâteau, humecter un gâteau, imbiber un gâteau, manger un gâteau, parfumer un gâteau, préparer un gâteau, se servir du gâteau.

expressions

- *C'est du gâteau:* se dit de quelque chose d'agréable, de facile.
- *C'est pas du gâteau:* ce n'est pas facile.
- *Papa, maman, grand-père gâteau:* qui gâte beaucoup ses enfants ou petits-enfants.
- *Vouloir sa part du gâteau:* vouloir sa part d'un profit.

jus

n. abricot, agrumes, avocat, baie, betterave, bleuet, boisson, boîte, bouteille, breuvage, calorie, canneberge, cantaloup, carence, carotène, carotte, cassis, céleri, centrifugeuse, cueillette, chair, chou-fleur, cidre, citron, citronnade, citrouille, cocktail, coing, courge, cresson, curatif, cure, décoction, délice, diète, digestion, eau, embouteillage, épinard, extraction, fabrication, figue, fraîcheur, fraise, framboise, gelée, germinations, gingembre, glace, glucides, goyave, graines, grenade, grenadine,

groseilles, herbe, kaki, lait, lime, litre, mangue, mélangeur, melon, melon d'eau, mûre, myrtilles, nectar, nectarine, orangeade, oseille, pastèque, pêche, pissenlit, poire, pomme, pot, pressoir, prune, pruneau, punch, rafraîchissement, régime, reine-claude, sirop, sucre, tangerine, tasse, teint, tomates, tournesol, vermifuge, verre, vin, vitalité, vitamine.

adj. acide, aigre, aigrelet, aigre-doux, ambré, amer, antibiotique, apaisant, apéritif, artificiel, astringent, bienfaisant, biologique, bon, bordeaux, broyé, calorifique, chambré, citronné, clair, commercial, conservé, costaud, courant, cru, dégradé, délicat, délicieux, détérioré, diététique, digestible, doux, écarlate, énergétique, énergisant, enrichi, ensoleillé, épais, estival, excellent, exquis, faible, fibreux, fort, fortifiant, frais, froid, gazéifié, glacé, gourmet, grumeleux, insipide, intact, jaune, juteux, lourd, mauvais, mousseux, naturel, nauséabond, nocif, nuisible, nutritif, odorant, parfumé, pétillant, piquant, poivré, pressé, purifiant, purifié, réchauffé, recherché, réconfortant, riche, rouge, sain, santé, spécial, sucré, sur, surgelé, suri, terne, thérapeutique, tonifiant, toxique, velouté, véritable, vert, vinaigré, violet.

v. SUJET: le jus coule, jaillit, se répand, se verse, rafraîchit; COMPL.: absorber du jus, accepter un jus, acheter du jus, ajouter du jus, alcooliser le jus, allonger le jus, annoncer le jus, apporter du jus, apprécier le jus, arroser de jus, aspirer du jus, boire du jus, brasser le jus, confectionner le jus, congeler le jus, conserver le jus, consommer du jus, couper le jus, dégeler le jus, déguster un jus, se délecter de jus, déshydrater un jus, diluer un jus, distribuer du jus, donner du jus, éponger du jus, exporter du jus, exprimer le jus, extraire le jus, filtrer le jus, goûter le jus, importer du jus, incorporer du jus, jeter du jus, mélanger du jus, offrir du jus, passer du jus, préparer le jus, récolter le jus, réduire en jus, réfrigérer le jus, refuser du jus, se régaler de jus, rejeter le jus, remiser le jus, renverser le jus, retourner e jus, savourer du jus, se verser du jus, transvider du jus, vanter le jus, vendre du jus.

expressions

- *Allonger un jus :* y mettre de l'eau.
- *Baigner dans son jus :* se dit d'un aliment qui trempe dans son liquide.
- *Balancer un type au jus :* jeter un type à l'eau.
- *Être dans le jus :* avoir beaucoup de travail, au-delà de ses capacités.
- *Il n'y a plus de jus :* il y a une panne d'électricité ou d'alimentation quelconque.
- *Jus de chaussette :* mauvais café.
- *Jus de fruits naturels :* jus qui n'est pas modifié, altéré ou enrichi.
- *Laisser quelqu'un cuire, mijoter dans son jus :* laisser quelqu'un attendre pour le rendre plus maniable.
- *Mettre le jus :* mettre le contact électrique.
- *Pur jus :* conforme à la norme, authentique.

lait

n. aigreur, aliment, allaitement, allergie, babeurre, bain, bébé, béchamel, berlingot, beurre, biberon, boisson, bolée, bouteille, brebis, café, calcium, carton, chèvre, chocolat, conservation, crème, crème-dessert, crémerie, crémier, ébullition, ferme laitière, fromage, goutte, jatte, lactation, lactose, lait de poule, laitage, laitier, lampée, litre, mammifère, mère, nourrice, nourrisson, nouveau-né, nuage, pasteurisation, petit-lait, pot, poudre, produit laitier, rasade, réfrigération, sauce, sevrage, tasse, trait, traite, vache, veau de lait, verre, vitamine, yogourt.

adj. acide, aigre, aigrelet, allergène, altérable, aromatisé, battu, blanc, bon, bouillant, caillé, chaud, chocolaté, concentré, crémeux, cru, écrémé, entier, fermenté, fouetté, frais, frappé, froid, glacé, gras, homogénéisé, maternel, maternisé, mousseux, nutritif, pasteurisé,

riche, stérilisé, sûr, suri, tiède, U.H.T. (ultra haute température).

v. SUJET: le lait bout, caille, déborde, frémit, nourrit, surit, tourne; COMPL.: aigrir le lait, avaler du lait, battre le lait, boire du lait, chauffer du lait, écrémer du lait, faire bouillir du lait, faire mousser du lait, filtrer du lait, fouetter du lait, homogénéiser du lait, ingurgiter du lait, pasteuriser du lait, réchauffer du lait, stériliser du lait, téter le lait, tirer son lait; AUTRES VERBES: allaiter, sevrer, traire.

expressions

- *Agneau, cochon, veau de lait :* agneau, cochon ou veau qui tète encore, qui est nourri au lait seulement.
- *Être soupe au lait :* être irascible, se fâcher facilement.
- *Petit-lait :* liquide qui se sépare du lait caillé.
- *Vache à lait :* personne qu'on exploite, qui est une source de profit pour une autre personne.

nourriture

n. absorption, aliment, alimentation, allaitement, anguille, anorexie, appétit, apprêt, artichaut, asperge, asperge, assiette, assiettée, atrophie, aubergine, aubergiste, bécasse, beigne, beignet, biscuit, boire, bouchée, boucherie, bouffe, boulimie, buffet, cafétéria, cantine, casse-croûte, céréale, chapelure, charcuterie, chef, chicorée, choucroute, collation, comestible, commensal, compote, condiment, confiserie, confiture, conserve, consommateur, consommatrice, cornichon, coulis, couscous, couvert, crêpe, croustille, cuisine, cuisinier, cuisinière, déjeuner, denrée, denrée alimentaire, désir, dessert, dinde, dîner, dînette, dressage, écrevisse, enrichissement, épice, faim, faisan, festin, filet, fourniture, fricassée, fringale, friture, fromage, frugalité, fruit, gastronome, gastronomie, gâteau, gîte, glouton, goinfre, gorgée, goûter, grignoteur, homard, hôte, hôtesse, inanition, ingestion, ingrédient, jambon, jus, laitue, légume, liaison, macaron, mangeaille, manger, manne, marmelade, mayonnaise, melon, mets, morceau, moule, moutarde, muscade, nouille, nourriture, nutriment, nutrition, œuf, oignon, omelette, orange, pain, parasite, pâte, pâtée, pâtisserie, pâture, perche, perdreau, perdrix, piment, pique-nique, pitance, plat, platée, poisson, popote, portion, potage, poulet, provision, ratatouille, ration, réfectoire, repas, restaurant, riz, roux, sauce, saumon, sel, serveur, serveuse, service, sobriété, sommelier, sommelière, soupe, subsistance, substance, tarte, thon, traiteur, traiteuse, truite, végétarien, végétarienne, velouté, viande, vinaigre, vivre, volaille, voracité.

adj. abondante, accommodée, appétissante, apprêtée, avantageuse, bonne, braisée, céleste, complète, convenable, creuse, croustillante, divine, échauffante, empoisonnée, épicée, exquise, farcie, frite, fruste, garnie, gastronomique, gratinée, grillée, grossière, horrible, indigeste, insatiable, insuffisante, laxative, légère, liquide, lourde, malsaine, marinée, maison, mauvaise, médiocre, naturelle, nourrissante, nouvelle, nutritive, panée, pauvre, piquée, préparée, profonde, raffinée, rafraîchissante, réparatrice, riche, sautée, solide, substantielle, succulente, terrestre, végétarienne, vide.

v. SUJET: la nourriture abonde, nourrit, s'accumule, s'achète, se conserve, se consomme, cuit, se mange, se prépare, se réchauffe, se vend, s'entrepose, s'ingurgite, s'offre, soutient; COMPL.: accumuler de la nourriture, acheter de la nourriture, apporter de la nourriture, apprêter de la nourriture, bouffer de la nourriture, chauffer de la nourriture, choisir de la nourriture, consommer de la nourriture, cuire de la nourriture, dépenser pour de la nourriture, donner de la nourriture, entreposer de la nourriture, expédier de la nourriture, faire cuire de la nourriture, gorger de nourriture, jeter de la nourriture, livrer de la nourriture, manger de la nourriture, mettre de la nourriture, offrir de la nourriture, préparer de la nourriture, prévoir de la nourriture, recevoir de la nourriture, réchauffer de la nourriture.

pain

n. arôme, avoine, bagel, baguette, beurre, biscotte, blé, bouchée, boulange, boulanger, boulangère, boulangerie, brioche, céréale, chapelure, corbeille, couteau, couteau-scie, croissant, croque-monsieur, croûte, croûton, épi, fabrication, farine, ficelle, fougasse, four, fournée, froment, galette, germe, gluten, grille-pain, hostie, huche, levain, levure, maïs, masse, miche, mie, miette, moisson, morceau, mouillette, moule, orge, panade, panier, panification, panure, pâte, pétrissage, planche, quignon, raisin, recette, rôtie, sandwich, seigle, semoule, son, tartine, toast, tranche.

adj. artisanal, belge, bénit, beurré, bis, blanc, brûlé, brun, chaud, complet, croustillant, croûté, diététique, doré, dur, émietté, entier, épicé, frais, français, grillé, imbibé, moelleux, moisi, noir, plat, quotidien, rassis, rustique, sec, sucré, tartiné, tranché, tressé, viennois.

v. SUJET: le pain alimente, croustille, durcit, lève, moisit, rassit, sèche; COMPL.: bénir le pain, beurrer du pain, brûler du pain, couper du pain, cuire le pain, émietter le pain, enfourner le pain, faire du pain, grignoter du pain, griller du pain, imbiber du pain, manger du pain, manquer de pain, mastiquer le pain, partager le pain, pétrir du pain, picorer le pain, rompre le pain, tartiner du pain, trancher du pain, tremper du pain; AUTRES VERBES: paner, panifier.

expressions

- *Avoir du pain sur la planche:* avoir beaucoup de travail à faire.
- *Avoir pour une bouchée de pain:* obtenir à bon prix, inférieur à la valeur réelle.
- *Être bon comme du bon pain:* bon.
- *Gagner son pain à la sueur de son front:* gagner sa vie en travaillant fort.
- *Je ne mange pas de ce pain-là:* se dit lorsqu'on rejette une proposition avec mépris ou indignation.
- *Long comme un jour sans pain:* long, interminable, ennuyeux.

- *Manger son pain blanc en premier :* avoir des débuts heureux pour ensuite connaître des temps plus durs.
- *Mettre au pain sec :* punir.
- *Ôter, retirer à quelqu'un le pain de la bouche :* priver quelqu'un de sa subsistance, d'un profit.
- *Se vendre comme des petits pains chauds :* se vendre très facilement, rapidement.

pâte

n. abaisse, addition, alimentaire, aromate, assiette à tarte, bagel, base, beigne, beignet, beurre, bol, bouchée, boulanger, boulette, buffet, cannelloni, capellini, carte, céréale, chausson, confection, consistance, constitution, couteau, craquelin, croissant, croûte, cuillère, danoise, décoration, dîner, eau, farine, feuilleté, fouet, fromage, fusilli, galette, gaufre, huile, lait, lasagne, levain, levure, macaroni, malaxeur, margarine, mélangeur, menu, mets, motif, moule, nouille, œuf, pain, paquet, passoire, portion, potage, préparation, ravioli, repas, rouleau à pâte, saindoux, semoule, service, souper, spaghetti, spaghettini, tarte, tortellini, variété, vermicelle.

adj. alimentaire, allongée, amincie, blanche, brisée, chimique, colorée, compacte, consistante, coulante, crémeuse, cuite, dure, enrobée, épaisse, farcie, fermentée, feuilletée, fine, fraîche, frite, grumeleuse, homogène, levée, liquide, lisse, maison, mi-dure, moisie, molle, onctueuse, persillée, petite, pressée, ronde, roulée, sèche, sucrée, travaillée.

v. SUJET : la pâte alimente, cuit, nourrit, se congèle, se dégèle, se façonne, se mange, se moule, se pétrit, s'étire ; **COMPL. :** abaisser la pâte, ajouter la pâte, arroser la pâte, badigeonner la pâte, congeler la pâte, couper la pâte, cuire la pâte, décoller la pâte, déposer la pâte, diviser la pâte, dorer la pâte, écraser la pâte, émietter la pâte, empâter la pâte, enduire la pâte, enfourner la pâte, envelopper la pâte, étaler la pâte, faire

glisser la pâte, faire lever la pâte, faire refroidir la pâte, faire reposer la pâte, faire sauter la pâte, foncer la pâte, former la pâte, fourrer la pâte, garnir la pâte, graisser la pâte, inciser la pâte, mâcher la pâte, manipuler la pâte, pétrir la pâte, piquer la pâte, préchauffer la pâte, préparer la pâte, refroidir la pâte, remplir la pâte, rouler la pâte, saupoudrer la pâte, transvaser la pâte, travailler la pâte, tresser la pâte, verser la pâte.

expressions

- *Être comme un coq en pâte :* être choyé, sans souci.
- *Elle est d'une pâte à vivre cent ans :* elle a une très bonne constitution.
- *Mettre la main à la pâte :* participer à un travail, aider, donner un coup de main.
- *Pâte en croûte :* préparation à base de pâte feuilletée que l'on garnit intérieurement.
- *Pâte feuilletée :* feuilletage.
- *Pâte sablée :* pâte friable comportant une forte proportion de beurre et de sucre.
- *Travailler une pâte :* pétrir, rouler une pâte.
- *Une bonne pâte :* une personne qui a un caractère facile.

repas

n. abstinence, aliment, alimentation, anorexie, appétit, assiettée, aubergiste, banquet, bénédicité, boire, bouchée, bouffe, boulimie, boustifaille, brunch, buffet, café, cafétéria, cantine, carence, carte, casse-croûte, cérémonial, chef, collation, comestible, commencement, commensal, consommateur, consommatrice, convive, couvert, croûte, cuisine, cuisinier, cuisinière, début, déjeuner, denrée alimentaire, dessert, diététique, diététiste, dîner, dînette, entrée, entremets, faim, festin, fin, fine gueule, fringale, fromage, frugalité, gastronome, gavage, glouton, gloutonnerie, goinfre, gourmand, gourmande, gourmandise, gourmet, goûter, grignoteur, hamburger, hors-d'œuvre, hospitalité, hôte, légume, liqueur, lunch, maître d'hôtel, malnutrition, manger, menu, mets, nourriture, nutriment, nutritionniste, ordinaire, parasite, pensionnaire, pièce, pièce de résistance, pique-assiette, pique-nique, pitance, plat, platée, popote, populaire, portion, ratatouille, ration, réfection, réfectoire, régal, repas, repas d'affaires, repas de fiançailles, repas de noces, repus, restaurant, restaurateur, restauratrice, réveillon, salade, sandwich, serveur, serveuse, service, sobriété, sommelier, sommelière, souper, sous-alimentation, subsistance, table, végétarien, viande, vivres, voracité.

adj. abondant, appétissant, assaisonné, bon, bourratif, champêtre, carné, comestible, copieux, corsé, cuisiné, délicat, diététique, excellent, expédié, familial, fortifiant, frugal, gastronomique, gonflé, gras, gros, joyeux, léger, maigre, mangeable, mauvais, mijoté, modeste, nourrissant, nutritif, offert, potable, plantureux, populaire, rapide, ravigotant, recherché, riche, ridicule, solitaire, silencieux, simple, sobre, somptueux, sous-nutritif, substantiel.

v. SUJET : le repas alimente, nourrit, ravigote, réconforte, réchauffe, restaure, s'absorbe s'assimile, s'avale, se consomme, se cuisine, se déguste, se digère, se mâche, se mange, se mastique, se mijote, se prépare, se ronge, se savoure, s'ingère, s'ingurgite ; COMPL. : absorber un repas, avaler un repas, commander un repas, consommer un repas, dévorer un repas, s'empiffrer au repas, épicer un repas, expédier un repas, faire le repas, se faire inviter à un repas, faire manger le repas, se gaver au repas, gober un repas, se goberger d'un repas, grignoter un repas, happer un repas, ingérer un repas, ingurgiter un repas, inviter à un repas, livrer un repas, mâcher un repas, manger un repas, mastiquer un repas, mijoter le repas, mordre dans un repas, se nourrir au repas, prendre le repas, préparer le repas, se régaler au repas, se repaître au repas, ronger un repas, sauter un repas, servir le repas ; AUTRES VERBES : jeûner, mettre le couvert, s'alimenter, s'attabler, s'amuser.

salade

n. artichaut, asperge, assaisonnement, betterave, bol, buffet, carte, céleri, chef, chicorée, condiment, confusion, couteau, couvert, craquelin, cresson, crustacé, désordre, dîner, endive, fenouil, feuille, fleur comestible, fouet, fourchette, fromage, fruit, graine, haricot, huile, jardin, laitue, légume, légumier, lit, macédoine, mayonnaise, menu, mets, moutarde, noix, œuf, pain, passoire, pissenlit, planche, poisson, poivre, poivrière, pomme, portion, potagère, primeur, radis, râpe, rémoulade, repas, robot culinaire, rondelle, saladier, salière, scarole, sel, service, sirop, souper, soupçon, sucre, thon, tomate, ustensile, vanille, verdure, végétarien, vinaigre.

adj. appétissante, californienne, césar, grecque, hachée, marocaine, nourrissante, paysanne, râpée, russe, tiède, tricolore, végétarienne.

v. SUJET : la salade s'égoutte, s'assai-sonne, se corrige, se déchire, se déguste, se lave, se mange, se nettoie, se poivre, se réfrigère, se sale, se sucre ; COMPL. : ajouter à la salade, assaisonner la salade, assécher la salade, brasser la salade, couper la salade, décorer la salade, écraser la salade, égoutter la salade, hacher la salade, incorporer la salade, laver la salade, nettoyer la salade, mettre dans la salade, réfrigérer la salade, retirer la salade, saupoudrer la salade ; AUTRES VERBES : éplucher, presser.

expressions

• *Pas de salades !* : pas de mensonges.

• *Vendre sa salade* : se dit d'un vendeur qui cherche à convaincre.

• *Quelle salade !* : se dit d'une chose confuse, incompréhensible.

sauce

n. arachide, basilic, beurre, citron, condiment, coulis, cuillère, cuisinier, cuisinière, dessert, dîner, eau, élément, fruit, gras, jus, lait, légume, liaison, liquide, louche, mayonnaise, menu, mets, moutarde, mélangeur, persil, poisson, poivre, portion, repas, sel, service, souper, soya, thym, trempette, viande, vin, vinaigre, vinaigrette.

adj. aigre-douce, béarnaise, blanche, blonde, brune, citron, claire, courte, émulsionnée, épaisse, épicée, forte, insipide, inutile, liquide, marinière, naturelle, onctueuse, pimentée, relevée, rousse, veloutée.

v. SUJET: la sauce embaume, s'apprête, se blanchit, se consomme, cuit, se déguste, épaissit, se mange, se mijote, se prépare; COMPL.: acheter de la sauce, adoucir la sauce, aigrir la sauce, ajouter la sauce, alcooliser la sauce, allonger la sauce, arroser de sauce, blanchir la sauce, brasser la sauce, chauffer la sauce, choisir la sauce, confectionner la sauce, consommer la sauce, créer la sauce, cuire la sauce, déguster la sauce, donner du corps à la sauce, épaissir la sauce, emballer la sauce, étendre la sauce, faire prendre la sauce, garnir de sauce, goûter la sauce, intégrer la sauce, lécher la sauce, lier la sauce, livrer la sauce, mélanger la sauce, mijoter la sauce, monter la sauce, mouiller la sauce, napper de sauce, offrir la sauce, pimenter la sauce, poivrer la sauce, préparer la sauce, relever la sauce, saler la sauce, savourer la sauce, servir la sauce, velouter la sauce, verser la sauce.

expressions
- *À quelle sauce sera-t-il mangé?:* de quelle manière sera-t-il attaqué, vaincu?
- *Utiliser quelqu'un à toutes les sauces:* utiliser quelqu'un de toutes les façons.
- *Mettre à telle sauce:* accompagner, arranger, présenter de telle façon.

sel

n. assaisonnement, condiment, conservation, corrosif, corrosion, cuillerée, cuisine, diète, goût, grain, marais salant, marinade, mer, mine, pincée, poivre, proportion, régime, rétention, salaison, salière, saumure, sels minéraux, sodium.

adj. chimique, corrodant, corrosif, fin, gros, humide, iodé, marin, ordinaire.

v. SUJET: le sel assaisonne, conserve, corrode, dessèche, durcit, fait fondre, pique, rehausse, relève, ronge; COMPL.: ajouter le sel, éliminer le sel, éviter le sel, filtrer le sel, rationner le sel, saupoudrer de sel; AUTRES VERBES: dessaler, saler.

expressions
- *Cheveux poivre et sel:* cheveux bruns mêlés de blancs; cheveux grisonnants.
- *Le sel de la vie:* ce qui donne de l'intérêt à la vie.
- *Mettre son grain de sel:* intervenir mal à propos dans une conversation.

soif

n. alcool, boisson, bouche, chaleur, désert, eau, étanchement, été, exercice, gorge, jus, langue, lèvre, liquide, pénurie, sécheresse, sensation, soleil, verre.

adj. ardente, dévorante, horrible, intense, irritante, terrible.

v. SUJET: la soif assèche, dessèche; COMPL.: apaiser sa soif, assouvir sa soif, donner soif, éprouver une soif, étancher sa soif, mourir de soif, périr de soif, ressentir la soif; AUTRES VERBES: s'abreuver, assoiffer, avaler, boire, se désaltérer, haleter, ingurgiter, lamper, souffrir.

expressions
- *Rester sur sa soif:* ne pas être satisfait.
- *Avoir soif de:* avoir envie de.
- *Soif de vivre:* volonté de vivre.

soupe

n. accompagnement, assiette, assiettée, base de soupe, beurre, bisque, bol, bouillon, buffet, carte, casserole, céréale, chaudron, chou, cuillère à soupe, dîner, eau, établissement, institution, lait, légume, liquide, louche, mélangeur, menu, mets, minestrone, nouille, oignon, pain, pâté, poisson, portion, potage, poulet, ratatouille, repas, sachet, service, soupe repas, souper, soupière, substance, tempérament, thym, ustensile, vin.

adj. aigre, aigre-douce, aqueuse, biologique, chaude, chinoise, claire, dorée, épaisse, épicée, froide, généreuse, grasse, gratinée, légère, maigre, militaire, nourrissante, pâteuse, piquante, populaire, ravigotante, réchauffante, réconfortante, tempérée, veloutée, verte, vietnamienne.

v. SUJET : la soupe bouille, cuit, mijote, nourrit, se prépare, réchauffe, réconforte, refroidit, se sert ; COMPL. : accompagner la soupe, adoucir la soupe, agrémenter la soupe, apprêter la soupe, avaler la soupe, brasser la soupe, chauffer la soupe, corriger la soupe, cuire la soupe, cuisiner la soupe, décorer la soupe, détester la soupe, donner de la soupe, épicer la soupe, faire bouillir la soupe, garnir la soupe, goûter la soupe, humer la soupe, malaxer la soupe, manger la soupe, mettre dans la soupe, mijoter la soupe, partager une soupe, poivrer la soupe, préparer la soupe, réchauffer la soupe, réduire la soupe, refroidir la soupe, relever la soupe, remuer la soupe, saler la soupe, savourer la soupe, se gaver de soupe, se gorger de soupe, s'empiffrer de soupe.

expressions..
- *Bouder sa soupe :* refuser de manger.
- *C'est l'heure de la soupe :* à table.
- *Comme un cheveu sur la soupe :* à l'improviste.
- *Être soupe au lait :* se fâcher facilement.
- *Par ici la bonne soupe :* par ici les avantages matériels, l'argent.
- *Tremper dans sa soupe :* très mouillé.
- *Un gros plein de soupe :* un homme très gros, ventru.

sucre

n. aspartame, assaisonnement, betterave, bonbon, calorie, canne, caramel, carré, cassonade, confiserie, confiture, cube, cuiller, cuillerée, dessert, diète, douceurs, enrobage, entremets, érable, friandise, fructose, glace, glucose, kilo, mélasse, miel, morceau, orge, paquet, pâtisserie, poudre, raffinage, raffinerie, saccharine, sirop, succédané, sucrage, sucrerie, sucrier.

adj. blanc, brun, brut, caramélisé, collant, cristallisé, fin, fondu, poudreux, raffiné, vanillé.

v. SUJET : le sucre adoucit, se caramélise, se cristallise, fond ; COMPL. : ajouter le sucre, chauffer le sucre, dissoudre le sucre, enrober de sucre, raffiner le sucre, rationner le sucre, saupoudrer de sucre ; AUTRES VERBES : confire, conserver, décorer, édulcorer, enrober, glacer, sucrer.

expression..
- *Casser du sucre sur le dos de quelqu'un :* dire du mal de quelqu'un.

tarte

n. abaisse, barquette, buffet, carte, crème, croûte, cuillère, cuisson, dîner, entarteur, flan, four, framboise, fruit, mélangeur, menu, mets, miel, œuf, pâte, pâté, pâtisserie, portion, préparation, quiche, repas, restaurant, service, spatule, souper, tartelette, tourte.

adj. appétissante, amandine, brisée, carrée, chaude, croquante, croustillante, ferme, feuilletée, froide, grande, jardinière, petite, rectangulaire, ronde, succulente, tiède, vanillée.

v. SUJET : la tarte s'achète, fait grossir, nourrit, se cuisine, se digère, se vend, s'ingère, soutient ; COMPL. : adorer la tarte, chauffer une tarte, cuire une tarte, décorer une tarte, découper une tarte, distribuer une tarte, donner une tarte, emballer une tarte, s'empiffrer de tarte, garnir une tarte, se gaver de tarte, gorger de tarte, goûter une tarte, manger une tarte, offrir de la tarte, préparer une tarte, recevoir une tarte, réchauffer une tarte, refroidir une tarte, servir une tarte ; AUTRE VERBE : entarter.

expressions

- *C'est de la tarte :* c'est facile.
- *C'est pas de la tarte :* ce n'est pas facile.
- *Ce que c'est tarte :* se dit d'une chose laide, ridicule ou démodée.
- *Les gens sont tartes :* les gens sont ridicules, niais.
- *Tarte à la crème :* formule vide, argument rebattu par lequel on prétend avoir réponse à tout.
- *Trop tarte :* peu dégourdi.
- *Tarte :* sot.
- *Recevoir une tarte :* recevoir une giffle, un coup.

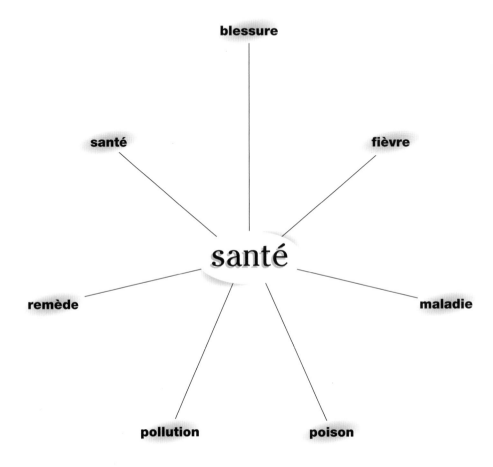

blessure

n. accident, accidenté, affront, agression, amertume, attaque, atteinte, balafre, bataille, blessé, blessure, bleu, bobo, bosse, bougonnement, bouleversement, brûlure, carambolage, chirurgie, choc, chute, cicatrice, colère, collision, commotion, conflit, contrariété, confusion, coup, coupure, croûte, déboires, déboîtement, déchirement, déchirure, dédain, degré, déhanchement, dépit, déplaisir, dérision, désagrément, désarticulation, désenchantement, désillusion, diffamation, discret, dislocation, dommage, ecchymose, éclopé, écorchure, écrasement, égratignure, élongation, engelure, ennui, entaille, entorse, éraflure, explosion, fêlure, fissure, foulure, fracture, froissement, gêne, griffure, hargne, hématome, hémorragie, heurt, humiliation, impertinence, injure, injustice, insatisfaction, irritation, lésion, lutte, luxation, malheur, mécontentement, meurtrissure, moignon, moquerie, morsure, mutilation, offense, outrage, perforation, piqûre, plaie, plainte, préjudice, problème, raillerie, ravage, risée, rouspétance, rupture, séquelle, souci, traumatisme, urgences, vexation.

adj. affreuse, aiguë, balafrée, bandée, béante, cachée, choquante, cicatrisée, critique, cuisante, dangereuse, dévastatrice, douloureuse, effrayante, énorme, épouvantable, fermée, grave, horrible, imposante, insupportable, intense, irritée, lancinante, légère, mauvaise, ouverte, pénible, profonde, purulente, soudaine, sournoise, superficielle, suppurante, tailladée, terrible, tragique, vexante, violente, vive, voyante.

v. COMPL.: bander une blessure, panser une blessure, provoquer une blessure, ranimer une blessure, raviver une blessure, rouvrir une blessure, (s') infliger une blessure, soigner une blessure; **AUTRES VERBES:** amputer, balafrer, (se) battre, (se) blesser, (se) broyer, (se) casser, (se) cogner, commotionner, contusionner, (se) couper, (se) déchiqueter, (se) déchirer, (se) démettre, (s') éborgner, (s') écorcher, (s') écraser, (s')

égratigner, (s') entailler, (s') érafler, (s') éreinter, (s') estropier, éventrer, (se) fêler, (se) fouler, (se) fracturer, (se) griffer, (s') irriter, (se) lacérer, (se) luxer, meurtrir, (se) mutiler, (se) perdre, (se) piquer, (se) rompre, (se) rouer, (se) tabasser, (se) taillader,(se) transpercer.

expressions

* *Bander une blessure:* entourer et serrer avec une bande.
* *Être inculpé pour coups et blessures:* être accusé officiellement d'un crime ou d'un délit de coups et de blessures.
* *Une blessure d'amour-propre:* une atteinte au sentiment de valeur et de dignité d'une personne; humiliation.
* *Une blessure profonde:* blessure qui affecte fortement le corps ou l'âme.

fièvre

n. chaleur, degré, fiévreux, frisson, froid, grippe, lit, maladie, médicament, moiteur, poussée, repos, soif, somnolence, sueur, symptôme, température, thermomètre, transpiration.

adj. alarmante, brûlante, élevée, forte, grosse, inquiétante, légère, persistante, tenace.

v. SUJET: la fièvre affaiblit, baisse, colore, incommode, irrite, monte, persiste, tombe; **COMPL.:** avoir de la fièvre, couver une fièvre, sentir de la fièvre; **AUTRES VERBES:** frissonner, grelotter, souffrir, trembler.

expression

* *Avoir une fièvre de cheval:* avoir une fièvre très forte.

maladie

n. abcès, accident, affection, aggravation, alcoolisme, alitement, ambulance, amygdalite, anatomie, anémie, anesthésie, ankylose, antibiotique, artère, arthrite, assurance, attaque, bistouri, bouton, bronchite, brûlure, caillot, cancer, cardiaque, cas, céphalée, chirurgie, choléra, cirrhose, clinique, cloque, colique, coma, complication, condamné, condamnée, congé, contagion, contamination, convalescence, convalescent, convalescente, convulsion, courbature, crampe, crise, cure, délire, démangeaison, dépistage, détérioration, développement, diabète, diagnostic, diphtérie, donneur, donneuse, douleur, durée, dysenterie, ecchymose, eczéma, enflure, épidémie, épilepsie, étourdissement, évanouissement, évolution, fatigue, fléau, folie, furoncle, gale, ganglion, glaucome, goutte, gravité, griffure, grippe, handicap, hémorroïde, hépatite, hémophilie, hernie, herpès, homéopathie, hôpital, hygiène, hypocondriaque, hypothermie, immunité, implant, incapacité, incidence, incontinence, incubation, indisposition, infection, infirmerie, infirmier, infirmière, infirmité, injection, inoculation, insomnie, isolation, intoxication, isolement, lèpre, leucémie, lit, luxation, mal, malade, malaise, malignité, médecin, médicament, migraine, misère, mort, mortalité, névralgie, névrose, œdème, otite, pâleur, palpitation, paludisme, paranoïa, pathologie, patient, pédiatrie, perforation, perfusion, peste, phase, piqûre, plaie, pouls, prévention, progrès, psoriasis, psychose, pulsation, quarantaine, quinte, ramollissement, ravage, receveur, receveuse, rechute, récidive, refroidissement, remède, rémission, rhumatisme, ride, saignement, sang, sclérose, sécurité, sérum, signe, sinusite, souffrance, stigmate, suffocation, symptôme, toux, traitement, traumatisme, trouble, tuberculose, tumeur, typhus, ulcère, vaccin, vaisseau, varice, varicelle, variole, veine.

adj. agressive, aiguë, alarmante, bénigne, brûlante, chronique, congénitale, contagieuse, coronarienne, critique, dégénérative, délicate, destructrice, diabolique, dramatique, endémique, épidémique, éruptive, fâcheuse, familiale, fatale, grande, grave, handicapante, héréditaire, honteuse, imaginaire, incurable, infantile, infectieuse, inguérissable, insidieuse, intermittente, irréversible, maligne, menaçante, microbienne, mortelle,

parasitaire, pathogène, pathologique, professionnelle, psychologique, psychiatrique, purulente, récurrente, redoutable, respiratoire, transmissible, vasculaire, vénérienne, venimeuse, violente, virale, virulente.

v. SUJET : la maladie affaiblit, affecte, se déclare, se développe, ébranle, s'élimine, faiblit, frappe, guette, s'opère, prédispose, récidive, ronge, se soigne, se traite ; **COMPL. :** (s') affaiblir par la maladie, affecter par la maladie, attraper une maladie, contracter une maladie, couver une maladie, déclarer une maladie, dépister une maladie, développer une maladie, échapper à une maladie, enlever la maladie, enrayer la maladie, frapper par la maladie, guérir une maladie, opérer une maladie, prédisposer à une maladie, récupérer d'une maladie, sentir la maladie, soigner une maladie, traiter une maladie ; **AUTRES VERBES :** s'enrhumer, tousser, vomir.

expressions

- *En faire une maladie :* être très contrarié par quelque chose.
- *La maladie de notre temps :* habitude, comportement anormal et excessif.
- *La maladie du pays :* être nostalgique.
- *Maladie des caissons :* en plongée, lésion due à la décompression.
- *Maladie diplomatique :* prétexte qu'on donne pour se soustraire à une obligation professionnelle.
- *Traîner une maladie :* ne pas parvenir à se débarrasser de quelque chose de pénible.

poison

n. antidote, araignée, arsenic, champignon, contamination, contrepoison, crochet, curare, cyanure, dard, dose, drogue, empoisonnement, ennemi, injection, insecte, insecticide, intoxication, hallucination, herbicide, lavage, morsure, mort, nausée, nourriture, paralysie, pharmacie, piqûre, plante, potion, scorpion, sécurité, serpent, venin, vermine, vomissement.

adj. dangereux, fatal, instantané, lent, létal, mortel, rapide, temporaire, toxique, végétal, vénéneux, venimeux, violent.

v. SUJET : un poison ankylose, détruit, engourdit, handicape, intoxique, paralyse, tue ; COMPL. : administrer un poison, boire un poison, ingurgiter un poison, injecter un poison, prendre un poison ; AUTRES VERBES : délirer, désintoxiquer, (s')empoisonner, s'évanouir, se glacer, se pétrifier.

pollution

n. agression, altération, antipollution, atmosphère, biodégradable, biologie, biologiste, catastrophe, contamination, décharge, déchet, dégradation, dépollution, dépotoir, désastre, écologie, écologiste, écosystème, environnement, environnementaliste, épuration, fléau, flore, forestière, habitant, habitante, habitat, lutte, maladie, milieu, nature, poison, pollueur, pollueuse, population, poubelle, prévention, protection, recyclage, science, toxicité, toxicologie, toxines.

adj. affectée, affreuse, aqueuse, atmosphérique, atterrante, biologique, brûlante, cancérigène, catastrophique, chimique, contaminante, corrosive, dangereuse, désastreuse, destructrice, douteuse, effrayante, effroyable, étendue, fâcheuse, gazeuse, grave, ignoble, infecte, mortelle, nuisible, organique, pathogène, radioactive, récente, stupide, terrible, thermique, toxicologique, toxique, tragique.

v. SUJET : la pollution appauvrit, contamine, dégrade, détruit, infecte, noircit, ravage, salit, transporte ; COMPL. : délimiter la pollution, dénoncer la pollution, localiser la pollution, nettoyer la pollution, se protéger de la pollution ; AUTRES VERBES : décontaminer, déplacer, détruire, épurer, polluer, recycler, sauvegarder.

remède

n. aiguille, antidote, bandage, bouillon, cachet, capsule, compresse, comprimé, compte-gouttes, contrepoison, crème, cure, diète, dose, douleur, élixir, examen, friction, gélule, goutte, granule, guérison, guérisseur, infusion, injection, mal, maladie, massage, médecin, médecine, médicament, onguent, pansement, pastille, pharmacie, pharmacien, pilule, plante, pommade, posologie, potion, prescription, prévention, rechute, régime, relaxation, remontant, seringue, sirop, soin, souffrance, soulagement, tisane, traitement, vaccin, vermifuge, vitamine.

adj. adoucissant, antiallergique, antibiotique, antitussif, antivenimeux, calmant, drastique, efficace, inefficace, inutile, palliatif, prescrit, préventif, puissant, rapide, ravigotant, recommandé, remontant, vermifuge.

v. SUJET : un remède agit, améliore, calme, combat, endort, fortifie, guérit, ragaillardit, ranime, soigne, soulage, tranquillise ; COMPL. : administrer un remède, avaler un remède, cracher un remède, essayer un remède, injecter un remède, prendre un remède, prescrire un remède, recracher un remède, refuser un remède ; AUTRES VERBES : se gargariser, pallier, prévenir, remédier, souffrir.

expression...

- *Aux grands maux les grands remèdes :* dans les cas graves, il faut utiliser les grands moyens.

santé

n. accident, affaiblissement, alimentation, apparence, bien-être, bilan, clinique, confort, constitution, contagion, convalescence, convalescent, croissance, dispensaire, énergie, épidémie, équilibre, état, excès, exercice, faiblesse, fatigue, folie, force, forme, guérison, handicap, hôpital, humeur, hygiène, intervention, invalidité, mal, maladie, malaise, mine, mort, mortalité, pharmacie, poids, prévention, problème, regain, rétablissement, sécurité, soin, sommeil, sport, teint, tempérament, trouble, trousse, vie, vigueur, vitalité, vitamine.

adj. affectée, altérée, bonne, chamboulée, délicate, dentaire, déséquilibrée, faible, fragile, inattaquable, indestructible, mauvaise, meilleure, menacée, mentale, parfaite, physique, pleine, privilégiée, publique.

V. SUJET: la santé décline, revient; **COMPL.:** avoir la santé, conserver la santé, ébranler la santé, être en santé, garder la santé, jouir de la santé,ménager sa santé, nuire à la santé, recouvrer la santé, se refaire une santé, retrouver la santé, soigner sa santé, user sa santé; **AUTRES VERBES:** aller, dépérir, s'étioler, guérir, se plaindre, se porter, se remettre.

expressions......................

- *Péter de santé:* être en très bonne santé, avoir bonne mine.
- *Santé de fer:* très bonne santé.

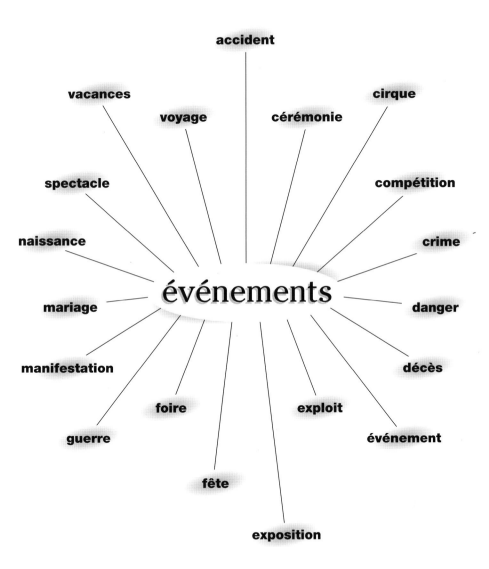

accident

n. accidenté, ambulance, assistance, assurance, blessé, blessée, blessure, calamité, capotage, catastrophe, choc, chute, collision, contretemps, coup, danger, déraillement, dérapage, dommage, écrasement, ennui, événement, malheur, mésaventure, naufrage, panne, policier, policière, remorquage, secours, tuile, urgence, victime.

adj. absurde, aérien, banal, brusque, dévastateur, fâcheux, fatal, ferroviaire, fortuit, funeste, grave, imprévisible, inattendu, inévitable, inexplicable, inopiné, inopportun, léger, malheureux, mortel, routier, sordide, soudain, spectaculaire, tragique, triste.

v. SUJET: un accident bloque, brise, démolit, détruit, endommage, fracasse, handicape, immobilise, inflige, ruine; COMPL.: assister à un accident, causer un accident, éviter un accident, provoquer un accident, subir un accident; AUTRES VERBES: heurter, (se) frapper, indemniser.

expression..

• *Un accident de parcours:* un événement imprévu qui dérange le cours normal des choses.

cérémonie

n. adieu, baptême, chichi, clôture, cortège, décoration, décorum, discours, étiquette, enterrements, fiançailles, funérailles, gala, hiérarchie, honneur, investiture, manifestation, mariage, ouverture, parade, protocole, réception, tribune.

adj. brève, commémorative, formelle, funèbre, honorifique, interminable, liturgique, longue, nuptiale, pompeuse, protocolaire, religieuse, rituelle, simple, solennelle.

v. SUJET: la cérémonie commence, s'étire, honore, se termine; COMPL.: animer une cérémonie, annuler une cérémonie, assister à une cérémonie, clore une cérémonie, organiser une cérémonie, ouvrir une cérémonie, participer

à une cérémonie, présider une cérémonie, reporter une cérémonie; AUTRE VERBE: convoquer.

expressions..

• *Faire des cérémonies:* employer des politesses exagérées.
• *Sans cérémonies:* simplement, naturellement.
• *Un maître de cérémonie:* un animateur.

cirque

n. acrobate, amphithéâtre, animal, arène, caravane, chapiteau, clown, costume, dompteur, dompteuse, écuyer, équilibriste, filet, funambule, gradin, gymnaste, jeu, ménagerie, piste, pitre, spectacle, tente, trapéziste, voltige.

adj. ambulant, amusant, fascinant, forain.

v. SUJET: le cirque amuse, arrive, attire, divertit, (se) dresse, (s') installe, répète; COMPL.: aller au cirque.

expressions..

• *Arrêtez ce cirque!:* arrêtez cette comédie, ce jeu peu crédible.
• *Cette boîte, quel cirque!:* endroit où règnent la confusion et le désordre.

compétition

n. adversaire, ambition, arbitre, bannière, bataille, championnat, combat, concours, concurrent, concurrente, élimination, éliminatoire, entraîneur, entraîneuse, épreuve, équipe, joueur, joueuse, joute, lutte, match, médaille, officiel, officielle, olympisme, podium, prix, tournoi, trophée.

adj. acharnée, athlétique, déloyale, dure, internationale, locale, loyale, nationale, olympique, politique, régionale, sportive.

v. SUJET: la compétition se déroule, se dispute; COMPL.: gagner une compétition, (s') inscrire à une compétition, livrer une compétition, se mesurer dans une compétition, participer à une compétition, perdre une compétition, rivaliser dans une compétition ; **AUTRES VERBES :** affronter, concurrencer, échouer, triompher, vaincre.

expression..
* *Avoir l'esprit de compétition :* avoir le goût de participer aux épreuves.

crime

n. accusation, assassin, assassinat, attentat, bandit, caution, complot, contravention, criminel, criminelle, délit, emprisonnement, enlèvement, enquête, escroc, escroquerie, forfait, fraude, fraudeur, fraudeuse, fuite, geôle, homicide, incarcération, infraction, matricide, meurtre, parricide, pendaison, pénitencier, policier, policière, poursuite, prison, procès, rançon, rapt, receleur, receleuse, trahison, viol, vol, voleur, voleuse.

adj. abominable, crapuleux, flagrant, horrifiant, inexcusable, inexpiable, odieux, parfait, passionnel, sordide.

v. SUJET : le crime avilit, afflige, blesse, déshonore, lèse ; **COMPL. :** accuser d'un crime, commettre un crime, enquêter sur un crime, expier son crime, imputer un crime, juger un crime, payer pour son crime, perpétrer un crime, réparer son crime ; **AUTRES VERBES :** châtier, incriminer, punir, récidiver.

expressions..
* *Ce n'est pas un crime :* ce n'est pas très grave.
* *Chercher le mobile du crime :* chercher la raison du crime.
* *Côtoyer le milieu du crime :* fréquenter les criminels.

danger

n. accident, alarme, alarmisme, aléa, alerte, assistance, assurance, attention, aventure, avertissement, complication, conflit, confusion, courage, crainte, cri, désarroi, détresse, difficulté, écueil, ennui, entrave, indication, inquiétude, insécurité, insouciance, menace, mort, obstacle, perdition, péril, peur, piège, prudence, refuge, risque, ruine, secours, sécurité, sentinelle, signal, signalisation, signe, situation, souci, urgence, vie, vigilance.

adj. critique, éventuel, grand, grave, imminent, inattendu, inévitable, minime, mortel, possible, potentiel, public.

v. COMPL. : affronter le danger, aimer le danger, avertir d'un danger, braver le danger, considérer un danger, courir un danger, craindre un danger, défier le danger, écarter un danger, échapper au danger, éloigner un danger, être en danger, éviter un danger, (s')exposer à un danger, fuir un danger, mépriser le danger, mesurer un danger, (se) mettre en danger, voir le danger ; **AUTRES VERBES :** compromettre, risquer.

expressions..
* *Être hors de danger :* être en lieu sûr, loin du danger.
* *Assistance à une personne en danger :* porter secours à quelqu'un.
* *Non-assistance à une personne en danger :* ne pas porter secours à quelqu'un.
* *Danger public :* individu qui met la vie des autres en danger, personne dangereuse.
* *Il n'y a pas de danger :* il n'y a rien à craindre, rien de dangereux ne surviendra.

décès

n. acte, autopsie, avis, cadavre, cimetière, dépouille, disparition, enterrement, exposition, funérailles, morgue, moribond, mort (la), mort (un), morte (une), mortalité, mourant, mourante, nécrologie, restes, soupir, tombe, trépas, tristesse.

adj. accidentel, affligeant, funèbre, inévitable, naturel, subit, triste.

v. SUJET : le décès abasourdit, affecte, attriste, choque, étonne, marque, peine, révolte, stupéfie, surprend, traumatise ; **COMPL. :** annoncer un décès, causer un décès, constater un décès, informer d'un décès ; AUTRES VERBES : embaumer, enterrer, incinérer, inhumer.

événement

n. accident, action, actualité, affaire, annales, aventure, cas, calamité, cataclysme, catastrophe, célébration, chance, chronique, circonstance, commémoration, conjoncture, conséquence, contretemps, coup, date, désastre, destin, drame, durée, effet, épisode, époque, éventualité, fait, hasard, histoire, incident, intrigue, issue, jour, journaliste, mésaventure, naissance, nouvelle, occasion, prophétie, récit, résultat, retentissement, scandale, scène, série, spectacle, succès, suite, témoin, temps, tournure, tragédie.

adj. annuel, artistique, célèbre, contradictoire, décisif, diplomatique, dramatique, épisodique, exceptionnel, fâcheux, fortuit, funeste, grand, heureux, historique, important, imprévu, inattendu, littéraire, malheureux, marquant, politique, prévu, probable, scientifique, triste.

v. SUJET : un événement advient, arrive, échoit, se passe, se produit, survient ; des événements se déroulent, se précipitent, se succèdent ; COMPL. : annoncer un événement, assister à un événement, (s') attendre un événement, célébrer un événement, commémorer un événement, commenter les événements, diriger les événements, faire l'événement, fêter un événement, observer un événement, (se) rappeler un événement, rapporter des événements, regarder un événement.

expressions..
- *Au fil des événements :* au fur et à mesure qu'une situation se déroule.
- *Être dépassé par les événements :* être incapable de maîtriser une situation.
- *Être bousculé, pressé, entraîné par les événements :* être dépassé par une situation.

- *Se laisser surprendre par les événements :* être surpris par une situation.
- *C'est tout un événement :* situation qui prend une importance démesurée.
- *Les principaux acteurs de cet événement :* les personnes qui font l'événement.

exploit

n. action, bravoure, conquête, courage, course, défi, formalité, gloire, marathon, médaille, performance, prouesse, réalisation, reconnaissance, record, succès.

adj. athlétique, audacieux, banal, difficile, éclatant, épuisant, étonnant, exceptionnel, extraordinaire, glorieux, héroïque, humanitaire, impressionnant, inattendu, méconnu, olympique, original, remarquable, sportif.

v. SUJET : l'exploit épate, étonne, glorifie, surprend, suscite ; COMPL. : accomplir un exploit, citer un exploit, enregistrer un exploit, raconter son exploit, réaliser un exploit, reconnaître un exploit, relater un exploit, réussir un exploit, se signaler par un exploit, témoigner d'un exploit.

expression...
- *Se vanter de ses exploits :* se vanter de ses succès, notamment de ses conquêtes.

exposition

n. artiste, étalage, exhibition, exposant, exposante, foire, galerie, jury, montre, œuvre d'art, présentation, salle, salon, sculpture, tableau, toile, vernissage.

adj. agricole, annuelle, artistique, commerciale, culturelle, industrielle, internationale, itinérante, locale, nationale, publique, régionale, temporaire, universelle.

v. SUJET : l'exposition attire, se déroule, intéresse, revient ; COMPL. : inaugurer une exposition, visiter une exposition ; AUTRES VERBES : inviter, participer.

fête

n. anniversaire, bal, carte, carton, célébration, cérémonie, festin, gala, gâteau, inauguration, invitation, jubilé, kermesse, message, réception, réjouissance, rencontre, réunion, trouble-fête, vœu.

adj. carillonnée, civile, fixe, foraine, joyeuse, mobile, nationale, patronale, populaire, régionale, religieuse, solennelle.

v. SUJET: la fête amuse, attire, débute, dure, (se) continue, se prépare, se prolonge, recommence, réjouit, se termine; COMPL.: arroser une fête, assister à une fête, commémorer une fête, festoyer à une fête, fréquenter une fête, organiser une fête, participer à une fête, planifier une fête.

expressions
- *Attention! ça va être ta fête:* surveille-toi, prends garde à toi.
- *Ce n'est pas tous les jours fête:* la vie n'est pas toujours agréable.
- *Faire la fête à quelqu'un:* l'accueillir avec joie.
- *Faire la fête:* s'amuser avec exagération.
- *Que la fête continue:* que le plaisir ne s'arrête pas.

foire

n. braderie, bric-à-brac, confusion, curieux, curieuse, désordre, échange, étalage, exposant, exposante, exposition, fête, halle, kermesse, kiosque, manège, marchandise, passant, passante, salon, visiteur, visiteuse.

adj. agricole, annuelle, bruyante, commerciale, divertissante, hebdomadaire, internationale, itinérante, mensuelle, mondiale, paroissiale, périodique, populaire, publicitaire, publique, régionale, traditionnelle.

v. SUJET: la foire attire, divertit, intéresse, présente; COMPL.: acheter à une foire, s'amuser à la foire, courir les foires, dénicher à la foire, magasiner à une foire, vendre à une foire, visiter la foire; AUTRES VERBES: annoncer, étaler, exhiber, exposer.

expressions
- *S'entendre comme larrons en foire:* s'entendre merveilleusement bien, avec complicité.
- *Faire la foire:* faire la fête.
- *Une vraie foire:* un endroit en désordre.

guerre

n. acte, adversaire, affrontement, agression, alerte, alliance, allié, anéantissement, antagonisme, arme, armée, armement, armistice, artillerie, assaut, attaque, aviation, avion, bagarre, bataille, blessé, blessée, bombe, bombardement, brouille, camp, campagne, capitulation, cessez-le-feu, char, chicane, combat, combattant, combattante, commandement, commando, conflit, conquête, contestation, contre-attaque, controverse, crime, criminel, criminelle, crise, croisade, débarquement, déclaration, défaite, défense, désaccord, désertion, destruction, discorde, dispositif, dispute, dissension, divergence, division, engagement, ennemi, ennemie, enrôlement, état, évacuation, exercice, extermination, femme, feu, force, formation, front, génocide, guerrier, guerrière, guérilla, haine, harcèlement, homme, honneur, hostilité, incompréhension, insoumission, invalide, invasion, jeu, libération, ligne, litige, logistique, lutte, manœuvre, marine, massacre, menace, militaire, milice, mobilisation, mort (la), mort (un), morte (une), mouvement, navire, neutralité, offensive, opération, pacte, paix, parade, patrouille, pays, polémique, position, prisonnier, prisonnière, puissance, querelle, rébellion, réquisition, résistance, révolte, révolution, riposte, rivalité, ruse, siège, simulation, soldat, sous-marin, stratège, stratégie, tactique, tension, traité, tranchée, trêve, trouble, troupe, ultimatum, vaincu, vaincue, vainqueur, victoire, zizanie, zone.

adj. aérienne, atomique, bactériologique, biologique, brutale, chimique, civile, coloniale, cruelle, déclarée, défensive, diplomatique, éclair, économique, gagnée, inévitable, intestine, locale, mondiale, navale, nucléaire, offensive, ouverte, perdue, personnelle, planétaire, psychologique, régionale, sale, sainte, simulée, stratégique, sous-marine, terrestre.

v. SUJET: une guerre éclate; COMPL.: aller à la guerre, arrêter la guerre, attiser une guerre, déclarer la guerre, déclencher une guerre, empêcher la guerre, engager une guerre, entrer en guerre, envenimer une guerre, éterniser une guerre, éviter une guerre, faire la guerre, financer une guerre, gagner la guerre, mener une guerre, partir en guerre, partir pour la guerre, perdre la guerre, profiter d'une guerre, revenir de (la) guerre, se mettre en guerre, préparer une guerre, se préparer à une guerre; AUTRES VERBES: attaquer, combattre, contre-attaquer, envahir, guerroyer.

expressions..............................

- *À la guerre comme à la guerre:* en acceptant les inconvénients, les difficultés qu'impose une situation.
- *De bonne guerre:* de façon loyale, légitime.
- *De guerre lasse:* en renonçant à résister, à combattre.
- *Guerre froide:* hostilité latente, état de tension qui n'aboutit pas au conflit armé, notamment entre les grandes puissances.
- *Guerre des étoiles:* nom communément donné à un programme de défense stratégique visant l'élimination des missiles à l'aide de systèmes spatiaux.
- *Faire la guerre à quelqu'un:* lutter pour qu'une personne change sa conduite, son comportement.
- *Guerre des nerfs:* situation qui met à l'épreuve la patience, qui crée des tensions.
- *En temps de guerre:* en période de guerre.

- *Guerre sainte:* guerre menée au nom d'une religion.
- *La Première Guerre mondiale:* la guerre de 1914-1918.
- *La Seconde Guerre mondiale:* la guerre de 1939-1945.
- *Petite guerre:* guerre de harcèlement ou guerre simulée.
- *Sur le pied de guerre:* se dit de l'organisation d'une armée en temps de guerre.

manifestation

n. attroupement, banderole, contestation, démonstration, échauffourée, émeute, expression, marche, pancarte, proclamation, protestation, rassemblement, rébellion, slogan.

adj. artistique, bruyante, calme, collective, culturelle, discrète, enthousiaste, hostile, houleuse, pacifique, populaire, publique, sanglante, silencieuse, spontanée, sportive, syndicale, tumultueuse, violente.

v. SUJET: la manifestation (s') arrête, avorte, (se) continue, se déroule, s'ébranle, se met en marche, se prépare; COMPL.: s'exprimer lors d'une manifestation, interdire une manifestation, se joindre à une manifestation, organiser une manifestation, participer à une manifestation, partir une manifestation, rejoindre une manifestation, suivre une manifestation.

mariage

n. accord, acte, adultère, alliance, anneau, annonce, bague, bigamie, bouquet, cérémonie, certificat, contrat, couple, divorce, enfant, époux, épouse, femme, fiançailles, fidélité, formalité, homme, infidélité, jonc, lune de miel, mari, ménage, monogamie, noce, polygamie, promesse, réception, registre, remariage, robe, smoking, union.

adj. arrangé, avantageux, beau, civil, harmonieux, heureux, indissoluble, intime, légitime, mixte, premier, princier, religieux, riche, second.

v. SUJET: le mariage lie, unit; COMPL.: aller à un mariage, annoncer un mariage, annuler un mariage, assister à un mariage, bénir un mariage, briser un mariage, célébrer un mariage, consentir à un mariage, contracter un mariage, demander en mariage, dissoudre un mariage, empêcher un mariage, fêter un mariage, fixer un mariage, s'opposer à un mariage, régulariser un mariage, rompre un mariage, unir en mariage; AUTRES VERBES: convoler, divorcer, épouser.

expressions

- *Faire un grand mariage:* avoir un mariage somptueux avec beaucoup d'invités.
- *Faire un mariage de raison:* se marier sans amour.
- *Réussir le mariage des couleurs:* harmoniser deux ou plusieurs couleurs.

naissance

n. accouchement, acte, anniversaire, apparition, baptême, bébé, berceau, commencement, conception, cordon ombilical, date, début, éclosion, enfantement, extrait, hôpital, jour, lieu, maman, mère, nativité, nouveau-né, obstétricien, origine, papa, père, sage-femme, sein, sortie.

adj. difficile, double, heureuse, multiple, naturelle, normale, prématurée, simple.

v. SUJET: la naissance rapproche, réjouit; COMPL.: attendre une naissance, contrôler les naissances, planifier la naissance, prévoir une naissance, provoquer la naissance; AUTRES VERBES: accoucher, enfanter, engendrer.

expressions

- *De naissance:* se dit d'une chose qui était déjà là au moment de la naissance.
- *La naissance d'un cours d'eau:* la source.
- *La naissance du jour:* l'aube.

spectacle

n. acte, animateur, animatrice, applaudissement, artiste, auditoire, balcon, ballet, billetterie, chanteur, chanteuse, chœur, comédie, comédien, comédienne, costume, coulisse, danseur, danseuse, décor, déploiement, diffusion, drame, éclairage, enregistrement, estrade, fauteuil, gradin, huée, impresario, insuccès, loge, lumière, maître de cérémonie, masque, monologue, musicien, musicienne, opéra, orchestre, parterre, pièce, placeur, placeuse, présentateur, programme, projecteur, public, publicité, rappel, recette, régie, relâche, répétition, réservation, revue, rideau, rôle, salle, saynète, scénario, scène, séance, son, souffleur, souffleuse, spectateur, spectatrice, théâtre, trac, variété.

adj. burlesque, cinématographique, comique, culturel, dramatique, émouvant, ennuyeux, impressionnant, inoubliable, lyrique, magique, magistral, remarquable, télévisé, théâtral.

v. SUJET: le spectacle émerveille, étonne, plaît; COMPL.: afficher un spectacle, annoncer un spectacle, annuler un spectacle, applaudir un spectacle, assister à un spectacle, bisser un spectacle, clôturer un spectacle, contempler un spectacle, diffuser un spectacle, donner un spectacle, fermer un spectacle, financer un spectacle, huer un spectacle, monter un spectacle, organiser un spectacle, ouvrir un spectacle, ovationner un spectacle, présenter un spectacle, regarder un spectacle, répéter un spectacle, reporter un spectacle, revoir un spectacle, roder un spectacle.

expressions

- *Se donner en spectacle:* agir de façon à se faire remarquer.
- *Le clou du spectacle:* le centre d'intérêt du spectacle, le moment fort d'un événement.
- *Faire la queue pour un spectacle:* attendre en ligne.
- *Le monde du spectacle:* les activités relatives au cinéma, à la musique, au théâtre, à la télévision, etc.

vacances

n. arrêt, cessation, congé, détente, excursion, farniente, fièvre, inaction, interruption, itinéraire, liberté, loisir, oisiveté, période, plaisir, relâche, repos, saison, suspension, villégiature, voyage.

adj. agréables, automnales, banales, bénéfiques, bienfaisantes, épuisantes, estivales, familiales, fériées, hivernales, légales, mémorables, nécessaires, pascales, remplies, réparatrices, reposantes, scolaires.

v. SUJET: les vacances arrivent, débutent, détendent, s'étirent, se terminent; **COMPL.:** annuler les vacances, se déplacer durant les vacances, gâcher ses vacances, goûter aux vacances, jouir des vacances, organiser les vacances, partir en vacances, planifier les vacances, prendre des vacances, profiter des vacances, reporter les vacances, réserver les vacances pour, revenir de vacances, terminer les vacances; **AUTRES VERBES:** découvrir, se détendre, lire, se promener, se reposer, voyager.

expressions..

- *Besoin de vacances:* besoin de repos.
- Les grandes vacances: la période estivale.
- *Les vacances de neige:* les vacances d'hiver passées à la campagne à pratiquer des sports.
- *Une colonie de vacances:* un établissement à la campagne qui accueille des groupes d'enfants de la ville durant la saison estivale.

voyage

n. agence, arrivée, aventure, avion, bagage, balade, bateau, billet, circuit, carnet, carte, chèque, croisière, décalage, départ, déplacement, dépaysement, destination, distance, embarquement, éloignement, étape, étranger, excursion, exil, exploration, film, horaire, itinéraire, malle, mallette, monde, note, parcours, passeport, pays, pèlerinage, périple, photographie, préparatif, réservation, route,

sac, séjour, souvenir, tarif, tour, tourisme, touriste, train, trajet, transport, traversée, trousse, vacances, vacancier, vacancière, valise, vêtement, visite, visiteur, voiture, voyageur, voyageuse.

adj. beau, charmant, grand, long, magnifique, organisé, petit, raté, spatial, touristique.

v. COMPL.: aimer les voyages, aller en voyage, arriver de voyage, entreprendre un voyage, être en voyage, faire un voyage, partir en voyage, rentrer de voyage, retarder un voyage; **AUTRE VERBE:** voyager.

expressions..

- *Un voyage:* déplacement, transport d'un ou de plusieurs objets d'un endroit à un autre.
- *Voyage de noces:* voyage fait à la suite d'un mariage.
- *Voyage d'affaires:* voyage motivé par des raisons professionnelles.
- *Faire bon voyage:* voyager sans ennui, sans difficulté, de manière agréable.
- *Bon voyage!:* formule de souhait qui peut aussi être ironique lorsqu'on se réjouit du départ de quelqu'un.
- *Voyage éclair:* voyage très bref, de courte durée.
- *Les gens du voyage:* les gens du cirque, les forains, les nomades.
- *Le grand voyage:* la mort.
- *Ne pas être déçu du voyage:* rencontrer les problèmes prévus.

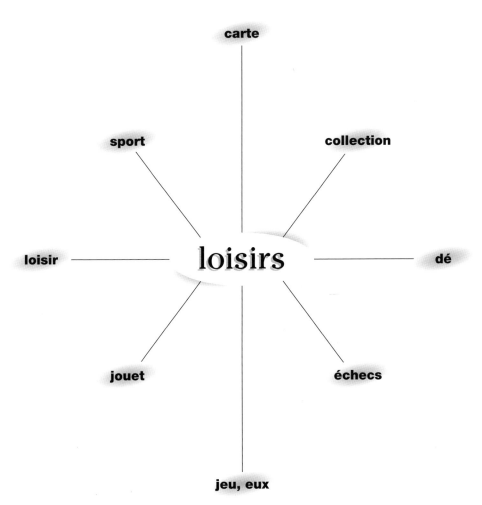

carte

n. adversaire, aléatoire, as, astuce, atout, bataille, belote, bluff, brelan, bridge, cagnotte, carreau, carton, casino, chance, cinq, cœur, coïncidence, couleur, coup, coupe, croupier, croupière, dame, deux, dix, donneur, donneuse, dos, enjeu, face, figure, gagnant, gagnante, hasard, huit, jeton, jeu, joker, joueur, joueuse, levée, magie, main, maldonne, manche, marque, mise, neuf, occasion, paire, paquet, pari, partenaire, partie, passe, passe-temps, patience, perdant, pique, point, poker, pot, quarte, quatre, quinte, règle, réussite, roi, sept, séquence, série, serveur, serveuse, six, suite, table, tapis, tarot, tour, tournoi, trèfle, tricherie, trois, truc, valet.

adj. abîmée, basse, bonne, cachée, camouflée, cartonnée, déchirée, dissimulée, fausse, gagnante, haute, maîtresse, majeure, mauvaise, numérotée, perdue, pipée, pliée, plastifiée, retournée, truquée, volée.

v. COMPL. : abattre ses cartes, affranchir une carte, battre les cartes, brasser les cartes, brouiller les cartes, compter les cartes, couper les cartes, couvrir une carte, se débarrasser d'une carte, deviner une carte, distribuer les cartes, donner une carte, gagner aux cartes, jouer une carte, jouer aux cartes, mêler les cartes, montrer ses cartes, perdre aux cartes, piper les cartes, prendre une carte, retourner une carte, tenir les cartes, tricher aux cartes.

expressions

- *Brouiller les cartes :* semer la confusion.
- *Carte maîtresse :* ressource ou moyen qui donne un avantage important à quelqu'un.
- *Comme un château de cartes :* chose qui est fragile, peu solide.
- *Connaître le dessous des cartes de quelqu'un :* connaître le secret, les intentions cachées de quelqu'un.
- *Construire des châteaux de cartes :* rêver, faire des projets farfelus.
- *Faire un tour de cartes :* faire un tour de magie avec des cartes.
- *Jouer aux cartes à la muette :* jouer sans parler.
- *Jouer cartes sur table :* agir de façon très franche.
- *Jouer sa dernière carte :* faire une ultime tentative.
- *Tirer les cartes :* deviner l'avenir au moyen des cartes.

collection

n. accumulation, achat, album, amateur, amatrice, amateurisme, amoureux, amusement, assortiment, autocollant, babiole, bibelot, bibliothèque, bille, bijou, carte, carte postale, catalogue, collectionneur, connaisseur, connaisseuse, coquillage, curieux, curieuse, curiosité, dada, délassement, disque compact, disque vinyle, distraction, divertissement, document, don, donateur, donatrice, échange, ensemble, épinglette, exposition, fanatique, fou, fouineur, fouineuse, galerie, groupe, herbier, hobby, image, insecte, jeu, jouet, livre, loisir, manie, marotte, médaille, monnaie, mordu, musée, numismate, objet, occupation, œuvre d'art, passe-temps, papillon, passion, peinture, philatélie, philatéliste, photographie, pièce, pierre, plante, portrait, poupée, prix, rareté, réunion, sculpture, série, spécimen, statuette, suite, tableau, timbre-poste, trophée, trouvaille, valeur, vente, vidéocassette, violon d'Ingres, vitrine, voiture.

adj. abandonnée, amateure, ancienne, belle, complète, convoitée, curieuse, détruite, dispersée, étrange, étrangère, hétéroclite, importante, insolite, introuvable, inusitée, léguée, majeure, naissante, nouvelle, originale, particulière, partielle, populaire, précieuse, prestigieuse, privée, publique, rare, récente, recherchée, reconnue, renouvelée, riche, ridicule, unique, variée, vieille.

v. COMPL. : abandonner une collection, acheter une collection, achever une collection, assurer une collection, authentifier une collection, céder une collection, débuter une collection, découvrir une collection, donner une collection, estimer une collection, évaluer une collection, exposer une collection, faire collection, inventorier une collection, léguer une collection, montrer une collection, présenter une collection, vendre une collection; AUTRES VERBES: accumuler, collectionner, colliger, rassembler, regrouper, réunir.

expressions............

• *Faire collection de quelque chose:* recueillir, accumuler quelque chose de façon volontaire ou involontaire.
• *Ne pas déparer la collection:* ne pas se distinguer des autres, être semblable aux autres.
• *Une collection d'individus:* un grand nombre de gens.

dé

n. adversaire, aléatoire, amusement, as, astuce, brelan, cagnotte, casino, chance, cinq, coin, coïncidence, cornet, coup, croupier, cube, deux, doublet, enjeu, face, figure, fortune, gagnant, gagnante, hasard, jeton, jeu, joueur, joueuse, loterie, magie, main, marque, mise, occasion, paire, pari, passe, passe-temps, partenaire, partie, perdant, perdante, point, pot, quatre, règle, roulette, série, six, suite, table, tapis, tour, tricherie, trois, truc, un, verre.

adj. bon, coupé, cubique, différent, gros, identique, joué, marqué, mauvais, numéroté, pareil, petit, pipé, plastifié, retourné, truqué.

v. COMPL.: agiter les dés, avoir les dés, brasser les dés, compter les dés, couper les dés, couvrir les dés, découvrir les dés, deviner les dés, donner les dés, gagner aux dés, jouer aux dés, lancer les dés, passer les dés, perdre aux dés, piper les dés, prendre les dés, secouer les dés, tenir les dés, tricher aux dés.

expressions............

• *Coup de dés:* affaire hasardeuse, risquée; pari.

• *Les dés sont jetés:* la résolution est prise, on s'y tiendra.
• *Lancer les dés:* prendre un risque, risquer le coup.
• *Couper en dés:* couper en petits cubes.
• *Dé pipé, chargé:* dé truqué, généralement de façon qu'il tombe sur un côté précis, sur une face précise.
• *Les dés sont pipés:* il y a tricherie.

échecs

n. adversaire, amateur, amatrice, amusement, astuce, attaque, avantage, blanc, calcul, case, cavalier, cavalière, champion, championnat, cheval, coup, dame, défense, déplacement, échange, échiquier, enjeu, figure, fou, gagnant, jeu, joueur, main, maître, manœuvre, marque, mat, noir, occasion, ouverture, passe-temps, partenaire, partie, perdant, pièce, pion, plateau, point, prise, problème, réflexion, règle, reine, roi, sacrifice, série, stratégie, table, tactique, tour, tournoi, truc, valeur.

v. COMPL.: jouer aux échecs; AUTRES VERBES: avancer, couvrir, dégager, échanger, jouer, menacer, prendre, protéger, roquer.

expressions............

• *Échec au roi:* situation du roi en position d'être pris par l'adversaire.
• *Échec à la reine:* situation de la reine en position d'être prise par l'adversaire.
• *Échec et mat:* coup décisif qui assure la victoire.
• *Comme une partie d'échecs:* activité compliquée qui exige une grande subtilité.

jeu, jeux

n. adresse, acteur, actrice, action, activité, adversaire, aire de jeu, aléatoire, amusement, argent, astuce, balle, ballon, cagnotte, carte, casse-tête, casino, chance, cinéma, comédien, compétition, console, construction, coup, croupier, croupière, cube, dette, divertissement, enfant, enjeu, équipe, espièglerie, esprit, éveil, figure, fortune, gagnant, gagnante, guerre, habileté, hasard, hors-jeu, illusion, imagination, imitation, invention, inventivité, jeton, joueur, loisir, loterie, ludisme, magie, manche, manette, manipulation, marelle, marque, mémoire, mise, occasion, olympiade, ordinateur, pari, passe-temps, partenaire, partie, patience, perdant, plage, plaisanterie, plaisir, plein air, point, pot, poursuite, règle, revanche, rôle, roulette, salle, série, société, sport, stratagème, stratégie, suite, table, tapis, terrain, théâtre, thème, tour, tricherie, truc, victoire.

adj. amusant, bon, brutal, bruyant, dangereux, différent, éducatif, électronique, favori, habile, inventif, libre, mauvais, paisible, passionnant, puéril, radiophonique, stratégique, subtil, télévisé, téméraire, vidéo.

v. COMPL. : abattre son jeu, s'adonner au jeu, aimer le jeu, découvrir un jeu, étaler son jeu, faire un jeu, gagner à un jeu, interrompre un jeu, inventer un jeu, jouer à un jeu, se livrer à un jeu, mettre au jeu, montrer son jeu, ouvrir le jeu, perdre au jeu, se prendre au jeu, remettre en jeu, remporter un jeu, respecter le jeu, se ruiner au jeu, tricher au jeu ; AUTRES VERBES : jouer, miser, participer.

expressions

- *Par jeu :* sans autre motif que le plaisir.
- *Jeu d'enfant :* chose très facile.
- *Jeu de mots :* plaisanterie, équivoque ; calembour.
- *Ce n'est pas du jeu :* ce n'est pas conforme à ce qui est convenu.
- *Maison de jeu :* établissement public où on joue de l'argent.
- *D'entrée de jeu :* tout de suite, dès le début.
- *Être en jeu :* être l'objet d'une situation, d'une question, d'un débat.
- *Faire le jeu de quelqu'un :* agir dans l'intérêt de quelqu'un, souvent involontairement.

- *Jouer gros jeu :* risquer beaucoup.
- *Les jeux sont faits :* tout est décidé.
- *Jeu blanc :* jeu dans lequel aucun point n'a été marqué.
- *Avoir beau jeu :* être dans des conditions favorables.
- *Jouer double jeu :* adopter deux attitudes différentes pour tromper quelqu'un.
- *Se piquer au jeu :* être pris par le jeu.
- *Le jeu n'en vaut pas la chandelle :* ça n'en vaut pas la peine.
- *Vieux jeu :* démodé.

jouet

n. amusement, auto, avion, balle, ballon, bébé, billes, bois, boîte à musique, cadeau, cerf-volant, cerceau, circuit, corde à sauter, cube, dînette, étrennes, hochet, fille, garçon, hochet, jeu, joujou, luge, maquette, marionnette, marotte, mobile, modèle, Noël, pantin, panoplie, pantin, patins à roulettes, peluche, pétard, plastique, poupée, poupon, robot, soldat, tambour, toupie, train électrique, tricycle, trottinette, voiture.

adj. actuel, amusant, beau, bon, éducatif, électronique, favori, intéressant, mécanique, miniature, pratique, préféré, plomb.

v. COMPL. : acheter un jouet, aimer un jouet, avoir des jouets, désirer un jouet, prendre un jouet, vouloir un jouet ; AUTRE VERBE : jouer.

expressions

- *Le jouet de quelqu'un :* personne dont on se moque ; personne qu'on utilise pour parvenir à ses fins.
- *En faire son jouet :* asservir.

loisir

n. baignade, activité, aire de jeu, album, alpiniste, alpinisme, amateur, amatrice, amusement, arbitre, archer, arrêt, arrière, backgammon, badaud, badaude, bédéphile, belote, bénévolat, bénévole, bibliothèque, bingo, bobeur, bobeuse, bricolage, bricole, bricoleur, bricoleuse, calligraphie, calligraphe, canoë, canoéisme, canoéiste, casse-tête, catalogue, cavalier, cavalière, céramique, chercheur, chercheuse, ciné, cinéaste, ciné-club, cinéma, ciné-parc, cinéphile, circuit, club, collectionneur, collectionneuse, congé, connaisseur, connaisseuse, coureur, coureuse, course, curieux, curieuse, curiosité, curling, cyclisme, cycliste, danse, dé, délassement, détente, dimanche, disponibilité, distraction, divertissement, écurie, écuyer, écuyère, entraide, excursion, excursionniste, farniente, fédération, flânerie, flâneur, fondeur, fondeuse, football, footballeur, footballeuse, formation, fouineur, fouineuse, gardien de but, golfeur, grimpeur, gymnase, gymnaste, gymnastique, haltère, haltérophile, haltérophilie, hamac, herbier, herborisation, herboriste, hippodrome, hockeyeur, hockeyeuse, inactif, inactive, inactivité, inerte, inertie, inoccupé, inoccupée, internet, inventeur, inventrice, invention, jardinage, jeton, jeu, jockey, joggeur, joggeuse, jogging, judo, judoka, juge, jury, karaté, karatéka, kayak, liberté, lugeur, lugeuse, lutteur, manche, marche, marcheur, marcheuse, mélomane, moto-neige, mots croisés, musique, nageur, nageuse, occupation, oisif, oisive, oisiveté, parachute, parachutisme, parachutiste, passe-temps, passionné, passionnée, patin à roulettes, patineur, patineuse, patinoire, patins à glace, pause, peinture, permission, pétanque, pilote, piste, planeur, plongeur, plongeuse, podium, politique de, possibilité, rallye, rameur, rameuse, randonnée, recherche, récréation, relâche, répit, repos, retraité, ring, rugby, sculpture, skieur, skieuse, sortie, spectateur, spectatrice, sport, stade, télévision, temps, temps libre, tennis, tennis de table, terrain de sport, théâtre, tir à l'arc, tireur, tournoi, trampoline, vacance, vélodrome, voilier, volley-ball, volleyeur, volleyeuse.

adj. agréable, artisanal, automnal, calme, citadin, coûteux, dirigé, emballant, ennuyeux, estival, fatiguant, hivernal, intellectuel, intéressant, manuel,

modique, musical, parascolaire, printanier, récréatif, reposant, rural, scientifique, solitaire, technique, technologique, théâtral, tranquille, trépidant.

v. SUJET: le loisir crée, divertit, libère, offre, permet de, charme, enthousiasme, ennuie; **COMPL.:** avoir le loisir, avoir des loisirs, cesser ses loisirs, se consacrer à ses loisirs, dédier ses loisirs à, disposer de loisirs, interrompre ses loisirs, jouir de ses loisirs, laisser ses loisirs, occuper ses loisirs, partager ses loisirs, prendre le loisir de, profiter de ses loisirs, réserver ses loisirs pour, s'adonner à ses loisirs, se laisser aller à ses loisirs, se prélasser à loisir, s'instruire pendant ses loisirs, suspendre ses loisirs; **AUTRES VERBES:** bricoler, calligraphier, camper, cavaler, chanter, chiner, collectionner, communiquer, composer, construire, contempler, coudre, courir, créer, cultiver, danser, écrire, entraider, escalader, expérimenter, faire, flâner, graviter, herboriser, inventer, jardiner, jouer, lire, luger, lutter, méditer, monter, naviguer, paresser, pédaler, peindre, peinturlurer, planer, plonger, relier, rénover, sortir, tisser, travailler, tricoter, visiter.

sport

n. adversaire, aïkido, alpinisme, alpiniste, amateur, amatrice, amusement, anorak, aquaplane, arbitrage, arbitre, archer, archère, arrêt de jeu, arrière, association, athlète, athlétisme, attaquant, attaquante, atterrissage, avertissement, aviation, aviron, badminton, balle, ballon, base-ball, basket-ball, basketteur, bâton, bicyclette, bobeur, bobeuse, bobsleigh, boomerang, bottes, bowling, boxe, but, canoé, canoë, canoéisme, canoéiste, canotage, capitaine, carabine, cavalier, chasse, chronique, chroniqueur, chroniqueuse, chronomètre, cible, circuit, classement, club, coéquipier, coéquipière, combat, combinaison, concurrent, concurrente, coureur, coureuse, course, crack, crampons, croquet, crosse, culturisme, culturiste, curling, cyclisme, cycliste, cyclomoteur, cyclomotoriste, cyclotouriste, décollage, défaite, défenseur, deltaplane, demi-finale, déplacement, discipline, disqualification, divertissement, donneur, donneuse, échec, écuyer, écuyère, effort, égalisation, élimination, embarcation, enjeu, entraînement, entraîneur, entraîneuse, épreuve, équipe, équitation, escalade, escrime, escrimeur, escrimeuse, exercice, fédération, feinte, filet, finale, finaliste, fondeur, fondeuse, football, footballeur, footballeuse, formation, golf, golfeur, golfeuse, grimpeur, grimpeuse, gymnase, gymnaste, gymnastique, haltères, haltérophile, haltérophilie, handball, handballeur, handballeuse, handicap, hippodrome, hockey, hockeyeur, hockeyeuse, jeux, jiu-jitsu, jockey, joggeur, joggeuse, jogging, joueur, joueuse, judo, judoka, juge, juré, karaté, karatéka, kayak, kayakiste, kendo, knock-out, kung-fu, lancer, ligue, loisir, longueur, luge, lugeur, lugeuse, lutte, lutteur, lutteuse, manifestation, marcheur, marcheuse, marqueur, marqueuse, match, médaille, minigolf, motocross, motoneige, motoneigiste, mouvement, musculature, nageur, nageuse, natation, pagaie, palmarès, panier, parachute, parachutisme, parachutiste, pari, partenaire, partie, passe, passe-temps, patinage, patineur, patineuse, patinoire, patins, pêche, pelote, pénalité, performance, pétanque, pilote, ping-pong, piste, planeur, plongeon, plongeur, podium, poids, points, polo, pugiliste, quilles, rameur, randonnée, raquette, raquetteur, raquetteuse, record, règles, résultats, ring, risque, saut, sauteur, sauteuse, score, serveur, ski, skieur, skieuse, soccer, spectateur, spectatrice, spéléologie, spéléologue, sprint, sprinter, sprinteuse, squash, stade, stratégie, sumo, surf, tennis, terrain, tir, tireur, tournoi, traîneau, trampoline, tricherie, tricheur, tricheuse, véhicule véliplanchiste, vélodrome, vétéran, virage, voile, voilier, voltige, water-polo, yacht, yachting.

adj. aérien, aérobique, affreux, agréable, amateur, artistique, attrayant, audacieux, banal, bon, brillant, brusque, brutal, calme, cher, collectif, contrôlé, corporatif, dangereux, débutant, décevant,

décisif, défensif, déséquilibré, désolant, désopilant, désorganisé, déterminant, distingué, éducatif, élégant, élevé, équestre, équilibré, extraordinaire, extrême, faible, fébrile, féminin, formidable, horrible, imposé, impraticable, incomparable, incompatible, individuel, inefficace, inoffensif, intègre, intensif, intéressant, international, intrépide, junior, lamentable, lent, libre, mauvais, mécanique, motorisé, mou, moyen, national, nautique, nouveau, nuisible, offensif, olympique, organisé, pédestre, praticable, précis, privilégié, professionnel, public, rapide, régional, remarquable, réservé, risqué, rude, rusé, scolaire, senior, sensationnel, soigné, solide, solitaire, sport, sportif, subtil, sûr, télévisé, universitaire, varié, vieux, violent.

V. SUJET : le sport divertit, se joue, se pratique, s'organise ; COMPL. : s'adonner à un sport, adopter un sport, aimer un sport, s'amuser dans un sport, applaudir un sport, (s') attribuer un sport, se blesser dans un sport, briller dans un sport, (se) classer dans un sport, se défendre dans un sport, défendre un sport, disqualifier un sport, se distraire dans un sport, se divertir grâce à un sport, échouer dans un sport, s'emballer pour un sport, s'entraîner à un sport, exceller dans un sport, s'exercer à un sport, faire du sport, feindre dans un sport, gagner dans un sport, huer un sport, jouer à un sport, se livrer à un sport, miser sur un sport, observer un sport, parier dans un sport, perdre dans un sport, pratiquer un sport, professionnaliser un sport, se prononcer sur un sport, se qualifier dans un sport, se risquer dans un sport, spéculer sur un sport, triompher dans un sport ; AUTRES VERBES : applaudir, arbitrer, arrêter, assister, s'assouplir, attaquer, atterrir, attraper, attribuer, barrer, bloquer, botter, boxer, braquer, briller, chronométrer, chuter, claquer, cogner, coller, combattre, courir, courser, décoller, dégager, démarrer, se déplacer, déraper, descendre, détaler, dresser, échouer, égaliser, s'élancer, éliminer, envoyer, escalader, esquiver, filer, frapper, gagner, galoper, juger, luger, lutter, marcher, marquer, monter, nager, naviguer, parcourir, participer, passer, patiner, pédaler, piloter, pivoter, planer, poursuivre, se précipiter, projeter, ramasser, ramer, recevoir, relayer, renverser, risquer, servir, skier, tabasser, taper, tirer, tomber, trotter, voler.

expressions...

- *C'est du sport!*: c'est difficile, dangereux.
- *Se montrer très sport:* être loyal, se conformer à l'esprit du sport.
- *Il va y avoir du sport:* il risque d'y avoir de la bagarre.

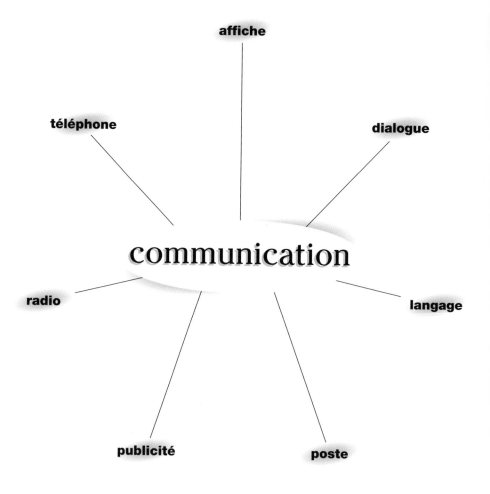

affiche

n. annonce, babillard, banderolle, pancarte, panneau, placard, programme, prospectus, publicité, réclame.

adj. cinématographique, électorale, humoristique, légale, personnelle, politique, publicitaire.

v. SUJET: l'affiche couvre, recouvre, tapisse ; COMPL. : arracher l'affiche, coller l'affiche, couvrir l'affiche, lire l'affiche, placarder l'affiche ; AUTRES VERBES : afficher.

expressions

• *Rester à l'affiche :* être joué pendant une période donnée en parlant d'un film ou d'une pièce de théâtre.

• *Tenir l'affiche :* avoir de nombreuses représentations.

• *Tête d'affiche :* nom d'un acteur important, d'une vedette dans un film ou dans une pièce de théâtre.

dialogue

n. abondance, aisance, allusion, altercation, apostrophe, auditeur, auditrice, babillage, badinage, badinerie, bavardage, causeur, causeuse, communication, contact, correspondance, destinataire, dialecte, discussion, dispute, éloquence, émetteur, émettrice, engueulade, entretien, entrevue, expression, facilité, information, insignifiance, interlocuteur, interlocutrice, intervenant, intervenante, liaison, malentendu, mensonge, message, monotonie, persuasion, plaisanterie, platitude, querelle, querelleur, querelleuse, rapport, récit, relation, renseignement, répartie, réponse, réunion, son, sujet, télécommunication, tête-à-tête, vocifération, voix, volubilité.

adj. accessible, adroit, affecté, aigu, aisé, ambigu, articulé, avisé, badin, braillard, bref, bruyant, choquant, clair, cohérent, comique, communicatif, constructif, contradictoire, court, crié, discordant, distinct, éloquent, enthousiaste, équivoque, évident, explicite, habituel, harmonieux, inégal, inexistant, inquiétant, insignifiant, intéressant, inutile, long, mensonger, paradoxal, partagé, pathétique, philosophique, plaintif, plaisant, pleurnicheur, pointu, précis, psychologique, rapide, raté, recherché, ridicule, rythmé, sage, savant, scientifique, sensé, sérieux, simple, stérile, strident, subtil, tapageur, technique, transparent, triste, univoque, vif, vociféré.

v. COMPL. : abréger un dialogue, allonger un dialogue, arrêter un dialogue, aviser par le dialogue, comprendre un dialogue, écourter un dialogue, écouter un dialogue, entendre un dialogue, fermer le dialogue, interpréter un dialogue, inviter au dialogue, ouvrir un dialogue, poursuivre un dialogue, prendre un dialogue (au sérieux), propager un dialogue, proposer un dialogue, raccourcir un dialogue, refuser le dialogue, tenir un dialogue, vulgariser un dialogue ; AUTRES VERBES : communiquer, se comprendre, éclater, engueuler, invectiver, parler, rouspéter, se disputer, s'égosiller, vociférer.

expression

• *Dialogue de sourds :* conversation entre personnes qui ne s'écoutent pas.

langage

n. anglicisme, chant, charabia, commentaire, compréhension, dictionnaire, discours, écriture, exclamation, explication, expression, fantaisie, geste, interprétation, interrogation, ironie, lettre, linguistique, mot, mouvement, niveau, parole, phonation, phonème, phrase, sarcasme, signe, syntaxe, usage, voix.

adj. académique, acrobatique, administratif, allusif, archaïque, argotique, chiffré, cinématographique, clair, codé, cohérent, comique, complexe, compréhensible, concevable, conventionnel, correct, courant, critique, cynique, déchiffrable, défini, descriptif, didactique, dramatique, écrit, enfantin, évident, explicite, expressif, familier, flatteur, formel, gestuel, imagé, implicite, incorrect, instrumental, intérieur, limpide, littéraire, lumineux, mélodramatique, moderne, musical, net, noble, objectif, parlé, passé, philosophique, pictural, poétique, populaire, possible, précis, présent, relevé, scientifique, sensé, simple, soutenu, subtil, tactile, technique, théâtral, tragique, transparent, visuel, vocal.

v. COMPL. : adopter un langage, appauvrir un langage, apprendre un langage, choisir un langage, compliquer un langage, créer un langage, critiquer un langage, enrichir son langage, illustrer un langage, parler un langage, prendre un langage, resserrer un langage, sélectionner un langage, simplifier un langage, traduire un langage, utiliser un langage ; **AUTRES VERBES :** babiller, cadrer, chanter, communiquer, crier, dire, exprimer, fredonner, gazouiller, gesticuler, hurler, informer, moduler, récapituler, résonner, siffloter.

expressions

- *Abus de langage :* exagérer, utiliser des mots qui dépassent sa pensée.
- *Admirer le langage d'une personne :* être émerveillé par l'élocution d'une personne.
- *Juger le langage de quelqu'un :* évaluer quelqu'un selon son langage.

poste

n. adresse, affranchissement, boîte aux lettres, boîte postale, bureau, circulaire, correspondance, courrier, dépêche, destinataire, distribution, enveloppe, envoi, expéditeur, expéditrice, facteur, factrice, lettre, livraison, message, missive, mot, note, oblitération, papier, paquet, philatélie, philatéliste, pli, port, poste, postier, postillon, préposé, recommandation, réponse, télécopie, télécopieur, télégramme, télégraphe, timbre, tri.

adj. aéropostale, efficace, électronique, externe, fiable, internationale, interne, locale, nationale, publique, rapide, régionale.

v. SUJET: la poste, envoie, expédie, ditribue, livre, oblitère, recommande, transmet ;

COMPL. : aller à la poste, expédier par la poste, recevoir par la poste, travailler à la poste ; **AUTRES VERBES :** cacheter, poster, répondre, timbrer.

publicité

n. affichage, affiche, affichette, agence, agent, agente, annonce, banderole, boutique, brochure, campagne, commerce, consommateur, consommation, dépliant, diffusion, échantillon, enseigne, entreprise, logo, magasin, marchand, marchande, message, pancarte, panneau, placard, plaquette, présentation, présentoir, produit, promotion, propagande, prospectus, publicitaire, réclame, solde, sondage, stand, vente.

adj. abstraite, accessible, audacieuse, claire, cohérente, colorée, commerciale, criarde, culturelle, désopilante, drôle, efficace, électronique, emballante, envahissante, exagérée, explicite, facile, fade, formelle, gagnante, honnête, humoristique, imaginative, imbattable, implicite, inexacte, intelligible, intéressante, inusitée, légère, limpide, lisible, lumineuse, malhonnête, mensongère, niaise, nuisible, originale, payante, percutante, précise, promotionnelle, puérile, puissante, radiophonique, raffinée, rentable, sensée, sensuelle, sérieuse, sidérante, simple, spéciale, subtile, surprenante, télévisée, voyante.

v. SUJET: la publicité altère, amuse, charme, choque, convainc, détend, énerve, ennuie, envahit, réjouit, séduit ; **COMPL. :** afficher une publicité, analyser une publicité, annoncer une publicité, consulter une publicité, diffuser une publicité, envoyer une publicité, examiner une publicité, imprimer une publicité, insérer une publicité, lancer une publicité, lire une publicité, placarder une publicité, placer une publicité, poster une publicité, présenter une publicité, publier une publicité, ramasser une publicité, recevoir une publicité, regarder une publicité, retirer une publicité, transmettre une publicité.

radio

n. actualité, animateur, animatrice, annonceur, annonceuse, antenne, auditeur, auditrice, bande, brouillage, canal, cassette, chaîne, commentateur, diffusion, discophile, discothèque, disque-jockey, disque, écoute, électricité, émetteur, émission, fréquence, grésillement, programmation, indicatif, invité, invitée, média, message, modulation, onde, parasite, présentateur, présentatrice, radiocassette, radiodiffusion, réalisateur, réalisatrice, récepteur, rediffusion, régie, relais, reporter, satellite, son, station, stéréophonie, studio, tourne-disque, volume.

adj. amateur, analogique, anarchiste, communautaire, conservatrice, culturelle, dynamique, gouvernementale, historique, informative, institutionnelle, intéressante, libre, musicale, nationale, numérique, populaire, privée, régionale, révolutionnaire.

v. SUJET: la radio annonce, diffuse, émet, enregistre, informe, programme, rediffuse; COMPL.: allumer la radio, brouiller la radio, écouter la radio, entendre la radio, éteindre la radio, parler à la radio; AUTRE VERBE: radiodiffuser.

téléphone

n. abonné, abonnement, adhésion, annuaire, appareil, appel, appelant, bruit, cabine, câblage, cadran, carte, causerie, combiné, communication, commutateur, conférence, correspondant, débat, discussion, émetteur, émission, entretien, indicatif, interphone, interurbain, jeton, liaison, ligne, liste, message, messagerie, microphone, numéro, numérotation, onde, opérateur, prise, récepteur, relais, renseignement, répondeur, réseau, réunion, satellite, signal, sonnerie, standard, standardiste, support, télécopie, téléphoniste, tonalité, touche.

adj. analogique, ancien, électronique, mural, numérique, performant, portatif, privé, public, rural, satellite.

v. SUJET: le téléphone dérange, fonctionne, sonne; COMPL.: bafouiller au téléphone, balbutier au téléphone, baragouiner au téléphone, bavarder au téléphone, causer au téléphone, commander par téléphone, converser au téléphone, crier au téléphone, débattre au téléphone, décrocher le téléphone, dialoguer au téléphone, discuter au téléphone, discourir au téléphone, jaser au téléphone, joindre par téléphone, marmonner au téléphone, murmurer au téléphone, parler au téléphone, raccrocher le téléphone, recevoir un téléphone, réserver par téléphone, retenir au téléphone, saluer au téléphone, vendre par téléphone, vociférer au téléphone; AUTRES VERBES: composer, numéroter, téléphoner.

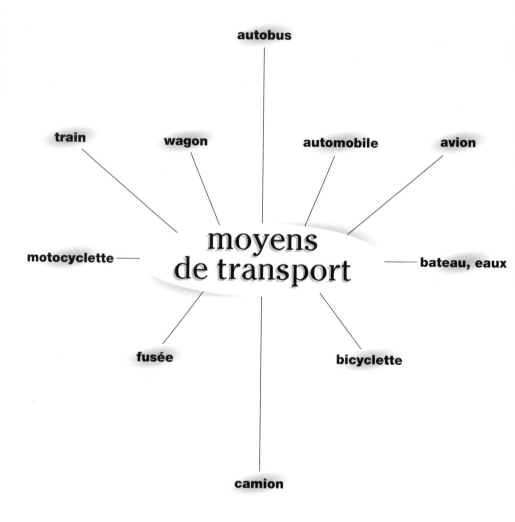

autobus

n. arrêt, arrière, avant, billet, bus, conducteur, conductrice, étage, ligne d'autobus, numéro, passager, passagère, plate-forme, transport, véhicule, voyageur, voyageuse.

adj. bondé, complet, impérial, lent, municipal, prioritaire, privé, public, réservé, scolaire, vide.

v. SUJET : l'autobus arrête, arrive, part ; COMPL. : arrêter l'autobus, attendre l'autobus, embarquer dans l'autobus, manquer l'autobus, partir en autobus, prendre l'autobus, quitter l'autobus, sortir de l'autobus.

automobile

n. accélérateur, accident, accumulateur, allumage, appui-tête, assurance, automobiliste, avertisseur, bagnole, banc, banquette, batterie, boîte à gants, bolide, bougie, brûleur, burette, cabriolet, capot, capotage, capote, carburateur, carrosse, carrosserie, ceinture, châssis, chauffeur, chauffeuse, circulation, coffre, collision, combustion, commande, compétition, compteur, concession, concessionnaire, conducteur, construction, course, cylindre, débraiement, débrayage, décapotable, dérapage, différentiel, direction, dynamo, embardée, encombrement, enjoliveur, essence, feu, frein, freinage, garage, graissage, graisseur, hangar, huile, immatriculation, industrie, injecteur, intérieur, interrupteur, klaxon, levier, limousine, location, manœuvre, moteur, panne, pare-brise, pare-chocs, pédale, peinture, phare, pneu, poignée, portière, puissance, radiateur, réservoir, rétroviseur, roue, sécurité, siège, silencieux, station, stationnement, suspension, tank, taxi, toit, transmission, véhicule, vente, virage, vitesse, voiture, voiturette, volant.

adj. ancienne, arrêtée, blanche, bleue, brillante, brisée, brune, bruyante, confortable, coupée, décapotable, dorée, électrique, étrangère, flamboyante, graisseuse, grande, inconfortable, longue, luxueuse, nerveuse, neuve, noire, propre, rapide, rouge, rutilante, sale, salie, silencieuse, souillée, sportive, terne, verte, vieille.

v. SUJET : l'automobile arrête, avance, bloque, capote, ralentit, tient ; COMPL. : accélérer l'automobile, accrocher l'automobile, acheter une automobile, aller en automobile, conduire une automobile, dépanner une automobile, décapoter l'automobile, démarrer l'automobile, descendre d'une automobile, enlever l'automobile, essayer une automobile, frapper en automobile, garer l'automobile, graisser une automobile, louer une automobile, lubrifier une automobile, monter en automobile, prendre l'automobile, réparer l'automobile, rouler en automobile, vendre une automobile, vidanger l'automobile, virer en automobile.

avion

n. aérodrome, aérodynamique, aérogare, aéronautique, aéronef, aéroport, aileron, ailes, air, appareil, atelier, atterrissage, aviateur, aviatrice, aviation, avion-cargo, avion-citerne, avion-école, avionnerie, cabine, classe, commande, compagnie, construction, contrôleur, copilote, courrier, décollage, détournement, embarquement, envol, escadre, escadrille, flotte, flottille, fret, fuselage, gros-porteur, hangar, hélice, hélicoptère, héliport, héliportage, hôte, hôtesse, hydravion, industrie, jet, liaison, locomotion, marchandise, moteur, mur, navigation, passager, passagère, personnel, pilotage, pilote, pirate de l'air, piste, place, planeur, porte-avions, roue, siège, sol, son, soute, support, technique, télécommande, terrain, tour, trafic, transport, usine, vacances, vitesse, vol, voyageur, voyageuse.

adj. accessible, aérodynamique, atomique, automatique, commercial, gros, international, léger, long, militaire, rapide, sonique, supérieur, supersonique, télécommandé.

v. SUJET: l'avion atterrit, décolle, s'écrase, s'envole, plane, se pose; COMPL.: acheter un avion, aller en avion, arriver en avion, attendre l'avion, commander un avion, conduire un avion, décharger un avion, descendre de l'avion, détourner un avion, fabriquer un avion, louer un avion, monter en avion, partir en avion, piloter un avion, prendre l'avion, télécommander un avion, utiliser un avion, visiter un avion, voler en avion, voyager en avion.

bateau, eaux

n. ancre, arrière, avant, bâbord, bac, baleinier, baleinière, barque, barrière, bastingage, bateau-citerne, batelier, bouée, cale, canot, cap, capitaine, cargaison, cargo, chaland, chaloupe, chargement, chargeur, charpente, convoyeur, coque, corsaire, corvette, croisière, débarcadère, débardeur, déchargement, drague, dragueur, droite, eau, embarcadère, embarcation, embargo, embarquement, escadre, fleuve, flotte, flottille, frégate, galère, galion, garde-côte, gauche, goélette, gondole, gondolier, gondolière, gouvernail, gréement, hors-bord, hublot, jetée, kayak, marchandise, marin, marina, marine, marinier, mât, matelot, mer, navigateur, navigatrice, navire, nef, paquebot, passager, passagère, péniche, pirogue, pont, ponton, port, porte-avions, poupe, proue, quai, quille, radeau, rame, rameur, rameuse, randonnée, remorqueur, rivière, sauvetage, sous-marin, torpillage, torpille, transport, traversier, tribord, vaisseau, vapeur, voilier, voyageur, voyageuse, yacht, yachting.

adj. ancien, coulé, endommagé, flottant, grand, léger, lent, long, luxueux, marin, misérable, moderne, modeste, naval, pétrolier, pneumatique, rapide, spacieux, stationnaire, vieux.

v. SUJET: le bateau arrive, s'immobilise, largue, navigue, poursuit, quitte; COMPL.: amarrer un bateau, ancrer un bateau, appareiller un bateau, s'aventurer en bateau, charger un bateau, construire un bateau, débarquer d'un bateau, décharger un bateau, déplacer un bateau, embarquer sur un bateau, exporter en bateau, flotter sur un bateau, importer en bateau, monter en bateau, mouiller un bateau, rater le bateau, regarder un bateau, remorquer un bateau, surveiller un bateau, torpiller un bateau, transporter en bateau.

expressions..
- *Mener quelqu'un en bateau :* tromper quelqu'un.
- *Monter un bateau à quelqu'un :* tromper quelqu'un, le mystifier.

bicyclette

n. bécane, béquille, câble, cale-pied, chaîne, champion, coureur, coureuse, course, cycle, cyclisme, cycliste, cyclomoteur, cyclotourisme, cyclomotoriste, dérailleur, engrenage, entraîneur, entraîneuse, équipe, essieu, fourche, frein, garde-boue, gradins, guidon, jante, levier, machine, manivelle, motocyclette, moyeu, pédale, pédalier, performance, phare, pignon, piste, pneu, poignée, pompe, porte-bagages, potence, randonnée, rayon, réflecteur, roue, roulement, selle, sport, tandem, transport, tricycle, unicycle, valve, vélo, vélocipède, vélocyclette, vélodrome, vélomoteur.

adj. dispendieuse, double, efficace, équipée, fixe, légère, lourde, mixte, motrice, multiple, neuve, pneumatique, populaire, puissante, sportive, vieille.

v. SUJET: la bicyclette dérape, fonctionne, parcourt; COMPL.: aimer la bicyclette, ajuster une bicyclette, aller à bicyclette, arriver à bicyclette, enfourcher une bicyclette, être à bicyclette, graisser une bicyclette, lubrifier une bicyclette, monter à bicyclette, monter sur une bicyclette, réparer une bicyclette, rouler à bicyclette.

camion

n. accident, cabine, cahot, cahotement, camion-citerne, camionnage, camionnette, camionneur, camionneuse, charge, chariot, châssis, chauffeur, chauffeuse, chemin, compagnie, conducteur, conductrice, extérieur, garage, intérieur, marchandise, moteur, parcours, plate-forme, poids, remorque, roue, route, routier, saut, transport, véhicule, voiture.

adj. aménagé, dangereux, fermé, fort, frigorifique, gros, inflammable, ininflammable, lourd, mauvais, militaire, ouvert, pesant, petit, plein, routier, utile, utilitaire, vide.

v. SUJET: le camion (s') arrête, arrive, cahote, effectue, parcourt, ralentit, traverse; COMPL.: charger un camion, conduire un camion, décharger un camion, loger dans un camion, louer un camion, monter dans un camion, posséder un camion, transporter en camion, voyager en camion; AUTRE VERBE: camionner.

fusée

n. air, astronaute, astronautique, astronef, atmosphère, atome, ciel, cosmonaute, direction, éjection, énergie, engin, espace, étoile, galaxie, moteur, navette, projectile, projection, propulseur, réaction, sifflement, trajet, transport, vaisseau, véhicule, voie lactée.

adj. ascendante, bruyante, descendante, destinée, éclatante, internationale, interplanétaire, longue, nucléaire, propulsée, rapide, spatiale, volante.

v. SUJET: la fusée éclate, (s') élève, explose, gravite, monte, part, projette, revient, transporte, voyage; COMPL.: envoyer une fusée, jaillir de la fusée, propulser une fusée, voyager en fusée.

motocyclette

n. association, accident, amortisseur, batterie, botte, cadran, casque, circuit, clignotant, clignotement, club (angl.), combinaison, commande, compétition, compression, concessionnaire, conduite, course, cyclomoteur, cyclomotoriste, cylindre, démarrage, démarreur, échappement, embrayage, endurance, énergie, équipement, frein, freinage, gant, importateur, machine, maniement, modèle, motard, moteur, moto, motocross (motocross), motocyclette, motocyclisme, motocycliste, motorisation, nature, panne, poids, puissance, repose-pieds, réservoir, roue, selle, silencieux, suspension, tout-terrain, transmission, transport, véhicule, vélocyclette, vélomoteur, vendeur, vendeuse, vitesse.

adj. bruyante, confortable, cylindrique, dispendieuse, endurante, étincelante, grosse, haute, inconfortable, japonaise, légère, lourde, manuelle, maximale, motorisée, moyenne, puissante, rapide, secondaire, tout-terrain, tracée, vite.

v. SUJET: la motocyclette accélère, bascule, ralentit, roule; COMPL.: (s') acheter une motocyclette, (se) blesser en motocyclette, changer sa motocyclette, conduire une motocyclette, démarrer une motocyclette, dépasser une motocyclette, se déplacer en motocyclette, parcourir en motocyclette, piloter une motocyclette, pousser une motocyclette, vendre une motocyclette.

train

n. agent, agente, aiguilleur, aller, arrêt, arrivée, avance, bagages, billet, billetterie, bruit, butoir, chariot, chef, chemin de fer, cheminée, cheminot, conducteur, conductrice, consigne, convoi, couchette, couloir, débarcadère, départ, déraillement, derrière, destination, devant, embarcadère, employé, employée, enregistrement, file, fourgon, gare, guichet, halte, horaire, ligne, locomotive, marchandises, monorail, passager, passagère, passe, poinçon, poinçonneur, porte, porte-bagages, quai, rail, retard, retour, salle d'attente, service, signal, silence, sonnerie, station, tapage, terminus, transport, vacarme, vitesse, voie, voyage, voyageur, voyageuse, wagon.

adj. abonné, bruyant, circulaire, complet, confortable, direct, express (angl.), lent, local, long, mixte, moderne, postal, propre, provincial, public, rapide, routier, silencieux.

v. SUJET: le train (s') arrête, avance, déraille, fonctionne, quitte, recule, tire, traîne, transporte; **COMPL.:** aiguiller le train, attraper le train, circuler en train, conduire un train, coucher dans un train, descendre du train, dormir dans un train, guider un train, manger dans un train, manquer le train, monter dans le train, prendre le train, rater son train, signaler le train, voyager en train.

expressions

- *Suivre son train:* avoir un rythme régulier, évoluer normalement.
- *Un train d'enfer:* à un rythme très rapide.
- *Le train train quotidien:* la routine.
- *Être une locomotive:* travailler énormément et entraîner les autres avec soi.

v. SUJET: les wagons cahotent, circulent, se heurtent, se tamponnent, se télescopent; **COMPL.:** accrocher un wagon, (s') asseoir dans un wagon, atteler les wagons, charger un wagon, circuler dans un wagon, décharger un wagon, descendre d'un wagon, embarquer dans un wagon, monter dans un wagon, pousser le wagon, (se) promener dans un wagon, rejoindre un wagon.

expressions

- *Accrocher son wagon:* rejoindre le peloton de tête, en parlant d'un cycliste ou d'un coureur automobile.
- *Accrocher les wagons!:* expression comique qui salue une éructation sonore.

wagon

n. banquette, charge, chemin de fer, compartiment, contenu, convoi, couloir, crochet, dimension, enclenchement, escalier, évitement de circulation, extrémité, fanal, file, fourgon, hublot, itinéraire, levier de manœuvre, lampe, locomotive, marche, marchepied, monorail, ornière, passage, passerelle, plateau, plate-forme, porte-bagages, portière, poste d'aiguillage, rail, rame, réseau ferré, roue, signal fermé ou signal ouvert, signalisation, soufflet, tampon, tamponnement, tendeur, train, traverse, verrou, voie courante, voie ferrée, voiture, voyageur, voyageuse, wagon-cinéma, wagon-citerne, wagon-lit, wagonnet, wagon-restaurant, wagon-terrasse, wagonthéâtre.

adj. auxiliaire, bruyant, confortable, couvert, démodé, frigorifique, grand, impérial, long, moderne, neuf, plat, plein, plombé, postal, silencieux, vide, vieux, bondé.

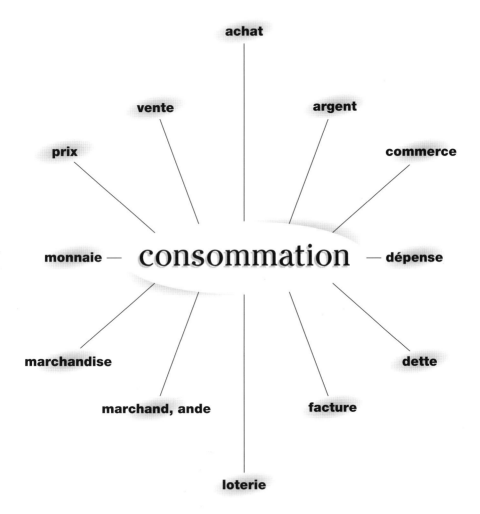

achat

vente

argent

prix

commerce

monnaie — consommation — dépense

marchandise

marchand, ande

facture

dette

loterie

achat

n. acheteur, acheteuse, acquisition, argent, bien, boutique, catalogue, client, cliente, commande, commerçant, commerçante, comptant, consommateur, consommatrice, consommation, contrat, correspondance, coupon, course, crédit, denrée, dépense, détail, échange, emplette, enchère, facture, fournisseur, fournisseuse, intérêt, lèche-vitrines, livraison, location, magasin, marchandeur, marchandeuse, marchandise, marché, paiement, pouvoir, prix, profit, publicité, rabais, rachat, réclamation, réclame, réduction, remboursement, retour, solde, téléachat, téléacheteur, téléacheteuse, terme, traite, transaction, troc, vendeur, vendeuse, vente.

adj. avantageux, cher, coûteux, faramineux, gros, imprévu, imprudent, impulsif, intéressant, irréfléchi, judicieux, nécessaire, onéreux, petit, précipité, pressé, profitable, réfléchi, ruineux.

v. SUJET: un achat coûte, ruine, sert; COMPL.: effectuer un achat, faire un achat, négocier un achat, payer un achat, regretter un achat, rembourser un achat, retourner un achat; AUTRES VERBES: acheter, acquérir, dépenser, magasiner, marchander, (se) payer, piquer, racheter, réclamer, renchérir.

argent

n. achat, allocation, aumône, avare, banque, banquier, banquière, besoin, bienfaisance, billet, blanchissage, caisse, capital, carte, charité, chèque, circulation, coffre-fort, comptant, compte, convoitise, cotisation, créancier, créancière, crédit, crésus, débit, dépôt, dette, don, économie, emprunt, épargne, espèce, finance, fonds, fortune, gages, indigence, intérêt, investissement, liquidité, magnat, magot, manque, milliardaire, millionnaire, monnaie, nécessité, numismate, obligation, paie, paiement, pauvreté, pécule, pénurie, pièce, pingre, pognon, portefeuille, porte-monnaie, pourboire, prêt, prêteur, prêteuse, prime, prix, prospérité, quêteur, quichet, recette, rémunération, ressource, retrait, richesse, somme, trésor.

adj. accumulé, blanchi, comptant, dépensé, dû, économisé, emprunté, gagné, gaspillé, investi, jeté, joué, liquide, mérité, nouveau, prêté, sale, sonnant.

v. SUJET: l'argent disparaît, fructifie, s'envole; COMPL.: amasser de l'argent, compter de l'argent, contrefaire l'argent, débourser de l'argent, dépenser (de) l'argent, déposer (de) l'argent, devoir (de) l'argent, dilapider son argent, distribuer (de) l'argent, économiser (de) l'argent, empocher (de) l'argent, emprunter (de) l'argent, entasser (de) l'argent, épargner (de) l'argent, flamber (de) l'argent, gagner (de) l'argent, gaspiller (de) l'argent, investir (de) l'argent, léguer (de) l'argent, octroyer (de) l'argent, perdre (de) l'argent, placer (de) l'argent, planquer (de) l'argent, prêter (de) l'argent, quêter de l'argent, rembourser de l'argent, retirer de l'argent, souci de l'argent, toucher de l'argent, voler de l'argent; AUTRES VERBES: (s')appauvrir, (s')enrichir, frauder, payer, profiter, prospérer, rémunérer, voler.

expressions

- *En vouloir, en avoir pour son argent:* vouloir ou obtenir une chose en proportion de ce qu'on a donné, fourni.
- *Faire de l'argent:* gagner de l'argent.
- *Jeter son argent pas les fenêtres:* gaspiller son argent.
- *L'argent ne fait pas le bonheur:* être plus riche ne rend pas nécessairement plus heureux.
- *L'argent est un bon serviteur et un mauvais maître:* l'argent peut contribuer au bonheur mais aussi contribuer au malheur de celui qui est avare ou cupide.
- *L'argent n'a pas d'odeur:* certains se soucient peu d'où vient l'argent qu'ils gagnent, pourvu qu'ils en gagnent.
- *Le temps c'est de l'argent:* il ne faut pas perdre de temps.
- *Plaie d'argent n'est pas mortelle:* les pertes d'argent ne sont pas des malheurs irréparables.

- *Prendre quelque chose pour de l'argent comptant :* croire naïvement ce qu'on nous dit ou promet.
- *Vous ne reverrez pas la couleur de votre argent :* votre argent ne vous sera pas rendu, on vous a escroqué.

commerce

n. achalandage, achat, acheteur, acheteuse, affaires, argent, associé, associée, banque, banqueroute, bénéfice, boucherie, boulangerie, boutique, bureau, change, chômage, client, cliente, clientèle, commerçant, commerçante, commerce, commis, compagnie, comptabilité, comptable, concurrent, concurrente, consommation, contrat, denrée, dépliant, détail, détaillant, détaillante, échange, économie, emballage, épicerie, faillite, filiale, foire, gain, grossiste, hôtel, inventaire, liquidation, livraison, livreur, livreuse, magasin, marchand, marchande, marchandage, marchandeur, marchandeuse, marchandise, marché, marketing, négociant, négociante, négociation, pourboire, prime, prix, profit, prospectus, publicité, quincaillerie, représentant, représentante, service, stock, supermarché, troc, vendeur, vendeuse, vente.

adj. achalandé, avantageux, déficitaire, douteux, extérieur, florissant, fructueux, illégal, indépendant, intérieur, international, légal, lucratif, maritime, profitable, prospère, rémunérateur, renommé, rentable.

v. SUJET : un commerce attire, embauche, engage, impressionne, sert ; **COMPL. :** cambrioler un commerce, exploiter un commerce, fermer un commerce, ouvrir un commerce, tenir un commerce ; **AUTRES VERBES :** acheter, commercer, commercialiser, facturer, négocier, vendre.

dépense

n. achat, argent, budget, comptabilité, comptable, compte, consommateur, consommatrice, consommation, coût, crédit, déficit, équilibre, facture, faillite, frais, gaspillage, luxe, paiement, perte, pourboire, reçu, revenu, trésorier, trésorière.

adj. accablante, annuelle, colossale, fixe, folle, grande, grosse, hebdomadaire, imprévue, inconsidérée, inévitable, inutile, mensuelle, nécessaire, ordinaire, personnelle, publique, rondelette, ruineuse.

v. SUJET : les dépenses appauvrissent, ruinent ; **COMPL. :** amortir une dépense, augmenter ses dépenses, calculer ses dépenses, couper ses dépenses, diminuer ses dépenses, engager une dépense, entraîner une dépense, équilibrer ses dépenses, se lancer dans des dépenses, occasionner une dépense, régler une dépense, surveiller ses dépenses ; **AUTRES VERBES :** consommer, débourser, défrayer, dépenser, dilapider, gaspiller, payer, se ruiner.

expressions..

- *Regarder à la dépense :* être économe, regardant.
- *Ne pas regarder à la dépense :* dépenser sans compter.

dette

n. avance, avoir, banque, banqueroute, bilan, budget, capital, créance, créancier, créancière, crédit, débit, débiteur, débitrice, déficit, dépense, dû, échéance, endettement, emprunt, faillite, finance, financement, gage, garantie, huissier, hypothèque, intérêt, jeu, liquidation, obligation, paiement, prêt, prêteur, prêteuse, quittance, reconnaissance, recouvrement, remboursement, saisie, solvabilité, taux, terme, usurier, usurière.

adj. commerciale, élevée, étudiante, extérieure, familiale, faramineuse, fiscale, hypothécaire, intérieure, nationale, personnelle, publique, réelle, remboursable, remboursée.

v. SUJET : une dette appauvrit, arrange, attriste, embête, ennuie, enrichit, ruine ; **COMPL. :** acquitter une dette, annuler une dette, avoir une dette, contracter une dette, être en dette, faire des dettes, liquider une dette, payer sa dette, reconnaître une dette, réduire une dette, régler une dette, rembourser une dette; AUTRE VERBE : endetter.

expressions

• *Qui paye ses dettes s'enrichit :* en payant ses dettes, on crée ou on augmente son crédit, on est plus riche si on ne doit pas d'argent.

• *Être cousu de dettes :* avoir beaucoup de dettes.

• *Dette d'honneur :* qu'on ne peut faire valoir en justice, qu'on doit rembourser sur l'honneur.

• *Cent ans de chagrin ne payent pas un sou de dette :* se désoler d'une dette n'en avance pas le paiement.

facture

n. achat, acheteur, acheteuse, addition, caisse, client, cliente, commande, commerce, comptant, compte, consommateur, consommatrice, consommation, coût, crédit, débit, dépense, entreprise, expédition, facturation, garantie, intérêt, livraison, magasin, montant, note, paiement, prix, reçu, remboursement, service, somme, taxe, total, transaction, vendeur, vendeuse, vente.

adj. abominable, exorbitante, falsifiée, gonflée, impayée, manuscrite, partielle, payable, payée, raisonnable, réglée, rondelette, truquée.

v. SUJET : la facture gonfle, s'élève; COMPL. : acquitter la facture, dresser la facture, établir la facture, falsifier la facture, payer la facture, préparer la facture, présenter la facture, régler la facture, truquer la facture; AUTRE VERBE : facturer.

loterie

n. argent, billet, bingo, boulier, casino, chance, charité, chiffre, combinaison, déception, espérance, espoir, fortune, gagnant, gagnante, gain, gros lot, hasard,

jeu, joie, lot, malchance, million, miracle, numéro, perdant, perdante, poker, prix, probabilité, profit, prospérité, rêve, richesse, risque, sort, statistique, surprise, ticket, tirage, tombola.

adj. annuelle, hebdomadaire, illégale, indépendante, inégalée, nationale, phénoménale, provinciale, truquée.

v. SUJET : la loterie amuse, enrichit, ruine; COMPL. : gagner à la loterie, jouer à la loterie, organiser une loterie, perdre à la loterie; AUTRES VERBES : acheter, parier, réclamer, rêver, risquer, souhaiter, valider, vendre.

expression

• *La vie est une loterie :* la vie est gouvernée par le hasard.

marchand, ande

n. achalandage, achat, acheteur, acheteuse, affaire, annonce, approvisionnement, bagou, baratin, bien, boniment, boutique, bradeur, bradeuse, caisse, caissier, caissière, catalogue, choix, client, cliente, clientèle, commande, commerçant, commerçante, commerce, commis, concurrence, concurrent, concurrente, consommateur, consommatrice, consommation, crédit, denrée, dépôt, détail, détaillant, détaillante, devanture, emballage, employé, employée, enseigne, entregent, entrepôt, escompte, étal, étalage, étiquette, facture, foire, fournisseur, fournisseuse, garantie, gros, grossiste, inventaire, liquidation, magasin, marchandise, marché, négociant, négociante, paiement, politesse, prix, produit, propriétaire, prospectus, publicité, rabais, réclame, remboursement, remise, représentant, représentante, roulement, sac, satisfaction, solde, souk, sourire, stock, tact, taxe, troc, vendeur, vendeuse, vente, vitrine, vol.

adj. accueillant, ambulant, arnaqueur, attentionné, avenant, bavard, compétitif, convaincant, crédible, cupide, déloyal, dévoué, empressé, honnête, intègre, itinérant, malhonnête, poli, profiteur, prospère, riche, ruiné, sociable, souriant.

v. SUJET: le marchand achète, s'approvisionne, arnaque, calcule, commande, convainc, discute, échange, étalage, étale, étiquette, expédie, explique, garantit, importe, liquide, livre, montre, négocie, offre, se réapprovisionne, rembourse, retourne, solde, sourit, stocke, trafique, transige, troque, vend; **COMPL.:** rouler un marchand, voler un marchand, appauvrir un marchand, questionner un marchand; **AUTRE VERBE:** marchander.

expression

• *Marchand de tapis:* qui a les manières d'un marchand oriental, qui marchande, négocie beaucoup.
• *Le marchand de sable est passé:* avoir sommeil; c'est l'heure de dormir.

marchandise

n. arrivage, article, assortiment, bazar, bien, boutique, bradeur, bradeuse, bric-à-brac, bricole, camelote, cargaison, cargo, catalogue, choix, colis, colporteur, colporteuse, commande, commerçant, commerçante, commerce, comptoir, consommateur, consommatrice, consommation, contrebande, débardeur, débit, denrée, détaillant, détaillante, échange, échantillon, écoulement, emballage, emplette, entreposage, entrepôt, escompte, étal, étalage, foire, fourniture, fret, grossiste, inventaire, kiosque, liquidation, livraison, magasin, manutention, marchand, marchande, marché, objet, pacotille, présentoir, prix, produit, prospectus, qualité, recel, réception, stand, stock, stockage, surchoix, trafic, transit, transport, troc, valeur, vendeur, vendeuse, vente, vitrine, vol.

adj. avariée, chère, confisquée, convoitée, dépareillée, endommagée, étiquetée, étrangère, exportée, falsifiée, garantie, hétéroclite, illégale, importée, légale, neuve, périssable, précieuse, préfabriquée, saisie, sèche, soldée, usagée, utile, vérifiée, volée.

v. SUJET: la marchandise arrive, coûte, procure, permet; **COMPL.:** acheter la marchandise, brader la marchandise, charger la marchandise, chiper la marchandise, colporter la marchandise, commander la marchandise, déballer la marchandise, décharger la marchandise, écouler la marchandise, emballer la marchandise, entreposer la marchandise, étaler la marchandise, étiqueter la marchandise, expédier la marchandise, exporter la marchandise, fabriquer la marchandise, facturer la marchandise, liquider la marchandise, livrer la marchandise, manipuler la marchandise, offrir la marchandise, solder la marchandise, stocker la marchandise, tenir de la marchandise, vendre la marchandise.

expression

• *Faire valoir la marchandise:* présenter les choses sous un jour favorable.

monnaie

n. argent, aumône, banque, banquier, banquière, billet, bourse, cent, chèque, contrefaçon, couronne, denier, devise, dinar, dirham, dollar, drachme, échange, écu, effigie, émission, escudo, espèce, euro, face, faussaire, faux-monnayeur, florin, franc, fraude, gourde, jeton, leu, lire, livre, mark, numismate, numismatique, or, peseta, peso, piastre, pièce, pile, portefeuille, porte-monnaie, pourboire, rouble, roupie, shilling, sou, tirelire, troc, unité, valeur, vide-poches, virement, yen.

adj. commune, électronique, étrangère, faible, fausse, forte, menue, petite.

v. SUJET: la monnaie circule, se collectionne, se déprécie, se dévalorise, se dévalue; **COMPL.:** adopter une monnaie, changer la monnaie, collectionner la monnaie, contrefaire la monnaie, faire la monnaie, frapper une monnaie, rendre la monnaie; **AUTRES VERBES:** acheter, monnayer, vendre.

expressions

• *C'est monnaie courante:* c'est chose fréquente, banale.

- *Faire de la monnaie:* échanger un billet, une pièce, contre l'équivalent en petites pièces, en petits billets.
- *Rendre la monnaie de sa pièce à quelqu'un:* lui rendre dent pour dent, user de représailles envers lui.
- *Servir de monnaie d'échange:* être utilisé comme moyen d'échange dans une négociation.

prix

n. achat, addition, appointements, argent, augmentation, baisse, calcul, chute, commission, concurrence, coût, coûtant, enchère, estimation, étiquette, évaluation, facture, hausse, inflation, marchandage, monnaie, montant, pourboire, rabais, réduction, remise, solde, somme, stabilité, tarif, tarification, taxe, total, valeur.

adj. abordable, abusif, affiché, annoncé, approximatif, avantageux, bas, compétitif, convenu, coupé, courant, coûtant, dérisoire, dernier, élevé, énorme, excessif, exorbitant, fabuleux, final, fixe, fou, horaire, inabordable, indexé, inestimable, inférieur, initial, juste, justifié, marqué, maximum, minimum, modéré, modique, net, normal, original, prohibitif, raisonnable, record, réduit, réel, régulier, révisé, spécial, supérieur, taxable, taxé, unitaire.

v. SUJET: le prix augmente, baisse, descend, fléchit, fluctue, grimpe, monte, tombe; COMPL.: abaisser le prix, attacher un prix, atteindre un prix, casser les prix, comparer les prix, convenir du prix, créditer le prix, débattre du prix, demander le prix, déterminer le prix, s'entendre sur un prix, faire un prix, fixer le prix, gonfler le prix, maintenir le prix, majorer le prix, marchander le prix, négocier le prix, payer le prix, réduire le prix, revenir à un prix, vendre à un prix; AUTRES VERBES: acheter, coter, coûter, déprécier, estimer, étiqueter, évaluer, renchérir, solder, valoir.

expressions............

- *À aucun prix:* en aucun cas.
- *À prix d'or:* très cher.

- *À tout prix:* coûte que coûte.
- *Ce n'est pas dans mes prix:* je ne peux pas me payer cela.
- *Chacun a son prix:* il ne faut pas rabaisser ni surestimer les gens à la légère.
- *Hors de prix:* trop élevé.
- *Mettre à prix la tête de quelqu'un:* promettre une récompense en argent à qui le capturera, le tuera.
- *Mettre à prix, mise à prix:* fixer le prix initial dans une vente aux enchères.
- *N'avoir pas de prix:* être de très grande valeur.
- *Prix défiant toute concurrence:* le meilleur prix possible.
- *Tout a un prix:* on peut tout acheter si on est prêt à y mettre le prix.

vente

n. acheteur, acheteuse, acquisition, argent, aubaine, bénéfice, braderie, bradeur, bradeuse, bric-à-brac, catalogue, choix, clause, client, cliente, commerce, consommateur, consommatrice, contrat, courtier, crédit, criée, crieur, détail, détaillant, distributrice, encan, enchère, étalage, facture, foire, grossiste, liquidation, livraison, magasin, marchandise, marché, paiement, présentoir, profit, promoteur, promotion, promotrice, prospectus, publicité, recette, réclame, remboursement, remise, représentant, représentante, revente, service, signature, solde, surenchère, transaction, troc, vendeur, vendeuse.

adj. colossale, considérable, continue, difficile, directe, illégale, interdite, itinérante, libre, profitable, prohibée, promotionnelle, régulière.

v. COMPL.: clore une vente, faire la vente, manquer une vente, mettre en vente, négocier une vente, promouvoir une vente, rater une vente, signer une vente; AUTRES VERBES: adjuger, brader, écouler, liquider, marchander, réclamer, revendre, solliciter, transiger, vendre.

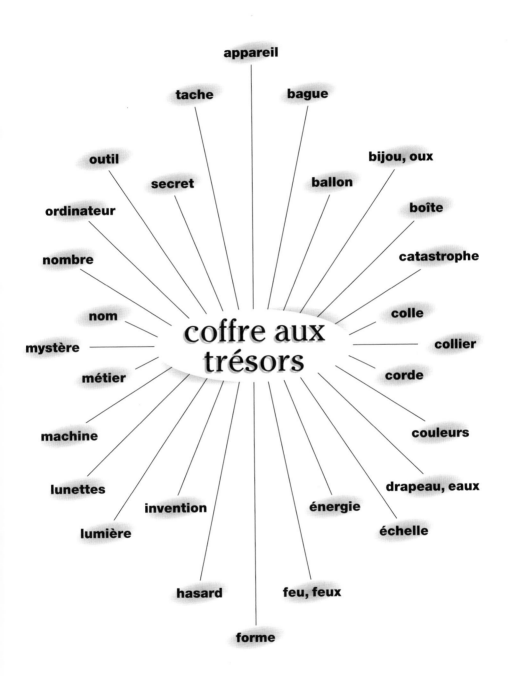

appareil

n. dispositif, engin, équipement, instrument, machine, objet, outil, système, ustensile.

adj. circulatoire, compliqué, efficace, électroménager, funèbre, guerrier, législatif, ménager, militaire, modeste, photographique, pulmonaire, reproducteur, respiratoire, sanitaire, simple, téléphonique.

v. SUJET : l'appareil démarre, fait défaut, s'emballe, gronde ; COMPL. : ajuster un appareil, apprécier un appareil, assembler un appareil, commander un appareil, construire un appareil, définir un appareil, entretenir un appareil, expliquer un appareil, inventer un appareil, porter un appareil, produire un appareil, vanter un appareil.

expression

• *Être dans son plus simple appareil :* être entièrement nu.

bague

n. agate, alliage, alliance, amour, anneau, annulaire, argent, bijou, bijouterie, bijoutier, bijoutière, camelote, chaton, chevalière, coffret, diamant, doigt, écrin, fiançailles, fiancé, joaillerie, joaillier, joaillière, jonc, joyau, mariage, métal, or, parure, pierre, prétendant, solitaire, toc, velours.

adj. brillante, ciselée, dispendieuse, dorée, étincelante, gravée, nuptiale, précieuse, rehaussée, sertie.

v. SUJET : une bague brille, chatoie, reluit ; COMPL. : acheter une bague, choisir une bague, échanger des bagues, monter en bague, offrir une bague, porter une bague, sertir une bague ; AUTRES VERBES : allier, baguer, enchâsser, se fiancer, se marier.

expression

• *Passer la bague au doigt :* épouser.

ballon

n. adversaire, air, avant-bras, balle, basketball, basketteur, baudruche, bond, boxeur, but, caoutchouc, champion, championnat, compétition, cuir, entraînement, équipe, exercice, filet, football, footballeur, gaz, handball, handballeur, hélium, jeu, joueur, main, match, panier, participant, partie, passe, peau, pied, plage, punching-ball, récréation, rugby, soccer, sphère, sport, stade, tête, tir, volley-ball, volleyeur, water-polo.

adj. captif, cousu, crevé, dégonflé, gonflable, gonflé, médicinal, multicolore, ovale, ovoïde, rebondissant, rond.

v. SUJET : un ballon descend, éclate, flotte, monte, rebondit, roule, survole ; COMPL. : arrêter le ballon, botter un ballon, bloquer un ballon, crever un ballon, dégonfler un ballon, esquiver le ballon, frapper un ballon, gonfler un ballon, jouer au ballon, lancer un ballon, passer le ballon, perforer le ballon, recevoir le ballon, retourner un ballon ; AUTRES VERBES : dribbler, marquer.

bijou, oux

n. agate, aigue-marine, alliage, alliance, améthyste, anneau, argent, art, assurance, bague, bijouterie, bijoutier, bijoutière, boucle d'oreille, bracelet, bracelet-montre, breloque, broche, camée, camelote, carat, chaîne, chaînette, chatoiement, chef-d'œuvre, coffre-fort, coffret, collier, corail, cou, couronne, croix, cuivre, diadème, diamant, doigt, écrin, émail, émeraude, épingle, fantaisie, faux, fermoir, filigrane, gemme, gemmologie, gemmologiste, gourmette, imitation, jade, joaillerie, joaillier, joaillière, jonc, joyau, lapidaire, legs, main, médaillon, montre, nacre, or, oreille, orfèvre, orfèvrerie, ornement, parure, pendeloque, pendentif, perle, pierre, pierreries, pirate, poignet, recel, richesse, rubis, saphir, testament, toc, topaze, verre.

adj. ancien, chatoyant, criard, délicat, démodé, dépoli, discret, doré, éclatant, épinglé, faux, gravé, massif, ouvragé, plaqué, platine, précieux, scintillant, seyant, somptueux, terni, voyant, vrai.

v. SUJET: un bijou brille, orne, pare, reluit, scintille, ternit; **COMPL.:** assurer un bijou, ciseler un bijou, couvrir de bijoux, fabriquer un bijou, faire briller un bijou, léguer un bijou, monter un bijou, polir un bijou, porter un bijou, redorer un bijou, sertir un bijou, voler un bijou; **AUTRES VERBES:** dépouiller, hériter, se parer, tailler.

boîte

n. aliment, allumette, argent, bijou, bois, boîtier, bonbonnière, cadeau, cageot, carton, case, casier, caisse, caisson, carton, cartouche, cercueil, chapeau, charnière, chaussure, chocolat, classement, clé, coffre, coffret, colis, compartiment, conserve, conservation, contenant, contenu, côté, couvercle, cube, déménagement, derrière, dessous, dessus, devant, dimension, dos, écrin, emballage, empaquetage, entreposage, enveloppe, étui, face, fer, fermeture, fond, forme, gant, gâteau, grosseur, habitacle, haut, ivoire, jouet, lait, lettre, marchandise, médicament, métal, nourriture, objet, or, outil, ouvre-boîte, paquet, paroi, pilule, plastique, polyester, rangement, réceptacle, récipient, réserve, série, serrure, stock, surprise, tabatière, taille, teneur, tonnage, transport, trousse, volume.

adj. abîmée, argentée, belle, carrée, cartonnée, clouée, colorée, cylindrique, déballée, décorée, déformée, difforme, écrasée, emballée, entamée, fermée, finie, fragile, garnie, grande, grosse, haute, jolie, large, légère, lourde, métallique, minuscule, musicale, nacrée, neuve, ouverte, peinte, petite, pleine, recyclée, remplie, ronde, scellée, sculptée, transportable, triangulaire, usagée, vide, vieille.

v. COMPL.: accumuler des boîtes, bricoler une boîte, charger des boîtes, conserver en boîte, conserver dans une boîte, déballer une boîte, décharger des boîtes, décorer une boîte, déménager des boîtes, déplacer une boîte, emballer une boîte, empiler des boîtes, entreposer des boîtes, expédier une boîte, fabriquer une boîte, fermer une boîte, finir la boîte, jeter la boîte, mettre en boîte, mettre dans une boîte, monter une boîte, ouvrir une boîte, placer dans une boîte, ranger des boîtes, ranger dans une boîte, remplir une boîte, recycler une boîte, transporter des boîtes, transporter dans une boîte, utiliser une boîte, vider la boîte.

expressions

- *Aller en boîte:* aller dans une discothèque, aller danser.
- *Boîte de jazz:* bar où l'on écoute du jazz.
- *Boîte de nuit ou boîte:* discothèque, bar.
- *Boîte de Pandore:* source de malheur, de problèmes, de mauvaises surprises.
- *Boîte noire:* appareil enregistreur (notamment à bord des avions) qui permet de connaître les conditions ou le déroulement d'un trajet, les circonstances d'un accident, etc.
- *Boîte à rythmes:* instrument de musique électronique contenant des sons de batterie et de percussions.
- *Boîte crânienne:* partie du crâne contenant l'encéphale.
- *Boîte à ordures:* poubelle.
- *Boîte aux lettres:* boîte destinée à recevoir le courrier.
- *Servir de boîte aux lettres:* servir d'intermédiaire, de relais entre deux ou plusieurs individus.
- *Boîte à idées:* boîte destinée à recevoir des suggestions.
- *Boîte à malice:* ensemble des moyens secrets, des ruses dont dispose une personne.
- *Boîte à musique:* boîte dans laquelle un mécanisme permet de reproduire des mélodies, généralement chaque fois que l'on ouvre la boîte.
- *Boîte postale:* boîte aux lettres réservée à un particulier à l'intérieur d'un bureau de poste.
- *Boîte à gants:* petit compartiment à la portée du conducteur, dans une automobile, où l'on peut ranger de petits objets.

- *Boîte à images* : télévision.
- *Boîte de direction* : emplacement des commandes de direction d'une voiture.
- *Boîte de vitesses* : emplacement des commandes de changement de vitesse d'une voiture.
- *C'est dans la boîte* : c'est filmé (cinéma).
- *Changer de boîte, quitter sa boîte* : changer de lieu de travail, quitter son entreprise.
- *Des boîtes* : aliments, nourriture en boîtes de conserve.
- *Mettre quelqu'un en boîte* : se moquer de quelqu'un, plaisanter.

catastrophe

n. abois, accablement, accident, actualités, adversité, ampleur, amplitude, attaque, avance, blessures, bouleversement, calamité, cataclysme, chute de météorite, circonstance, conséquences, consternation, coup, coup dur, cours des événements, danger, désastre, désespoir, désolation, destruction, détriment, déversement, difficulté, dispositifs de sécurité, dommages, drame, effondrement, épidémie, épreuve, éruption volcanique, événement, famine, fléau, force, incident, information, lamentations, malheur, mort, nouvelles, péripétie, pertes, perturbation, pollution, raz de marée, revers, révolution, ruine, sinistre, sort, souffrances, temps dur, terreur, tornade, tragédie, vicissitudes, victime, violence.

adj. accablante, aérienne, affreuse, atroce, bouleversante, brusque, brutale, cauchemardesque, collective, considérable, critique, cruelle, décisive, décourageante, déplorable, dérangeante, désagréable, désastreuse, désespérante, désolante, dommageable, douloureuse, dramatique, écologique, économique, écrasante, effroyable, énorme, épouvantable, éprouvée, étendue, extraordinaire, fâcheuse, fatale, ferroviaire, financière, funeste, géante, gênante, grave, horrible, humaine, inattendue, inévitable, infernale,

inopportune, inoubliable, intense, irréparable, lamentable, maritime, marquante, matérielle, mauvaise, mémorable, minière, mortelle, nationale, naturelle, néfaste, pathétique, pénible, planétaire, polluante, redoutable, régionale, ruineuse, sanglante, terrible, terrifiante, tragique, traumatisante, triste, violente.

v. SUJET : une catastrophe arrive, épouvante, se produit, survient ; COMPL. : annoncer une catastrophe, anticiper une catastrophe, déclencher une catastrophe, disparaître dans une catastrophe, échapper à une catastrophe, envisager la catastrophe, mourir dans une catastrophe, périr dans une catastrophe, prédire une catastrophe, prévoir la catastrophe, provoquer une catastrophe, réchapper à une ca-tastrophe, se préparer à une catastrophe.

expressions

- *Arriver en catastrophe* : arriver à la dernière minute.
- *Avoir frôlé la catastrophe* : avoir échappé de peu à une catastrophe.
- *Se terminer en catastrophe* : finir très rapidement, de manière gâchée.
- *Catastrophe ! j'ai oublié ma clef* : malheur.
- *C'est une catastrophe ambulante* : c'est quelqu'un de très maladroit.
- *Cette pièce de théâtre est une catastrophe* : cette pièce est mauvaise.
- *Courir à la catastrophe* : être en voie de provoquer ou de causer un désastre.
- *Friser la catastrophe* : être très près de produire un désastre ; s'en approcher de très près.

colle

n. adhérence, adhésif, affiche, ajustement, assemblage, autocollant, bâton, bricolage, bois, ciment, collage, débris, dissolvant, durable, école, effet, encollage, enduit, ensemble, fabrication, fragment, feuille, fixatif, fourniture, glu, gomme, image, lien, mastic, matériel, matière, mélange, morceau, mur, odeur, papier, pinceau, poix, pot, préparation, réparation, réunion, ruban, scolaire, séchage, solvant, substance, surface, tube.

adj. animale, bonne, extra-forte, forte, gluante, visqueuse, liquide, minérale, naturelle, synthétique, pâteuse, dissoute, blanche, végétale, industrielle, sèche, séchée.

v. SUJET: la colle fond, sèche; **COMPL.:** badigeonner de colle, enduire de colle, mettre de la colle, mettre un point de colle; **AUTRES VERBES:** coller, encoller, recoller.

expressions..

• *Avoir une colle:* être retenu en punition en dehors des heures de classe.

• *C'est de la vraie colle:* matière gluante, visqueuse, qui adhère; matière qui ressemble à de la colle.

• *Colle à bois:* colle destinée à coller le bois.

• *Colle contact:* colle qui adhère immédiatement, dès qu'elle est en contact avec une surface.

• *Enduit à la colle:* préparation qui contient de la colle; apprêt.

• *Peinture à la colle:* peinture à laquelle on a ajouté de la colle pour mieux fixer les couleurs.

• *Poser une colle:* poser une question difficile, embarrassante, qui exige des connaissances ou de l'astuce.

• *Un pot de colle:* une personne dont on ne peut se débarrasser, que l'on a du mal à éloigner de soi.

collier

n. ambre, amulette, argent, artisanat, assemblage, attache, bijou, bijouterie, bijoutier, bijoutière, boîte, breloque, brillant, cadeau, camée, carcan, cassette, cercle, chaîne, chaînette, charme, chien, ciselage, cœur, coffret, coquillage, copie, corail, corde, cou, couleur, courroie, créateur, création, croix, cuir, diamant, dorure, écrin, émail, enfilage, fantaisie, faux, femme, fermoir, fil, fille, fleur, garçon, gemme, grelot, homme, ivoire,

jeu, joaillerie, joaillier, joaillière, jouet, joyau, laisse, médaille, médaillon, métal, mode, or, orfèvre, orfèvrerie, parure, pendentif, perle, pierreries, plaqué, placage, plastique, platine, plume, poil, porte-bonheur, ruban, sertissage, toc, valeur, verroterie.

adj. argenté, ancien, antique, beau, cher, clouté, court, doré, étincelant, féminin, joli, long, magnifique, métallique, mignon, neuf, nouveau, original, petit, précieux, ras, serré, tombant, vieux.

v. COMPL.: acheter un collier, adorer les colliers, aimer les colliers, attacher un collier, défaire un collier, détacher un collier, fabriquer un collier, (se) faire un collier, mettre un collier, offrir un collier, porter un collier, vendre un collier.

expressions..

• *À plein collier:* sans ménager ses efforts.

• *Collier de Vénus:* légers sillons, marques circulaires de la peau que certaines personnes ont dans le cou.

• *Collier de barbe ou barbe en collier:* courte barbe taillée régulièrement qui va d'une tempe à l'autre.

• *Collier (chez un animal):* poils ou plumes du cou de couleur différente du reste du pelage ou du plumage.

• *Collier:* cercle de métal qui entoure le cou d'un prisonnier ou, autrefois, d'un esclave; carcan.

• *Donner un coup de collier:* fournir un effort intense et momentané.

• *Être franc du collier:* agir franchement.

• *Reprendre le collier:* se remettre au travail.

corde

n. acier, agrès, alpinisme, amarre, anneau, arc, attache, balançoire, bois, bout, boyau, brin, câble, ceinture, collier, cou, cordage, cordée, cordelette, corderie, cordon, crin, échelle, extrémité, ficelle, fibre, fil, filet, fouet, funambule, garrot, laisse, lasso, licou, lien, ligature, ligne, limite, longueur, montagne, nœud, nylon, pendaison, pendu, potence, rappel, raquette, rigidité, ring, tension, tresse.

adj. abîmée, bonne, coupée, courte, épaisse, fine, grosse, lâche, lisse, longue, mauvaise, métallique, petite, résistante, rompue, serrée, solide, souple, synthétique, tendue, tressée.

v. COMPL.: accrocher une corde, (s') attacher avec de la corde, bander une corde, couper une corde, danser sur une corde, défaire une corde, dénouer une corde, détortiller une corde, détordre une corde, enrouler une corde, grimper à la corde, marcher sur une corde, nouer une corde, raccourcir une corde, rompre une corde, sauter à la corde, tendre une corde, tresser une corde, utiliser une corde; **AUTRES VERBES:** accrocher, attacher, corder, (se) décorder, étendre, ficeler, lier, ligoter, pendre, s'encorder, suspendre, tirer.

expressions

- *Avoir plusieurs cordes à son arc:* ne pas manquer de ressources pour réagir ou faire face à une situation.
- *Se mettre la corde au cou:* se mettre dans une situation de dépendance; se marier.
- *Ce n'est pas dans mes cordes:* ce n'est pas de ma compétence.
- *Une corde de bois:* volume de bois équivalant à quatre stères.
- *Corde à sauter:* corde souvent munie de poignées utilisée pour le jeu ou l'entraînement.
- *Cordes vocales:* membranes de l'organe supérieur de la phonation.
- *Être sur la corde raide:* être dans une situation délicate.
- *Il tombe des cordes:* il pleut très fort, à verse.
- *Instrument à cordes pincées* (*exemple:* guitare), *frappées* (*exemple:* piano), *frottées* (*exemple:* violon).
- *La corde sensible:* ce qui est vulnérable, fragile chez une personne.
- *Les cordes:* section des instruments à cordes d'un orchestre symphonique.

- *Les cordes:* enceinte d'un ring de boxe.
- *Mériter la corde:* mériter d'être pendu.
- *Prendre un virage à la corde:* prendre un tournant de façon très serrée, au plus court.
- *Semelle de corde:* semelle faite de cordes repliées et cousues.
- *Tirer sur la corde:* abuser d'une situation, de la patience de quelqu'un; exagérer.
- *Usé jusqu'à la corde:* qui a été très utilisé, usé.

couleurs*

* Les lettres entre parenthèses renvoient le lecteur à une couleur plus connue:
b = blanc; bi = beige; bl = bleu, br = brun; g = gris; j = jaune; n = noir; o = orangé; r = rouge; rs = rose; v = vert; vi = violet.

n. abricot (o), acajou (br), albâtre (b), alezan (br), aquarelle, ardoise (bl-g), argent, aubergine (vi), auburn (br), aurore (rs), avoine (b-j), azur (bl), balais (r), banane (j), basané (br), beige, beurre frais (j), blanc, bleu, blond (j), bordeaux (r), bronze (br), caca d'oie (br), cachou (br-r), café au lait (br), canari (j), cannelle (r), capucine (o), caramel (br), carmélite (br), carmin (r), carotte (o), caviar (n), chair (rs), chamois (j), champagne (b-j), chocolat (br), ciel (bl), citron (j), colorant, coloration, coloriage, coloris, coquelicot (r), corail (r), corbeau (n), cramoisi (r), crayon, crème (b), cuivre (r), ébène (n), écarlate (r), écrevisse (r), émail, émeraude (v), encre (n), épinard (v), fard, fauve (o), feu (o), feuille morte (br), fraise (r), géranium (r-o), gorge de pigeon (rs), gouache, grenat (r), gris, groseille (r), indigo (bl), ivoire (b), jade (v), jaune, jonquille (j), kaki (br), lavande (bl), lilas (vi), maïs (j), maquillage, marron (br), mastic (g), mauve (vi), mer (bl), miel (j), moutarde (j), muraille (g), noir, noisette (br), nuance, nuit (g-n), opalin (b-be), or (j), orange (o), orangé, outremer (bl), paille (j), pain brûlé (br), pastel, pêche (rs), peinture, pelure d'oignon (rs-o), pers (bl-v), pigmentation, pinceau, platine (b), plomb (g), pourpre (r), poussin (j), prune (vi), puce (br), rose, rouge, rouille (br), roux (br), rubis (r), sable (bi), safran (j), sang (r), saumon (rs), serin (j), souris (g), spectre, tabac (br), tango (o), teint, teinte, teinture, thé (j), tilleul (v), tomate (r), ton, tourterelle (g), turquoise (bl), vermeil (r), vert, violet, zinc (b-g).

adj. affaiblie, ambrée (j), ardente, argentée, artificielle, basanée (br), blanchâtre (b), blanche, blême (b), bleue, blonde (j), brillante, carnée (rs), cendrée, cendreuse, changeante, châtain (br), chaude, choquante, cireuse, claire, composée, criarde, crue, cuivrée (r), dégradée, délavée, dorée (j), éclatante, fanée, fausse, fluorescente, foncée, fondamentale, fraîche, franche, gaie, glauque (v), grise, imprécise, indéfinissable, jaune, lactée (b), laiteuse (b), légère (b), marine (bl), matte, nacrée (b), naturelle, neigeuse (b), nette, neutre, noircie, noire, obscure, orangée, pâle, passée, pastelle, pesante, pigmentée, platinée (b), plombée (g), poussée, primaire, principale, rompue, rose, rouge, sale, sanglante (r), secondaire, simple, sombre, tannée (br), teintée, tendre, terne, terreuse (br), tranchée, triste, unie, verte, violette, vive, voyante.

v. SUJET: une couleur adoucit, amortit, atténue, avive, embellit, enrichit, illumine, nuance, pigmente, ranime, rehausse, relève, renforce, teint; **COMPL.:** affaiblir une couleur, aimer la couleur, apparenter les couleurs, appliquer les couleurs, avoir des couleurs, barioler de couleurs, combiner les couleurs, coucher les couleurs, diluer les couleurs, éclaircir une couleur, étaler la couleur, foncer une couleur, marier les couleurs, mélanger les couleurs, mixer les couleurs, peindre en couleurs, prendre de la couleur, préparer les couleurs, remuer les couleurs;

AUTRES VERBES: maquiller, peindre, peinturer, teindre, teinter.

expressions

• *Annoncer la couleur:* faire connaître ses intentions.

• *Changer de couleur:* sous l'effet de l'émotion.

• *Couleur locale:* ensemble des traits caractérisant les personnes et les choses dans un lieu et un temps donnés.

• *Donner de la couleur à quelque chose:* la rendre vivante.

• *En dire de toutes les couleurs sur quelqu'un:* dire plein de choses sur quelqu'un.

• *En faire voir à quelqu'un de toutes les couleurs:* lui faire subir toutes sortes d'épreuves.

• *Exposer quelque chose sous de fausses couleurs:* ne pas décrire exactement quelque chose.

• *Faire de la couleur:* de la photo, du cinéma.

• *Juger d'une chose comme un aveugle des couleurs:* se borner à, se limiter à.

• *L'affaire prend couleur:* on commence à discerner la tournure qu'elle va prendre.

• *La couleur de quelque chose:* son apparence.

• *Marchand de couleurs:* pharmacien.

• *Peindre à pleine couleur:* peindre avec un pinceau chargé en couleur.

• *Peindre quelque chose sous les plus vives couleurs:* avec force, avec vérité, avec vie.

• *Quelqu'un haut en couleur:* qui a le teint très coloré ou qui est vif.

• *Reprendre des couleurs:* avoir un meilleur teint.

drapeau, eaux

n. apparat, armée, arrivée, banderole, bannière, emblème, cortège, couleur, course, départ, drap, ennemi, enseigne, étendard, fanion, fête, guerre, hampe, honneur, mât, militaire, nation, officiel, paix, pavillon, patrie, pays, politique, porte-étendard, présentation, régiment, signal, signe, symbole, troupe.

adj. battant, beau, déchiré, flottant, grand, joli, national, parlementaire, petit, symbolique, troué, vieux.

v. COMPL. : abaisser un drapeau, agiter un drapeau, arborer un drapeau, conquérir un drapeau, déployer un drapeau, garnir de drapeaux, hisser un drapeau, planter un drapeau, plier un drapeau, porter un drapeau, prendre un drapeau, présenter le drapeau, répudier son drapeau, saluer le drapeau.

expressions

- *Drapeau en berne :* drapeau non déployé, roulé.
- *Drapeau rouge :* emblème révolutionnaire.
- *Drapeau blanc :* signal qui indique que l'on veut parlementer ou capituler.
- *Être sous les drapeaux :* appartenir à l'armée ; accomplir son service militaire.
- *Mettre son drapeau dans sa poche :* dissimuler ses opinions.
- *Planter un drapeau :* partir sans payer.
- *Porter le drapeau :* être le premier à soutenir une opinion.
- *Se ranger sous le drapeau :* se rallier à un parti.

échelle

n. accès, barreau, bras, corde, degré, échelon, élévation, escabeau, escalier, fenêtre, fer, hauteur, incendie, marche, marchepied, métal, montant, mur, pied, pompier, pompière, réparation, sauvetage, sommet, travaux.

adj. branlante, bonne, coulissante, double, extérieure, fixe, grande, mauvaise, métallique, mobile, pliante, scellée, transportable.

v. COMPL. : accrocher une échelle, appuyer une échelle, attraper une échelle, dérouler une échelle, descendre d'une échelle, dresser une échelle, enrouler une échelle, escalader une échelle, grimper à l'échelle, monter à l'échelle, monter sur une échelle, plier une échelle, retirer une échelle, tenir une échelle, tomber d'une échelle ; AUTRES VERBES : atteindre, grimper, franchir.

expressions

- *Échelle de corde :* échelle dont les montants sont en corde.
- *Échelle de potence :* échelle sur laquelle montaient les condamnés qui devaient être pendus.
- *Échelle d'incendie :* échelle à plusieurs plans coulissants.
- *Échelle de meunier :* escalier rustique, sans contremarches.
- *Faire la courte échelle à quelqu'un :* soulever quelqu'un en lui offrant ses mains et ses épaules comme points d'appui.
- *Il n'y a plus qu'à tirer l'échelle :* il est impossible de faire mieux, ou de faire pire.

énergie

n. acier, ardeur, athlète, athlétisme, brutalité, colère, consistance, consolidation, degré, dureté, dynamisme, dynamitage, dynamite, dynamo, efficacité, élan, emportement, entêtement, entrain, fer, fermeté, force, fougue, hercule, intensification, intensité, muscle, paroxysme, poigne, pouvoir, puissance, raffermissement, reconstituant, renforcement, renfort, résistance, robustesse, solidité, tonifiant, tonique, véhémence, vigueur, violence, violent, virulence, vitalité, volonté.

adj. athlétique, brutale, consistante, déchaînée, dure, dynamique, emportée, ferme, forte, fougueuse, herculéenne, imbattable, impétueuse, increvable, indomptable, indomptée, infatigable, inflexible, intense, intensive, invaincue, invincible, irrésistible, musclée, passionnée, physique, puissante, râblée, raffermie, reconstituante, renforcée, résistante, robuste, solide, tonifiante, véhémente, vigoureuse, violente, virulente, vitale.

v. SUJET: l'énergie éclaire, réchauffe, revitalise, tonifie; COMPL.: accentuer l'énergie, concentrer l'énergie, déployer de l'énergie, épuiser son énergie, exiger de l'énergie, intensifier son énergie, manquer d'énergie, perdre de l'énergie.

feu, feux

n. allumette, ardeur, artifice, astre, âtre, bois, braise, brasier, brindille, brique, briquet, brûlure, calorie, calorifère, camp, canicule, chaleur, charbon, chauffage, chauffe-eau, chaufferie, cheminée, circulation, citerne, combustion, contre-feu, cuisson, danger, dégagement, degré, destruction, éclair, éclairage, effervescence, émission, extincteur, flambeau, flambée, flamme, fournaise, foyer, frayeur, fumée, gaz, herbe, incandescence, incendie, lampe, lave, lumière, pétarade, pétard, phare, pompier, pompière, pyrographe, pyrograveur, pyromane, pyromanie, pyrotechnie, rayon, rayonnement, réflexion, réverbération, réverbère, signal, suffocation, température, thermomètre, thermopompe, tiédeur, tison, tisonnier tropique.

adj. accablant, agonisant, agréable, allumé, ardent, aride, brûlant, calorifique, chaud, clair, clignotant, cuisant, dangereux, destructeur, dévorant, doux, effervescent, effrayant, élémentaire, élevé, embrasé, entretenu, éteint, étouffant, faible, fort, gros, grand, haut, incandescent, insondable, intense, isolé, latent, lumineux, maigre, mort, mourant, pyrotechnique, rayonnant, rouge, scintillant, sec, sérieux, spécifique, suffocant, tempéré, thermique, thermonucléaire, tiède, timide, torride, tropical.

v. SUJET: le feu agonise, s'allume, attaque, se calme, chauffe, consume, couvre, crépite, danse, éclaire, effraie, s'éteint, flambe, meurt, pétille, se propage, ravage, refroidit, saccage, scintille, surgit; COMPL.: allumer un feu, animer un feu, craindre le feu, entretenir un feu, éteindre un feu, faire un feu, mettre le feu, redouter le feu, signaler un feu, souffler sur le feu; AUTRES VERBES: brûler, incendier, suffoquer, tisonner.

expressions

- *Avoir le feu au derrière:* se précipiter, être pressé.
- *Avoir le feu sacré:* avoir l'enthousiasme.
- *Donner le feu vert:* donner l'autorisation, la permission.
- *Être entre deux feux:* se trouver entre deux dangers aussi menaçants l'un que l'autre.
- *Être tout feu tout flamme:* être enthousiaste et confiant.
- *Faire mourir à petit feu:* faire mourir lentement et cruellement.
- *Feu de paille:* ce qui est violent et passager.
- *Il n'y a pas le feu:* soyez patients.
- *Jouer avec le feu:* prendre un danger à la légère.
- *Mettre le feu aux poudres:* entraîner des réactions violentes.
- *Ne pas faire long feu:* ne pas durer longtemps.

forme

n. agencement, allure, angle, apparence, arête, aspect, bosse, carré, catégorie, cercle, contour, corps, courbe, déformation, dimension, ensemble, étalon, étoile, extérieur, face, figure, gabarit, galbe, géométrie, intérieur, ligne, limite, losange, métamorphose, modèle, moule, nature, objet, organisation, ovale, partie, polymorphe, proportion, rectangle, régularité, relief, réplique, ressemblance, rond, série, silhouette, spirale, structure, style, symétrie, transformation, trapèze, tri, triangle, type, variété, visage.

adj. acérée, allongée, arrondie, asymétrique, biscornue, bizarre, bombée, carrée, circulaire, concave, conique, convexe, cristalline, cubique, droite, enveloppée, fuselée, irrégulière, longue, mince, naturelle, originale, ovale, pointue, pyramidale, rectangulaire, régulière, simple, sphérique, symétrique, triangulaire.

v. COMPL. : acquérir une forme, affecter une forme, ajuster une forme, agencer une forme, changer de forme, découper une forme, découvrir une forme, dessiner une forme, épouser la forme, modeler une forme, présenter une forme, reconnaître une forme, reproduire une forme, souligner une forme ; AUTRES VERBES : former, déformer.

expressions

• *En bonne et due forme :* selon les règles, les lois.

• *Être en forme, en pleine forme :* se sentir bien, être en bonne condition morale ou physique.

• *En forme de :* avoir l'aspect de.

• *Ne pas avoir, tenir la forme :* se sentir mal, fatigué.

• *Pour la forme :* par simple formalité, sans y attacher une grande importance.

• *Prendre forme :* commencer à avoir une forme reconnaissable, naître.

• *Prendre la forme de :* devenir semblable ; ressembler.

• *Y mettre les formes :* prendre des précautions, dire quelque chose avec délicatesse.

hasard

n. accident, aléa, aléatoire, chance, circonstance, coïncidence, concours, coup, danger, dé, déveine, enjeu, événement, fatalité, fortune, gagnant, gagnante, gain, imprévu, jeu, joueur, joueuse, loterie, malchance, occasion, pari, perdant, perdante, péril, perte, probabilité, risque, roulette, sort, suite, veine.

adj. curieux, drôle, étrange, fabuleux, favorable, heureux, incroyable, malheureux, maudit, obscur, pur.

v. COMPL. : (s') abandonner au hasard, aller au hasard, s'aventurer au hasard, deviner au hasard, juger au hasard, livrer au hasard, piger au hasard, répondre au hasard, s'en remettre au hasard, tenter le hasard, tirer au hasard ; AUTRES VERBES : hasarder, parier, risquer.

expressions

• *Au hasard :* sans direction précise, n'importe où ou de n'importe quelle manière.

• *À tout hasard :* en prévision d'un événement possible ; quoiqu'il arrive.

• *Par le plus grand des hasards :* d'une manière tout à fait imprévisible.

• *Arriver par hasard :* à l'improviste, en passant par là.

• *Quel hasard ! :* quelle coïncidence !

• *C'est un pur hasard :* rien n'était calculé, prémédité.

• *Ce n'est pas un hasard si... :* ça devait arriver.

• *Jeu de hasard :* jeu où n'intervient ni le calcul ni l'habileté du joueur.

• *Le hasard fait bien les choses :* ça tombe bien.

• *Ne rien laisser au hasard :* tout organiser.

invention

n. avancement, changement, création, découverte, expérience, fantaisie, fiction, idée, imagination, innovation, inspiration, instrument, inventivité, machine, méthode, nouveauté, progrès, technique, trouvaille.

adj. belle, électronique, géniale, grande, humaine, imaginative, imprévue, ingénieuse, moderne, musicale, progressive, rapide, riche, systématique, triste, utile.

v. COMPL. : avoir une invention, breveter une invention, concevoir une invention, créer une invention, découvrir une invention, dénicher une invention, déposer une invention, déterrer une invention, imaginer une invention, manquer d'invention, présenter une invention, témoigner de l'invention, trouver une invention.

expressions

• *De son invention :* de sa façon.

• *Encore une histoire de son invention :* une histoire inventée et présentée pour vraie, un mensonge.

- *Être à court d'invention:* manquer d'inspiration, d'imagination.
- *Être de l'invention de quelqu'un:* être inventé, trouvé par quelqu'un.

lumière

n. appareil, aube, aurore, bougie, chandelier, chandelle, cierge, clarté, crépuscule, éblouissement, éclair, éclairage, éclaircie, éclat, effet, électricité, étincelle, faisceau, feu, flambeau, flamboiement, flamme, fluorescence, fréquence, halo, illumination, jet, jeu, jour, lampe, laser (angl.), lueur, lumignon, luminaire, luminosité, mèche, miroir, miroitement, obscurité, phosphore, phosphorescence, photomètre, prisme, radiation, rayon, réflecteur, reflet, réflexion, scintillant, scintillement, source, spectre, splendeur, spot, suspension, tache, torche, traînée, veilleuse.

adj. adoucie, affaiblie, agressive, argentée, artificielle, attirante, aveuglante, blafarde, blanche, blême, bleutée, brillante, brutale, calme, caressante, cendrée, chatoyante, chaude, cramoisie, cristalline, crue, diaphane, diffuse, directe, dorée, douce, dure, éblouissante, éclatante, égale, électrique, épaisse, étincelante, faible, fausse, flamboyante, fluorescente, froide, fulgurante, glauque, glorieuse, grise, indirecte, intense, jaune, laiteuse, livide, lugubre, lumineuse, lustrée, miroitante, miroitée, moirée, naturelle, noire, pâle, parcimonieuse, pénétrante, phosphorescente, pure, rayonnante, réfléchie, réfléchissante, resplendissante, rose, rosée, rouge, rougeâtre, rutilante, scintillante, sèche, solaire, tamisée, tendre, terne, tombante, tragique, tranquille, translucide, transparente, tremblante, tremblotante, triomphante, vacillante, vague, verte, violente, vivante, vive, voilée.

v. SUJET: la lumière agonise, aveugle, brille, circule, clignote, décline, disparaît, éblouit, s'en va, erre, filtre, flamboie, fléchit, glisse, illumine, inonde, jaillit, luit, meurt, miroite, naît, perce, pointe, projette, rayonne, réfléchit, reflète, resplendit, revient, scintille, tombe, tremble, tremblote; COMPL.: allumer la lumière, baigner de lumière, baisser la lumière, éteindre la lumière, fermer la lumière, produire de la lumière, répandre la lumière, tamiser la lumière; AUTRE VERBE: éclairer.

expression...

- *Faire toute la lumière:* trouver les explications nécessaires.

lunettes

n. binocle, jumelles, lentille, lentilles cornéennes, longue-vue, lorgnette, lorgnon, loupe, lunette d'approche, microscope, monocle, monture, pince-nez, télescope, verre grossissant, verre, verre de contact.

adj. anti-reflets, bifocales, correctrices, démodées, fumées, grosses, incassables, nouvelles, optiques, petites, rondes, teintées, vieilles.

v. SUJET: des lunettes accentuent, agrandissent, améliorent, assombrissent, corrigent, éclaircissent, éclairent, grossissent, noircissent, permettent, protègent; COMPL.: acheter des lunettes, casser des lunettes, chercher des lunettes, corriger des lunettes, emprunter des lunettes, mettre des lunettes, perdre des lunettes, porter des lunettes, regarder des lunettes, tordre des lunettes, trouver des lunettes.

expression...

- *Mettez vos lunettes:* regardez plus attentivement.

machine

n. appareil, ascenseur, automobile, axe, balancier, balayeuse, barre, bascule, batteuse, bétonnière, bielle, bouton, bras, brocheuse, broyeur, broyeuse, bulldozer, calculateur, calculatrice, cardan, carter, chaîne, chaise, chariot, catapulte, centrifugeuse, charpente, châssis, chemise, cireuse, cisaille, clapet, collier, climatiseur, concasseur, condensateur, courroie, coussinet, crémaillère, cric, cuissard, culasse, cylindre, distributeur, ébarbeuse, écrémeuse, engin, engrenage, excavateur, frein, galet, génératrice, goudronneuse, grue, hélice, horloge, humidificateur, imprimante, instrument, laveuse, lave-vaisselle, locomotive, machine-outil, machinerie, machiniste, malaxeur, manette, manivelle, marteau-pilon, mécanique, mécanisme, métier, mixeur, monte-charge, montre, moteur, moulin, ordinateur, palier, perceuse, photocopieur, pignon, piston, plateau, plieuse, pompe, ponceuse, poulie, presse, propulseur, régulateur, ressort, réveil, robinet, rouage, roue, scie, sécheuse, semelle, sonnette, souffleuse, soupape, tambour, télécopieur, tige, tondeuse, tracteur, treuil, tringle, tube, turbine, tuyau, valve, ventilateur.

adj. agricole, artificielle, automatique, belle, chimique, complexe, déréglée, désajustée, destructrice, détraquée, électrique, électronique, essentielle, fabriquée, fonctionnelle, forgée, génératrice, géniale, graissée, grande, humaine, hydraulique, infernale, ingénieuse, magnétique, mélodique, moderne, musicale, nouvelle, pneumatique, pratique, réceptrice, spécifique, utile, véritable.

v. SUJET: la machine affûte, aiguise, assemble, avance, balaie (balaye), bétonne, bouge, broie, casse, charge, cire, concasse, construit, creuse, décape, décolle, écrème, emmagasine, envoie, étire, fend, fore, frotte, goudronne, imprime, lave, lustre, moud, ouvre, peint, perce, perfore, pétrit, plie, poinçonne, pompe, pousse, recule, monte, descend, remplit, repasse, repique, rince, scie, sèche, sonne, souffle, tire, tord, tourne, tranche, transporte, tricote, vérifie, visse; **COMPL.:** acheter la machine, ajuster la machine, astiquer la machine, automatiser la machine, breveter la machine, concevoir la machine, construire la machine, créer la machine, découvrir la machine, démonter la machine, déposer la machine, désajuster la machine, entretenir la machine, fabriquer la machine, frotter la machine, graisser la machine, huiler la machine, imaginer la

machine, inventer la machine, monter la machine, présenter la machine, ranger la machine, régler la machine, trouver la machine, vérifier la machine, visser la machine.

expressions
- *Machine à sous:* appareil où l'on peut gagner des pièces de monnaie.
- *C'est une machine:* se dit d'une personne qui peut travailler sans cesse.

métier

n. antiquaire, apprenti, apprentie, art, artisan, artisane, atelier, avantage, boulanger, boulangère, boulot, collègue, commerçant, commerçante, commerce, compagnie, compagnon, conseiller, conseillère, corporation, corps, école, enseignant, enseignante, exercice, exigence, expérience, expert, expertise, fonction, gagne-pain, habileté, industrie, magasin, maîtrise, matériel, mécanique, méthode, militaire, occupation, ouvrage, pâtissier, pâtissière, permanence, photographe, pilote, placeur, placeuse, professeur, professeure, profession, régisseur, régisseuse, restaurateur, restauratrice, risque, tapissier, tapissière, technique, travail, vendeur, vendeuse, vitrier.

adj. artisanal, astreignant, complexe, dangereux, difficile, dur, exigeant, fastidieux, fatigant, gratifiant, harassant, industriel, ingrat, infâme, intellectuel, lucratif, malsain, manuel, mécanique, noble, odieux, passionnant, pénible, périlleux, permanent, reconnu, routinier, rude, technique.

v. COMPL.: aimer son métier, apprendre un métier, s'attacher à un métier, avoir un métier, changer de métier, choisir son métier, connaître son métier, exercer un métier, (se) former pour un métier, parler de son métier, pratiquer un métier, se spécialiser dans un métier, vanter son métier, vivre de son métier.

expressions
- *Chacun son métier, les vaches seront bien gardées:* chacun doit s'occuper

de ses affaires exclusivement pour que tout marche bien.

- *Il n'est point de sot métier:* tous les métiers sont utiles et respectables.
- *Mettre quelque chose sur le métier:* entreprendre.
- *Une œuvre sur le métier:* une œuvre qu'on est en train de faire.

mystère

n. arcane, cachottier, cachottière, charade, complot, culte, devinette, énigme, formule, initiation, initié, initiée, intrigue, mythe, obscurité, problème, révélation, rite, savoir, secret, symbole.

adj. ancien, authentique, caché, discret, haut, impénétrable, inaccessible, infaillible, inintelligible, intrigant, obscur, policier, religieux, sacré, secret.

v. SUJET: le mystère cache, envenime, perturbe, pique, séduit; **COMPL.:** admettre un mystère, cacher un mystère, dévoiler un mystère, s'entourer de mystère, s'envelopper de mystère, percer un mystère, résoudre un mystère, révéler un mystère.

expressions

- *Ce n'est un mystère pour personne:* chose que tout le monde peut savoir.
- *Prendre un air de grand mystère:* prendre une attitude pour garder une chose cachée, secrète.
- *Faire un mystère de quelque chose:* ne rien en dire.
- *Mot mystère:* type de mot croisé où il faut trouver des mots écrits dans tous les sens.
- *Mystère et boule de gomme:* je n'en ai aucune idée.
- *Mystère!:* je ne sais pas.
- *Quelqu'un plein de mystère:* qu'on connaît mal.

nom

n. anonyme, appellatif, appellation, dénomination, désignation, famille, homonyme, nomenclature, prénom, pseudonyme, signe, sobriquet, surnom, terme, titre, vocable.

adj. abstrait, ancien, beau, célèbre, collectif, commercial, commun, compliqué, concret, digne, doux, drôle, élégant, éloquent, épouvantable, étranger, flatteur, grand, honteux, inusité, joli, logique, noble, nouveau, ordinaire, original, petit, populaire, précis, propre, simple, technique, terrible, unique, verbal, vieux.

v. SUJET: le nom commémore, désigne, identifie, nomme, représente; **COMPL.:** accabler de noms, appeler un nom, baptiser un nom, changer de nom, changer un nom, corrompre un nom, décliner ses noms, déformer un nom, désigner un nom, donner un nom, franciser un nom, laisser son nom, mentionner un nom, modifier un nom, nommer un nom, signer de son nom, signer son nom; **AUTRES VERBES:** dénommer, nommer, renommer.

expressions

- *Appeler les choses par leur nom:* parler franchement.
- *Au nom de la loi (je vous arrête):* en vertu de la loi...
- *Connaître quelqu'un de nom:* le connaître à cause de sa réputation.
- *Cré nom de nom!:* juron.
- *Digne de ce nom:* qui justifie son nom.
- *Ne pas pouvoir mettre un nom sur une tête:* oublier le visage ou le nom des gens.
- *Nom d'un chien!:* juron.
- *Nom d'un petit bonhomme!:* juron.
- *Nom d'un tonnerre!:* juron.
- *Nom d'une pipe!:* juron.
- *Nom de Dieu!:* juron.
- *Une épouvante sans nom:* une épouvante si intense qu'on ne peut la qualifier.
- *Une odeur sans nom:* innommable.

nombre

n. amas, billion, calcul, cent, chiffre, cinq, cinquante, coefficient, cohue, contingent, demie, deux, dividende, dix, dix-huit, dixième, dix-neuf, dix-sept, dizaine, douze, effectif, énumération, essaim, exposant, flot, foule, fréquence, huit, infinité, kyrielle, liste, majorité, minorité, masse, mille, milliard, millième, million, montant, multiplicité, multitude, neuf, nuée, numéro, onze, opération, population, pourcentage, profusion, quantité, quarante, quart, quatorze, quatre vingt dix, quatre, quatre-vingts, quinze, ribambelle, seize, sept, six, soixante, soixante-dix, tas, taux, total, somme, treize, trente, trillion, trois, un, unité, vingt.

adj. abstrait, atomique, cardinal, concret, décimal, défini, divisible, entier, fractionnaire, grand, impair, indivisible, inférieur, infini, multiple, ordinal, pair, petit, premier, supérieur, surnuméraire.

v. SUJET: le nombre se divise, se multiplie, annonce, choque, démontre, illustre, indique, montre, oscille, prouve, s'additionne, se soustrait, varie; COMPL.: additionner un nombre, démontrer un nombre, diviser un nombre, illustrer un nombre, montrer un nombre, multiplier un nombre, prouver un nombre, soustraire un nombre; AUTRES VERBES: dénombrer, nombrer.

expressions

• *En nombre:* en grande quantité.
• *Nombre de fois:* plusieurs fois.
• *Sans nombre:* innombrable.

ordinateur

n. analyste, application, automatisation, branchement, cabinet, cadrage, capacité, caractère, carte, chiffrier, clavier, clone, commande, compilation, comptabilité, configuration, connexion, console, courrier, défilement, désactivation, dessin, disque, disquette, document, donnée, dossier, écran, éditeur, environnement, fenêtre, fichier, fonction, format, formatage, graphique, icône, imprimante, infographie, informaticien, informaticienne, informatique, Internet, lecteur, logiciel, machine, manche à balai, masque, mémoire, microprocesseur, modem, moniteur, option, outil, périphérique, pirate, pointeur, police, portabilité.

adj. branché, compatible, convivial, coûteux, dépassé, digital, efficace, équipé, fiable, infesté, loué, modique, personnel, portable, portatif, prêté, privé, programmable, récent.

v. SUJET: l'ordinateur agrandit, classe, classifie, code, compile, configure, crée, édite, enregistre, envoie, exporte, formate, imprime, informe, mémorise, ouvre, recherche, reçoit, remplace, restaure, saisit, sauvegarde; COMPL.: acheter un ordinateur, activer l'ordinateur, acquérir un ordinateur, commander l'ordinateur, connaître l'ordinateur, désactiver l'ordinateur, fermer l'ordinateur, importer de l'ordinateur, installer l'ordinateur, lancer l'ordinateur, manipuler l'ordinateur, offrir un ordinateur, ouvrir l'ordinateur, préparer l'ordinateur, programmer l'ordinateur; AUTRES VERBES: coller, copier, corriger, couper, effacer, entrer, initialiser, justifier, juxtaposer, masquer, naviguer, répondre.

outil

n. aiguille, aiguisoir, appareil, attirail, balance, baratte, batte, batteuse, bec, bêche, billot, biseau, bistouri, boîte, boulon, broche, burin, butoir, cale, canif, caret, casse-noisettes, chalumeau, cheville, cisaille, ciseau, clef, clou, coin, compas, coupe-légumes, coupe-papier, couperet, couteau, crampon, creuset, crible, cric, crochet, cylindre, débouchoir, dévidoir, drague, drille, enclume, éplucheur, équerre, estampe, étampe, étau, fer, forceps, fraise, gaffe, gratte, grattoir, griffe, hache, hachoir, harpon, hotte, instrument, levier, lime, martinet, machine-outil, mandrin, marguerite, marteau, masque, masse, matériel, mèche, niveau, outillage, peigne, pelle, pic, pied, pilon, pince, pioche, poinçon, pointe, presse, rabot, racle, raclette, râpe, râteau, règle, roue, rouleau, rouet, roulette, sas, scalpel, scie, sécateur, serpe, siphon, spatule, taraud, tenailles, tire-bouchon, tondeuse, tournevis, tourniquet, trident, trousse, truelle, ustensile, valet, vilebrequin, vis, vrille.

adj. agricole, automatique, bel, complexe, déréglé, désajusté, destructeur, détraqué, électrique, électronique, essentiel, fonctionnel, génial, graissé, grand, hydraulique, infernal, ingénieux, magnétique, moderne, musical, nouvel, pneumatique, pratique, spécifique, utile, véritable.

v. SUJET: l'outil affûte, aiguise, broie, casse, concasse, creuse, décape, décolle, étire, fend, fore, frotte, lustre, moud, ouvre, peint, perce, perfore, plie, poinçonne, pompe, pousse, scie, sèche, tire, tord, tourne, tranche, visse; COMPL.: acheter un outil, ajuster un outil, astiquer un outil, automatiser un outil, breveter un outil, concevoir un outil, construire un outil, créer un outil, découvrir un outil, démonter un outil, déposer un outil, désajuster un outil, entretenir un outil, fabriquer un outil, frotter un outil, graisser un outil, huiler un outil, imaginer un outil, inventer un outil, monter un outil, présenter un outil, ranger un outil, régler un outil, trouver un outil, vérifier un outil, visser un outil; AUTRE VERBE: outiller.

secret

n. cachotterie, cachottier, cachottière, complicité, confidence, énigme, mystère.

adj. ancien, capital, confidentiel, dérobé, discret, effrayant, enfoui, énigmatique, furtif, grave, ignoré, important, inconnu, intime, invisible, mystérieux, obscur, occulte, politique, ténébreux, terrible.

v. SUJET: le secret cache, oblige, (se) révèle, stresse, trahit; COMPL.: apprendre un secret, chuchoter un secret, confier un secret, conserver un secret, découvrir un secret, dévoiler un secret, dire un secret, divulguer un secret, douter d'un secret, ébruiter un secret, entendre un secret, garder un secret, murmurer un secret, raconter un secret, révéler un secret, trahir un secret.

expressions

- *Agent secret:* espion, agent du gouvernement.

- *Être dans le secret des Dieux:* être bien informé, au courant de faits que peu de gens connaissent.

- *Faire quelque chose en secret:* faire quelque chose sans que personne ne le sache.

- *Le secret du bonheur:* la recette du bonheur.

- *Sous le sceau du secret:* sous la condition d'une discrétion absolue.

- *Un secret de Polichinelle:* un secret connu de tous.

- *Vivre dans le secret:* vivre dans l'ombre.

tache

n. bavure, crime, déshonneur, ecchymose, faute, honte, impureté, malpropreté, marque, meurtrissure, péché, saleté, salissure, souillure, tare.

adj. dégoûtante, grande, grosse, petite, pigmentaire, vasculaire, vive.

v. SUJET: une tache abîme, barbouille, ennuie, laisse, marque, salit, souille, ternit; COMPL.: enlever une tache, faire une tache, frotter une tache, gratter une tache, laisser une tache, laver une tache, marbrer une tache, nettoyer une tache, ôter une tache.

expressions

- *Être sans tache:* sans honte, sans tare.
- *Faire tache:* rompre une harmonie de couleurs ou toute autre harmonie.
- *La tache originelle:* le péché originelle.
- *Tache aveugle:* point, lieu qui n'est pas perçu.
- *Tache de naissance:* tache qui est présente sur la peau d'un individu dès sa naissance.
- *Tache de rousseur:* augmentation de la pigmentation qui forme une petite tache brune sur la peau et qui s'accentue et se multiplie parfois à la suite de l'exposition au soleil.
- *Tache de son:* tache de rousseur.
- *Tache de vin:* tache rouge sur la peau.